Das Buch

»Der Band enthält die beiden in ihrer klaren Diktion und Gesamtschau noch heute bewundernswerten Artikel ›Ars antiqua‹ und ›Ars nova‹ von Heinrich Besseler und führt über Hans Albrechts ›Humanismus‹ und die vier fundamentalen, der geistesgeschichtlichen Methode zutiefst verpflichteten Grundsatzartikel ›Renaissance‹, ›Barock‹, ›Klassik‹ und ›Romantik‹ von Friedrich Blume zur ›Neuen Musik‹ von Austin. [...] Man wird [...] auf dem gesamten Büchermarkt vergeblich eine solche, von der tiefen Einsicht in die großen geschichtlichen Zusammenhänge getragene Darstellung musikalischer Epochen aus der Feder international führender Gelehrter suchen. Friedrich Blume hat überdies dem Band einen Essay vorangestellt, in dem er sich selbst und dem Leser gegenüber noch einmal Rechenschaft ablegt über Sinn und Aufgabe der heutigen Musikgeschichtsschreibung – Ausführungen, die angesichts einer fast beängstigend wirkenden Spezialisierung und Zersplitterung der Musikwissenschaft in unseren Tagen das Grundsätzliche und Notwendige mit begrüßenswerter Klarheit herausstellen.«

Lothar Hoffmann-Erbrecht in ›Musica‹

Die Reihe

Die ›edition MGG‹ ist eine Folge von Taschenbüchern, in denen Beiträge aus der universalen Musikenzyklopädie ›Die Musik in Geschichte und Gegenwart‹ (MGG) nach thematischen Schwerpunkten zusammengestellt sind. Die von Friedrich Blume bei Bärenreiter herausgegebene MGG gilt als Jahrhundertleistung der Musikwissenschaft – ein Werk von bleibendem dokumentarischen und wissenschaftlichen Wert. Jedem Band der ›edition MGG‹ sind ein Vorwort, weiterführende Literaturhinweise und, sofern sinnvoll, eine Diskographie beigegeben.

edition MGG

Epochen der Musikgeschichte
in Einzeldarstellungen

Mit einem Vorwort von
Friedrich Blume

Deutscher
Taschenbuch
Verlag

Bärenreiter-
Verlag

Als Taschenbuch zusammengestellt aus: Die Musik in Geschichte und Gegenwart. Allgemeine Enzyklopädie der Musik. Unter Mitarbeit zahlreicher Musikforscher des In- und Auslandes herausgegeben von Friedrich Blume. 14 Bände: Kassel 1949–1968. Band 15 und 16 (Supplement): Kassel 1969–1979. Band 17 (Register) in Vorbereitung (Bärenreiter)

1. Auflage Mai 1974
5. Auflage April 1983: 27. bis 33. Tausend
Gemeinschaftliche Ausgabe:
Deutscher Taschenbuch Verlag GmbH & Co. KG,
München, und
Bärenreiter-Verlag Karl Vötterle GmbH & Co. KG,
Kassel · Basel · London
© 1974 Bärenreiter-Verlag, Kassel
Umschlaggestaltung: Celestino Piatti
Satz, Druck und Binden: C. H. Beck'sche Buchdruckerei,
Nördlingen
Abbildungen und Noten: Bärenreiter, Kassel
Printed in Germany · ISBN 3-423-04146-3 (dtv)
                      ISBN 3-7618-4146-9 (Bärenreiter)

Inhalt

Die Arbeiten, die in dem vorliegenden Band zusammengefaßt sind, wurden für die Enzyklopädie ›Die Musik in Geschichte und Gegenwart‹ (MGG) geschrieben, die 1949–1968 im Bärenreiter-Verlag erschien und gegenwärtig durch ein Supplement ergänzt wird. Die einzelnen Beiträge sind im wesentlichen unverändert übernommen worden. Lediglich Bibliotheksangaben und ähnliche Hinweise wurden auf den neuesten Stand gebracht.

Alle hier abgedruckten Artikel bewegen sich um die zentrale Frage: »Wie gliedern wir den Gesamtablauf der Musikgeschichte?«. Dazu muß man einige eindeutige Abgrenzungen des historischen Stoffes vorausschicken. In diesen Essays wird nicht die Rede sein von Volksmusik oder Musik der Völker. Vielmehr haben es die folgenden Aufsätze sämtlich nur mit *Kunstmusik*, d. h. mit der *mehrstimmigen Musik des Abendlandes* zu tun. Damit ist schon der zeitliche Beginn der Themen fixiert: die Überlieferung der ersten mehrstimmigen Musik, die (nach Gilbert Reaney, Manuscripts of Polyphonic Music 11th – Early 14th Century, Band B IV[1] der Reihe Répertoire International des Sources Musicales, München-Duisburg 1966) frühestens der zweiten Hälfte des 12. Jahrhunderts angehört, setzt den »terminus post quem«. Einen »terminus ante quem« jedoch hat sich der vorliegende Sammelband nicht gesetzt. Der Beitrag von William W. Austin behandelt schlechthin die »Neue Musik«, ohne die Frage zu stellen, was von ihr im Hinblick auf ihre älteren Vorgänger historisch zu erwarten sei. Die etwa sieben Jahrhunderte, die sich von Leonin und Perotin bis zu Richard Strauss und Claude Debussy erstrecken, bilden ein großes Ganzes, man möchte sagen: den Sonderfall einer abgeschlossenen »Groß-Epoche« der Musik, eine einheitliche Kette, in der das Gemeinsame die Verschiedenheit der Glieder bei weitem überwiegt. An ihrem Ende erscheint die »Neue Musik« mit dem Anspruch, die Kette zu zerreißen, etwas ganz anderes, Neuartiges und Zukunftsträchtiges zu sein, und es ist nicht unmöglich, daß sie das auch wirklich ist. Wohin ihre Entwicklung steuert, wissen wir nicht. Es wäre durchaus denkbar, daß die »Neue Musik« die Einleitung in eine neue Groß-Epoche der Musik bildet, die in ihrem Wesen der Spätromantik verschlossen bleibt, die sich aber seit einem vollen halben Jahrhundert im Ringen um den Durchbruch zu einem überzeugenden Eigengepräge befindet. Hier enden die historischen Maßstäbe. Man kann von dieser Musik nicht erwarten, daß sie versuche, sich »historisch« zu geben und sich in das Schema einer Gliederung nach historischen Gesichtspunkten einzuordnen.

Übrigens gelten für den Stoff, der in den folgenden Arbeiten abgehandelt wird, Grenzen auch in örtlicher Hinsicht: es geht ausschließlich um den Zusammenhang zwischen den Arten Musik, die in den Ländern *Europas* gepflegt worden sind. Gilbert Reaney behandelt (in dem oben erwähnten Quellen-Katalog) die Länder Belgien, Schweiz, Deutschland, Spanien, Frankreich, Großbritannien, Italien, Österreich, Schweden, die Vereinigten Staaten von Amerika und die Sowjet-Union, wobei die drei letztgenannten (mit einer Ausnahme) nur als Bewahrer einiger Handschriften mitteleuropäischer Provenienz, keineswegs als Schaffende gelten können.

Endlich tritt für die nachfolgenden Arbeiten zu diesen zeitlichen und räumlichen Begrenzungen der Ausschluß aller einstimmigen Musiküberlieferung Europas aus ihrem Programm. Weder das Volkslied noch der Volkstanz noch das protestantische Kirchenlied noch auch der Gregorianische Choral (übrigens Gattungen, die keine eigentliche historische »Entwicklung« durchgemacht haben) konnten berücksichtigt werden. Die Frage: »Wie gliedern wir den Verlauf der Musikgeschichte?« sollte präziser lauten: »Wie gliedern wir die Geschichte der abendländischen mehrstimmigen Kunstmusik?«.

Unabweislich drängt sich dabei die Frage auf, ob es überhaupt einer Gliederung bedarf. Genügt es nicht, wenn wir die historischen Tatsachen ermitteln, um sie chronologisch zu ordnen? Es wäre ein arges testimonium paupertatis, wollte man so verfahren, und es käme dabei nichts heraus als ein Handbuch der äußeren Ereignisse und Daten, etwa wie der allbekannte Karl Ploetz mit seinem ›Auszug aus der Geschichte‹. Geschichte der Musik treiben bedeutet ja nicht nur, die nackten historischen Tatsachen, hinlänglich gestutzt und auf eine Schnur gereiht, vorzuführen, sondern alle in einem einzelnen Gegenstande beobachteten Eigenschaften und Besonderheiten zu verknüpfen und sie in bereits erforschte historische Fakten und Zusammenhänge einzuordnen. Erst so kann das Bild einer historischen Epoche, einer Landschaft, einer Gattung, eines Musikers, eines einzelnen Werkes mit konkurrierenden Erscheinungen der Geistesgeschichte in fruchtbare Beziehung gebracht werden. Das Eine erleichtert das Andere: erst durch die Koordination und die Interpretation der Quellen wird es möglich, sowohl zwischen den wirkenden Persönlichkeiten wie zwischen Werkgruppen oder -gattungen oder zu anderen Bereichen des künstlerischen Schaffens – Literatur, bildende Künste usw. – die vergleichbaren Umstände, ihre Verwandtschaft oder Fremdheit deutlich werden zu lassen, d. h. einer geschichtlichen Untersuchung Leben einzuhauchen.

Der Möglichkeiten, innerhalb der »ersten Groß-Epoche« der Musik Gliederungen des Stoffes vorzunehmen, gibt es viele, und sie befinden sich in fruchtbarem Wettstreit. Die Aufsätze dieses Sammelbandes huldigen einer geistesgeschichtlichen Methode, die es nicht nur auf die realistische Darstellung, sondern auf den Sinnzusammenhang mit gleichzeitigen, bedeutenden geistigen Leistungen abgesehen hat. Ohne Deutung (nicht im poetischen, sondern im analytischen Sinne) bleibt alle, wenn auch noch so subtile Detailforschung an Einzelheiten, die uns die historischen Quellen übermitteln, totes Wissen. »Ebensowenig wie die allgemeine Geschichtsforschung sich mit der bloßen Registrierung von Tatsachen begnügen kann, ist der historischen Musikwissenschaft ein Verzicht auf systematische Ordnung der Musikgeschichte möglich« (Hans Albrecht im Artikel ›Musikwissenschaft‹ in MGG, Band 9, 1961, Spalte 1205).

Zwischen Scylla und Charybdis laviert der Musikhistoriker ständig in dem Bestreben, sich von keiner der Schwestern gefangen nehmen zu lassen und keine der beiden zu ignorieren. Ihn locken auf der einen Seite die weiten Gefilde der noch nicht ausgenutzten Quellen, aus denen er die exakten Texte der musikalischen Werke eines Komponisten, einer Schule, eines Landes zu eruieren sucht, auf der anderen Seite üppige Gärten, die ihn verführen, den soliden Boden der Quellenforschung mit einer poetischen Auslegung, einer Hermeneutik, zu vertauschen. Er muß sich hüten, das Gleichgewicht zu verlieren. Im ersteren Falle mehrt sich zwar die Fülle ernsthafter Kenntnis an neu gewonnenen Daten und Fakten, aber die Interpretation fehlt oder wird vernachlässigt, und es erscheinen dann Fachbücher, aus denen nur der Spezialist (und mitunter nicht einmal dieser) Gewinn ziehen kann. Im entgegengesetzten Falle wirkt unerwiesene Deutung leicht unseriös und unverbindlich. Charakteristische Fälle waren in der deutschen Musikgeschichtsschreibung Friedrich Ludwig (1872–1930), dessen scharfsinnige und konzentrierte Arbeiten auf dem Gebiet der Musik des Mittelalters nur dem engsten Fachmann von Nutzen sein konnten, weil ihnen jede Spur von Deutung fehlt, und Arnold Schering (1877 bis 1941), dessen weitgespanntes, enormes Wissen ihn zu einer hochangesehenen Gelehrtengestalt, oft kühnen und kämpferischen Geistes, gemacht und dennoch nicht verhindert hat, dieses respektable Gelehrtenleben durch seine spätesten Schriften zur Interpretation Beethovens in das Licht unseriöser Phantasterei zu rücken.

In Wirklichkeit gibt es vor der Frage Scylla oder Charybdis kein Ausweichen. Jeder ernste Musikwissenschaftler ist, wenn auch vielleicht nur im geringsten Grade, Forscher und, vielleicht im Übermaß, aber nie hundertprozentig, Interpret. Die hier folgenden Aufsätze bemühen sich, Scylla ebenso wie Charybdis zu vermeiden und weder in das eine noch in das andere Extrem zu verfallen.

Den Anfang machen mit gutem Grund zwei einander ergänzende Arbeiten von Heinrich Besseler († 1969), *Ars antiqua* und *Ars nova* (zuerst 1949–1951 gedruckt in MGG, Band 1, Spalte 679 bis 697 bzw. Spalte 702–729). Auf seine Arbeiten trifft dieses dialektische Verhalten vollkommen zu. Besseler versteht die »Motetten« des Notre-Dame-Zeitalters und der Folgezeit als »Ton-Wortkunst«, wobei der Typus des »Dichter-Musikers« zum ersten Male in der Musikgeschichte greifbar erscheint. Höchst bezeichnend für den Verfasser ist seine »Gesamterklärung« dieser Musik am Ende des Artikels ›Ars antiqua‹. Das »Gesamtbild« einer Epoche, das er im Artikel ›Ars nova‹ zu finden sucht, stützt sich vorwiegend auf seine eigenen Arbeiten (Studien zur Musik des Mittelalters, in Archiv für Musikwissenschaft 7 und 8, 1925 und 1926; Die Musik des Mittelalters und der Renaissance, Potsdam 1931; Bourdon und Fauxbourdon, Leipzig 1950). Das Bild des 14. Jahrhunderts rundet sich unter seinen Händen zu einer selbständigen Phase der Geschichte, die in der Einheit mit der ›Ars antiqua‹ gewiß nicht das ganze Mittelalter umfassen will, wohl aber die Grundlage schuf, auf der andere weiterbauen konnten. Mit vollem Recht hat Edward E. Lowinsky gesagt: »Besseler never wrote unless he had an idea, and he never described without interpreting; indeed, the interpretation of musical phenomena was what chiefly interested him. ... But his sense of responsibility was such that he never allowed himself to generalize without being specific« (im Nachruf auf Besseler in Journal of the American Musicological Society 29, 1971, S. 499).

Die beiden Artikel von Besseler umfassen einen bedeutenden Teil dessen, was man in der Musikgeschichte »das Mittelalter« nennt; Besseler selbst hat das Wort tunlichst vermieden. Das Bild, das wir uns von der Musik des Mittelalters machen können, ist noch immer lückenhaft und umfaßt viele miteinander konkurrierende oder auch einander widersprechende Aspekte.

Der fruchtbare Versuch, die Musik der beiden folgenden Jahrhunderte (des 15. und 16.) auf die Frage hin zu untersuchen, wieweit man sie zu ihrer Einordnung in ein Schema benutzen kann, muß den Grad ihrer Abhängigkeit von dem historischen Phänomen des Humanismus zu ergründen versuchen. Kann *Humanismus* in der Musik ein Stilkriterium sein? Hans Albrecht († 1961) hat in seinem grundlegenden Essay (zuerst in MGG, Band 6, 1957, Spalte 895–918) den Versuch unternommen, diese Beziehung zwischen Musik und Humanismus zu konkretisieren. Gleich anfangs hat er eines der Grundprobleme dieser Geschichtsepoche prägnant angesprochen: »Das enge Ineinanderwirken von Renaissance und Humanismus erschwert die Abgrenzung der beiden Komplexe gegeneinander« (S. 76). Er folgert, daß trotz des Konservativismus der Musiker eine Stilübertragung vom Humanismus undenkbar und daß die musikgeschichtliche Erfassung des Phänomens nur über den Gesamtbegriff »Renaissance« hinweg möglich sei. »Im Wort-Ton-Verhältnis dürften demnach die Elemente zu finden sein, die man als Merkmale des humanistischen Einflusses betrachten muß« (S. 78). In der Tat ist das Wort Humanismus weit entfernt davon, ein für die Geschichte der Musik relevanter Stilbegriff zu sein. Seine Beziehung zur Musik ist zu subtil und zu wenig handgreiflich, als daß sich daraus ein Gewinn für das Verstehen der Musik des Zeitalters ziehen ließe. (Die verschiedenen Versuche, Oden von Horaz oder französische Texte in »vers mesurés« genau nach ihrer Skansion wiederzugeben, haben nur zu seltenen und reichlich primitiven Lösungen geführt.) Sehr beachtliche Schlüsse hat Albrecht gegen Ende des Artikels für das Verhältnis des Humanismus zur Renaissance gezogen; dabei ergänzen Quellenphilologie und künstlerische Interpretation einander völlig ohne Zwang, wenn auch das Resultat im wesentlichen negativ ist.

Die folgenden vier Artikel *Renaissance, Barock, Klassik* und *Romantik* (zuerst in MGG, Band 11, 1963, Spalte 224–291; Band 1, 1949–1951, Spalte 1275–1338; Band 7, 1958, Spalte 1027–1090; Band 11, 1963, Spalte 785–845) umfassen zusammen eine geschichtliche Zeit von rund 450 Jahren und wollen als ein Ganzes verstanden sein. Dem Verfasser kam es darauf an, den Versuch einer unter einheitlichen Gesichtspunkten gesehenen und angeordneten Darstellung der Geschichte der musikalischen Stile etwa des Zeitraums vom 15. Jahrhundert bis zum Ende des 19. Jahrhunderts zu unternehmen. Die Namen der vier Epochen entstammen ebenso wie die Fachterminologie dem kunsthistorischen Sprachgebrauch, aber die Aussagen über die stofflichen Gegenstände und ihre gegenseitigen historischen Beziehungen sind an der Musik geprägt. Es kam darauf an, eine für die Stilgeschichte brauchbare, aber auch nicht nur dem Fachmann verständliche Sprache zu finden, die es erlaubt, das jeweilige Feld in verständlicher Form zu beschreiben und die verschiedenen Felder mit ihren wechselnden Inhalten so plastisch wie möglich herauszuholen. Jeder Schritt zu neuen Aufgaben und Lösungen ist wert, in das Ganze der Epoche eingegliedert zu werden. Dazu dienen die vielen kunsthistorischen und literarischen Vergleiche. Gerade wenn man ausschließlich vom historischen Bestand der untersuchten Objekte ausgeht, zerfällt die Musikgeschichte ohne Zwang, quasi von selbst in die vier Perioden, die hier behandelt werden. An dieser Gliederung und ihrer Gültigkeit hält der Verfasser auch heute noch fest, obwohl sich in den Jahren, die seit der Niederschrift vergangen sind, mancherlei »schwebender Dunst« vor das Bild geschoben hat. Um die Bewahrung dieser Einheitlichkeit und um den Balance-Akt zwischen »philologischer Quellenforschung« und »künstlerischer Interpretation« ist der Verfasser bemüht gewesen.

Einzuwenden, man könne die Gliederung der Musikgeschichte auch anders, von ganz anderen Geschichtsauffassungen her vornehmen, wäre eine hausbackene Weisheit. Selbstverständlich gibt es viele Methoden, deren Anwendung möglich ist, die sich ihre Terminologie autonom verordnen und die vielleicht sogar zu diffizilen Ergebnissen führen können. Sie beeinträchtigen nicht den hier unternommenen Versuch, einen Durchblick durch einen großen Teil der Geschichte zu erhalten, der klare Ordnungen schafft und dem Stoff keine Gewalt antut.

Schwierigkeiten haben sich gegenüber den vier Epochen ›Renaissance‹, ›Barock‹, ›Klassik‹ und ›Romantik‹ nur insofern ergeben – und das liegt in der Natur der Sache –, als die Grenzlinien oder Grenzpunkte der Epochen verschleiert sind. Wann etwas »Neues« begonnen hat, das springt leicht ins Auge und ermöglicht die datenmäßige Fixierung; wann aber etwas aufgehört hat, das ist oft sehr schwer zu erkennen, weil die Musik die Besonderheit besitzt, noch lange nach ihrem »Absterben«, d. h. wenn sie von den führenden Musikern nicht mehr gepflegt wird, an die Kleinmeister und an andere soziale Schichten überzugehen und dort langsam zu welken – ein Prozeß, der sich auf manchen Gebieten über mehr als ein Jahrhundert erstreckt hat, die im Hintergrund sich vollziehende Scheidung der Epochen in Nebel hüllt und die Fragen des Epochenbeginns und des Epochenendes verschleiert. Einen Consensus über dieses Problem zu erzielen, scheint nicht möglich. Die Verdunkelung beruht auf der simplen Tatsache, daß die Gliederungen uns von unserer geschichtlichen Rückschau diktiert werden und nicht von der Überlieferung des geschichtlichen Stoffes her »mitgeliefert« worden sind. Es sind wir, die den Maßstab einer Gliederung an die Geschichte anlegen; die Geschichte selbst erlegt uns kein Ordnungsprinzip auf. Real ist das gelebte Leben, irreal die geschichtliche Forschung, wenn sie Urteile fällt, die in der geschichtlichen Wirklichkeit keinen Platz finden. Der einzelne Musiker fängt immer in irgendwelchen Traditionen an, entwickelt dann seinen eigenen Stil und löst sich nur langsam von Vorbildern (etwa Johannes Brahms, Richard Strauss, Arnold Schönberg). Nur wenigen unter ihnen ist dieser Vorgang bewußt geworden und hat apostatische Lehren hervorgerufen; »es gibt keine schlagartigen Umwälzungen oder einschneidenden Veränderungen; auch der musikgeschichtliche Alltag ist im allgemeinen unsensationell« (Hans Albrecht im Artikel ›Musikwissenschaft‹ in MGG, Band 9, Spalte 1205). In der Musikgeschichte überschneiden sich die Generationen wie die Epochen oft über lange Zeiträume: isorhythmische Motetten sind noch im 16. Jahrhundert (also rund 250 Jahre nach dem Beginn der Gattung) komponiert worden, organale Sätze in weitestem Umfang, und Richard Strauss erscheint mit seinen spätesten Werken in der

Musik der Zeit wie ein Gast von einem anderen Planeten. Letztlich geht in der Musikgeschichte keine Epoche ganz unter, »ohne daß sie etwas von ihrem spezifisch musikalischen Wesen, von ihrer Technik und von ihren Tendenzen auf ihre Nachfahren ausstrahlt« (Hans Albrecht im Artikel ›Musikwissenschaft‹ in MGG, Band 9, Spalte 1204).

Die bereits gestreifte Beziehung (oder Nichtbeziehung) zwischen Richard Strauss und Arnold Schönberg ist ein Musterbeispiel für dieses Nachhängen, dieses Überlappen der Epochen. Beide haben ihren persönlichen Stil um 1900–1910 geprägt. Aber der vitale Richard Strauss (1864–1949) hat diesen Stil kontinuierlich weitergetragen und weiterentwickelt bis in die letzten Werke hinein (›Die Liebe der Danae‹, 1938–1940, und ›Capriccio‹, 1940/41, manche Lieder und Instrumentalwerke noch später), während unter seinen Augen der zartfühlige Arnold Schönberg (1874–1951) mit seinen frühen Liedern und seiner ›Harmonielehre‹ (1911) begann und einen großen Schülerkreis um sich scharte. So verwickelte, zeitlich gegeneinander »verschobene« Situationen kann man durch die ganze Musikgeschichte hindurch beobachten; sie machen die Gliederung des Stoffes so schwierig und ungewiß.

In seinem Schlußbeitrag hat William W. Austin eine umfassende Darstellung der *Neuen Musik*, d. h. derjenigen Erscheinungen, die heute unter diesem Kennwort verstanden werden, gegeben (noch ungedruckt, erscheint in gekürzter Form im Supplement zu MGG) und damit einen überzeugenden Beitrag zur Klärung und Ordnung der tatsächlichen Situation und zur Gliederung des schwer zu übersehenden Stoffes geliefert, bemüht um Neutralität und Objektivität. Ob die »Neue Musik« irgendwie noch mit dem geschichtlichen »Erbe« zusammenhängt und Arnold Schönberg dermaleinst in die Geschichte als Katalysator der heute gänzlich verworrenen Lage der einander ausschließenden »Richtungen« gefeiert werden wird, wissen wir noch nicht. Auch William W. Austin sieht kein Ende der Richtungskämpfe ab. Ist die Romantik wirklich ganz tot?

Schlüchtern, Oktober 1972   Friedrich Blume

I. Begriff und Abgrenzung. – II. Die Quellen. – III. Organum und Motette. –
IV. Sonstige Formen. – V. Die Theoretiker

I. Begriff und Abgrenzung

Die Bezeichnung *Ars antiqua* entstand als Gegenbegriff zur *Ars
nova* anscheinend um 1320 in Paris, als man der neuen Kunst
Philippe de Vitrys die auf den Grundlagen des 13. Jahrhunderts
ruhende ältere Technik und Formenwelt gegenüberstellte. Polemischen Ursprungs, teils dem Kampf, teils der Rechtfertigung die-
nend, war der Name wenig geeignet, ein Zeitalter positiv zu kennzeichnen. Johannes Wolf griff ihn 1904 nur zu dem Zweck auf, um
für die Mensuralnotenschrift vor Vitry ein Gesamtwort zu besitzen
(Geschichte der Mensural-Notation von 1250–1460, Band 1, S. 20
bis 62); das war durch Theoretikeraussagen gerechtfertigt. Hugo
Riemann erweiterte jedoch 1906/07 die beiden Namen zu Stilbegriffen, was angesichts des geringen bis dahin erschlossenen
Denkmalbestandes gewagt erscheinen mußte. Alles Licht fiel dabei
auf die Ars nova, von Riemann als Renaissance gedeutet (Handbuch der Musikgeschichte, Band 2, Teil 1, Vorwort und S. 13–16).
Die Ars antiqua entwickelte sich dadurch auch in der modernen
Auffassung zu einem bloßen Gegenbegriff, der dem Mittelalter
zugeordnet und verhältnismäßig negativ bewertet wurde.

Die Gliederung der Ars antiqua blieb zunächst offen. In seinem
Musiklexikon verwies Riemann auf den »Pariser Organalstil (Kon-
duktensatz) des 12. bis 13. Jahrhunderts«, ohne die grundlegenden
neuen Forschungen Friedrich Ludwigs zu verarbeiten. Eine Gesamtdarstellung, die Ludwig 1924 vorlegte, gab zum erstenmal
einen vollständigen Überblick über das 13. Jahrhundert, wobei
jedoch der Begriff Ars antiqua keinerlei Verwendung fand (Kapitel 3 des Mittelalter-Beitrags in Guido Adlers Handbuch der Musikgeschichte, ²/1930, S. 183–265).

Will man den durch Wolf und Riemann bekannt gewordenen Namen heute noch sinnvoll weiterbenutzen, dann ist eine Beschränkung
notwendig. Man wird sich an denjenigen Schriftsteller halten, der
sein Lebenswerk der Ars antiqua gewidmet und diesem Begriff den
eigentlichen Inhalt gegeben hat: Jacobus von Lüttich. Sein ›Speculum musicae‹ wurde nach eigener Aussage im Alter verfaßt, um
die seit Pariser Jugendeindrücken hoch verehrte Kunst des 13. Jahrhunderts zu verteidigen: »ex tunc principali et primaria intentione
ad antiquorum excusationem quedam de musica mensurabili

17

scribere disposui« (CoussS 2, 384b). Voller Tadel weist Jacobus darauf hin, daß für die jüngeren Musiker – nämlich die Anhänger der Ars nova – fast nur noch Kantilenen und Motetten existierten und daß man zu jener Zeit ein mehr als hundertjähriges Erbe fallen ließ: »a se repellent cantus antiquos organicos, conductus, motettos, hoketos duplices, contraduplices et triplices« (CoussS 2, 394b). Damit ist ein Formenkreis umschrieben, der bis Leonin und Perotin zurückreicht, aber teilweise schon längst nur noch traditionell beibehalten wurde, ohne daß man ihn im lebendigen Schaffen weiterbildete.

Aktuell war für Jacobus die Kunst etwa seit der Mitte des 13. Jahrhunderts, denn seine Hauptautorität ist Franco von Köln, zu dem Lambertus (Pseudo-Aristoteles) und Petrus de Cruce hinzutreten. Sein eigentliches Anliegen bildete die *Mensuralmusik*, wie aus dem obigen Zitat hervorgeht. Man wird daher unter *Ars antiqua* die mensurale Mehrstimmigkeit in Nordfrankreich, besonders in Paris, von etwa 1230–1320 verstehen. Ihr voran ging die *Notre-Dame-Epoche* nebst der gleichzeitigen *Trouvère-* und *Spielmannskunst*, während im 14. Jahrhundert als klar abgesetztes Zeitalter die *Ars nova* folgte. In dieser Abgrenzung deckt sich die Ars antiqua praktisch mit der Anfangsepoche der Mensuralnotation. So hatte Johannes Wolf 1904 den Terminus mit guten Gründen eingeführt.

II. Die Quellen

Die entscheidende Neuerung für Musikhandschriften des 13. Jahrhunderts war die *Mensuralnotation*. Sie gab nunmehr der Polyphonie schon äußerlich das Gepräge, während etwa der Minnesang in der früher üblichen Quadratnotation oder mit Neumen geschrieben wurde, abgesehen von Einzelfällen wie der nicht folgerecht durchgeführten Mensurierung in der Handschrift Paris, Bibliothèque Nationale, fr. 846, oder außerhalb Frankreichs in den spanischen ›Cantigas de Santa María‹. Dasselbe gilt für die Standeskunst der Kleriker mit Conductus und Rondellus als Hauptformen; auch dort sind nur vereinzelte späte Umschriften bekannt (im ›Roman de Fauvel‹, Paris, Bibliothèque Nationale, fr. 146). Ebenso blieb die kirchliche Polyphonie vom Notre-Dame-Typus bei der alten Notierungsweise, abgesehen von den dreistimmigen Organa, die z. T. in Mensuralhandschriften übernommen und umgeschrieben wurden. Wichtig ist aber, daß ein Musiker nach wie vor die bisherigen Aufzeichnungen zu lesen verstand, denn sowohl Johannes de Grocheo um 1300 wie später Jacobus von Lüttich behandeln die gesamte Formenwelt des 13. Jahrhunderts. Erst die Ars nova räumte mit dieser Überlieferung auf.

Die einzige alte Form der Notre-Dame-Epoche, die vollständig in die Mensuralhandschriften überging und sie fast beherrscht, war die *Motette*. Ihr Ursprung lag im Organum Perotins, in dem der Typus um 1200 geprägt worden war. Er fand sogleich Widerhall, verband sich mit der französischen Sprache, mit spielmännischen »Refrains« und Instrumenten, wobei zwischen lateinischen und französischen Werken ein lebhafter Austausch zu beobachten ist.

Diese Frühstufe der Motette – etwa das erste Drittel des 13. Jahrhunderts umfassend – muß der Notre-Dame-Epoche zugerechnet werden und ist in deren Quellen mit Quadratnotenschrift aufgezeichnet. Die großen Codices in Wolfenbüttel, Herzog August-Bibliothek, Cod. Guelf. 628 Helmst. (W_1) und Cod. Guelf. 1099 Helmst. (W_2), in Madrid und Florenz enthalten faszikelweise neben Organa, Conductus usw. auch einen beträchtlichen Vorrat an Motetten. Dazu treten Spezialhandschriften – ebenfalls in Quadratnotation –, die ganz oder teilweise Motetten überliefern, wie München, Bayrische Staatsbibliothek, Cod. gall. 42 (zeitweise unter der Signatur Mus. Ms. 4775 = *MüA*), Paris, Bibliothèque Nationale, fr. 844 (›Chansonnier du Roi‹ = *R*), fr. 12615 (›Chansonnier Noailles‹ = *N*) und lat. 15139 (einst im Pariser Kloster St. Victor = *StV*) sowie zahlreiche kleinere Aufzeichnungen. Zuletzt bringt der umfangreiche Codex Montpellier, Faculté de Médecine, H 196 (*Mo*), in den Faszikeln 2–6, also in seinem alten Korpus, Umschriften solcher Motetten in eine frühe, vorfranconische Mensuralnotation.[1]

Das Neue der eigentlichen Ars antiqua-Handschriften besteht nun darin, daß an Stelle des bisherigen Oktavformates, wie es auch noch *Mo* mit 19,2 × 13,6 cm aufweist, ein Quartformat von etwa 26 × 19 cm tritt. Gleichzeitig wird der Codex dünner, so daß man ihn aufgeschlagen bequem hinstellen kann. Jede Stimme ist für sich notiert, aber so, daß alle Stimmen gleichzeitig lesbar sind und beim Seitenwechsel an genau entsprechender Stelle abbrechen. So entsteht ein zum Musizieren bestimmtes »Lesefeld«, das jeweils eine Seite umfaßt: Oberstimme »Triplum« links, Mittelstimme »Motetus« rechts, Unterstimme »Tenor« durchlaufend unter diesen beiden Kolumnen.

Der älteste vollständig erhaltene Codex ist die Handschrift Bamberg, Staatsbibliothek, Ms. lit. 115 (Ed. IV. 6 = *Ba*), mit 100 Motetten und 8 sonstigen Werken. *Ba* dürfte auf einen konservativen Musikerkreis zurückgehen, der nicht franconisch, sondern nach

---

[1] Faksimile und Übertragung der ganzen Handschrift Montpellier H 196 von Yvonne Rokseth in: Polyphonies du XIIIe siècle, 3 Bände, Paris 1935–1939, Kommentar Paris 1948.

Lambertus (Pseudo-Aristoteles) notierte, im übrigen Latein bevorzugte und nach alter Art viele Kontrafakta statt französischer Original-Motetten sang.[2]

Von der offensichtlich moderneren Handschrift Besançon 716 (*Bes*) ist nur noch das Register der 57 Motetten erhalten, aus der man aber einen gewissen Vorrang des französischen Typus, schätzungsweise für das 3. Viertel des 13. Jahrhunderts, erkennen kann.

Die beiden folgenden Quellen gehören wohl dem letzten Jahrhundertviertel an. Es ist Faszikel 7 der Handschrift Montpellier (*Mo* 7) mit 39 dreistimmigen Motetten in franconischer Notation, die später durch 11 Nachträge ergänzt wurden, und die aus St. Jakob in Lüttich stammende Handschrift Turin, Biblioteca Reale, mss. vari 42 (*Tu*), mit 3 Conductus und 31 dreistimmigen Motetten, letztere fast nur in französischer Sprache, aber wallonischem Dialekt. Die Hauptvorlage von *Tu* stammt jedenfalls aus Paris, wobei möglicherweise der Theoretiker Jacobus von Lüttich die Hand im Spiel hatte.

Ganz abseits steht Faszikel 8 der Handschrift Montpellier (*Mo* 8) mit 1 Conductus und 42 dreistimmigen Motetten wohl aus der Zeit um 1300. Hier scheint nicht nur die Niederschrift, sondern auch der Werkbestand provinziell zu sein; einen Fingerzeig für die Herkunft gibt vielleicht Nr. 313 mit der Erwähnung von Orléans.

Der nächste Codex, die mit Musikeinlagen versehene Niederschrift des ›Roman de Fauvel‹ in Paris, Bibliothèque Nationale, fr. 146 (*Fauv*), stammt aus dem Jahre 1316 und leitet mit 33 teils älteren, teils neukomponierten mehrstimmigen Sätzen zur Ars nova über.[3]

Zu diesen Hauptquellen treten zahlreiche kleinere, ferner Fragmente wie der ehemals vorzügliche Codex Rom, Biblioteca Apostolica Vaticana, Reg. lat. 1543 (*Reg*), der zur älteren Gruppe *Ba-Bes* gehört, oder Darmstadt 3471 (früher 3317 = *Da*), vermutlich Trümmer einer deutschen Sammlung aus der Zeit Francos von Köln. Zuletzt vereinigt im 14. Jahrhundert die spanische Handschrift im Kloster Las Huelgas bei Burgos (*Hu*) unter zahlreichen lateinischen Werken auch 59 Motetten, deren Originalform jedoch vielfach durch den Bearbeiter Johannes Roderici entstellt ist.[4]

Auch in englischen Quellen des 13. und 14. Jahrhunderts leben Stil und Einzelwerke der Ars antiqua fort.[5]

---

[2] Faksimile und Übertragung der Handschrift Bamberg von Pierre Aubry in: Cent motets du XIIIe siècle, 3 Bände, Paris 1908.

[3] Photographische Ausgabe des ›Roman de Fauvel‹ von Pierre Aubry, Le roman de Fauvel, Paris 1907.

[4] Faksimile und Übertragung der Handschrift Las Huelgas von Higino Anglès in: El Codex musical de Las Huelgas, 3 Bände, Barcelona 1931.

[5] Die Gesamtüberlieferung behandelte grundlegend Friedrich Ludwig in: Archiv für Musikwissenschaft 5, 1923, S. 185ff., und in Guido Adlers Handbuch der Musikgeschichte, 2/1930. Ergänzungen gaben Higino Anglès in den Bänden 1 und 2 der Ausgabe

III. Organum und Motette

Den Ursprung der Ars antiqua bildet in erster Linie die Kirchenmusik der Pariser *Notre-Dame-Schule* in den Jahrzehnten um und
nach 1200. Dort verläuft der Hauptstrom der europäischen Polyphonie. Das *Organum* jener Zeit war eine dem Kultus zugeordnete
Form »dienender Kunst« und wurde von denselben Musikern ausgeführt, die den gregorianischen Choral zu singen hatten. Mehrstimmige Musik galt als besonders feierlich und war nur höheren
Festen vorbehalten. An der Spitze standen der 1. und 2. Weih-
nachtstag mit vierstimmigen Organa für die Messe, während an
gewöhnlichen Sonntagen und niedrigen Festen der Choral einstimmig blieb.

Nur solche Formen wurden auskomponiert, in denen Sologesang mit Chor wechselt: die großen Responsorien der Matutin,
das Graduale und Alleluja der Messe, einige Prozessionsgesänge
und schließlich der Wechselruf »Benedicamus domino«, der im
Stundengebet bis zur Vesper und Komplet wiederholt vorkommt.
Die mehrstimmige Bearbeitung beschränkte sich stets auf Solopartien, während Chorabschnitte ausnahmslos einstimmig blieben.

Das Notre-Dame-Organum war demnach eine *Solistenkunst* für
Berufsmusiker. Dieser Grundcharakter hat sich in der Ars antiqua
fortgesetzt und sogar die Ars nova überdauert. Erst im 15. Jahrhundert wurde der Chorklang für die kirchliche Polyphonie ausgewertet. Der Einwand, solistische Ausführung widerspräche dem
Großraum der gotischen Kathedrale, ist nicht stichhaltig, denn
dort erklangen auch die gregorianischen Solopartien, als deren
Schmuck und Steigerung das Organum aufgefaßt werden muß.

Musikalisch bedeutet allerdings die Notre-Dame-Kunst einen
Wendepunkt, und zwar die endgültige Trennung der europäischen
Musiksprache von der Gregorianik. Diejenige Kraft, auf der die
Geschichtswirkung der Notre-Dame-Organa beruht, stammt nicht
aus der Kirche, sondern aus dem Bereich von Lied und Tanz. Das
Organum erweist sich als eine kühne Synthese, deren Glieder zunächst in traditioneller Zweistimmigkeit auftreten. Der ›Magnus
liber organi de gradali et antiphonario‹, die große Organa-Samm-
lung für Messe und Offizium, die der Pariser Magister Leonin wohl
im letzten Drittel des 12. Jahrhunderts anlegte, bestand aus zweistimmigen Organa dupla, mit Schwerpunkt in den sogenannten
»organalen Partien«. Das waren Abschnitte, bei denen der Choral
– als Unterstimme (»Tenor«) weitergesungen – jeweils mit einem
langgehaltenen Einzelton bordunartig die Oberstimme (»Duplum«)
stützte. Die Bezeichnung »organicus punctus« für einen solchen
Abschnitt lebt im Begriff »Orgelpunkt« fort; beim Notre-Dame-

der Handschrift Las Huelgas von 1931 und Heinrich Husmann in: Die drei- und vierstimmigen Notre-Dame-Organa, Leipzig 1940.

Organum folgte die Melodik der Oberstimme hier in der Regel dem gregorianischen Vorbild.

Neben den organalen Partien benutzte jedoch schon Leonin eine ganz andere Technik, um den Choral dort, wo er sich wegen seiner Länge nicht in einzelne Borduntöne zerlegen ließ, als geschlossene Tonfolge durchzukomponieren. Sobald man dazu überging, war ein rhythmisches Prinzip erforderlich, um das neugeschaffene Duplum auf den meist etwas kürzeren Tenorausschnitt abzustimmen. Straff rhythmisierte Teile dieser Art erhielten den Namen »discantus«, der auch in der heutigen Literatur aufgegriffen wurde.

Die überlieferten Organa benutzen den Gegensatz von »organalen Partien« und »Diskantpartien« weitgehend für den Formaufbau. Vor allem war es der Notre-Dame-Kantor Perotin, der um und nach 1200 den Schwerpunkt mehr und mehr in die neue Technik verlagerte, mit ihrer Hilfe zur Dreistimmigkeit der Organa tripla überging, in Einzelfällen sogar zur hochfeierlichen Vierstimmigkeit der Organa quadrupla.

Solche Diskantpartien waren wohl die eigentliche Ausbildungsstätte der *Modalrhythmik*, die als beflügelnde Kraft hinter der stürmischen Entwicklung des Notre-Dame-Organums greifbar wird. Der Durchbruch eines akzentuierenden Taktrhythmus muß als ein Hauptereignis in der Geschichte der Mehrstimmigkeit gelten. Hierdurch wurde die Trennung von der Gregorianik besiegelt, auf der anderen Seite jedoch der Austausch mit lebensverbundener, volkstümlicher Spielmannsmusik hergestellt. Die Melodik der Diskantpartien verrät durch die Herrschaft des Symmetrieprinzips und den Aufbau aus Zweitaktgruppen, daß Lied und Tanz als neue Grundkraft in die Kultmusik eingedrungen sind. In dieser Synthese und ihrer Auswertung für die Mehrstimmigkeit darf man den Kern des Notre-Dame-Schaffens erblicken, insbesondere der Organakunst Perotins.

Anscheinend war es die *Modalrhythmik*, die den erstaunlichen Aufstieg möglich gemacht hat. Ihr Werdegang bedarf noch der Klärung. Mit Sicherheit läßt sich erkennen, daß in jener Musik nicht der Einzeltakt herrscht, sondern ein »Reihenrhythmus«, der das ganze Stück oder einen Abschnitt einheitlich durchströmt. Gewisse Grundrhythmen mit charakteristischer Gestaltqualität standen sich dabei ähnlich gegenüber, wie etwa heutige Tanztypen. Darauf deutet die Bezeichnung »modus vel maneries«, wobei man die Hauptbewegungsarten gewöhnlich als »1.–6. Modus« durchnumerierte. Die Modusfolge der Theoretiker deckt sich nicht genau mit den Rhythmen der Organa-Diskantpartien. Hier hat wohl der Hang zur Systematisierung, besonders auch der Wunsch, an die antiken Versfüße anzuknüpfen, das Bild etwas verzerrt.

Am wichtigsten war der tänzerische oder genauer »reigenmäßige« 1. Modus, der in zwei Formen vorkommt: doppeltaktig als $^6/_8$- oder $^6/_4$-Bewegung mit 2 Zählzeiten, oder einfachtaktig als echte $^3/_4$-Bewegung (♩ ♩). Die Umkehrung der letzteren Form, mit kurzem Akzent und langer Senkung (♩ ♩), ergab einen eigentümlich präzisen Elan, der den Nordfranzosen gefiel, bei anderen Völkern jedoch weniger Anklang fand. Diesen 2. Modus könnte man den »französischen« nennen; er begegnet im Organum nur selten, aber sehr oft in der Trouvère- und Motettenkunst. Ähnlich ist im nächsten, dem 3. Modus, ein zweizeitiger Grundriß (♩ ♩ ♩ | ♪) zu einer eigenartig spröden $^6/_4$-Bewegung (♩. ♩ ♩ | ♩.) verschärft. Sie war im 13. Jahrhundert als Moderhythmus überaus verbreitet und rechtfertigt es, den betreffenden 3. Modus als »gotisch« anzusprechen. Hauptsächlich im Choraltenor findet sich sodann der »würdige« 5. Modus in lauter Ganztakten, während der »behende« 6. Modus mit seinen Viertelnoten ein Grenzfall für die Oberstimmenbewegung war. Der 4. Modus (♩ ♩ | ♩.) wurde selten verwendet.

Das Organum baute sich traditionsgemäß aus Teilen auf, und da dort organale Partien mit Diskantpartien wechselten, konnte auch der Rhythmus umschlagen. Unverkennbar zielte jedoch die Entwicklung auf einen *Einheitsablauf* der Musik, wie ihn später die Bachzeit bevorzugt hat. Für die selbständig komponierten Klauseln und die daran anknüpfende Motettenkunst ist Einheitsmodus bei jedem Stück die Regel. Auch berühmte Großwerke wie Perotins Organa quadrupla verlaufen fast vollständig in der einmal gewählten Grundbewegung.

Die Geschichte der Notre-Dame-Kunst vollzog sich nicht nur in Form freien Schaffens, sondern vor allem auch durch Umarbeitung und Erweiterung vorhandener Werke. Man verstand unter »clausula« einen Organumteil, der über einem bestimmten Tenorabschnitt neu komponiert wurde, in erster Linie also eine Diskantpartie für 2, später auch 3 oder 4 Stimmen. Solche Klauseln konnten als Ersatzteile in vorhandene Organa eingefügt werden, was zur Ausbreitung der *Modalrhythmik* und *Perotinischen Melodik* führte. Wahrscheinlich wurden Klauseln auch selbständig komponiert und einem einstimmigen Choral eingelegt.

Beide Arten von Klauseln vertreten die maßgebliche Technik ihrer Zeit und leiten zur Ars antiqua, nämlich zur freien Mensuralmusik über. Der wichtigste Schritt bestand darin, daß man der modalrhythmischen Oberstimme einer solchen Klausel, öfters auch 2 oder 3 Oberstimmen gleichzeitig, einen Text unterlegte, dessen Metrum der Musik entsprach. Die Verse dienten dazu, den im

23

Tenor gesungenen Choraltext ähnlich zu paraphrasieren und auszuweiten, wie es beim Tropus für große Bezirke der Gregorianik üblich war. Nach dem französischen Ausdruck »mot« nannte man die mit Worten versehene Klausel französisch »motet«, lateinisch »motetus«. Damit erscheint in Notre-Dame – vermutlich um oder kurz nach 1200 – die Form der *Motette*, die sogleich Anklang fand. Sie unterbrach die bisherige Alleinherrschaft der *Melismatik* durch eine plastische, jedermann einleuchtende, aus eigener Kraft lebensfähige polyphone *Ton-Wortkunst*. Eine solche gab es bisher nur außerhalb der Kirchenmusik in Form des Conductus, der jedoch in allen Stimmen frei erfunden war. Im Gegensatz dazu diente als Grundlage der Motette, genau wie bei Klauseln, ein Choralabschnitt in der als Tenor bezeichneten Unterstimme. Er wurde musikalisch als bloße Tonreihe mit schematischer, meist ruhiger Rhythmisierung vorgetragen. Sinnbild religiöser Verwurzelung aller Kunst, lebte dieses Choralfundament auch in der freien Komposition fort, überwog bei weitem in den Motetten des 13. und 14. Jahrhunderts und bewirkte noch im 15. Jahrhundert den technischen Vorrang des Tenors als Kernstimme jeder Musik (»fundamentum relationis« bei Johannes Tinctoris; CoussS 4, 189b). Über dem Tenor der Notre-Dame-Motette bewegt sich modalrhythmisch das Duplum, jetzt als Haupttextstimme Motetus genannt. Tritt eine dritte Stimme hinzu, so heißt sie Triplum, eine vierte Quadruplum. Die bisherige Gleichartigkeit der Oberstimmen weicht nun, da sie mit Worten versehen sind, wachsender Differenzierung. Vor allem das Triplum hebt sich bald durch besonderen Text und lebhaftere Bewegung ab, womit das künstlerische Übergewicht des dreistimmigen Typus eingeleitet wird. Die sehr reiche Motettengeschichte der Notre-Dame-Zeit hat Friedrich Ludwig klassisch dargestellt (Adlers Handbuch der Musikgeschichte, ²/1930, S. 232–250).

Der auffälligste Vorgang in jenem Frühstadium war das sofortige Hinzutreten eines vulgärsprachlich-französischen Zweiges. Das Notre-Dame-Organum hatte mit dem Symmetrieprinzip, der Herrschaft melodischer Zweitaktgruppen und der Modalrhythmik den Bereich von *Lied und Tanz* in sich aufgenommen. Hier lag das Neue der Diskantpartien und Klauseln.

Nur aus dieser Nähe zur spielmännisch-volkstümlichen Musik erklärt sich die überraschende Leichtigkeit, mit der nun kirchlich-lateinische und weltlich-französische Motetten in Wettbewerb traten, sich gegenseitig befruchteten und steigerten.

Ihre Technik war im wesentlichen dieselbe. Liedhafte Melodien der Oberstimmen, die durch Dreiklangsgerüst und Symmetrie spielmännisch anmuten, stammen oft genug aus Notre-Dame-Klauseln und wurden z.T. unmittelbar, noch vor der Existenz eines lateinischen Werkes, mit französischem Text versehen:

Motetus (Duplum): Tot le premier jour de mai A m'a-mi-e m'en rirai...

TENOR: „Ne"

Umgekehrt griff nun aber der Komponist auch zum einstimmig-weltlichen Melodiebestand, verwob allbekannte »Refrains« oder sonstige Zitate in die französische Motette, setzte auch seinerseits wieder manche Wendung als geflügelte musikalische Redensart in Umlauf. Grundlage der Komposition war hierbei der *Choraltenor*, der unverändert in die weltliche Sphäre überging. Er verband sich dort bald mit Liebesdichtung, bald mit Gebet, bald mit parodistischen, ausgelassenen und grotesken Texten, in denen die Geister der gleichzeitigen Schwankliteratur ihr Wesen treiben.

Hatte man den Tenor schon im Organum wegen der langen Borduntöne wohl nicht mehr solistisch besetzt, so wurde nun in den französischen Werken anscheinend instrumentale Ausführung zur Regel. Die Ton-Wortkunst der Motette beruht seitdem in erster Linie auf einem *Mischklang* von solistischen Singstimmen mit Instrumenten, der bis zum 15. Jahrhundert nachwirkte.

Wenn auch über die Besetzung wenig bekannt ist, so stehen zwei Tatsachen fest:

1. Die Motette der Ars antiqua wurde, wie schon das Organum, von solistischen Männerstimmen in hoher Lage ausgeführt.

2. Da der Choraltenor zunächst aus gregorianischen Solopartien entnommen war, fehlt ihm die Tiefenregion.

Der instrumentale Motettenchor des 13. und 14. Jahrhunderts beschränkt sich infolgedessen fast stets auf die Alt-Tenor-Lage. Erst im 15. Jahrhundert führte die Auswertung des Basses zu einem Umschwung in der Komposition.

Das von der Notre-Dame-Epoche gelegte Fundament hat sich für lange Zeit als tragfähig bewährt.

Betrachtet man die *musikalische Technik* und Gesamtwirkung, so fällt auf, daß die Ars antiqua von dem zu Beginn des 13. Jahrhunderts stark ausgeprägten Prinzip der Symmetrie mehr und mehr abging. Die liedhafte Melodik der Klauseln und Frühmotetten wandelte sich zu einer unregelmäßig-kontrapunktischen, wobei die zunächst so überzeugende Einheit von Textmetrum und modalem Taktrhythmus allmählich zerfiel. Polyphonie auf der Grundlage durchgeformter Einzelstimmen wurde das Ideal. Da jedoch die Harmonik als Zusammenfassung fehlte, bieten Werke der Ars antiqua dem Verständnis größere Schwierigkeiten als die von einheitlicher Modalrhythmik durchströmte reife Notre-Dame-Kunst.

Dort lag der Ansatzpunkt für alles Weitere in der Pausenüberbrückungstechnik der drei- und vierstimmigen Organa. Diese von Perotin meisterhaft gehandhabte Technik bestand darin, daß man eine Oberstimme gegen die anderen pausenmäßig verschob, wobei das Ganze gern durch Imitation, Sequenz, Stimmentausch oder Kanon vereinheitlicht wurde.

Ähnlich verfuhr nun auch die Motettenkomposition der beginnenden Ars antiqua, schloß jedoch jede Stimme streng in sich ab und verbannte das Imitationswesen bis zum 14. Jahrhundert aus der französischen Musik. Leitidee war hierbei eine »Harmonie des Verschiedenartigen« durch den Zusammenschluß völlig selbständiger Einzelstimmen in einem abstrakten Ordnungssystem.

Das *Ordnungssystem* der motettischen Polyphonie beruht auf Rhythmus und Klang, nämlich auf den beiden für die Ars antiqua entscheidenden Grundbegriffen »Takteinheit« und »Konkordanz«. Der Begriff »perfectio« – zuerst von Lambertus (Pseudo-Aristoteles) und Franco von Köln wohl um die Mitte des 13. Jahrhunderts benutzt – bezeichnete die für alle Stimmen geltende Takteinheit. Das war ursprünglich die Longa, doch wurden die Regeln bald verallgemeinert. Im »principium perfectionis«, der schweren Zeit eines Taktes, mußten die Stimmen eine Konkordanz bilden: »utendum est semper concordantiis in principio perfectionis« (Franco von Köln; CoussS 1, 132b). Unter »concordantia« verstand man jedoch nicht sinnenhafte Schönheit eines Wohlklanges, sondern die Harmonie geistiger Ordnung.

Was gefordert wurde, war ein gutes, einleuchtendes Abstandsverhältnis der selbstgesungenen Stimme zur Nachbarstimme; als Musterbeispiel solcher Konkordanz traten die reibungsfreien Intervalle Einklang, Oktav und Quint an die Spitze. Es ist begreiflich, daß der ganz andersartige, sinnlich-füllige Terzen- und Sextenklang Diskussionen hervorrief und sich nur langsam in der jüngeren Konsonanzenlehre durchsetzte. Der Konkordanzbegriff der Notre-Dame-Zeit ging nicht von der Klangwirkung aus, sondern konkret von der selbstgesungenen Stimme, deren Abstand von der Nachbarstimme als ein Distanzverhältnis beim Musizieren »mitgehört« wurde. Erst nachträglich machte diese Innenordnung der Polyphonie einer Außenperspektive Platz, bei der man wenigstens teilweise »zuhörte«. Damit war die Voraussetzung für eine mehr auf den Gesamtklang zielende Konkordanzlehre gegeben, wie sie nun von der Ars antiqua praktisch gehandhabt wird. Nicht nur je 2, sondern alle 3 oder 4 Stimmen zugleich sollen konkordieren, die Quart muß durch eine tiefere Stimme zur Sext oder Oktav ergänzt sein, während Terzen und Sexten allmählich vordringen. Der Begriff des Akkordes fehlt noch lange, doch wird in der zweiten Hälfte des 13. Jahrhunderts eine von unten nach oben aufgebaute *Klangsäule* allenthalben benutzt.

Der hier berührte Wechsel ergab sich aus einer *neuen Einstellung* des Menschen *zum Kunstwerk*, die den Übergang von der Notre-Dame-Epoche zur Ars antiqua kennzeichnet. Bisher war die Motette unmittelbar lebensverbunden. Sie diente der kirchlichen Feier oder dem Vergnügen, wurde vielfach auswendig gesungen oder gespielt, nach Belieben geändert, mit neuen Stimmen versehen, ergänzt und erweitert, außerhalb des Kultus mitgesungen und nachgeahmt, ohne daß man sich um den Komponisten kümmerte; noch heute liegt das Motettenwerk der Frühzeit völlig anonym vor.

Diese Züge einer »umgangsmäßigen« Musik ändern sich nun. Das neue Quartformat der Ars antiqua-Handschriften ist zum Lesen und Absingen bestimmt. Die Werke haben eine meist feststellbare Originalgestalt, sind als geistiges Eigentum ihres Schöpfers anerkannt, während die alte Freiheit der Umarbeitung und Zitierung bald verkümmert. Es sind jetzt Motettenkomponisten wie Franco von Köln, Adam de la Halle, Petrus de Cruce und außerdem eine stattliche Reihe von Musikernamen bekannt.

Offenbar handelt es sich hier um eine aus den früheren Lebensbedingungen gelöste, ästhetisch eigenwertige Kunst, die den Namen »Ars« antiqua rechtfertigt. Von wem wurde diese Kunst getragen? Nach Johannes de Grocheo musizierte man Motetten nur im Kreise der Kenner: »coram literatis, qui subtilitates artium sunt quaerentes«.[6] Bei Jacobus von Lüttich erscheint der Ausdruck »sapientium societas«, an anderer Stelle nochmals genauer »valentes cantores et layci sapientes« (CoussS 2, 432a).

Soziologisch waren es also *Musiker und Kenner*, deren freier Zusammenschluß die Ars antiqua getragen hat. Man wird ähnliche Verhältnisse vermuten dürfen wie beim deutschen Collegium musicum des 17. und 18. Jahrhunderts, aber mit Beschränkung auf Paris, da kleinere Städte kaum die nötigen Voraussetzungen boten. Die Hauptquelle sind hier sechs Musikermotetten, die das vergnügliche Treiben in einem solchen Kollegium schildern und auch zahlreiche Namen bringen (in *Mo* 8, 334 mit dem Zusatz »maistre«): *Ba* 52 ›Je me cuidoie‹; und von Adam de la Halle ›Chief bien seantz‹; *Mo* 7, 294 ›Nus hom‹; *Mo* 8,307 ›O regina‹; *Mo* 8, 319 ›A Paris‹; *Mo* 8, 334 ›Pour la plus jolie‹. Das älteste und beste dieser Stücke war nach Ausweis der Handschriften *Ba* und *Bes* schon im 3. Viertel des 13. Jahrhunderts verbreitet. Der Triplumtext beginnt:

›Entre Copin et Bourjois, Hanicot et Charlot et Perron

Sunt a Paris demorant, mout loial compagnon . . . ‹

Wenn Jacobus die Berufsmusiker als »cantores« bezeichnet, so

---

[6] Johannes Wolf, Die Musiklehre des Johannes de Grocheo, in: Sammelbände der Internationalen Musikgesellschaft 1, 1899/1900, S. 65 ff.; Ernst Rohloff, Der Musiktraktat des Johannes de Grocheo, Neuausgabe und Übersetzung, Leipzig 1943.

ist anzunehmen, daß sie meist im Kirchendienst standen. Wahrscheinlich gesellten sich auch Spielleute dazu, denn als Tenor von *Mo* 7, 294 ›Nus hom‹ dient ein Instrumentaltanz ›Chose Tassin‹, offenbar von jenem Tassinus, der 1276 beim Herzog von Brabant und 1288 als königlicher Menestrel in Paris nachweisbar ist.

Ein Auftrag oder Verwendungszweck dürfte bei den Motetten der Ars antiqua in der Regel kaum festzustellen sein. Man wird also zu der Folgerung gedrängt, daß mindestens ein großer Teil dieser Werke nicht mehr beruflich, sondern als Nebenarbeit komponiert wurde. Dort hat sich die Schöpferkraft der Epoche vor allem ausgewirkt.

Außerhalb des Kollegiums von Musikern und Kennern wurde für die Kirchenmusik das Organum der Notre-Dame-Zeit jedenfalls beibehalten, wenn auch Neukompositionen fehlen. Die eigentliche Hinterlassenschaft der Ars antiqua besteht aus freier Musik unter Führung der motettischen Ton-Wortkunst. Maßgebend war hier der Typus *Dichtermusiker*, wie er in Adam de la Halle oder später in Philippe de Vitry und Guillaume de Machaut greifbar wird. Die Hauptform, neben der alles andere zurücktritt, ist die dreistimmige Doppelmotette, mit zwei verschiedenen Texten für männlichen Sologesang und einem in der Regel instrumentalen Tenor. Es gibt auch Tripelmotetten mit drei Texten, wobei der Tenor durch eine solche Singstimme ersetzt werden konnte. In diesem Falle schrieb man das Ganze in drei Kolumnen nebeneinander (Abb. 1). Zitiert wird stets der unmittelbar über dem Tenor liegende Motetus, der nach wie vor als Haupttextstimme gilt.

Nach Stil und Überlieferung gliedert sich der Gesamtbestand in zwei Gruppen, deren erste die mittleren Jahrzehnte des 13. Jahrhunderts umfaßt, während die zweite von etwa 1280 bis zum Beginn der Ars nova reicht.

Die 1. Gruppe ist mit Franco von Köln und Magister Lambertus (Pseudo-Aristoteles) verknüpft; zu ihr gehört Adam de la Halle mit seinen wohl nach 1262 entstandenen, weniger wichtigen fünf dreistimmigen Motetten. Die Hauptquelle *Ba* (nebst *Bes* und *Reg*) reicht etwa bis zum 3. Viertel des Jahrhunderts. Als maßgebende Persönlichkeit hebt sich durch seinen Traktat und allgemeine Anerkennung Franco von Köln heraus, dessen Wirken wohl in die Jahrhundertmitte fällt. Er ist auch als Komponist bezeugt, obwohl ihm kein Einzelwerk sicher zugeschrieben werden kann. Man wird vorläufig die 1. Epoche der Ars antiqua nach Franco benennen, bis die Forschung genaueren Einblick in die Vorgänge gestattet.

Als charakteristisch für die Zeit Francos darf die bereits zitierte, von Adam de la Halle aufgegriffene Musikermotette *Ba* 52 ›Je me cuidoie‹ gelten. Sie bestätigt, daß ein musikalisch-geselliges Kollegium schon um die Jahrhundertmitte vorhanden war. Den Tenor bildet in diesem Werk das französische Virelai ›Bele Ysabelot‹, das

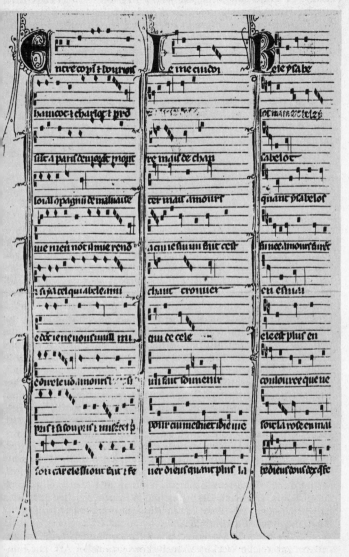

Abb. 1: Dreistimmige Tripel-Motette ›Entre Copin – Je me cuidoie – Bele Ysabelot‹ in der ostfranzösischen Handschrift *Ba* (fol. 31ᵛ).

ohne jede Änderung durchgesungen wird (Abb. 1). Fast ein Drittel der Ars antiqua-Motetten benutzt in ähnlicher Art eine weltliche französische oder instrumentale Tanzmelodie. Auch der sonstige Tenor-Vorrat besteht nur noch zum Teil aus den schematisch rhythmisierten gregorianischen Solopartien der Notre-Dame-Zeit. Man ergänzt ihn durch frei gewählte Choralstellen beliebiger Herkunft, öfters in der Absicht, ein zur Motette passendes Tenor-Stichwort zu finden.

Musikalisch zeigt sich die Ablösung von der Notre-Dame-Epoche am klarsten im *Rhythmus*. Die Triplum-Oberstimme beim Haupttypus der dreistimmigen französischen Motette strebte seit langem nach lebhafter Deklamation. Um die Jahrhundertmitte bewegt sie sich bereits in Breven und Gruppen von 2–3 Semibreven;

das zeigt etwa *Ba* 52 ›Je me cuidoie‹ oder die verbreitete, auch von Franco zitierte lateinisch-französische Doppelmotette *Ba* 32 ›Eximium decus virginum‹. Auf dem Wege zu solchen »franconischen Tripla« wurden die Unterstimmen, also das Grundzeitmaß des Ganzen, derart gebremst, daß die Longa um 1250 etwa doppelt so lang dauerte wie einst im reigenmäßigen 1. Modus. Was früher echte modale Reihenrhythmik gewesen war, zerfiel bei dieser Dehnung des Tempos mehr und mehr in Einzeltakte, die man schließlich vermischen, kombinieren und frei fortbilden konnte. Jeder Notenwert mußte nun eindeutig bezeichnet sein, so daß im 2. Viertel des Jahrhunderts die *Mensuralnotation* entstand.

Bei Franco herrscht bereits der Taktbegriff »perfectio« über eine nur noch traditionell fortgeführte Moduslehre, da ausdrücklich auf das Einheitsmaß aller Modi hingewiesen wird: »per perfectiones omnes modi ad unum reducuntur« (CoussS 1, 127b). Unantastbar blieb jedoch die aus der Notre-Dame-Epoche stammende *Dreizeitigkeit* des mensuralen Rhythmus. Man rechtfertigte sie mit der Vollkommenheit der Zahl 3 als Sinnbild der göttlichen Trinität. Zweifellos entsprach diese Rhythmik dem Grundgefühl des Zeitalters und seinem Wunsch, alle Musik einheitlich zu stilisieren. Der nach Ursprung und Wesen zweizeitige 3. Modus paßte sich auch weiterhin, durch Ausgestaltung zum $^6/_4$- oder $^6/_8$-Rhythmus, dem Gesamtbild an.

Den Typus der Doppelmotette mit franconischem Triplum umrahmen zahlreiche Werke von mehr konventioneller Art. Die Führung lag bei der französischen Motette, deren Triplumstil nur ganz ausnahmsweise zu lateinischem Text Verwendung fand. Daß gerade Franco solche lateinischen Anfänge zitiert, erklärt sich wohl aus der Sprachfremdheit eines Deutschen in Paris. Sobald aber die lateinische Motette an die damals erlöschende Conductuskomposition anknüpft, entwickelt sie hohe Eigenart. Die von dort übernommene Gleichartigkeit der Stimmen läßt den Klang stark hervortreten, besonders wenn auch der Tenor gesungen wird. *Ba* 37 ›Homo miserabilis‹ hat in der deutschen Handschrift *Da* die bessere Fassung und vollen Text beim Tenor, der als Ostinato fünfmal wiederkehrt.

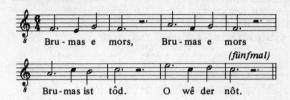

Sein ursprünglich französischer Textanfang wurde wohl als Latein aufgefaßt und in beiden Oberstimmen ausgedichtet. Es liegt nahe, bei dieser zweifellos deutschen Motette an Franco zu denken; sein Ruhm würde durch ein solches Meisterwerk bestätigt. Das Ungewöhnliche der Komposition zeigt sich beim Vergleich der verbreiteten Conductusmotette *Mo* 7, 282 ›Descendi in hortum‹, deren scharfe Gliederung später durch zwei neue Tripla überdeckt wurde. So blieb der Conductusstil in Frankreich auf eine Nebenrolle beschränkt und nur die Polyphonie der Doppel- und Tripelmotette maßgebend.

Die 2. Gruppe von Ars antiqua-Werken, deren Beginn schätzungsweise um 1280 angesetzt wurde, verbindet sich mit Petrus de Cruce aus Amiens (die Schreibweise Pierre de la Croix ist eine nirgends belegte Modernisierung des Namens). Als »magister« bezeichnet, erhielt er 1298 vom französischen König den Auftrag, ein einstimmiges Offizium auf König Ludwig den Heiligen zu komponieren, und galt somit als führender französischer Musiker. Da Jacobus von Lüttich ihn »cantor« nennt, stand er gewiß im Kirchendienst. Die beiden dreistimmigen französischen Motetten, die Jacobus ihm zuschreibt – *Mo* 7, 253 ›Au renouveler‹ und *Mo* 7, 254 ›Lonc tans me sui tenu‹ – weichen von allen bisherigen so stark ab, daß man hier einen Stilwechsel feststellen muß. Der von Petrus de Cruce eingeführte Trennungspunkt, der bei Semibrevispartien die jetzt neu entstehenden Brevistakte sondert, gibt dem Notenbild ein verändertes Aussehen und wurde von den Italienern für die Trecento-Notation übernommen (Abb. 2). So hebt sich die Gruppe der jüngeren Ars antiqua-Handschriften *Mo* 7, *Tu* und *Mo* 8 deut-

Abb. 2: Schluß einer französischen Doppelmotette und Anfang von Petrus de Cruce's dreistimmiger Motette ›Aucun ont – Lonc tens – Annuntiantes‹ in der Lütticher Handschrift *Tu* (fol. 14).

lich ab. Sie umfaßt etwa das letzte Viertel des 13. Jahrhunderts und reicht wohl noch in den Anfang des 14. Jahrhunderts hinein.

Da Jacobus seine Pariser Jugendeindrücke mit Petrus de Cruce verknüpft, wird man dessen Auftreten um 1280 datieren. Entscheidend war wieder eine Dehnung des Grundzeitmaßes infolge lebhafter Deklamation im französischen Triplum. Das neue langsame Tempo, die auch von Theoretikern erwähnte »morosa mensuratio«, galt nur für moderne Werke. Man benutzte somit im Ausgang des 13. Jahrhunderts drei verschiedene Grundzeitmaße nebeneinander:

1. ein langsames für den Petrus de Cruce-Typus;
2. ein mittleres für die Motetten der Francozeit;
3. ein schnelles für die Modalrhythmik der Notre-Dame-Epoche.

Die zunächst recht ungeregelten »Petrus de Cruce-Tripla« bedeuten rhythmisch, daß aus dem bisherigen Longatakt Brevistakte heraustreten und für den Bewegungsablauf maßgebend werden.

Die Großtakteinheit »perfectio« gliedert sich in Kleintakte, die man als »tempus« bezeichnet. Dieser Weg führte zur Melodik und Rhythmik des 14. Jahrhunderts. Die Unterstimmen sind bei Petrus de Cruce derart verlangsamt, daß sie mehr als *Begleitung* des Triplums wirken. Hier kündigt sich das Tenorfundament in Langmensur an, wie es die Ars nova benutzen sollte. Charakteristisch ist ferner die regellose, willkürliche *Deklamation* der Tripla, in denen nur noch lange Schlußnoten gern die Reimsilben unterstreichen. Im übrigen hat sich die Ton-Worteinheit der Notre-Dame-Epoche endgültig aufgelöst, so daß in jüngeren lateinischen

33

Motetten auch *Prosatexte* komponiert werden. Das 14. Jahrhundert übernahm dieses lockere Verhältnis von Wort und Melodie, ohne jedoch die motettische Ton-Wortkunst in ihrem Wesen zu ändern. Man wird also nach wie vor an Dichtermusiker zu denken haben.

Der Petrus de Cruce-Typus bestätigte nochmals die Führerschaft der französischen Doppelmotette, und zwar im Sinne der bisherigen Polyphonie mit wesensverschiedenen Stimmen. Das lebhafte Triplum, der melismatische Motetus und der Tenor mit langen Fundamenttönen kontrastieren denkbar scharf. Dieser Haupttypus wird wieder umrahmt von Werken mehr konventioneller oder gemischter Art, wobei französische Texte, besonders in der Handschrift *Tu*, vorherrschen.

Der Ausgang des 13. und Beginn des 14. Jahrhunderts führt aber auch in der lateinischen Gattung neue Züge herauf. Sie seien im Begriff *Conductusmotette* zusammengefaßt. Da bereits Edmond de Coussemaker vier derartige Werke druckte (L'Art harmonique aux XIIe et XIIIe siècles, Paris 1865, Nr. 21, 22, 23 und 25), hat man sie stark beachtet; so muß unterstrichen werden, daß die Linie der Pariser Motettenkomposition gerade hier umbiegt. In drei Werken herrscht ungewöhnlicherweise genauer Stimmentausch zwischen Triplum und Motetus, die den gleichen Text bringen: *Mo* 8, 339 ›Alle psallite cum luya‹; *Mo* 8, 340 ›Balaam‹; *Mo* 8, 341 ›Huic ut placuit‹. Diese alte Notre-Dame-Technik, von der Ars antiqua längst preisgegeben, hat offenbar in England weitergewirkt, da *Mo* 8, 339 auch in einer englischen Quelle vorliegt und wohl dort komponiert wurde.

Nun aber öffnet sich Frankreich der Anregung, die beiden bisher scharf getrennten Oberstimmen nebst ihren Texten einander anzugleichen, ihnen *Conductusmelismatik* einzufügen und auch hier Instrumente mitwirken zu lassen: *Mo* 7, 275 ›Jam nubes dissolvitur‹; *Mo* 7, 300 ›Salve virgo virginum‹; *Mo* 8, 322 ›Hujus chori suscipe‹; *Mo* 8, 328 ›Ad amorem sequitur‹. Die kantablere Melodik solcher Werke und ihr Farbenreichtum zeugen von einer Freude am Klangsinnlichen, die dem 13. Jahrhundert fremd war. Das ist kein bloßer Geschmackswechsel mehr, sondern läßt vermuten, daß die Grundlage und Kräfteverteilung der bisherigen Motettenkunst ins Wanken geriet. Während in den französischen Petrus de Cruce-Stücken vor allem die Umformung des Rhythmus im Gange war, führte die lateinische Conductusmotette um und nach 1300 zu kantabler Melodik und vokalinstrumentaler Farbmischung. Beide Ströme vereinigten sich zur Ars nova, die als etwas wesenhaft Neues, aber nicht Unvorbereitetes aus der Ars antiqua herauswuchs.

IV. Sonstige Formen

Nach dem Zeugnis der Theoretiker und der Handschriften hat man auch in der 2. Hälfte des 13. Jahrhunderts den Formenreichtum der Notre-Dame-Epoche beibehalten. Zahlenmäßig überwiegt jedoch die Motette derart, daß alles übrige nur als Abrundung hinzutritt.

Dieser Sachverhalt erklärt sich wohl dadurch, daß die Ars antiqua ihren Mittelpunkt im geselligen *Kollegium der Musiker und Kenner* besaß. Für die Kirchenmusik begnügte man sich mit vorhandenen Organa und ergänzte diesen Vorrat allenfalls durch neue lateinische Motetten. Auch im Kollegium wurden alte Werke beibehalten, besonders der Conductus der Notre-Dame-Zeit. Weshalb seine Neukomposition schon um die Jahrhundertmitte so stark zurückgegangen war, bedarf noch der Klärung.

Die Mensuralcodices enthalten nur wenige dreistimmige Stücke, die sich durch Partiturschrift sogleich von den Motetten abheben (Abb. 3). Denn gegenüber der motettischen Polyphonie wesensverschiedener Stimmen vertrat der Conductus das Prinzip der Gleichartigkeit und des gemeinsamen Textvortrags. Sein Kennzeichen blieb daher die Partituraufzeichnung, auch in den Mensuralquellen bis *Tu* und Las Huelgas, in England sogar bis zum 15. Jahrhundert.

Grundlegend für die Conductustechnik der Notre-Dame-Zeit war der Gegensatz von schlichtem Textvortrag und umrahmenden Melismen, die auch später noch benutzt wurden (Abb. 3). Während der frei erfundene Tenor im allgemeinen als Grundstimme dient, legt ihn Adam de la Halle († 1286/87) bei seinen 16 dreistimmigen französischen »Rondel« zum Teil in die Mitte. Ein ähnliches dreistimmiges Rondeau ›A vous, douce debonnaire‹ von Jehannot de L'Escurel († 1303) zeigt bereits erstaunliche Klangfülle. Hier war wohl englischer Einfluß am Werk, wie er oben für die Conductusmotette um 1300 festgestellt wurde. In Randländern fand der Conductus noch Widerhall, auch als ihn die Ars antiqua in Frankreich selber zurückdrängte.

Die letzte von den Theoretikern beschriebene Hauptform stammt gleichfalls aus der Notre-Dame-Epoche. Es ist der für Instrumente bestimmte und meist in Partitur geschriebene *Hoquetus* des 13. und 14. Jahrhunderts. Als »hoquetus« bezeichnete man allgemein das Zusammenwirken zweier Stimmen, wenn jeweils die eine zum Ton der anderen pausierte. Dieser Vortrag einer gleichsam zerschnittenen Melodie (»truncatio vocis«) rechtfertigte das französische Wort »hoquet« = Schluckauf (siehe Notenbeispiel auf Seite 37). Das Verfahren, auch außerhalb Europas nachweisbar, wurde für Gesang und Instrumente an vielen Stellen benutzt. Die Schilderung geht bis zum »hoquetus contraduplex« (mit 2 gegen 2 Stimmen) und »hoquetus quadruplex« (mit 4 Stimmen abwechselnd),

Abb. 3: Dreistimmiger Conductus ›Parce virgo, spes reorum‹ (mit Anfangs-melisma) zu Beginn der Lütticher Handschrift *Tu* (fol. 1).

doch sind 2 Stimmen über einem Tenor weitaus am häufigsten.
Schon zur Notre-Dame-Zeit entstand aus der Technik eine besondere Gattung, da der dreistimmige instrumentale Hoquetus eines
Spaniers über dem Ostertenor ›In seculum‹ Anklang fand. *Ba* enthält als Schlußteil sieben derartige Sätze, zwei davon mit anderem
Tenor, während *Ba* 105 ›In seculum viellatoris‹ in den Oberstimmen freier, fast motettenartig gearbeitet ist. Die hier auf-
tauchende Fiedel »viella« hat bei Johannes de Grocheo unter allen
Instrumenten den Vorrang: »inter omnia instrumenta . . . viella
videtur praevalere«.

Die oben genannten Conductusmotetten um und nach 1300
verbinden ihren Vokalteil mit teils hoquetierenden, teils freien
Vor- oder Nachspielen für 3 Instrumente. Ebenso verfährt die
Motette *Mo* 8, 343 ›Nostra salus‹. Auf diesem Wege drang die
Instrumentalgruppe des Hoquetus in die motettische Kammermusik ein, wo sie von der Ars nova endgültig übernommen wurde.
Lied und Tanz blieben im 13. Jahrhundert einstimmig, sowohl
die *Trouvèrekunst* wie die Refrainformen *Rondeau, Virelai* und
Ballade, abgesehen von den erwähnten conductusmäßigen Sätzen
bei Adam de la Halle und Jehannot de L'Escurel. Mensural notiert
sind elf einstimmige, als »estampie« und »danse« bezeichnete
Instrumentalstücke im ›Chansonnier du Roi‹ (*R*). Ihr Aufbau aus
mehreren, je zweimal erklingenden Abschnitten (»puncta«) mit
Halb- und Ganzschluß (»apertum« und »clausum«) entspricht
genau der Beschreibung, die Johannes de Grocheo dem »Stantipes«
und der »Ductia« widmet. Die drei ältesten zweistimmigen Stücke
solcher Art stehen in der englischen Quelle London, British
Museum, Harley 978.
An *Instrumenten* benutzte das 13. Jahrhundert neben der schon
genannten Fiedel die Kleingeige »rebec« oder »rubebe« und die
ältere Drehleier »organistrum«. Zupfinstrumente waren außer der
bodenständigen Harfe und Leier »chrotta« vor allem Psalterium
nebst Halbpsalterium »micanon«, Gitarre und Kleinlaute »man-
dora« oder »mandola«. Dazu kamen u. a. das Glockenspiel »cym-

bala«, Becken und Schellentrommel, Portativ und Positiv, auch die große Kirchenorgel, die mit Klaviatur und später mit Pedal ausgestattet wurde. Zum Blasen dienten Schnabelflöte und Querpfeife, Einhandflöte mit Trommel, Schalmei, Sackpfeife nebst Platerspiel, Horn und Zinken, schließlich die Trompete »buisine«, als Beutestück von Kreuzfahrern heimgebracht, deshalb in Verbindung mit Pauke nur dem Rittertum und Adel vorbehalten.

Dem Pariser Zentrum der Ars antiqua stand schon in Frankreich eine beharrende Kraft entgegen, wie die provinzielle Sammlung *Mo* 8 verrät. Noch stärker heben sich die Randländer Deutschland, Spanien und England mit peripheren Zügen von der Pariser Kunst ab. Gemeinsam sind ihnen die Abneigung gegen scharf differenzierte Polyphonie und die Vorliebe für den Conductus.

In *Deutschland* mischt das Fragment *Da* Conductus und Motetten, wobei die Niederschrift selber vortrefflich ist. Aber die Fortbildung der Mehrstimmigkeit verlor sich hier auf Seitenpfaden, während einstimmige Musik im Vordergrund blieb.

Auch für *Spanien* stand unter König Alfons X. dem Weisen (1252–1284) – nach Ausweis der berühmten ›Cantigas de Santa María‹ – das einstimmige Lied im Mittelpunkt, doch war Mehrstimmigkeit stärker verbreitet. Kastilien bewahrt die aus Toledo stammende Notre-Dame-Handschrift Madrid, Biblioteca Nacional, 20486, und den Codex Las Huelgas (*Hu*), Katalonien mehrere kleine Handschriften. Die Umarbeitungen in *Hu* zeigen allerdings, daß man den Feinheiten der Pariser Kunst noch fernstand und viel primitiver dachte.

So hat unter den Randgebieten *England* ohne Zweifel den Vorrang. Dort entstanden der ältere Wolfenbütteler Notre-Dame-Codex, der bereits mit englischen Werken vermischt ist, und eine Reihe meist fragmentarischer Quellen, die für das späte 13. und die 1. Hälfte des 14. Jahrhunderts Worcester als einen Hauptort erkennen lassen. Führend war stets Kirchenmusik im Sinne der Notre-Dame-Organa, aber mit weniger hochfliegendem Ziel. Die scharfe Abgrenzung und Überspitzung der Formen wurde gemildert, so daß Choralkomposition, Conductus und Motette sich berühren, zum Teil vermischen. Als Choralvorlage tritt neben dem Proprium mehr und mehr das Meßordinarium in den Vordergrund, was vermutlich auf Chorpraxis deutet. Zum alten Conductusbestand gesellen sich Neukompositionen, darunter vier mit englischem Text. Die schon genannten zweistimmigen Instrumentaltänze stehen in derselben Handschrift wie der berühmte Sommerkanon ›Sumer is icumen in‹, für 4 Stimmen und zweistimmigen Pes. Seine früher angegebene Datierung um 1240 wurde 1944 von Manfred Bukofzer widerlegt, doch dürfte das Werk wegen der Notre-Dame-Stimmentauschtechnik und Bewegung im 1. und 5.

Modus noch dem 13. Jahrhundert angehören. Neu ist an ihm der sechsstimmige Vollklang mit Terzen und Sexten, ein Durchbruch elementarer Klangfreude, die wohl in volkstümlicher Praxis herangewachsen war. Vollklang ähnlicher Art, obwohl in der drei- oder vierstimmigen Kirchenmusik abgedämpft, ist als englischer Beitrag zur Polyphonie um 1300 erkennbar und wirkte auf den Kontinent bei der geschilderten Vorbereitung der Ars nova.

V. Die Theoretiker

Absicht und Empfängerkreis der erhaltenen Musikschriften des 13. Jahrhunderts weichen so stark voneinander ab, daß die Herausstellung einiger Hauptthemen das Ganze nicht erschöpfen kann.

Als erstes Thema galt lange die *Mensuralnotation*, die auch bei Neudrucken die Aufmerksamkeit auf sich zog. Ihr Werdegang, stets verknüpft mit Moduslehre, spiegelt sich in Traktaten verschiedener Herkunft, die nicht immer auf eine Linie zu bringen sind. Den Anfang macht die im ›Tractatus de musica‹ von Hieronymus de Moravia überlieferte anonyme ›Discantus positio vulgaris‹, wohl aus den 1230er Jahren. Auf Johannes de Garlandia d. Ä. folgen um die Jahrhundertmitte der etwas querköpfige Magister Lambertus (Pseudo-Aristoteles) und Franco von Köln, ebenso selbstbewußt wie erfolgreich. Dietricus, Petrus Picardus, Alfred (auch Amerus oder Aumerus; 1271) und zahlreiche anonyme Schriften sind weniger wichtig. Nach 1272 entstand der inhaltsreiche Bericht des englischen Anonymus IV bei CoussS und 1279 der zu einer neuen Phase überleitende Mensuraltraktat aus St. Emmeram in Regensburg. Walter Odington, in England von 1301 bis etwa 1330 nachweisbar, beschließt die Reihe. Dagegen verfolgte Johannes de Grocheo um 1300 viel weitere Ziele, ebenso Jacobus von Lüttich mit seinem Großwerk um 1330.

Die Mensuralnotation ging aus der *modalen Reihenrhythmik* hervor. Nur Schritt für Schritt wurde die zu notierende Melodie freier, aber stets innerhalb der dreizeitigen Hauptrhythmen. So drang man nur ausnahmsweise zu eindeutig-festen Zeichen vor. Meist hatten die Elemente Longa, Brevis und Semibrevis, je nach der Gruppenstelle oder Punktsetzung, verschiedenen Wert. Für die vielgestaltigen Ligaturen und die Pausen setzte sich Francos Regelung durch. Später brachte Petrus de Cruce den obligaten Taktpunkt für die »tempus«-Einheit bei Semibrevisgruppen. Aber diese kleineren Werte waren erst recht mehrdeutig, bis die Ars nova durchgriff.

Das zweite Thema bildete noch für lange Zeit die *Konkordanz-*

39

und *Konsonanzlehre.* Sie dürfte mit der Klangbehandlung der Motette, die oben besprochen wurde, in großen Zügen übereinstimmen. Dem Hervortreten des englischen Vollklanges um 1300 entspricht Odingtons Hinweis, daß große und kleine Terz von den meisten für konsonant gehalten werden und jedenfalls lieblich klingen: »et si in numeris non reperiantur consone, voces tamen hominum subtilitate ipsos ducunt in mixturam suavem« (CoussS 1, 199). So fragt Odington zum erstenmal, ob nicht der Grund darin liege, daß Terzen praktisch nach dem Verhältnis 5 : 4 und 6 : 5 gesungen würden und deshalb konsonant seien. Es gelang ihm allerdings noch nicht, eine so umwälzende Neuerung in das pythagoreische Quintensystem einzubauen.

Das dritte Thema der Theorie, meist mit wenigen Sätzen oder Einleitungskapiteln abgetan, nur ausnahmsweise selbständig durchdacht, war die *Gesamterklärung* der Musik. Seit der Spätantike hatte sie als eine der sieben »artes liberales« den Vorrang vor handwerklichen Künsten (»artes mechanicae«), so daß der mittelalterliche Bildungsmusiker, als Vertreter einer Disziplin (»scientia musicae«), auf bloße Praxis (»usus«) verächtlich herabblickte. Das Wesen der Musik lag in der Zahl (»numerus«), als dem Prinzip des Tonsystems und geordneter Bewegung. Musik bildete mit der ebenfalls auf Zahl gegründeten Arithmetik, Geometrie und Astronomie das Quadrivium, worunter man in der mittelalterlichen Universität (»studium generale«) den zweiten Lehrgang der vorbereitenden Artistenfakultät (»facultas artium«) verstand.

Diesen altüberlieferten Musikbegriff entwickelte Jacobus von Lüttich bis zur letzten Konsequenz. Sein um 1330 abgeschlossenes ›Speculum musicae‹ ist ein Gegenstück zu den Summen der Scholastik. Die spätantike Dreigliederung in kosmische, menschliche und tonhaft-klingende Musik (»musica mundana«, »musica humana«, »musica instrumentalis«) wird hier durch »musica coelestis vel divina« christlich überhöht, wobei der Numerus die Sphären zusammenschließt, also Musik alles Seiende durchwaltet: »musica enim generaliter sumpta objective quasi ad omnia se extendit« (W. Grossmann, Die einleitenden Kapitel des Speculum musicae, Leipzig 1924, S. 58).

Solcher Universalismus, der die klingende Kunst nur als ein Sinnbild auffaßte, war freilich längst im Rückzug. Aristoteles und die Araber, Roger Bacon und der Nominalismus, Wilhelm von Ockham und die Naturwissenschaft kennzeichnen den Gegenstrom, von dem sich Johannes de Grocheo, wohl ein Pariser Magister artium, tragen ließ. Seine ›Ars musicae‹ (um 1300) gilt einer neuen, unbefangenen Erfassung der Wirklichkeit, wobei das Zahlenmäßige der Physik zugeordnet wird. Die Formenkunde, soziologisch unterbaut, beruht auf einer sonst nirgends nachweisbaren Dreiteilung in einstimmig-umgangsmäßige Musik, Polyphonie und Gregorianik (»musica simplex«, »musica composita«, »musica ecclesiastica«).

Johannes de Grocheo beschränkt sich ausdrücklich auf Paris und schildert die Mehrstimmigkeit im Zusammenhang des Musiklebens. Aber auch Jacobus von Lüttich wurzelt als Bewunderer von Petrus de Cruce ganz in der Ars antiqua. Beide Schriften zeigen erst gemeinsam den Reichtum, die Spannungen und das Symboldenken dieser Epoche.

I. Begriff und Bewertung

Die Bezeichnung *Ars nova* ist überliefert als Titel einer Schrift von Philippe de Vitry, die wahrscheinlich um 1320 in Paris entstand. Daß damals eine neue Richtung unter jenem Kennwort hervortrat, bestätigen mehrere Zeugnisse:

1. der Traktat ›Ars novae musicae‹ des Pariser Mathematikers Johannes de Muris von 1319;
2. die Kirchenmusik-Bulle des Avignonesischen Papstes Johann XXII. von 1324/25, in der »novellae scholae discipuli« genannt sind;
3. das ›Speculum musicae‹ des Jacobus von Lüttich, dessen 7. Buch sich gegen die neue Kunst wendet; ihre Vertreter heißen »moderni cantores« oder »aliqui nunc novi« (CoussS 2, 383–433). Diese Tatsachen und die jetzt bekannten Werke von Philippe de Vitry lassen keinen Zweifel darüber, daß die Ars nova eine französische Leistung war. In der neueren Musikwissenschaft hat sich der Begriff »italienische Ars nova« eingebürgert, obwohl kein Dokument vorliegt, in dem der Ausdruck auf Italien angewandt wird.

Wie kam es zu dieser merkwürdigen Verschiebung? Die beiden Früharbeiten von Johannes Wolf (Florenz in der Musikgeschichte des 14. Jahrhunderts, in Sammelbände der Internationalen Musikgesellschaft 3, 1901/02) und Friedrich Ludwig (Die mehrstimmige Musik des 14. Jahrhunderts, in Sammelbände der Internationalen Musikgesellschaft 4, 1902/03) verwenden das Wort überhaupt nicht. Ludwig zitiert in seinem vollständigen Überblick über beide Länder den Traktat Philippe de Vitrys nur kurz. Wolf zog ihn 1904 für seine ›Geschichte der Mensural-Notation‹ heran. Daß der notationstechnisch gemeinte Begriff »Ars nova« zu einer Epochenbezeichnung umgedeutet wurde, geht auf Hugo Riemann zurück. Er war es, der 1907 in seinem ›Handbuch der Musikgeschichte‹, Band 2, Teil 1, die Ars nova der Renaissance zuordnete und so die Blickrichtung des 19. Jahrhunderts übernahm. Hier wirkte nochmals die Suggestivkraft des Renaissanceglaubens nach, den Jules Michelet (Histoire de la France au seizième siècle, 1857) und Jacob Burckhardt (Die Kultur der Renaissance in Italien, 1860) begründet hatten. Die musikgeschichtlichen Tatbestände, zunächst noch lückenhaft, ließen sich umdeuten. Von Vitrys Werken war nichts bekannt. Aus der Ars nova-Zeit um 1320/30 schien keine größere Quelle mehr vorzuliegen, während man auf die italienischen Codices bereits durch Wolfs Musikbeispiele von 1901 wieder aufmerksam geworden war. Verhängnisvoll wirkte für die Chronologie das angebliche Datum 1309 für den ältesten italienischen Mensuraltraktat, das ›Pomerium‹ des Marchettus von Padua. Erst nach zwei Jahrzehnten zeigte sich, daß dieser Traktat für Datierungszwecke ausscheidet, weil er zwischen 1309 und 1343 liegt. Gleichzeitig trat eine französische Ars nova-Quelle in Gestalt der Handschrift Ivrea ans Licht, die auch Werke Vitrys enthielt.

Das Vorurteil gegenüber dem Mittelalter wich einer Neuwertung, ähnlich wie in den Nachbarfächern. Schrittmacher war hier neben dem Kunsthistoriker Max Dvořák vor allem Johan Huizinga (Herfsttij der middeleeuwen, Haarlem 1919, deutsche Ausgabe Herbst des Mittelalters, München 1924, 9/1965). Vorführungen mittelalterlicher Musik fanden Widerhall, seitdem 1922 in der Badischen Kunsthalle Karlsruhe Wilibald Gurlitt, durch Friedrich Ludwig unterstützt, den ersten Versuch wagte. Werke des 14.Jahrhunderts erwiesen sich neben solchen der Notre-Dame-Zeit als besonders eindrucksvoll. Man wird heute den Begriff »Ars nova« wieder dort verankern, wo er geprägt wurde: in der französischen Kunst um 1320. Zum Bahnbrecher Philippe de Vitry gesellte sich der Theoretiker Johannes de Muris, sehr bald auch der etwas jüngere Meister Guillaume de Machaut mit einem lateinischen Frühwerk vom Jahre 1324. Diese drei klar umrissenen Persönlichkeiten sind Inbegriff der *Ars nova*.

Da die ersten isorhythmischen Motetten Vitrys bereits in der Handschrift des ›Roman de Fauvel‹ von 1316 stehen, italienische Polyphonie aus diesen Jahren jedoch nicht überliefert ist, wäre ein Prioritätsstreit für den Süden aussichtslos. Die Trecentokunst Italiens hat sich selbständig entfaltet, aber erst später. Der Name Ars nova, auf die Technik und Notation Vitrys gemünzt, kann nicht so ausgeweitet werden, daß er gänzlich andersartige Erscheinungen deckt. Man wird also, ähnlich wie bei der Ars antiqua, die zentrale französische Kunst für sich betrachten und ihr das Schaffen der Nachbarländer gegenüberstellen. Dieses war freilich im 14.Jahrhundert bedeutsamer als vorher, so daß durch Wechselwirkung ein farbenreiches Gesamtbild entsteht.

II. Die Quellen

Die bereits im Artikel Ars antiqua genannte Handschrift des ›Roman de Fauvel‹ in Paris, Bibliothèque Nationale, fr. 146 (*Fauv*), von 1316 enthält unter 33 mehrstimmigen Sätzen auch die ersten isorhythmischen Motetten. Als Roman mit Musikeinlagen nimmt *Fauv* eine Sonderstellung ein.

Der neue Handschriften-Typus der Ars nova ist aus Fragmenten und vereinzelten Codices erkennbar, wenn man planmäßige Musiksammlungen von größerem Umfang ins Auge faßt. Die Ars antiqua benutzte Quartformat von etwa 26 × 19 cm und ein Lesefeld mit meist zwei Kolumnen über dem durchlaufenden Tenor. Die Ars nova geht jedoch zum *Großquartformat* von etwa 32 × 23 cm über, das in der 2. Hälfte des 14.Jahrhunderts zum *Folioformat* mit rund 37 × 28 cm gesteigert wird. Als Lesefeld dient in der Regel eine Doppelseite, wobei das Motettentriplum links, der Motetus rechts je eine Seite eröffnen (s. S. 46 f.). Schon dieses Notenbild verrät, daß die Zahl der Musiker zugenommen hat. Daneben kommt auch die ältere Schreibung mit zwei Kolumnen auf nur einer Seite vor, namentlich in der Frühzeit. Freier Raum unten auf den Seiten wird gern mit Nachträgen ausgefüllt.

Den zentralen *nordfranzösischen Typus* vertritt vor allem die Gruppe der zum Teil prachtvoll ausgestatteten Machaut-Sammelhandschriften (*Mach*). Von ihnen haben Großquartformat die Handschriften Paris, Bibliothèque Nationale, fr. 1584, fr. 1585 und fr. 1586, und der Codex des Marquis de Vogüé in New York, Wildenstein Collection (eine Kopie in Paris, Bibliothèque Nationale, fr. 1585), Folioformat die Handschriften Paris, Bibliothèque Nationale, fr. 22545/46 und fr. 9221.[1] Sie werden ergänzt durch allgemeine Musiksammlungen in den Fragmenten Cambrai, Bibliothèque Communale, B. 1328 (*CaB*), und London, British Museum, Ms. Add. 41667 I (früher im Besitz von MacVeagh = *McV*), ferner durch ein Doppelblatt mit dem wichtigen Index der Großfolio-Prunkhandschrift La Trémoïlle von 1376 in Serrant, Château (*Trém*). Hierzu gehört wohl auch das 1948 bekannt gewordene Folio-Fragment in Fribourg/Schweiz, Bibliothèque Cantonale et Universitaire, Z 260 (*Frib*), das einst »fol. 86« einer großen Motettenhandschrift bildete.

Neben diesem Haupttypus der großformatigen Musikhandschrift kannte man den *Rotulus*, eine Pergamentrolle von Codexbreite, aber so lang, daß mehrere Stücke übereinander geschrieben wur-

---

[1] Die musikalischen Werke von Guillaume de Machaut wurden herausgegeben von Friedrich Ludwig in 4 Bänden, Band 1–3 Leipzig 1926–1929, Band 4 (bearbeitet von Heinrich Besseler) Leipzig 1943, Nachdruck der Bände 1, 3 und 4 Leipzig 1954, und von Leo Schrade in 2 Bänden in der Reihe Polyphonic Music of the 14th Century, Band 2 und 3, Monaco 1956/57, Edition de l'Oiseau-Lyre.

den. Brüssel, Bibliothèque Royale, 19606 (*Br*) mit 139 cm Länge stammt aus der Frühzeit der Ars nova und enthält außer einem einleitenden Conductus des 13.Jahrunderts 7 vollständige Motetten. Paris, Bibliothèque Nationale, Coll. de Picardie 67 (*Pic*), ist mit 43,5 cm Länge nur ein Fragment und wohl etwas jünger; hier stehen – ganz oder unvollständig – 4 Motetten und 2 Chaces. Aus der 1. Hälfte des 14.Jahrhunderts stammt ferner die durch Coussemakers Ausgabe bekannte kleine Handschrift in Tournai, Kathedralbibliothek, 476 (*Tournai*), mit dem ältesten dreistimmigen Ordinariumszyklus und einer Schlußmotette. Das nordfranzösische Fragment in Bern, Stadtbibliothek, A 421 (*Bern*) ist wieder jünger und gehörte wohl zu einer reinen Liedersammlung.

Diese wenigen zentralen Quellen könnten auch heute kein Gesamtbild ergeben, doch werden sie durch die *Provence* und *Italien* ergänzt. Der Sitz des Papstes in *Avignon* 1309–1377, dann eines Gegenpapstes bis 1417, ließ dort allmählich einen Mittelpunkt für die mehrstimmige Musik entstehen. So ist die Hauptquelle für die nordfranzösische Ars nova ein aus dem Avignonesischen Repertoire der Mitte des 14.Jahrhunderts gespeister Codex in der Kapitelbibliothek von Ivrea im italienischen Alpenvorland (*Iv*). Er enthält unter 81 durchweg anonymen Stücken 37 Doppelmotetten, 25 Ordinariumsätze, 4 Chaces und 11 nachgetragene Rondeaux und Virelais. Durch Codex *Iv* wurden seit 1921 endlich Werke bekannt, die mit Sicherheit oder Wahrscheinlichkeit Philippe de Vitry angehören (s. S. 46 f.). Wichtig war neben dem umfangreichen Werkbestand auch seine Anordnung, die durch andere Quellen bestätigt wird. Die Reihenfolge 1. Motetten, 2. Ordinariumsätze, 3. Chaces oder kleine Liedformen, zeigt klar den Vorrang der Motettenkunst in der Ars nova. Die Meßkomposition trat erst im 15.Jahrhundert an die Spitze. Mit *Iv* verwandt war wohl die fragmentarische Handschrift in Rochester (New York), Sibley Musical Library, Fleischer Fragment 44 (früher bei Prof. Fleischer in Berlin = *BF*), nur wenig jünger der Codex, aus dem Barcelona, Biblioteca Central, M. 853 (*BarcA*), ein Doppelblatt bewahrt. Sowohl *Iv* wie *BF* und *BarcA* haben dasselbe Großquartformat wie die nordfranzösischen Handschriften der Epoche Vitry-Machaut.

Von den genannten Quellen heben sich die der *französischen Spätzeit*, etwa nach dem Tode Machauts 1377, klar ab. Die Motette muß nun ihre Herrschaft mit der drei- bis vierstimmigen Ballade nebst Rondeau und Virelai teilen. Wir besitzen als einzigen Gesamtcodex die von französischen Musikern auf Zypern zwischen 1413 und 1434 angelegte Foliohandschrift Turin, Biblioteca Nazionale, J II 9 (*TuB*), mit 219 singulären Stücken. Die Anordnung ist 1. Ordinariumsätze, 2. Motetten, 3. Balladen, 4. Rondeaux und Virelais; vermutlich war aber die Ordinariumskomposition erst im 15.Jahrhundert an die Spitze getreten. Als Ersatz für die feh-

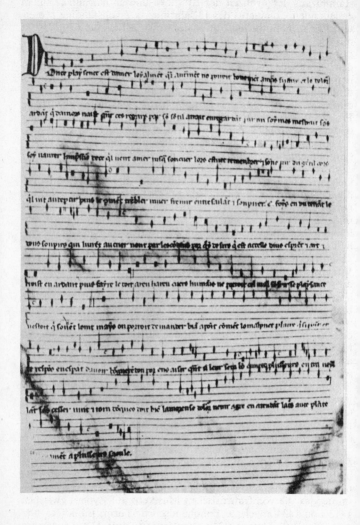

Philippe de Vitry, Dreistimmige Motette ›Douce playsence – Garison selon
nature‹ (Handschrift Ivrea; links fol. 23ᵛ mit Triplum, rechts fol. 24 mit
Motetus und Tenor).

lenden Zentralquellen dienen Abschriften. Die Handschrift Chantilly bei Paris, Musée Condé, 564 (olim 1047 = *Ch*) mit 99 drei-bis vierstimmigen Liedsätzen und 13 Motetten wurde zu Beginn des 15.Jahrhunderts in Italien, vielleicht in Neapel, unter Beibehaltung des Folioformates kopiert. Das Folio-Fragment in Bologna, Biblioteca Universitaria, Cod. 596 HH 2¹ (*BolH*), scheint etwas älter zu sein. Ein Einzelblatt in Autun, Bibliothèque Municipale, 152 (olim 130 = *Aut*), stammt wohl aus einer nordfranzösischen Liedersammlung; ähnliche Reste, die sich einst in Gent, Villingen und bei Fr.-J.Fétis (zum Teil publiziert) befanden, sind inzwischen verschollen. Als oberitalienische Kopie ist wenigstens die Quarthandschrift Paris, Bibliothèque Nationale, n. a. fr. 6771 (Codex Reina = *PR*) erhalten, deren 2. und 3. Teil 79 französische Liedsätze umfaßt.

Der *Kirchenmusik* dienen einige Handschriften aus dem Einflußbereich Avignons, mit dem im Süden üblichen Quartformat. Die 6 Faszikel von Apt, Kathedralbibliothek, 16 bis (*Apt*), mit 34 Ordinariumsätzen, 4 Doppelmotetten und 10 dreistimmigen Hymnen reichen von *Iv* bis in das 1. Viertel des 15.Jahrhunderts hinein. Nur ein kleiner Faszikel ist die Handschrift Barcelona, Orfeó Català, 2 (*BarcB*), etwas umfangreicher und älter die Handschrift Barcelona, Biblioteca Central, 971 (olim 946 = *BarcC*), mit 3 Doppelmotetten und 8 Ordinarumsätzen, von denen 5 als Meßzyklus angeordnet sind. Toulouse, Bibliothèque Municipale, 94 (*Toul*) enthält ein dreistimmiges Ordinarium nebst ›Ite missa‹-Schlußstück. Zu diesen Sammlungen treten Einzelwerke der französischen Spätzeit in oberitalienischen und deutschen Quellen.

Was die Randländer betrifft, so liegt die *italienische Trecentomusik* in zwei durchaus verschiedenen Handschriftengruppen vor, einer mittel- und einer oberitalienischen. Als regelhaft gilt überall Quartformat. *Mittelitalien mit Florenz* überliefert einen weltlichen, fast rein italienischen Bestand von über 500 Madrigalen, Ballaten und Cacce, aber nur 10 Ordinarumsätze und keine einzige Motette. An der Spitze steht seit 1925 das Fragment Rom, Biblioteca Vaticana, Rossi 215 (*Rs*) mit 29 frühen Madrigalen und Cacce. Es folgen die Haupthandschriften Florenz, Biblioteca Nazionale, Cod. Panciat. 26 (*FP*) mit insgesamt 185 Nummern, London, British Museum, Ms. Add. 29987 (*Lo*) mit 119 Nummern, Paris, Bibliothèque Nationale, f. it. 568 (*Pit*) mit 199 Nummern, schließlich der Squarcialupi-Codex in Florenz, Biblioteca Medicea Laurenzenziana Cod. Med. Pal. 87 (*Sq*) mit 352 Nummern in prachtvoller Ausstattung und ungewöhnlichem Folioformat. Aus dem französischen Bestand überliefert *FP* 25 Stücke, *Pit* 30 Stücke und *Lo* ein Stück. Als kleinere Quelle sei noch Rom, Biblioteca Vaticana, Urb. lat. 1419 (*RU 1*) mit 11 geistlichen und weltlichen Stücken genannt.

Ganz anders ist das Bild der *oberitalienischen Quellen*, die von vornherein italienische und französische Werke nebeneinander überliefern, seit Beginn des 15.Jahrhunderts auch der Motette und Kirchenmusik Raum geben. Den Anfang macht hier die bereits genannte Quarthandschrift Paris, Bibliothèque Nationale, n. a. fr. 6771 (*PR*), deren italienischer Eröffnungsteil über 100 Nummern umfaßt. Ebenfalls eine reine Liedersammlung war wohl der Oktavcodex, dessen Überrrest in Rom, Biblioteca Vaticana, Ottob. 1790 (*RO*) erhalten ist. Alle weiteren Quellen gehören auch inhaltlich dem 15.Jahrhundert an, da in ihnen Musik der *Epoche Ciconia* vorherrscht, ältere dagegen mehr und mehr verschwindet. Johannes Ciconia ist als Komponist seit 1400 nachweisbar. Die erste Gruppe dieser Handschriften besteht aus Liedersammlungen mit Oktavformat von höchstens 23×16 cm. Codex 14 aus dem Calvario bei Domodossola/Norditalien (heute im Collegio Rosmini in Stresa) enthält ein aus Padua stammendes Fragment »fol. 133/141« (*Dom*). Sehr viel umfangreicher sind Reste der Liederhandschrift Mancini in Lucca, Perugia und Pistoia, die seit 1938 allmählich bekannt wurden (*Man*). Die kleine Sammlung Paris, Bibliothèque Nationale, n. a. fr. 4917 (*P 49*) besteht aus 24 französischen und 8 italienischen Liedsätzen. Der zweite Faszikel von Paris, Bibliothèque Nationale, n. a. fr. 4379 (*PC*) und die Aufzeichnung London, British Museum, Cotton, Titus A XXVI (*Tit*) gehören bereits der Dufay-Zeit an.

Die zweite Gruppe besteht aus den Hauptquellen der Epoche Ciconia mit größerem Format, mindestens 28×20 cm. Sie seien wegen des Inhaltes als »gemischte Quarthandschriften« bezeichnet. Der Codex Modena, Biblioteca Estense, L. M. 5. 24 (olim lat. 568 = *ModA*), aus zwei faszikelweise ineinandergeschobenen Teilen bestehend, enthält Messensätze, Motetten, französische und italienische Werke in bunter Mischung, zusammen 103 Nummern. Die Blätter in Padua, Biblioteca Universitaria, 684 und 1475, sowie in Oxford, Bodleian Library, Can. Scr. eccl. 228, stammen aus einem ähnlichen Mischcodex in Padua (*PadA*). Messenteile finden sich in Rom, Biblioteca Vaticana, Barb. lat. 171 (*RB*), und in zwei Fragmenten im Staatsarchiv Siena (*SieA* und *SieB*), dort beidemal mit italienischen Ballaten zusammen, Motettenteile in München, Bayerische Staatsbibliothek, mus. 3223 (*MüK*), und Padua, Biblioteca Universitaria, 658 (*PadC*), dort mit französischen und italienischen Werken gemischt. Vermutlich zum Liederteil eines Mischcodex gehörten das Fragment in Padua, Biblioteca Universitaria, 1115 (*PadB*), und das Doppelblatt im Staatsarchiv Parma, Busta n. 7 S, »fol. 233/242« (*Parma*). Die benachbarten großen Handschriften Bologna, Liceo musicale, Q 15 (*BL*), und Oxford, Bodleian Library, Can. misc. 213 (*O*), führen bereits in die Dufay-Zeit.

Unter den Randländern erscheint als der Gegenpol Italiens

England, wo fast nur motettische und kirchliche Musik erhalten ist, Liedformen bis 1400 gänzlich fehlen. Aber England hat spätestens in der 2. Hälfte des 14.Jahrhunderts das Großformat der französischen Ars nova-Motettenhandschriften übernommen und fortgebildet. Diese charakteristische Reihe beginnt mit den Folio-Fragmenten in Oxford, Bodleian Library, E. Museo 7 (*EMus*), und Wolfenbüttel, Herzog August-Bibliothek, Cod. Guelf. 499 Helmst. (W₃). Vollständig erhalten ist im St. Edmund's College in Old Hall ein Messencodex mit Motetteneinlagen aus der Frühzeit John Dunstables, 41,6×27,6 cm groß, mit insgesamt 147 Nummern (*OH*). In seine Nähe gehören die Fragmente London, British Museum, Ms. Add. 40011 B (aus Fountains Abbey = *LoF*), und Cambridge, University Library, Pembroke MS. 314 (olim Inc. C 47 = *Pemb*), sowie Messenteile in einem Leet Book in Coventry (*Cov*), alles Folio-Handschriften in schwarzer Notierung. Die Hauptmasse der englischen Quellen behielt jedoch das alte Quartformat bei, das noch über Dunstable hinaus gebräuchlich war. Die aus Worcester stammenden Handschriften, die den Anschluß an das 13.Jahrhundert herstellen, wurden bereits im Artikel Ars antiqua erwähnt. Zu ihnen tritt eine Reihe von Fragmenten hauptsächlich in Cambridge, Oxford, London und einst bei E. de Coussemaker, darunter die älteste Tabulatur für ein Tasteninstrument in London, British Museum, Ms. Add. 28550 (Robertsbridge Codex = *LoR*). Ins 15.Jahrhundert führt die kleine geistliche Sammlung London, British Museum, Sloane 1210 (*Sl*), die durch andere Fragmente, aber auch durch einen Rotulus mit englischen Carols in Cambridge, Trinity College Library, MS. O. 3. 58 (*Trin*), ergänzt wird. Noch jünger sind zwei gemischte Quarthandschriften mit lateinischen und englischen Werken: Oxford, Bodleian Library, Selden B 26 (*OS*) mit 52 Nummern und London, British Museum, Egerton 3307 (ein erst 1946 bekannt gewordenes Dokument aus der königlichen Kapelle in Windsor = *LoW*) mit 55 Nummern.

Innerhalb Europas umschließen die *deutschen Quellen* das bisher einzige Gegenstück zu den Gesamtcodices des Dichtermusikers Guillaume de Machaut, nämlich zwei Foliohandschriften mit dem Werk Oswalds von Wolkenstein in Wien, Österreichische Nationalbibliothek, Cod. 2777 (*WoA*), und Innsbruck, Universitätsbibliothek (*WoB*). Ältere mehrstimmige Musik bringen Spörls Liederbuch in Wien, Österreichische Nationalbibliothek, Cod. 2856 (einst im Kloster Mondsee = *Spö*), Melk, Codex 391 (olim J 1 = *Melk*) als Einzelniederschrift, und die aus Straßburg stammende kleine Sammlung in Prag, Universitätsbibliothek, XI E 9 (*Pr*) mit 27 mehrstimmigen Nummern. Besonders wichtig – auch für West- und Südeuropa – sind aus dem 15.Jahrhundert zwei gemischte Quarthandschriften mit mannigfachem Inhalt: Codex Straßburg 222 C. 22 (*Str*), der 1870/71 verloren ging, wies einst mindestens

188 mehrstimmige Sätze des 14. und 15.Jahrhunderts auf, die teilweise in E. de Coussemakers Abschriften erhalten blieben; die jüngere Sammlung München, Bayerische Staatsbibliothek, Codex lat. 14274 (zeitweise mit der Signatur Mus. Ms. 3232a, aus St. Emmeram in Regensburg = *Em*), zur Hälfte noch schwarz notiert, hat ihren Schwerpunkt in der Dufay-Zeit. Auch Trient, Archiv des Domkapitels, 87 (*Tr 87*), der Anfangsband der großen Trienter Handschriftengruppe, enthält manches ältere Werk.

In *Polen* greifen einige Quellen auf Musik der Epoche Ciconia zurück. Man kennt vor allem in Warschau, Biblioteka Narodowa, das Manuskript Krasinski 52 (*Kras*) und den ehemaligen Codex St. Petersburg F I 378 (*StP*).

Spanien bietet nach dem bereits im Artikel Ars antiqua besprochenen Codex Las Huelgas für die Mehrstimmigkeit nur einige katalanische Pilgergesänge des 14.Jahrhunderts in der Handschrift Montserrat 1. Das reiche Musikleben am Hof von Aragonien seit etwa 1350 scheint spurlos verweht zu sein.

Berücksichtigt sind in diesem Überblick die Quellen, die mit der französischen Ars nova oder der italienischen Trecentokunst in irgendwelcher Form zusammenhängen.

III. Die Ars nova in Frankreich

Der neue nordfranzösische Handschriftentypus in Großquart mit doppelseitigem Lesefeld läßt erkennen, daß die Musik jetzt anspruchsvoller ist als im 13.Jahrhundert und verstärkte Besetzung erfordert. Wie im Artikel Ars antiqua dargelegt, wurde bei gewissen lateinischen Werken um und nach 1300 die *Hoquetus-Instrumentengruppe* herangezogen. Sie gehört nun anscheinend als fester Bestandteil zur Ars nova-Motette, so daß in der Regel zwei Singstimmen und drei bis vier Instrumente notwendig sind. Der traditionelle »Mischklang« von Sologesang und Instrumenten bleibt unverändert, wird aber auf der einen Seite vermittels einer Spielgruppe ausgestaltet, auf der anderen dadurch bereichert, daß die Triplum-Oberstimme von der bisherigen Männerstimmlage zur Diskantlage übergeht. Offenbar zog man hier Knaben heran, die 1305 zum erstenmal für die königliche Palastkapelle genannt werden. Nach einem Reglement aus der Mitte des 14.Jahrhunderts standen sie der königlichen Familie für Motetten und Balladen zur Verfügung. Nur wenige Werke bleiben ganz bei der alten Männerstimmlage, während umgekehrt in einer stattlichen Reihe von Motetten auch die Motetus-Mittelstimme hochgelegt ist. So verwendet schon Philippe de Vitry mehrfach das später vorherrschende Duett von 2 Diskantstimmen mit instrumentalem Fundament. Der Besetzungsvermerk »pueri« findet sich zwar erst im 15. Jahrhundert, doch geht die polyphone Verwendung von Knabenstimmen ohne Zweifel auf die Ars nova zurück.

Der neue *Farbenreichtum* der Motette, der zur Großquart- und Foliohandschrift geführt hat, zeigt allein schon die Überlegenheit nordfranzösischer Kunst im Zeitalter Vitrys und Machauts. Neben ihr wirken die ältesten italienischen Madrigale mit zwei solistischen Männerstimmen recht bescheiden. Noch mehr gilt dies, wenn man den Gesamtcharakter der Musik ins Auge faßt. Allerdings dürften die technischen Ansprüche der Ars nova-Motette ihre Verbreitung behindert haben, denn wo besaß man Knabenstimmen und Instrumentalgruppen? Es gab zweifellos nur vereinzelte führende Zentren, zunächst Paris, später etwa noch Avignon, während sonst wohl oft genug bescheidenere Verhältnisse zur Vereinfachung oder Anpassung nötigten.

Der auffälligste Wandel gegenüber der Ars antiqua besteht in einem *neuen Verhältnis der Musik zur Wirklichkeit.* Bisher vertonte man meist französische Liebesdichtung konventioneller Art, im lateinischen Bereich betrachtende oder lyrische Texte. Die einzige Gattung, in der sich das Leben einigermaßen widerspiegelt, war die früher gekennzeichnete »Musikermotette« (Artikel Ars antiqua). Durch sie erfährt man etwas vom geselligen Treiben jenes Kollegiums, in dem sich der Musiker lange Zeit geborgen fühlen konnte. Jetzt aber verließ er seine ästhetische Insel, um vor die Öffentlichkeit zu treten, Stellung zu nehmen, politisch oder moralisch zu wirken. Was einst in der Notre-Dame-Epoche zu den Aufgaben des Conductus gehört hatte, übernimmt nun die Motette mit gesteigerten Mitteln. Sie wird zur *öffentlichen Kunst,* die den Anlässen, Feiern, Streitfragen und Persönlichkeiten des politischen und religiösen Lebens verbunden ist. Es gibt Motetten auf die meisten französischen Könige seit Ludwig X. (1314–1316), auf Päpste wie Johann XXII. (1316–1334) oder Clemens VI. (1342–1352), auf König Robert von Neapel (1309–1343), auf die Inthronisation des Erzbischofs Guillaume de Trie von Reims 1324, auf Graf Gaston Phébus de Foix, auf die Not der belagerten Stadt Reims 1356, auf einen unter Papst Gregor XI. (1370–1378) geplanten Kreuzzug.

Breiten Raum beanspruchen daneben Kompositionen auf Heilige, besonders Marienmotetten. Man darf annehmen, daß auch dort meist ein festlicher Anlaß vorlag. Für solche Kunstwerke hatte die lateinische Sprache den Vorrang, was bereits in der Fauvel-Handschrift von 1316 deutlich wird. Lateinisch-französische Mischtexte, wie sie dem 13.Jahrhundert nicht fremd waren, verschwinden jetzt. Die durch E. de Coussemaker 1861 bekannt gewordene ›Ite missa‹-Schlußmotette der Messe von Tournai ›Cum venerint miseri‹ mit ihrem noch in alter franconischer Art gehaltenen, beziehungslos aufgesetzten französischen Triplum ›Se grace n'est‹ gehört als ein letzter Nachzügler stilistisch zur Fauvel-Übergangszeit. Daneben behauptet sich die Doppelmotette mit zwei französischen Texten, wenn sie auch zahlenmäßig hinter der lateinischen Doppelmotette zurücksteht. Mehr als die Hälfte der französischen Werke stammt von Guillaume de Machaut, dessen künstlerische Richtung von derjenigen Vitrys abweicht und weiter unten besprochen wird. Maßgebend ist überall der aus dem 13.Jahrhundert stammende Typus der Doppelmotette mit zwei verschiedenen Texten; als Hauptstimme gilt nach wie vor der Motetus. Zum Unterschied von Ars Antiqua-Werken, die nach dem Motetusanfang zitiert sind, erscheint in dieser Darstellung die Ars nova-Motette stets mit beiden Textanfängen.[2]

Die öffentliche Kunst mit gesteigertem Farbenreichtum neigt musikalisch zur Großform. Hin und wieder ist eine Motette noch in der zwangloseren Art des 13.Jahrhunderts angelegt. Der Haupttypus folgt jedoch dem Bauprinzip der *Isoperiodik*, das von Philippe de Vitry bis weit ins 15.Jahrhundert hinein gültig blieb. Man versteht darunter den Aufbau des Werkes mit Hilfe mehrfach wiederkehrender, zahlenmäßig streng geregelter Perioden. Ihr Fundament liegt im *Tenor*, dessen Melodie meist einer zum Werk passenden Stelle des liturgischen Gesanges entnommen, aber in Langmensur ganz willkürlich rhythmisiert wird. Ist die Motette vierstimmig, dann tritt klangverstärkend ein *Kontratenor* in gleicher Lage und ähnlicher Langmensur hinzu. Nach etwa 10–20 Großtakten beginnt eine neue Periode, mit derselben Rhythmus- und Pausenfolge, auch wenn die Tenor-Melodie noch nicht beendet ist. Die rhythmische Periode hieß in der Regel »talea« (von französisch »taille« = Abschnitt), der vollständige benutzte Melodieabschnitt »color«; auch dieser konnte wiederholt werden. Talea und Color decken sich oft oder stehen im einfachen Verhältnis 1:n. Überschneiden sie sich jedoch, etwa in der Ordnung 2 Color = 5 Talea, dann werden die Melodietöne bei der Wiederkehr anders rhythmisiert (siehe Notenbeispiel auf S. 54).

Die Talea-Notenfolge diente somit als ein Schema, das mehrmals auftrat und auf beliebige Melodieteile stets in strenger Gleichform, »isorhythmisch« angewandt wurde.

Die Periodik des Tenors gilt auch für die beiden Oberstimmen und einen etwaigen Kontratenor, so daß *einheitliche Gesamtgliederung* bei Ars nova-Motetten die Regel ist. An Stelle der Langmensur mit Longa-Breviswerten im Tenor und Kontratenor herrscht jedoch in den beiden Singstimmen freie Melodik mit Brevis-Semibrevis-Minimabewegung. Das Triplum ist meist lebhafter,

[2] Einen Überblick für die Hauptepoche der Ars nova gibt das Verzeichnis von Heinrich Besseler in: Archiv für Musikwissenschaft 8, 1926, S. 222–224, für die französische Spätzeit Erna Dannemann, Die spätgotische Musiktradition in Frankreich und Burgund, Straßburg 1936, S. 61–63.

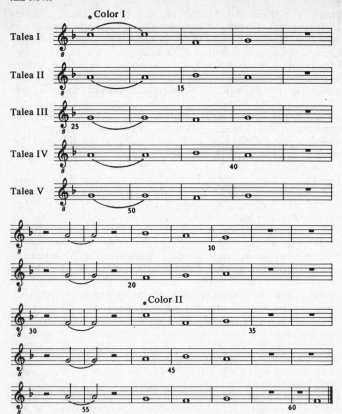

Tenor ›Dolor meus‹ zur Motette ›Fortune mere – Ma dolour‹ (Handschriften *CaB*, *Pic* und *Iv*).

der Motetus etwas ruhiger und kürzer, mitunter auch in anderem Takt gehalten. Die Isoperiodik der Oberstimmen zeigt sich darin, daß der Schlußton jedes Melodieteils und sämtliche Pausen in genau gleichem Abstand wiederkehren. Oft geht man dazu über, den gesamten Rhythmus anzugleichen, also auch in den beiden Oberstimmen die 1. Periode als ein Schema genau zu wiederholen. Derartige *Isorhythmie* herrscht in einer Reihe von Werken, z. B. in Machauts Motetten Nr. 13 und 15, obwohl nicht immer folgerecht durchgeführt. Philippe de Vitry hält sich hier, wie in anderer Hin-

Aus der vierstimmigen Motette ›Pythagorae per dogmata – O terra sancta‹, die zum Kreuzzug unter Gregor XI. 1370–1378 auffordert (Anfänge der vier ersten Perioden im Triplum, nach der Handschrift *Ch*, fol. 63^V–64).

sicht, vom Schematismus fern. Ihren Höhepunkt erreichte die Isorhythmie erst in der französischen Spätzeit nach Machaut († 1377), als man die Technik sogar auf andere Formen übertrug. Wo sie vorliegt, richtet sich die Erfindung in jeder Talea genau nach dem zu Anfang aufgestellten Schema, das also mindestens zweimal, in der Regel öfter auftritt (siehe Notenbeispiel).

Der Begriff Color gilt natürlich nur für den Tenor als Choralfundament, da die anderen Stimmen melodisch frei sind.

55

Man bezeichnet eine freie lateinische oder französische Komposition mit Isoperiodik und Tenor-Fundament als *isorhythmische Motette*. Auch wenn in den Oberstimmen die Isorhythmie nicht streng durchgeführt ist, herrscht sie jedenfalls im Tenor und Kontratenor.

Nach dem Gesamtbauplan gliedern sich die Werke des 14. und 15.Jahrhunderts in zwei Typen, die seit Vitry nebeneinander bestehen. Beim 1. Typus wird eine einzige Periode wiederholt, und zwar drei- bis zwölfmal. Ein freies Vorspiel für Instrumente oder Gesang oder beide zusammen, bei Machaut »Introitus« genannt, kann vorangehen. Zu diesem Typus gehören Machauts lateinische Motetten Nr. 9, 19, 22 und die französischen Motetten Nr. 8, 12–15 und 17.

Der 2. Typus dagegen ist mehrteilig, oft wieder mit vorangestelltem Introitus. Hier folgt auf eine Anfangsgruppe von mindestens zwei Perioden ein zweiter, wohl auch ein dritter und sogar vierter Teil, jeweils mit einer neuen Periodenkette abweichenden Charakters. Meist herrscht im Tenor-Fundament das Prinzip der *Diminution*, das heißt einer mechanischen Verkürzung der Tenor-Werte in zwei oder mehr Stufen. Das Notenbild bleibt in der Regel unverändert: der Tenor wird nur einmal notiert, alles Weitere durch Mensurzeichen oder eine Kanonvorschrift ausgedrückt. In der Spätzeit benutzte man das Wort Color anscheinend auch für solche Diminutionsabschnitte, deren Anwendung immer beliebter wurde. Die beiden Oberstimmen, von vornherein in Kurzmensur und natürlicher Melodik, können Diminutionen höchstens in Gestalt eines Taktwechsels mitmachen. Aber sie bringen zur Steigerung gern Hoquetuspartien (vergleiche Artikel Ars antiqua), und zwar seit Vitry auch mit Text. Den 2. Typus vertreten Machauts lateinische Motetten Nr. 18, 21, 23 sowie die französischen Motetten Nr. 1, 3–5, 7 und 10.

Es gibt als Grenzfall Werke mit mehreren Tenor-Diminutionen, denen im Oberbau keine Isoperiodik mehr entspricht, etwa *BL* 246 ›Salve pater – Felix et beata‹ von Johannes Carmen. Solche »Diminutionsmotetten«, noch der Dufay-Zeit vertraut, darf man nach Herkunft und Sinn dem 2. isorhythmischen Typus zurechnen.

In der isorhythmischen Motette besaß die Ars nova eine für öffentliche Aufgaben verwendbare Großform, deren Geltung sich mehr als ein Jahrhundert lang, bis zu den 1440er Jahren, verfolgen läßt. Der streng zahlenmäßig geregelte Aufbau war nicht für den Hörer gedacht, in den meisten Fällen überhaupt nicht sinnenhaft faßbar. Der Klangeindruck beruht auf dem Gegensatz von zwei ruhig bewegten, ihren Text vortragenden Melodiestimmen in Diskant-Alt-Lage, und einem breitgezogenen instrumentalen Fundament für Tenor allein oder Tenor und Kontratenor. Meist ist das Triplum, oft auch der Motetus für Knaben gedacht, während Tenor und Kontratenor in Mittellage bleiben und *c* nicht unterschreiten (siehe Notenbeispiel).

Dieser *Motettenklangtypus* darf als Wahrzeichen der französischen Ars nova gelten. Er begegnet auch dort, wo man Isoperiodik und Isorhythmie nur zögernd übernahm: in der Avignonesischen Kirchenmusik seit dem mittleren Drittel des 14.Jahrhunderts, dann

Beginn der vierstimmigen Motette ›Vos quid – Gratissima‹ von Philippe de Vitry (Handschriften *CaB* und *Iv*).

vor allem in der oberitalienischen Kirchenmusik und Motette der Epoche Ciconia seit 1400. Erst der neue Einheitsklang des niederländischen Chorstils, der sich um 1440 ausprägte, hat hier Wandel geschaffen. Die Trecentokunst Mittelitaliens, die dem Motettenklangtypus fernblieb, beweist schon dadurch ihre Sonderart gegenüber der französischen Ars nova.

57

Als Schöpfer der isorhythmischen Motette muß – auf Grund eines Quellen- und Werkvergleiches – *Philippe de Vitry* gelten (1291–1361). Wohl der Sohn eines königlichen Hofbeamten, wuchs er in politischer Umwelt heran und erstrebte mit seiner Kunst öffentliche Wirkung in Paris. Bereits die Fauvel-Handschrift von 1316 bringt zwei isorhythmische Motetten: ›Tribum – Quoniam‹ und ›Garrit Gallus – In nova‹. Um oder kurz nach 1320 zitiert Vitry in seiner selbstsicher auftretenden, an Einfluß nur Franco von Köln vergleichbaren Schrift ›Ars nova‹ eine Anzahl Motetten, vermutlich lauter eigene Werke. Bald war er als führender Dichter-musiker anerkannt, mit Johannes de Muris befreundet, dem 13 Jahre jüngeren Francesco Petrarca verehrungswürdig als univer-saler Geist: »veri semper acutissimus et ardentissimus inquisitor, poeta nunc unicus Galliarum«.

Vitry gehört, für das Mittelalter höchst ungewöhnlich, zum Ty-pus des »klassischen« Künstlers. Sein Ziel ist weder eine dem Kul-tus dienende, noch dem Leben verbundene gesellige Ton-Wort-kunst wie in der Ars antiqua, sondern die Mitteilung von Gehalten in großer, gestalthafter Form. Seine Motetten geben sich, sowohl durch den selbstgedichteten Text wie durch Melodie und Gesamt-bau, stets persönlich und charakteristisch.

Erhalten sind von ihm wohl zwölf Stücke, darunter das oft zitierte Meisterwerk ›Tuba – In arboris‹, ein Glaubensbekenntnis mit Gegenüberstellung von »fides« und »ratio«. Vitry schreckt nicht davor zurück, in ›Hugo – Cum statua‹ sich selbst und einen Gegner beim Namen zu nennen. Berühmt war seine Absage an das Hofleben ›Colla jugo – Bona condit‹, die im Lobpreis persönlicher Freiheit gipfelt: »malo fabam rodere / liber et laetari / quam cibis affluere / servus et tristari«. Lange Zeit mit einer Sinekure am königlichen Hof bedacht, wurde Vitry 1351 ungern – »invitus animo« – Bischof von Meaux bei Paris und starb 1361.

Als Hauptthema gilt in den gleichzeitigen Traktaten die Reform der Notenschrift im Anschluß an die französische *Ars nova-Rhyth-mik*. Deren Kennzeichen war ein gegliederter Gruppenaufbau mit Großtakten im Tenor und Kontratenor, mittlerer Bewegung im Motetus und Kleintakten im Triplum. Der Gesamtbereich von der Maxima-Note über Longa, Brevis, Semibrevis bis zur Minima wurde nun tatsächlich in ein und demselben Werk benutzt, wobei Vitry die nach oben gestrichene Form der Minima ♦ einführte.

Das zweite Merkmal bildet die Gleichberechtigung von dreizei-tiger »perfekter« und zweizeitiger »imperfekter« Mensur in allen Stufen. Vorübergehender Mensurwechsel einer Stimme, etwa $2 \times {}^3/_2$ statt $3 \times {}^2/_2$ in durchlaufender ${}^2/_2$-Bewegung, wurde durch rote Noten bezeichnet. Auch sie waren eine Neuerung Vitrys; man beobachtet sie erstmalig 1316 in der oben genannten Motette ›Garrit – In nova‹. Wenn sogar Marchettus von Padua hierauf anspielt (»cantus mixti diversis coloribus figurati«), obwohl die Italiener den Farbwechsel nicht kannten, so bestätigt er nur wieder den Vorrang des Nordens.

Aus den Erörterungen der 1320er Jahre schälte sich das rhythmische System der Ars nova mit seinen vier Mensurgruppen heraus: »Modus major« als Verhältnis der Maxima zur Longa, »Modus minor« oder schlechthin »Modus« als Verhältnis der Longa zur Brevis, »Tempus« als Verhältnis der Brevis zur Semibrevis und »Prolatio« als Verhältnis der Semibrevis zur Minima. Es bildet seitdem die Grundlage der *Mensuralnotation*.

Jeder Notenwert, mit Ausnahme der Minima, war sowohl drei-

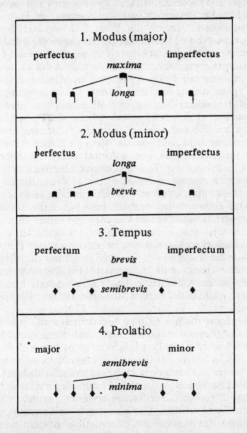

Das Mensuralsystem der Ars nova.

zeitig-perfekt wie zweizeitig-imperfekt. Ein Wechsel innerhalb des Stückes mußte vermerkt werden, was eine Reihe von Mensurzeichen erforderlich machte. Die Taktpunkte von Petrus de Cruce (vergleiche Artikel Ars antiqua) verschwanden wieder, doch behielt man Ligaturen, Alteration und die damit verknüpfte Punktsetzung. Dieses wohlgegliederte System entsprach Vitrys Mottenrhythmik. Es wurde später dadurch verwickelter, daß Musik anderer Art mit neuen Forderungen hinzukam. So entstand als eine getrennte Stufe die Notation der französischen Spätzeit nach dem Tode Machauts. Sie beruht auf starker Differenzierung der Kleinwerte und wird in anderem Zusammenhang besprochen.

Den ersten Grundriß des Ars nova-Systems hat anscheinend nicht ein Musiker entworfen, sondern *Johannes de Muris*, Mathematiker und Astronom an der Pariser Universität. Seine ›Ars novae musicae‹ von 1319 will nur als Beitrag eines Musikfreundes gelten, definiert jedoch unter dem Namen »gradus« die künftigen vier Mensurgruppen, berechnet das Verhältnis des kleinsten Wertes zum größten mit $1 : (3^4 =) 81$, wie es Minima und Maxima perfecta später darstellen, und fordert Gleichberechtigung von zwei- und dreizeitiger Mensur in mathematischer Allgemeinheit.

Offenbar hatten sich Johannes de Muris und Philippe de Vitry bald gefunden. So entstand in Paris die führende Theoretikerschule, deren Ansicht Johannes de Muris im ›Libellus cantus mensurabilis‹ niedergelegt hat. Als Autorität galt Vitry neben Franco von Köln und Boethius. Der spekulative Überbau, den Jacobus von Lüttich in ›Speculum musicae‹ um 1330 ein letztes Mal zusammengefaßt hatte, ist einer wirklichkeitsnahen Betrachtung gewichen. Das Thema dieser »realistischen« Musiktheorie, auf deren Bahn sich bereits Johannes de Grocheo mit seiner ›Ars musicae‹ um 1300 bewegt hatte, bilden Notation, Konsonanzlehre, Technik der isorhythmischen Motette und bald auch anderer Formen. Die Musik blieb im Rahmen des Quadriviums, aber nun der aufsteigenden Naturwissenschaft benachbart. Die Rolle der Akustik in der französischen Aufklärung des 18.Jahrhunderts kündigt sich, der Tendenz nach, in der Pariser Musiktheorie des 14.Jahrhunderts bereits an.

Die Vorgänge, die um 1320 zu beobachten sind, bedeuten eine Umwälzung. Zum erstenmal tritt in der mehrstimmigen Musik das von einer schöpferischen Persönlichkeit getragene *freie Kunstwerk* hervor. Die Großform der isorhythmischen Motette ist autonom, fügt sich weder der Liturgie noch einer gesellschaftlichen Ordnung ein, bewahrt auch dort, wo sie als Festmusik benutzt wird, ihren ästhetischen Eigenwert. Der hochgesteigerten sinnlichen Wirkung mit neuem Farbreichtum, Dreiklangstechnik, kantabler Melodie und Anfängen der musica falsa-Chromatik entspricht ein subtiler, auf Isoperiodik, Isorhythmie oder Diminution gegründeter Bauplan mit ebenso starker Rationalität. Dieses neue Gleichgewicht von Sinnlichkeit und Form bot einen Maßstab, dem die Kunst des 13.Jahrhunderts nicht gewachsen war. So versank mit dem Siege Vitrys nicht nur der Werkvorrat der Ars antiqua, sondern vor allem die Conductus- und Organakunst der Notre-Dame-Zeit, die man bisher immer noch gepflegt hatte. Für die Ars nova gab es, wie Jacobus von Lüttich bezeugt, praktisch nur noch Motetten und Lieder: »moderni quasi solis utuntur motetis et cantilenis« (CoussS 2, 428b).

Die Handschriften überliefern aus der Epoche Vitry-Machaut als Nebenform die *Chace* mit französischem Text. Es handelt sich um unbegleitete Kanons für drei Singstimmen im Einklang, wobei der Text – als Jagdschilderung, Morgenständchen, Kuckucksruf – zur Enfaltung einer ebenso witzigen wie virtuosen Technik Anlaß gibt. Die erhaltenen fünf Chaces (eine unvollständig) werden ergänzt durch drei dreistimmig-kanonische Werke Machauts: Ballade Nr. 17, Lai Nr. 16 und 17. Das Fundament für die mannigfachen Kanons des 14.Jahrhunderts hatte die Notre-Dame-Epoche gelegt. Der in Organum und Conductus oft angewandte Stimmentausch für zwei oder drei Stimmen wurde zu einer beliebten Technik, von deren Verbreitung mehrere zum Teil volkstümliche »Stimmtauschkanons« aus Deutschland und Spanien zeugen. Wohl noch im 13.Jahrhundert entstand auf dieser Grundlage der englische Sommerkanon ›Sumer is icumen in‹ (vergleiche Artikel Ars antiqua). Walter Odington beschreibt die Technik unter dem Namen »rondellus, id est rotabilis vel circumductus«. In Deutschland benutzte man das Wort »radel«, wie der dreistimmige Martinskanon der Liederhandschrift aus Kloster Lambach zeigt. Auch die benachbarten vier Kanons bei Oswald von Wolkenstein (1367 bis 1445) stehen unter dem Einfluß der Chace.

Der Begriff »cantilena« bei Jacobus bezieht sich wohl in erster Linie auf Liedformen wie Rondeau, Ballade und Virelai. Sie waren bisher einstimmig, abgesehen von conductusmäßigen Sätzen bei Adam de la Halle und Jehannot de L'Escurel. Den Übergang zur mehrstimmigen Komposition mit Instrumenten vollzog anscheinend Vitry, denn er galt später als der Begründer, »qui trouva la manière des motés et des lais et des simples rondeaux«.

Da Vitry jedoch kein Werk mit Sicherheit zugeschrieben werden kann, verknüpft sich die mehrstimmige Liedkunst der Ars nova mit dem Namen des etwas jüngeren Dichtermusikers *Guillaume de Machaut* aus der Champagne (um 1300–1377). Sein erstes datierbares Werk, die lateinische Motette Nr. 18 ›Bone pastor Guillerme – Bone pastor qui pastores‹ von 1324, zeigt ihn im Vollbesitz der modernen Technik. Von den erhaltenen 23 Motetten sind nur drei nach alter Art über einem französischen Liedtenor gebaut (Nr. 11, 16 und 20), alle übrigen isorhythmisch. Offenbar wirkte

Vitrys Großform als entscheidendes Vorbild, wenn auch das Übergewicht von 17 französischen Motetten über nur sechs lateinische
bei Machaut eine andere Grundrichtung verrät. Seine dichterische
Anlage lenkte ihn weniger zum großen lateinischen Bekenntnis-
werk im Sinne Vitrys, als zur galant-geselligen französischen Ton-
Wortkunst. Daß er sogleich entsprechende Formen suchte, zeigen
die 18 Lais, die in den Sammelhandschriften *Mach* als 1. Abteilung
noch vor den Motetten stehen. Die einstimmige Musik dieser an
das 13.Jahrhundert anknüpfenden Lieder, durch moderne Züge
bereichert, führt nur in den zwei oben genannten Werken zur
Kanonpolyphonie. Ebenso begnügen sich 25 Virelais und eine
Ballade mit einstimmigem Gesang, meist in hoher Männerstimmlage, wie es den Gewohnheiten der Trouvèrekunst entspricht. Auch
von 17 französischen Motetten fordern fünf noch die alte Männerstimmlage für Triplum und Motetus.

Machaut griff jedoch nicht auf den eigentlichen Minnesang
zurück, sondern auf die jüngeren *Refrainformen* Rondeau, Virelai
und Ballade, deren schematisch geregelter Aufbau die Grundlage
seiner Gesellschaftskunst bildet.

Den Vorrang hat musikalisch die *Ballade*, zum Unterschied von
reiner Dichtung bei ihm »ballade notée« genannt. 41 Balladen sind
mehrstimmig in der Art, daß zum Sologesang einer hohen Männer-
stimme 1, 2 oder 3 Instrumente hinzutreten. Als »Tenor« und »Con-
tratenor«, auch »Triplum« bezeichnet, weichen sie von den gleich-
namigen Grundstimmen der Motette durchaus ab, geben vielmehr
eine bewegliche Untermalung zur Melodie. 19 Balladen sind in den
Sammelhandschriften *Mach* zweistimmig, 15 dreistimmig mit
immer kunstvollerem Klanggrund, der in 4 Werken durch eine
vierte Stimme verstärkt wird. Dazu kommen 3 mehrtextige Balladen. Ähnlich sind von 21 *Rondeaux* 8 zweistimmig, 11 dreistimmig und 2 vierstimmig. Die überwiegend einstimmigen *Virelais*,
auch »chansons balladées« genannt, werden durch sieben zweistimmige und einen dreistimmigen Satz ergänzt.

Die Oberstimme entwickelt bald einen Expressivstil mit kleinen
und großen Melismen, emphatischen Pausen, Punktierungen und
Synkopen. Ihm entspricht eine gewisse Lockerheit in den Begleitstimmen, die sich zur Nervosität steigern kann, vielfach mit Leit-
tonschärfung, auch wohl kühner Klangrückung vermittels musica
falsa-Chromatik. Machauts Bemühen um »romantische« Vertiefung des Ausdrucks hat zur Folge, daß die Höhe der freien Motettenkunst Vitrys nun auch in geselligen Kleinformen erreicht wird.

Für den Begriff »cantilena« waren derartige Werke wohl bald
maßgebend. So tritt neben den führenden Motettenklangtypus der
französischen Ars nova der ebenso wichtige *Kantilenensatz* für eine
Singstimme mit meist zwei Instrumenten, nach der Hauptform
früher von Fr. Ludwig als »Balladenstil« bezeichnet. An Lebens-

dauer wurde der Motettentypus noch überboten, da der Kantilenensatz fast bis zum Ausgang des 15.Jahrhunderts fortgewirkt hat.

Seine Heimat lag in der spätmittelalterlichen Feudalkultur, die
seit der Thronfolge des Hauses Valois 1328 auf romantische
Erneuerung des Rittertums und Minnesangs gestimmt war. Das
erklärt Machauts Ruhm, denn er schuf in diesem Geist als treuer
Diener seines Herrn Johann von Luxemburg, des Königs von
Böhmen: »je fus ses clers ans plus de trente«. Nach dem Tode
Johanns in der Schlacht bei Crécy 1346 erhielt Machaut ein Amt
am französischen Königshof und verbrachte seinen Lebensabend
als Kanonikus in Reims. Dort entstand wohl 1356 die Motette
Nr. 23 ›Felix virgo – Inviolata‹, deren Reifestil auch in den beiden
vierstimmigen Nachbarwerken, besonders Nr. 21, verwirklicht ist,
ferner der große vierstimmige Ordinariumszyklus mit der ›Ite
missa‹-Schlußnummer, ein überwiegend motettenhaftes Hauptwerk des 14.Jahrhunderts, das auf die Krönung König Karls V.
1364 in Reims verweisen dürfte.

Der *Motettenstil*, der den alternden Meister wieder so stark
beschäftigte, hat auch auf Kantilenen abgefärbt. Zeugnis dieser
Verschmelzung ist die prachtvolle Doppelballade Nr. 34 ›Ne quier
veoir – Quant Theseus‹ für zwei hohe Männerstimmen mit verschiedenem Text, aber kantilenenhafter Melodik und Begleitung.
Sie fand Nachfolge in F. Andrieus Doppelballade Nr. 41 ›Armes –
O flour‹ auf Machauts Tod 1377. Damit beginnt die französische
Spätzeit, die grundsätzlich beide Hauptformen der Ton-Wortkunst übernahm, aber den Austausch der Technik steigerte und
der Kantilene die Führung überließ.

IV. Italienische Trecentokunst

Während England im 13.Jahrhundert den Anschluß an die französische Motette fand und auch im 14.Jahrhundert aufrechthielt,
zeigt sich *Italien* gegenüber dieser Kernform der Ars antiqua und
Ars nova spröde. Von dem ältesten oberitalienischen Trecento-
meister Jacopo da Bologna gibt es wenigstens eine Doppelmotette ›Lux purpurata – Diligite justitiam‹, nicht-isorhythmisch und
ohne Choralfundament, aber dem Klangtypus der Vitry-Motette
angepaßt. In Florenz dagegen blieben einzelne Motetten älteren
Stils in den Laudenhandschriften der Biblioteca Nazionale, II. I.
122 und II. I. 212, ohne Wirkung, und auch später konnten Vorbilder aus dem Norden hier nicht Fuß fassen. Die mehrstimmige
italienische Trecentomusik ist sowohl in Florenz wie Oberitalien
wesentlich *Liedkunst*, also ein Seitenstück zur französischen Kantilene seit Machaut. Eine repräsentative Großform vom Typus der

siorhythmischen Motette fehlt. Die älteste Komponistengeneration, durch Giovanni da Cascia (auch Giovanni da Firenze oder Johannes de Florentia) und Jacopo da Bologna vertreten, dürfte mit Machaut gleichaltrig sein. Das älteste Datum ist die Erwähnung mehrstimmigen Madrigalsingens 1332 im Traktat des Paduaner Richters Antonio da Tempo. Aus dieser Zeit stammt vielleicht schon das eine oder andere Stück des Codex Rossi 215 in Rom.

Wie Machauts Erneuerung des Minnesangs auf die nordfranzösischen Trouvères und die verbürgerlichten Refrainformen des 13.Jahrhunderts zurückweist, so zehrt Italien vom Erbe der provenzalischen *Trobadors*. In der Trecentokunst herrscht infolgedessen Sologesang für hohe Männerstimmen, genau wie beim Kantilenensatz des Nordens. Knaben, die zunächst für die Motette herangezogen wurden, spielten im Süden lange Zeit keine Rolle, noch weniger Frauen. Dagegen benutzte man, nach Ausweis literarischer Quellen, in erheblichem Umfang Instrumente, anscheinend auch dort, wo das Notenbild es nicht eindeutig verlangt.

Im Kern blieb die Trecentomusik eine Ton-Wortkunst. Es ist bekannt, daß Dichter und Musiker oft nicht identisch waren, wie es auch in Frankreich vorkam.

Von den beiden altitalienischen Formen dürfte das *Madrigal* nach Herkunft und Wesen solistische Gesangsmusik sein. Der Text bleibt als Liebesdichtung, Satire, politischer Spruch, mit Allegorien und Wortspielen im überlieferten Rahmen, ist aber zugespitzt auf ein »Ritornell«, das nach zwei oder drei stollenartigen Strophen den musikalischen Kontrastabschluß bildet. Der anfangs durchweg zweistimmige Satz entspricht dem einstigen provenzalischen Organum, mit freier Melismatik der Oberstimme über einem ruhigen, aber nicht schematisch rhythmisierten Tenor. Schon Giovanni da Cascia und Jacopo da Bologna steigern besonders die Anfangs- und Schlußkoloratur zu italienischer Virtuosität. Die Singfreudigkeit erreicht ihren Höhepunkt bald bei den Florentinern Ser Ghirardello (Ser Gherardello oder Gherardellus de Florentia) und besonders Lorenzo Masini. Zur älteren Gruppe gehört ferner Magister Piero, von unbekannter Herkunft, der Florentiner Donato da Cascia (Donatus de Florentia), der Oberitaliener Abt Vincenzo von Rimini und Propst Niccolo von Perugia.

Daß man französische Musik des 13.Jahrhunderts kannte, beweist außer gelegentlicher Verwendung des Hoquetus vor allem der Instrumentalpart, mit dem die zweite Hauptform des Trecento arbeitet. Einst gehörte zu den Kennzeichen der Ars antiqua-Motette der instrumentale Tenor in Alt-Tenor-Lage, der die Rolle der organalen Grundstimme übernommen hatte. Er lebt im Trecento unter demselben Namen fort, aber nun als freie Grundstimme eines dreistimmigen Satzes. Die beiden Oberstimmen haben denselben Text und verlaufen im Einklangskanon. Es handelt sich um die *Caccia*, deren Aufbau mit einem musikalisch kontrastierenden Ritornell an das Madrigal erinnert und in kanonischen Madrigalen ein Seitenstück hat. Dem Text liegt meist eine Jagd- oder Marktszene zugrunde. Von der französischen Chace mit ihrem dreistimmigen Kanon ohne Begleitinstrumente dürfte die Caccia unabhängig sein. Sie bildet als originelle Verschmelzung alter und neuer Bestandteile von Anfang an die zweite Hauptform der Trecentisten. Nur zwei Werke sind zweistimmig ohne Tenor, sonst herrscht überall der Ars antiqua-Mischklang von zwei hohen Männerstimmen mit einem Begleitinstrument in Mittellage. Die Caccia ist bei Magister Piero, den Florentinern Giovanni, Ghirardello und Lorenzo, den Oberitalienern Jacopo und Vincenzo, sowie bei Niccolo von Perugia gut vertreten, bleibt aber dann im Hintergrund. Aus der späteren Zeit gibt es nur noch zwei zum Teil abweichende Stücke von Francesco Landini und eines von Zacharias.

Über *Notenschrift* und *Rhythmik* unterrichtet bereits in der Frühzeit Marchettus von Padua, dessen ›Pomerium‹ König Robert von Neapel (1309–1343) gewidmet ist. Als Grundwert gilt in Italien die Brevis (■). Sie wird in 4 bis 12 gleiche Teile zerlegt, je nach dem Rhythmus, der in Form eines Buchstabens vorgezeichnet ist.

Divisio	Takt
q(uaternaria)	
s(enaria) i(mperfecta)	
s(enaria) p(erfecta)	
o(ctonaria)	
n(ovenaria)	
d(uodenaria)	

Die italienische Breviseinteilung.

Die Kleinwerte haben dabei wechselnde Bedeutung und sind stets durch den von Petrus de Cruce eingeführten Taktpunkt im Brevisabstand getrennt (vergleiche Artikel Ars antiqua). So schließt sich die *italienische Notation* der französischen Praxis um 1300 an, arbeitet jedoch mit meist neuartigen Rhythmen, nämlich der »divisio quaternaria« ($^4/_8 = {}^2/_4$), der »senaria imperfecta« ($^6/_8$), »senaria perfecta« ($^3/_4$), »octonaria« ($^8/_{16} = {}^2/_4$), »novenaria« ($^9/_8$) und »duodenaria« ($^{12}/_{16} = {}^3/_4$) (vergleiche Beispiel 5). Der im Norden vorherrschende $^6/_8$-Rhythmus, dort seit Vitry als »Tempus imperfectum cum prolatione majori« bezeichnet, heißt im ältesten Trecentocodex in Rom, Rossi 215 (*Rs*) »sg« (= »divisio senaria gallica«), der $^3/_4$-Takt dagegen »sy« (= »senaria ytalica«).

Die auf dieser Grundlage durchgebildete italienische Notation war der Trecentomusik vortrefflich angepaßt, ebenso das schon in Rossi 215 benutzte Sechsliniensystem. Als letztes Denkmal sei der Squarcialupi-Codex genannt, der nach 1420 entstand; damals war freilich der Sieg der französischen Notation längst entschieden.

Die zweite Hälfte des 14.Jahrhunderts ist in Florenz und besonders Oberitalien durch wachsenden französischen Einfluß gekennzeichnet. Er vollzog sich im Zeichen der *Ballata*, einer dem Virelai entsprechenden Refrainform, die zwar Heimatrecht im Lande besaß, aber mehr und mehr zum Vermittler fremder Technik wurde. Als Hauptform des Laudengesangs war die Ballata seit dem 13.Jahrhundert bekannt, vor allem in Florenz. Chorisch gesungen, hatte der Refrain (»ripresa«) im Wechsel mit Solostrophen (aus 2 »piedi« und »volta«) ähnlichen Sinn wie bei den nordfranzösischen Refrainformen.

In der geselligen Trecentomusik ließ die Ballata sich dem zweistimmigen Singmadrigal satztechnisch annähern, was oft geschah. Wo aber Kantilenensatz mit ein oder zwei instrumentalen Begleitstimmen auftritt, stammt das Vorbild aus dem Norden. Dreistimmigkeit und linienhafte Polyphonie wurden allmählich zum Ideal, die virtuose Koloraturfreude zurückgedrängt. Früher zeigten die Werke vielfach klare Tonalität, mit Grundton, Quint und Oktav als Eckpfeilern. Anscheinend entsprang die Tonalität aus der einstimmigen Melodik, konnte sich im zweistimmigen Madrigal und im Kanon der Caccia durchsetzen, während es bei drei freien Stimmen schwierig wurde. So fehlt in jüngeren Werken vielfach die ausgeprägt italienische Sonderart der Frühzeit. Nivellierung und Vermischung nehmen zu.

Zur zweiten Generation gehört wohl in Oberitalien der zum Preziösen neigende Frater Bartolino da Padua, vielleicht auch der oben genannte Mittelitaliener Niccolo de Perugia. Hauptvertreter war in Florenz der Malersohn *Francesco Landini*, ein Dichtermusiker und vielseitiger, früh erblindeter Instrumental-Virtuose (um 1335–1397). Mit 154 erhaltenen Werken übertrifft er weitaus alle Mitbewerber, macht aber auch den Kurswechsel besonders klar. Madrigal und Caccia sind nur noch durch 13 Nummern vertreten. Ihnen stehen 141 Ballaten gegenüber, von denen die 92 zweistimmigen vor allem die Tradition des Sologesangs mit zwei Männerstimmen fortsetzen. Die Melodik ist viel ruhiger als in den virtuosen Madrigalen der vorangehenden Stufe. Der Gegensatz von Deklamation und Koloratur mildert sich zu gleichmäßiger Kantabilität. In den 49 dreistimmigen Ballaten sind öfters alle drei Stimmen textiert, doch herrscht in der Regel der Kantilenensatz des Nordens. Varianten in den Handschriften zeugen von vokal-instrumentaler Besetzungsfreiheit. Alle Stimmen werden möglichst kantabel geführt, wodurch sich der Klang vom französischen Typus grundsätzlich unterscheidet. Einige Gipfelwerke zeigen besondere Klangschönheit, etwa Nr. 120 ›Gentil aspetto‹ mit einer begleiteten Solomelodie, oder Nr. 123 ›Gram piant'agl'ochi‹ mit einem typisch italienischen Duettgesang der Außenstimmen und instrumentalem Kontratenor. Verglichen mit Machaut, beschränkt sich Landini wie fast alle Trecentisten auf gesellige Liedkunst. 1379 erhielt er in Florenz eine Zahlung »pro quinque moctectis«, doch kann man kein Werk damit in Zusammenhang bringen.

Überraschend ist nach dem Aufstieg der Trecentomusik ihr schnelles Ende. Etwa mit Landinis Tode 1397 setzt eine *italienische Spätzeit* ein, in deren Verlauf die Eigentradition erlosch. Abgesehen von Kleinmeistern, die zum Teil noch im 14.Jahrhundert lebten, gehören dieser dritten Generation an: der Florentiner Abt Paolo (»tenorista«) mit 32 Sätzen in Paris, Bibliothèque Nationale, it. 568, wo ihm außerdem ein dreistimmiges ›Benedicamus‹ zugeschrieben ist; der Florentiner Organist Frate Andrea mit 29 Stücken im Squarcialupi-Codex; schließlich der in Florenz 1420 als päpstlicher Sänger verpflichtete Nicolaus Zacharie (oder Magister Zacharias), dessen acht italienische Werke durch Messensätze und Motetten ergänzt werden.

Hier lebt in Madrigal und Ballata noch echter Trecentogeist, dem zuletzt mit der Prachthandschrift Squarcialupi ein Denkmal errichtet wurde. Dagegen hat in Oberitalien und im neapolitanischen Süden der Fremdeinfluß gesiegt. Entweder benutzte man dort überhaupt französische Texte oder vertonte italienische Ballaten genau nach dem Vorbild des Nordens. Es empfiehlt sich daher, den Florentiner Trecentoausklang von den andersartigen Gruppen in Ober- und Süditalien abzutrennen. Der Zusammenhang, dem sie angehören, sei als *Epoche Ciconia* bezeichnet, da dieser Name nach 1400 in den Handschriften mehr und mehr hervortritt.

V. Französische Spätzeit und Epoche Ciconia

Vitrys isorhythmische Motette war die Kernform der Ars nova um 1320. Als Machaut später das Gewicht auf den neuen Kantilenensatz verschob, geschah es bereits nicht mehr unter dem ursprünglichen Kampfruf. Was aber die Trecentisten schufen, war nur ein Seitenstück zur Liedkunst Machauts. Für Italien kann daher das Wort Ars nova nicht benutzt werden, da es dort in keiner Quelle vorkommt. Noch weniger darf der Name auf die *französische Spätzeit* nach 1377 Anwendung finden. Sie trägt einen durchaus verschiedenen Charakter und sei hier nur zur Ergänzung im Überblick behandelt.

Die jüngeren französischen Komponisten standen, ähnlich wie im 19.Jahrhundert, einem klassischen Formkanon gegenüber, den sie nicht zu ändern, allenfalls mit neuem Inhalt zu erfüllen wagten. Der Typus der isorhythmischen Motette war ebenso unantastbar wie die drei Textschemata Ballade, Rondeau und Virelai als Grundlage des drei- oder vierstimmigen Kantilenensatzes. Die Poesie der sogenannten Zweiten Rhetorik (»seconde rhétorique«) fand ihr Gegenstück in der stets erneuten musikalischen Ausschmückung feststehender Formen. Man beschränkte sich darauf, Melodie, Rhythmus und Klang zu verfeinern, wodurch allerdings die Musik ein anderes Aussehen erhielt. Infolge nochmaliger Dehnung des Grundzeitmaßes wurden jetzt überall Tempus und Prolatio maßgebend. Das Musizieren verlagerte sich in den Bezirk der Kleinwerte, die man durch eine Fülle von Notenzeichen ergänzte.

Die Führung bei diesem Vorgang hatte der Kantilenensatz, da Machauts biegsame, zum Expressiven strebende Melodik in derselben Richtung fortgebildet wurde. Neue Zeichen für den Rhythmuswechsel wurden notwendig, für Triolen, Quartolen usw., für Kombination und Mischung jeder Art. Eine Unzahl von Schriftsymbolen, mit Benutzung von schwarzer und roter, schwarzhohler und rot-hohler, auch gemischter und halbhohler Schreibweise, mit Fähnchen, Haken, Punkten, Kreisen und Schleifen, kennzeichnet die *französische Spätnotation*.

Eine Hauptrolle spielt in ihr der Punkt. Schon bei Machaut trat er, abgesehen von seiner traditionellen Verwendung in dreizeitiger Mensur, als Verlängerungspunkt für zweizeitig-imperfekte Noten auf (»punctus additionis«). Jetzt verwendet man ihn auch bei Synkopen, wo er als Trennungspunkt gewisse Notengruppen aus dem Taktverlauf absondert (»punctus demonstrationis« oder »punctus syncopationis«). Rubatomäßige Verschiebungen solcher Art sind bald beliebt und wirken bis ins 15.Jahrhundert fort.

Das Ergebnis all dieser Versuche war ein sehr viel komplizierteres Notenbild. Ihm entsprach die schon erwähnte nochmalige

Vergrößerung des Codex bis zum Folioformat. Die Foliohandschriften Chantilly 1047 (*Ch*) und Turin J II 9 (*TuB*), auch die oberitalienische Quarthandschrift Modena L. M. 5. 24 (*ModA*), bezeichnen hier den geschichtlich einmaligen Höhepunkt.

So starr man am überlieferten Formschema festhielt, so deutlich ist andererseits das Bestreben, die alten und neuen Techniken überall anzuwenden, zu mischen und zu bereichern. Dazu kam, vermutlich durch Vermittlung Avignons, die Kenntnis italienischer Trecentomusik, deren Tonalität und plastische Melodik Eindruck machten. So steht die Epoche im Zeichen einer *Formenmischung*, die teils den bisherigen Typus mit fremden Zutaten versah, teils durch Kombination Neues erzielte. Die Motette, in der Regel streng isorhythmisch, übernahm für die beiden Textstimmen allmählich Melodiezüge der Kantilene, hier und dort sogar die aus der Caccia stammende Anfangsimitation. Freie Vertonung eines zunächst balladenmäßigen lateinischen Textes führt schon in Chantilly zur Mischform der »Kantilenenmotette«, die später für die Dufay-Zeit wichtig wurde. Umgekehrt wirkt nun isorhythmische Technik in mannigfacher Gestalt auf die Liedkomposition. Der vierstimmige Satz wird auch für Kantilenen beliebt, wobei als höchste Stimme gern, wie gelegentlich bei Machaut, ein instrumentales Triplum auftritt. Ebenso werden Machauts Versuche mit Doppel- und Tripelkantilenen, also verschiedenen Texten nach Motettenart, fortgesetzt.

Von französischen Musikern überliefert *Ch* zahlreiche Namen, die durch *Apt* und andere Handschriften, später durch oberitalienische Quellen der Dufay-Zeit, ergänzt werden. Da wenig über diese Komponisten bekannt ist, sei nur eine ältere Gruppe, die sich zeitlich an Machaut anschließt, von der jüngeren mit Schwerpunkt im frühen 15.Jahrhundert geschieden. Zum Typus des geistlichen Bildungsmusikers (»clericus«, französisch »clerc«), der nach wie vor die Führung behielt, tritt nun der komponierende Spielmann (»ministerialis«, »ministerallus«, französisch »menestrel«). Der Wiederaufstieg einer dem Minnesang entsprechenden feudalen Standeskunst durch Machaut hat offenbar bewirkt, daß im 14. Jahrhundert die *Hofkapelle* mit Sängern und Instrumentisten zum eigentlichen Träger der Polyphonie wurde. Man trifft den gehobenen Menestrel hier und dort im Vollbesitz polyphoner Technik, etwa Jean Cuvelier in der Handschrift Chantilly.

Von zahlreichen flüchtig auftauchenden Namen abgesehen, gehören zur älteren Gruppe: F. Andrieu (vertonte Eustache Deschamps' Ballade auf den Tod Machauts 1377), Jean Cuvelier aus Tournai (3 Werke in *Ch*, 1380 königlicher Menestrel), Jean Galiot (4 Werke in *Ch*), Magister Grimace (3 Werke in *Ch*, 1 in *Bern*), Johannes Simon Hasprois (2 Werke in *Ch*, 1394 päpstlicher Sänger), Mayhuet de Joan (5 Werke in *Ch*, 1 in *OH*), Solage (mit

10 Werken Hauptmeister in *Ch*), Jean Susay oder Suzoy (3 Werke in *Ch*, 1 in *Apt*), Tailhandier (1 Werk in *Ch*, 1 in *Apt*), Trebor (6 Werke in *Ch*), Jean Vaillant (5 Werke in *Ch*, 1 von 1369).

Die jüngere Gruppe ist meist aus Handschriften der Dufay-Zeit bekannt. Französische Musiker waren, wieder abgesehen von zahlreichen Nebenfiguren: Johannes Carmen (in Paris unmittelbar vor Dufay berühmt), Johannes Cesaris (1417 als Organist in Angers genannt), Baude Cordier aus Reims (2 Werke im Nachtrag *Ch*, 1 in *Apt*), Pierre Fontaine aus Rouen (seit 1404 am burgundischen Hof), Nicolas Grenon (1399 Kleriker in Paris, 1405 an der Kathedrale von Cambrai, 1412 am burgundischen Hof), Richard de Loqueville (1410 beim Herzog von Bar, 1412–1418 an der Kathedrale von Cambrai), Gacian Reynau aus Tours (1 Werk in *Ch*, 1398–1429 in Barcelona), Johannes Tapissier (2 Werke in *Apt*, 1408 am burgundischen Hof als Jean des Noyers genannt Tapicier). Zu diesen französischen Musikern kommen wohl weitere in Avignon, Ober- und Süditalien, deren Herkunft nicht nachweisbar ist.

Die Ars nova, bei Vitry auf das freie Kunstwerk, seit Machaut auf anspruchsvolle Gesellschaftskunst eingestellt, hatte für den Dienst an der Liturgie wenig übrig. So spielt im 14.Jahrhundert die polyphone *Kirchenmusik* nur eine Nebenrolle. Ihr Neubeginn, trotz der musikfeindlichen Bulle des Papstes Johann XXII. vom Jahre 1324/25, beschränkte sich von vornherein auf die fünf Teile des im Kirchenjahr unveränderlichen »Ordinarium missae«. Dort wirkte der Conductus des 13.Jahrhunderts in Form eines akkord-lichen Satzes nach, der als Nebenströmung die Polyphonie der Ars nova begleitet, schon der dreistimmigen Messe von Tournai (Anfang des 14.Jahrhunderts) zugrundeliegt, seinen Höhepunkt im Gloria und Credo der vierstimmigen Messe Machauts (wohl 1364) erreicht.

Regelhaft war jedoch im 14.Jahrhundert noch nicht der Zyklus, sondern Einzelsätze, die man nach Bedarf kombinierte. Neben dem akkordlichen Satz herrscht vor allem der Motettenstil für drei oder vier Stimmen, nach Machaut auch der instrumental begleitete Liedstil in Form des dreistimmigen Kantilenensatzes (früher »Balladenmesse« genannt). In Italien benutzte man auch die Technik von Madrigal und Caccia.

So blieb die Kirchenmusik bis zum Auftreten Dufays nach profanen Vorbildern ausgerichtet. Die anspruchslosen dreistimmigen Hymnen der Handschrift *Apt*, die wohl im späteren 14.Jahrhundert für Avignon komponiert wurden, bringen erstmalig eine kaum oder wenig verzierte liturgische Melodie als Oberstimme, einmal als Mittelstimme mit aufgesetztem Triplum. Hier konnte die Kirchenmusik der Dufay-Zeit mit ihrer Diskantkolorierung anknüpfen.

Das Verbindungsglied zwischen Ars nova und dem kommenden

niederländischen Zeitalter bildet in Italien die *Epoche Ciconia* seit etwa 1400. Ihre Träger waren Einheimische und zugewanderte Fremde in Ober- und Süditalien. Der neapolitanische Süden bevorzugte Profanmusik, deshalb war diese Gruppe für die Zukunft weniger wichtig. Aus *ModA* und mehreren Fragmenten sind bekannt: Filipoctus (Philippus) de Caserta (4 Werke in *ModA*, wohl Verfasser des Traktates CoussS 3, 116), Antonellus de Caserta (8 Werke in *ModA*), der identisch ist mit Amarotus de Caserta Abbas (*Parma*, Lucca, Archivio di Stato, 184 = *Lucca*), ferner Nicolaus de Capua (1 Werk una 1 Traktat). Zu ihnen gesellt sich in Mittelitalien außer dem früher genannten päpstlichen Sänger Nicola Zacharie da Brindisi, der von ihm verschiedene Antonio Zachara da Teramo (*Lucca*, *Tr 87*).

Folgenschwer war die Entwicklung Oberitaliens, wo der aus Lüttich zugewanderte Niederländer Johannes Ciconia seit 1400 in Padua einen Mittelpunkt auch für die Kirchenmusik und Motette schuf. Sein Eingreifen, das der oberitalienischen Musik starken Auftrieb gab, kündigt erstmalig das Niederländertum des 15.Jahrhunderts an.

Mehr nach rückwärts blicken Vertreter der geselligen Kunst, zum Teil mit Übernahme der nordfranzösischen Finessen: Matteo da Perugia (mindestens 30 Werke in *ModA*, seit 1402 Domkantor in Mailand), der Benediktinerprior Bartholomäus von Bologna (2 Werke in *ModA*), Johannes Bazus Correzarius, Johannes von Genua (2 Werke in *ModA*), Conradus von Pistoia (2 Werke in *ModA*), sodann aus Padua Dactalus, Jacobus Corbus und Zanninus de Peraga.

Kirchenmusik schrieben Engardus, Gratiosus de Padua (3 Werke in *PadA*) und vor allem Ciconia selbst (nächst *ModA* und *PadA* in den meisten Handschriften vertreten). Unter seinem Einfluß stehen zahlreiche Komponisten, die aus Quellen der Dufay-Zeit bekannt sind. Sie gehören bereits einem neuen Traditionszusammenhang an.

Die Verwendung der *Instrumente* war im 14.Jahrhundert ausgedehnter und mannigfacher als vorher, beruhte jedoch auf ähnlichen Grundlagen wie schon in der Ars antiqua. Die zuerst vom Notre-Dame-Tenor eingenommene Alt-Tenor-Lage mit *c* als Tiefengrenze blieb maßgebend, so daß Baßinstrumente durchweg fehlen. Erst in der Epoche Ciconia begann man die Zugtrompete als Harmonieträger auszubilden, was zur Posaune führte.

Das zweite Kennzeichen blieb, soweit Bilder und Beschreibungen ein Urteil gestatten, die bunte Kombination von Einzelfarben zu einem »Spaltklang«, während im frühen 15.Jahrhundert die Alta-Tanzkapelle zum »Verschmelzungsklang« überleitete.

Zu den Instrumenten der Ars antiqua traten im 14.Jahrhundert vor allem zwei neue hinzu: Laute und Klavizimbel. Die aus dem arabisch-persischen Kulturkreis übernommene Laute, bei Dante »liuto«, in Spanien »laúd« genannt, dürfte zunächst als Melodie-, nicht als Akkordinstrument gedient haben. Dagegen gesellte sich nun zur Kirchen- und Positivorgel das Klavizimbel, dessen Frühname mittelhochdeutsch »schachtbrett« mit falschen westeuropäischen Übersetzungen, nämlich französisch »eschiquier« usw. = Schachbrett, auf deutschen Ursprung verweist. Die älteste Tabulatur für Klavizimbel oder Orgel (englische Herkunft) enthält zwei in der Oberstimme kolorierte Motetten Vitrys und zwei mehrstimmige Estampien.

Auch aus Italien kennt man Überreste von instrumentalen Partituren. Zu ihnen treten die einstimmigen Estampien und Tänze der Londoner Trecentohandschrift im British Museum, Ms. Add. 29987. Wortlose Instrumentalmusik ist ferner der an das 13.Jahrhundert anknüpfende dreistimmige Hoquetus von Machaut mit dem Choraltenor ›David‹.

Wie bereits dargelegt, lehnt sich die *Theorie* der Ars nova bei Vitry eng an die Praxis an und verfolgt seit Johannes de Muris das Ziel realistischer Untersuchung und Begründung der Musik. Aufschluß über die Technik der isorhythmischen Motette gibt Egidius de Murino, der in zwei Musikermotetten der älteren Ars nova-Zeit genannt ist. Bald wird auch der Kantilenensatz in die Theorie einbezogen; der Begriff »carmina« begegnet in einer Johannes de Muris zugeschriebenen, wohl etwas jüngeren Schulschrift ›Ars discantus‹. Der wichtigste Traktat aus der 2. Hälfte des 14.Jahrhunderts, Anonymus V bei Coussemaker (CoussS 3, 379–398), beruft sich auf Machaut und Landini (»cechus de Florentia«). Daß auch für die höfische Ton-Wortkunst jener Zeit nach wie vor der Rahmen der sieben artes liberales Geltung hatte, bestätigt u. a. der Musikabschnitt in ›L'art de dictier‹ von Eustache Deschamps († 1391). Weniger wichtig sind Schriften von Petrus dictus palma ociosa, Theodoricus de Campo und Johannes Verulus de Anagnia. Der Franziskaner Simon Tunstede kennt in den ›Quatuor principalia‹ von 1351 zwar Vitry, ist aber im Sinne der englischen Musik stark traditionsgebunden. In Italien folgen auf Marchettus von Padua, dessen ›Pomerium‹ zwischen 1309 und 1343 liegt, kleine handwerkliche Traktate von Trecentisten wie Jacopo da Bologna und Paolo, aus dem Süden von Filipoctus de Caserta und Nicolaus de Capua (1415). Wichtiger war auch für die Theorie der Norden, wo neben Ciconia vor allem der Paduaner Prosdocimus de Beldemandis mit mehreren, zum Teil 1408–1412 datierten Schriften zu nennen ist. Etwas jünger war Ugolino von Orvieto († 1449), dessen groß angelegte ›Musica‹ nochmals auf den Universalismus der mittelalterlichen Musikauffassung zurückgreift, aber gleichzeitig die Rolle des Klanges und des Gehörsinnes für polyphone Kunst unterstreicht.

VI. Die Randländer

Obwohl zur Zeit Francos von Köln ein enges Verhältnis zum Westen bestand, zog sich *Deutschland* bald wieder von der Ars antiqua zurück. Neben altertümlichen Formen kirchlicher Polyphonie, die hier noch lange fortbestanden, zeigt jedoch das 14.Jahrhundert Neuansätze auf geselligem Gebiet, die zukunftsreich waren. Als Grundlage diente das Lied. Oswald von Wolkenstein (1367–1445) hat nicht nur dem eigenen, spätminnesängerlichen Schaffen einige französische und italienische Zutaten einverleibt, sondern zu einer Reihe von Liedweisen ein diskantierendes Instrument gesetzt. Das auf Polyphonie zugeschnittene deutsche »Tenorlied« des 15.Jahrhunderts ist bei ihm bereits ausgeprägt. Der Gesang bleibt meist in Tenor-Bariton-Lage und wird so, etwas anders als in Frankreich und Italien, zur Mittelstimme eines dreistimmigen Satzes. So entspricht der spätere deutsche *Tenorliedsatz* einer von Machaut benutzten Nebenform des Kantilenensatzes mit einem tieferen Instrument und aufgesetztem Triplum. Erste Versuche bietet bereits die Liederhandschrift aus Kloster Mondsee, deren drei mehrstimmige Stücke dem Mönch von Salzburg (auch Hermann von Salzburg, um 1380/90) zugeschrieben werden. Hand in Hand hiermit ging die Übernahme von französischer und italienischer Musik. Die verlorene Straßburger Handschrift enthielt außer Fremdgut bereits Werke deutscher Komponisten um 1411, wie Heinrich Heßmann, Zeltenpferd und Heinrich Laufenberg († 1460). Sogar weit im Osten kannte man, laut Breslauer Traktat, alle modernen Formen. Ein Absenker der Epoche Ciconia entfaltete sich in den 1420er Jahren am polnischen Königshof in Krakau. Erhalten sind außer italienischen Sätzen auch einheimische, wobei Nicolaus von Radom die Führung hat.

Im 13. und frühen 14.Jahrhundert nahm *Spanien* vor allem durch den Königshof und geistliche Stätten Kastiliens an der Kunstmusik teil (vergleiche Artikel Ars antiqua). Dann aber verschob sich das Gewicht ostwärts nach Aragonien und Katalonien, schon unter Pedro III. (1335–1387), besonders durch Joan I. (1387–1396), der selbst Komponist war und lebhafte Beziehungen zum Ausland unterhielt. Die Hofkapelle bestand unter den Nachfolgern fort. Durchaus getrennt von dieser Adelskunst waren lateinische Pilgergesänge, die am Entstehungsort Montserrat aufbewahrt werden: drei anspruchslose Kanons mit der Bezeichnung »caca«, ein zwei- und ein dreistimmiger Satz mit Instrumenten, ferner ein Duo mit motettenhaft verschiedenen katalanischen Texten.

Während Europa seit Machaut und Jacopo da Bologna vor allem durch das gesellige Lied gefesselt wurde, blieb *England* beim unbedingten Vorrang der Kirchenmusik. Die Machaut-Nachfolge Geoffrey Chaucers († 1400) ist musikalisch nicht greifbar. Zwar kannte man die Ars nova-Motette, übernahm sogar das französische Folioformat, aber den Kantilenensatz anscheinend nicht. Erst nach 1400 taucht in lateinischen und englischen Carols mit Refrain ein volkstümlicher Liedstil auf, der einen conductusartigen zwei- oder dreistimmigen Satz verwendet. Neben der isorhythmischen Motette pflegte man stets die ältere gleichtextige Form, über einem dazu gehörenden Choraltenor, sogar den schlichten Conductus mit rhythmischem Text, wie zur Worcester-Zeit (Ars antiqua). Die alte Partiturschrift wurde auch für einen freieren dreistimmigen Konduktenstil beibehalten, in dem sich die englische Neigung zum strömenden Vollklang mit Terzen und Sexten, anscheinend auf Chorgrundlage eindrucksvoll entfaltet. Ihm entspricht vielfach ein nicht mehr schematisch rhythmisierter, sondern gesanglicher Choral-cantus firmus besonders in der Mittellage. Dieser Vollklang gab kurz vor 1430 den Anstoß zur Entstehung der kontinentalen Fauxbourdontechnik, die als Grundkraft in die niederländische Musik einging.

HANS ALBRECHT
Humanismus

I. Allgemeines zu den Beziehungen zwischen Musik und Humanismus sowie zwischen Humanisten und Musikern. – II. Der Einfluß des Humanismus auf die Textdeklamation in der mehrstimmigen Musik des 16. Jahrhunderts. – III. Pflege und Verbreitung der humanistischen Gelegenheitskomposition. – IV. Die humanistische Odenkomposition. – V. Zur Frage des Verhältnisses von Musiktheorie und Humanismus. – VI. Probleme der Bestimmung und Abgrenzung des Begriffs Musikalischer Humanismus

I. Allgemeines zu den Beziehungen zwischen Musik und Humanismus sowie zwischen Humanisten und Musikern

Über die Auswirkungen des Humanismus auf die Musik ist mehrfach diskutiert worden, ohne daß es bisher zu einer umfassenden Darstellung des ganzen Problems gekommen wäre und ohne daß eine der vielen voneinander abweichenden Meinungen sich hätte durchsetzen können. Die Verwickeltheit des ganzen Problems, die Mehrdeutigkeit zahlreicher Symptome in der Musik des 15. und 16. Jahrhunderts und die Unzulänglichkeit der Kenntnis dieser Musik, deren Riesenfülle zu ergründen einem Einzelforscher kaum möglich ist, sind die Ursachen dafür, daß alle bisherigen Versuche, Zusammenhänge zwischen Humanismus und Musik zu erforschen, sich auf zwei relativ vordergründige Erscheinungen beschränkt haben: die sogenannte *Humanistenode* und das Eindringen humanistischer Gedankengänge und der entsprechenden Termini in die *musiktheoretischen Schriften*. Abgesehen von den rein darstellenden Arbeiten über die Odenkomposition sind jedoch alle diese Untersuchungen vorwiegend als geistesgeschichtliche Interpretationen von Phänomenen, die zu diesem Zweck mehr oder weniger stark isoliert werden, zu bezeichnen. Dementsprechend ist auch die Frage, wo und wie sich Einflüsse humanistischen Denkens denn eigentlich (außerhalb der Ode) in der Musik äußern könnten, weitgehend unbeantwortet geblieben. Über die objektiven Hindernisse, die einer glatten Lösung dieses Problems im Wege stehen, wird im folgenden mehrmals die Rede sein. Der hier angestellte Versuch, eine Lösung auf anderem Wege als auf den bisher eingeschlagenen zu finden, fußt auf intensiver Beobachtung der mehrstimmigen Kunstmusik des 15. und 16. Jahrhunderts, unter besonderer Berücksichtigung der Wandlungen im Wort–Ton-Verhältnis, der Entwicklung cantus firmus-freier Melodiebildung und des zwangsläufigen, allmählichen Übergangs vom imitierenden Kontrapunkt zur Homophonie. Voraussetzung für eine derartige Betrachtungsweise ist die Überzeugung, daß man von *musikalischem Humanismus* nur sprechen könne, wenn dessen Symptome sich in der Musik selbst nachweisen ließen, und daß der Nachweis humanistisch beeinflußter Anschauungen bei Musiktheoretikern allein dazu nicht genüge. Insofern fußt also dieser Versuch, wie alle anderen, auf einer »vorgefaßten Meinung«; er bemüht sich aber, diese nicht mit Hilfe von künstlich (oder auch unbewußt) isolierten Phänomenen zu stützen. Da sie ihre Entstehung der Empirie verdankt, wird sie im wesentlichen induktiv begründet werden; die Zahl der Beispiele durch Auswahl der treffendsten möglichst zu beschränken, gehört zu den Bestrebungen des Verfassers.

Daß die Musiker von der *Bewegung des Humanismus* berührt worden sind, bedarf wohl keines Nachweises. Obwohl solche Fühlungnahme sicherlich schon in der Frühzeit des italienischen Humanismus begonnen hat, muß das Schwergewicht der Untersuchungen zum Verhältnis Humanismus – Musik (beim augenblicklichen Stand der musikwissenschaftlichen Erkenntnis) im wesentlichen auf die Wirkung (und die Nachwirkungen) des Renaissance-Humanismus in denjenigen Zeitperioden gelegt werden, bei denen die allgemeine Geistesgeschichte kaum noch von einem lebendigen Humanismus zu sprechen pflegt. Erst von der Mitte des 15.Jahrhunderts an, dann aber in erhöhtem Maße in der ersten Hälfte des 16.Jahrhunderts kann man Einflüsse humanistischen Denkens auf Musik und Musikanschauung festzustellen versuchen.

Die Anfänge derartiger Beziehungen liegen bisher noch im Dunkel. Wo sie sich zum ersten Male in unverkennbarer Eindeutigkeit manifestieren, geschieht es in der Spätzeit des Humanismus und an der Peripherie seines Herrschaftsgebietes (deutsche Humanistenode). Ebenso versuchte man, über die sprachlich-metrische Anlehnung an die römische Antike hinaus, sich der Wiedererweckung des griechisch-antiken Tonsystems mit allen Konsequenzen erst nach der Blütezeit des eigentlichen Humanismus zu widmen (Nicola Vicentino, ›L'antica musica ridotta alla moderna prattica‹, 1555).

Dieses späte Experiment aber beleuchtet zugleich auch das Hauptproblem, das sich einer Untersuchung des Verhältnisses von Humanismus und Musik geradezu in den Weg stellt. Wiederbelebung antiker Ideale und antiker Lebensrealität ist unzweideutig das Ziel der *Renaissance* schlechthin, also der geistig-künstlerischen Bewegung, die mit dem Humanismus unlösbar verbunden, ihm aber auch übergeordnet ist. Das enge Ineinanderwirken von Renaissance und Humanismus erschwert die Abgrenzung der beiden Komplexe gegeneinander; dieses Problem stellt sich aber für die Musikgeschichte schon deshalb, weil es sich bei der in Frage stehenden Musik fast ausschließlich um (größtenteils lateinisch) textierte Musik handelt. Nirgends liegen rein humanistische Vorstellungen so greifbar an der Oberfläche wie in der Poetik und der Sprachbehandlung überhaupt; auf dieser Linie liegt auch die Tendenz der humanistischen Odenkomposition. In der lateinisch textierten Kunstmusik öffnet sich ein Zugang für spezifisch humanistische Wortbehandlung; infolgedessen ist a priori auch nur hier musikalischer Humanismus im engeren Sinne des Wortes möglich.

Das *Verhältnis von Wort und Ton* ist zweifellos für den humanistisch erzogenen oder doch vom Humanismus beeinflußten Musiker ein sehr wichtiges Problem. Die rigorose Anpassung der musikalischen Metrik und Satztechnik an metrische Textschemata, wie sie von der Odenkomposition erzwungen wird, ist zwar seine radikalste, aber weder seine künstlerisch höchststehende noch seine einzige Lösung.

Das Streben nach Imitation der Antike kann für den Komponisten zunächst gar nicht die erste Rolle gespielt haben, denn der Humanist des 15.Jahrhunderts z. B. hatte an hoher Kunstmusik im wesentlichen die Motetten und Messen der sogenannten Niederländer sowie das nationalsprachige mehrstimmige Lied vor sich. Solche Kompositionen sind ja auch als Inhalt der Liebhaberhandschriften überliefert, die im 15.Jahrhundert – vor allem bei Studenten – Mode wurden (z. B. Liederbuch des Dr. Hartmann Schedel). Dieses Repertoire mutet durchaus konservativ an; ausgesprochen humanistisch bedingte Eigenheiten scheinen sich (auch in der Sprachbehandlung) nicht nachweisen zu lassen. Noch der durch seine Beziehungen zu Erasmus von Rotterdam dem außeritalienischen Humanismus besonders eng verbundene, selber mit dem Dichterlorbeer gekrönte Heinrich Glarean preist in seinem musiktheoretischen Hauptwerk von 1547 die großen Niederländer aus den Jahren 1480–1520, betrachtet also deren Polyphonie als die Inkarnation des musikalischen Ideals schlechthin. Dagegen lehnt gerade er die humanistische Oden-Mehrstimmigkeit ab. Ludwig Senfl dagegen, der selbst dieser Kunst gehuldigt hat, stand mit dem oberrheinisch-alemannischen Humanistenkreis ebenso in Verbindung wie Glarean. Von einer sich auch nur andeutungsweise manifestierenden *humanistischen musikalischen Schule* kann man also nicht sprechen. Je weniger ferner eine dem Wortakzent folgende Textdeklamation und eine dieser Wortbehandlung entsprechende Satztechnik notwendig durch die humanistische Achtung vor dem Wort allein erklärt und begründet werden müssen, desto vorsichtiger wird man die ganze Sphäre, in der sich der Humanismus innerhalb der Musik auswirken könnte, zu erkunden versuchen. Neigung und Affinität zum Humanismus haben nicht unbedingt bei jedem Musiker Erscheinungen zur Folge, die man als »musikalischen Humanismus« par excellence bezeichnen könnte. Benedictus Ducis z. B. hat eine Reihe von Humanisten zu Freunden gehabt (Joachim Vadian, Grynäus, Ambrosius Blarer) und auch 1539 in Ulm eine Sammlung mit mehrstimmigen Horaz-Oden veröffentlicht; Sixt Dietrich dagegen stand zu demselben Kreis in persönlichen Beziehungen, hat aber die Komposition von humanistischen Oden nicht betrieben. Aus allen solchen Beobachtungen muß man den Schluß ziehen, daß es einen *humanistischen Stil* in der Musik nicht gegeben hat, sofern man nicht den Odensatz als stilistische Sonderform ansehen will. Selbst der Nachweis allgemein humanistischer Ideologie läßt sich bei den Komponisten kaum führen. Vielmehr ist nicht zu bestreiten, daß die Musiker und Musiktheoretiker aus der Blütezeit des italienischen wie des cisalpinen (niederländischen und deutschen) Humanismus trotz enger Beziehungen zu bedeutenden Humanisten in ihrem Geschmack recht konservativ geblieben sind und daß die späteren Generationen sehr viel radikalere Konsequenzen aus der humanistischen Ideenwelt abgeleitet haben.

Schließlich ist unzweifelhaft, daß alle Versuche, stilistische Merkmale des musikalischen Humanismus zu entdecken, zum Scheitern verurteilt sind, da sich ein *Stilbegriff Humanismus* gegen den Begriff Renaissance nicht abgrenzen läßt, vor allem aber, da der Humanismus selbst keinen künstlerischen Stil intendiert. Indem der humanistische Musiker aber sein Hauptinteresse auf die Sprache (vorwiegend auf das Latein) warf, hat sich das besondere Verhältnis des ganzen humanistischen Zeitalters zum Wort auch in der (im wesentlichen wortgebundenen) Kunstmusik manifestiert. Im Wort–Ton-Verhältnis dürften demnach die Elemente zu finden sein, die man als Merkmale des humanistischen Einflusses betrachten muß. Daß zur gleichen Zeit die Reformation »das Wort« als Offenbarung Gottes wieder in den Vordergrund stellte und einen großen Teil ihres Impetus seiner Verständlichmachung widmete, mag ohne oder sogar gegen den Humanismus verwirklicht worden sein, hat aber die Tendenz zu einer neuen, intensiven Textdeklamation auf der Basis des Wortakzents innerhalb der polyphonen Musik auf die Dauer nur verstärken können.

Die Befruchtung der Musik durch den Humanismus läßt sich in drei Hauptrichtungen verfolgen.

1. Die allgemeine Durchdringung der Textdeklamation mit der humanistischen Hochschätzung des Wortes bringt die Ablösung der metrisch weitgehend indifferenten Wortbetonung im Kirchenlatein, aber auch in den nationalsprachigen Dichtungen durch akzentgerechte Wortbehandlung mit sich.

2. Die vom Humanismus intensiv gepflegte Gelegenheitsdichtung zeitigt auch eine Fülle von Gelegenheitskompositionen, in denen sich das Prinzip der cantus firmus-Freiheit voll entfaltet.

3. Die grundsätzlich didaktisch bestimmte Komposition von lateinischen Oden im Metrum des Textes hebt allmählich die

starre Mensur der polyphonen Musik auf und führt zum Schwerpunkttakt.

Für das Zustandekommen derartig wichtiger innerer Beziehungen war die persönliche Begegnung von Humanisten und Musikern vielfach die Voraussetzung. Das persönliche Verhältnis des Musikers zu einem oder mehreren humanistischen Gelehrten wie das des Humanisten zu Musik und Komponisten hat außerdem eine bunte Fülle von Einzelheiten innerhalb des Musiklebens zur Folge gehabt, von der die Musikgeschichte in hohem Maße profitiert, da vieles singulären Überlieferungswert besitzt. Persönliche Begegnungen und Freundschaften zwischen Musikern und Humanisten des 15. und 16.Jahrhunderts sind sicherlich nichts Seltenes gewesen; man braucht dabei nicht nur an humanistische Dichter und Schriftsteller, sondern auch an Universitätslehrer, Schulmagister, Mäzene und Liebhaber der Humaniora zu denken. Indem zahlreiche nichtitalienische Musiker für immer oder vorübergehend nach Italien gingen, kamen sie in das Heimatland des Humanismus und wurden vor allem an den musenfreundlichen Höfen der Stadtstaaten, aber auch am Vatikan, mit seinem Wesen und mit seinen Vertretern vertraut. An solchen Höfen mußten sie mit dem Humanistenkreis der Residenz persönliche Verbindung bekommen und gelegentlich auch einmal eine neue humanistische Dichtung in Musik setzen, so wie Heinrich Isaac in Florenz das lateinische Trauergedicht Angelo Polizianos (›Quis dabit pacem populo timenti‹) auf den Tod von Lorenzo de' Medici (1492) zu einer vierstimmigen Motette verwendet und vorher die Canzone ›Questo mostrarsi adirata di fore‹ dieses Dichters mehrstimmig gesetzt hat.

Humanistische Literaten geben in ihren epigrammatischen und epischen Werken mancherlei Aufschlüsse über Ort und Zeit des Wirkens von Musikern; in den Opera omnia mancher humanistischen Poeten schlummern noch zahlreiche Nachrichten über das Verhältnis von Musikern und Humanisten. Vorerst ist die Musikgeschichte nur über einen Teil derartiger Schriften aus der Feder deutscher Humanisten orientiert (vor allem auch durch einige Briefausgaben). Ersieht man aus diesem Material, daß Musiker wie Heinrich Finck, Ducis, Dietrich, Isaac, Hofhaimer, Senfl und viele andere ihre humanistischen Freunde und Korrespondenten hatten, daß zwischen Wilhelm Breitengraser und dem bekannten Poeten Eoban Hesse eine intime Freundschaft bestand, daß ein Prediger und musikalischer Kleinmeister wie Antonius Musa aus dem Erfurter Humanistenkreis stammte, so läßt sich vermuten, daß auch in Italien und den übrigen Kulturländern der humanistischen Zeit zwischen den einzelnen Musikern und Humanisten mancherlei Bande geknüpft worden sind. Nicht bei allen Musikern ist es dadurch zur Komposition humanistischer Dichtungen gekommen, doch wäre es absurd anzunehmen, der Verkehr mit humanistischen Gelehrten und Schriftstellern habe sich nicht auf die Arbeit der Komponisten ausgewirkt. Der Umstand, daß ein solcher (persönlicher oder brieflicher) Verkehr bei vielen Musikern bereits nachgewiesen und bei vielen anderen analog zu folgern ist, stützt die Voraussetzung, von der die folgenden Ausführungen ausgehen: humanistischer Einfluß kann in der Musik selbst festgestellt werden.

II. Der Einfluß des Humanismus auf die Textdeklamation in der mehrstimmigen Musik des 16. Jahrhunderts

Die oft sehr deutlich zutage tretende Vernachlässigung des Wortakzents in der Polyphonie des 15. und 16. Jahrhunderts ist in den meisten Fällen dadurch bedingt, daß diese Polyphonie auf einen »cantus prius factus« aufgebaut ist, der aus dem sogenannten *gregorianischen Gesang* zu stammen pflegt und infolgedessen seine Textdeklamation mitbringt. Besonders in den mit Melismen durchsetzten Gesängen richtet sich aber die Textverteilung der Gregorianik keineswegs nach den metrischen Akzenten; es begegnet vielmehr häufig ein ausgedehntes Melisma auf einer metrisch akzentlosen Silbe. Solche Eigenheiten werden fast immer getreu in die mehrstimmige Komposition übernommen. Die Indifferenz gegenüber dem Wortakzent wirkt aber auch noch weiter, indem der Komponist im allgemeinen auch dort nicht akzentgerecht zu betonen trachtet, wo ihm die Möglichkeit dazu geboten wäre. Man kann also sagen, daß akzentgerechte Deklamation in dieser Art von Musik kein Prinzip ist.

Im allgemeinen beginnt nun aber die akzentgerechte Deklamation in solchen Formen sich einzubürgern und durchzusetzen, die praktisch ohne »cantus prius factus« sind. Sieht man von nichtkirchlichen Texten ab, so bieten einerseits die wortreichen Ordinariumsteile aus Messen mit nichtchoralem cantus firmus, andererseits die mehrstimmigen Psalmen reichlich Gelegenheit zur sorgfältigen Behandlung des Einzelwortes. Messen über Chansonmelodien, volkstümliche Lieder oder »soggetti cavati« behandeln ihr melodisches Material meist ziemlich frei und sind daher in der Textunterlegung beinahe ungebunden. In Gloria und Credo können sie mit Hilfe von Tonrepetitionen und metrischen Modellen aller Art dem Textakzent ganz genau folgen. Ähnlich ist es in den mehrstimmigen Kompositionen ganzer Psalmen oder großer Psalmausschnitte. Diese Gattung scheint erst gegen Ende des 15. Jahrhunderts aufgekommen zu sein; es ist außerdem aber bis heute nicht festzustellen, ob diese ausgedehnten *mehrstimmigen*

Psalmkompositionen einen festen Platz in der Liturgie hatten, bzw. wo sie im Gottesdienst gesungen worden sind. Jedenfalls müssen sie sich in kurzer Zeit große Beliebtheit errungen haben; diese läßt sich zwar bis zu einem gewissen Grade durch die besondere Wertschätzung des Psalms bei Luther und den anderen Reformatoren (besonders Calvin) erklären, ist aber andererseits doch schon längere Zeit vor der Reformation und später auch bei katholischen Komponisten bzw. in katholischen Kompositionssammlungen festzustellen. Die originalen Psalmtöne spielen nun in diesen Kompositionen als cantus firmus so gut wie gar keine Rolle. Ihr rezitierender, monotoner »accentus«-Charakter und die Tatsache, daß es nur acht solcher Töne gab, sind die Ursache davon, daß man in den meisten Fällen einen mehrstimmigen Psalm mit frei erfundenen Motiven aufzubauen pflegte.

An Hand des reichen Materials, das sich allein in den drei Bänden ausgewählter Psalmen des Nürnberger Druckers Johannes Petrejus darbietet (›Tomus primus [secundus, tertius] psalmorum selectorum‹, 1538–1542, erweitert und leicht verändert in vier Bänden bei J. Montanus und U. Neuber, Nürnberg 1553/54), läßt sich der wachsende und wechselnde Einfluß der humanistischen Wortbehandlung gut verfolgen. Sieht man von Sonderfällen ab, in denen mit dem Psalmton äußerst geschickt und geradezu raffiniert ein cantus firmus aufgebaut wird oder in denen Fragmente des Psalmtons auftauchen, so zeichnet sich etwa folgendes Bild ab. Die von den Komponisten frei erfundenen melodischen Wendungen, vor allem am Anfang der einzelnen Verse bzw. wichtiger Satzteile, zeigen oft noch Verwandtschaft mit gregorianischer Melodik, stammen also sicherlich aus Reminiszenzen an bestimmte Choralmelodien. Solche melodischen Gebilde pflegen sich noch keineswegs auf konsequente Beachtung des Wortakzents festzulegen.

Im Tenor des Psalms ›Credidi propter quod locutus sum‹ von Heinrich Isaac (aus ›Tomus secundus psalmorum selectorum‹, Nürnberg 1539; Abb. 1) zeigen sich neben Anklängen an den Psalmton (Anfang des zweiten Teils) gegen den Wortakzent deklamierte Stellen (etwa »Vó-ta mé-a Dó-mi-nó red-dam co-rám«) oder durch Melismatik auf akzentlosen Silben verschobenes metrisches Gewicht (»in-vó--------ca-bo«). Hier dürften also noch die Grundsätze und Gewohnheiten der Komposition liturgisch gebundener Stücke obwalten; Isaac nimmt die ihm gebotene Freiheit nicht wahr, er strebt nicht zu einer akzentgerechten Deklamation. Man könnte also wohl von vorhumanistischer Textbehandlung sprechen. Daß dieses Attribut nicht wörtlich (im chronologischen Sinne) zu interpretieren ist, versteht sich bei Isaacs Verhältnis zu dem führenden Humanisten Poliziano von selbst, wird aber auch bei einem Blick auf den Tenor zu ›Paratum cor meum‹ von Josquin Desprez (aus ›Tomus secundus psalmorum

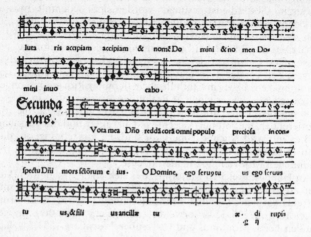

Abb. 1: Schluß der Prima Pars und Beginn der Secunda Pars zu ›Credidi propter quod locutus sum‹ (Tenor) von Heinrich Isaac (aus: Petrejus, ›Tomus secundus psalmorum selectorum‹, Nürnberg 1539).

Abb. 2: Eine Seite des Tenors zu ›Paratum cor meum‹ von Josquin Desprez (aus: Petrejus, ›Tomus secundus . . .‹).

selectorum‹, Nürnberg 1539; Abb. 2) deutlich, einer Komposition, die der Blütezeit des Humanismus entstammen muß. Obwohl es sich um die normalerweise cantus firmus-tragende Stimme handelt, findet sich kein Anklang an den Psalmton, die Komposition ist also cantus firmus-frei. Auch Josquin sucht aber keine akzentgetreue oder gar syllabische Deklamation; die Wortbetonung gleicht der in cantus firmus-gebundenen Motetten traditioneller niederländischer Observanz (vergleiche das Wort »exaudi« in der obersten Zeile).

Im Gegensatz dazu stehen Partien des Discantus zu ›Levavi oculos meos‹ von Josquin (aus ders. Sammlung; Abb. 3). Fast überall folgen nichtsyllabisch textierte Stellen auf syllabische. Besondere Aufmerksamkeit verdient jedoch der Melodieabschnitt von »neque dormit« bis »dormiet«; hier ist das Streben nach metrisch und melodisch prägnanten, geordneten Melodiegebilden nicht zu verkennen. So wird die Wendung zu »neque dormitet« bei »custodit te« eine Terz tiefer wiederholt.

Im Zuge der ständig enger werdenden Verbindung von Wort und Ton verliert die Musik die letzten Reste frei schwebender Linearität und vokalisierender Melismatik. Damit aber beginnt die humanistisch inspirierte Wortbehandlung in die Musik selbst ein-

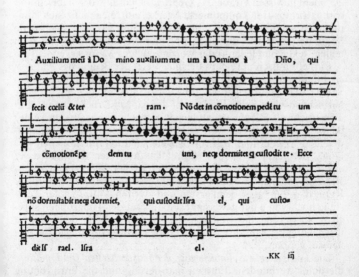

Abb. 3: Eine Seite des Diskantus zu ›Levavi oculos meos‹ von Josquin Desprez (aus: Petrejus, ›Tomus secundus . . . ‹).

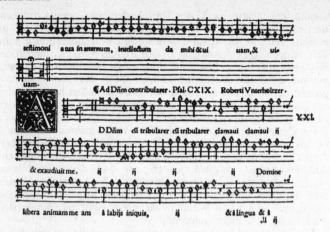

Abb. 4: Beginn des Altus zu ›Ad Dominum cum tribularer‹ von Ruprecht Unterholtzer (aus: Petrejus, ›Tomus secundus . . .‹).

zugreifen, der Humanismus gibt dem Melos der Einzelstimme bis zu einem gewissen Grade das Gepräge. Überall wo syllabisch und cantus firmus-frei komponierte Werke auftreten, läßt sich nunmehr (besonders in den Jahren um 1530–1540) die wachsende Spannung zwischen der alten polyphonen Satztechnik und dem neuen, textgebundenen (oder wortgezeugten) Melos erkennen.

Ein sehr aufschlußreiches Beispiel bietet der Beginn des Altus zu ›Ad Dominum cum tribularer‹ von Ruprecht Unterholtzer, einem Schüler von Heinrich Finck (aus ders. Sammlung; Abb. 4). Hier herrscht so klare Syllabik, daß auf der ganzen Druckseite nur drei Töne mehr als Silben vorhanden sind: zwei bei »meam« und einer beim zweiten Auftreten von »a labiis iniquis«. Immer wieder werden auch Wiederholungen von Textstellen durch Idemzeichen verlangt. Bezeichnend ist das fünfmalige Auftreten der Worte »et exaudivit me« (zweites System). Hier ist der Wortakzent offensichtlich der Inspirator der jedesmal verschiedenen Sechstonfolge. Kann man nun aber beim ersten und zweiten Auftreten der Textstelle noch von einer gewissen Melodiosität der Tongruppen sprechen, so werden die weiteren drei Melodiegebilde deutlich von ihrer Aufgabe, Mitteltöne zu Akkorden im vierstimmigen Satz zu liefern, geprägt.

Die *konsequente Syllabisierung der musikalischen Deklamation*, die damit verbundene Entmelismatisierung und die Entthronung der im eigentlichen Sinne melodischen Linie führen also zu Tongebilden (Motiven) ohne ausgeprägtes melodisches Profil. Die

84

melodische Substanz wird immer schwächer dosiert, und an die Stelle eigenständiger melodischer Linien treten einfache Tonfortschreitungen, wie sie für eine Mittelstimme charakteristisch zu werden beginnen.

Daß hinter dem hier an Hand typischer Beispiele geschilderten Gesamtphänomen tatsächlich die vom Humanismus proklamierte Hochachtung vor dem Wort zu erkennen ist, daß es sich also nicht etwa nur um einen technischen Vorgang innerhalb der Entwicklung der musikalischen Stimmführung handelt, wird auch an einem anderen, charakteristischen Einzelzug aus der Textverteilung bei liturgisch gebundenen Kompositionen ersichtlich. Analog zum Hang, die Melodieführung dem Text immer enger anzupassen, verfolgen Drucker und Schreiber das Ziel, dem Musizierenden möglichst *eindeutige Textierungen* in die Hand zu geben. Die Quellen mit polyphoner Musik warten bekanntlich um so seltener mit präzisen Textunterlegungen auf, je früher sie entstanden sind. Das gilt vor allem für die Polyphonie des 15. Jahrhunderts und der ersten drei Jahrzehnte des 16. Jahrhunderts. Vergleiche zwischen verschiedenen Aufzeichnungen einer und derselben Komposition lehren, daß der Text im allgemeinen zunächst wohl nur andeutungsweise unterlegt wird, d. h. er erscheint unter dem Abschnitt der Stimme, zu dem er gehört, einigermaßen frei verteilt. Das sogenannte *Idemzeichen* (ij, ⁒ und ähnlich) tritt zunächst nicht oft auf. Daraus muß man folgern, daß ursprünglich die Textverteilung weitgehend Sache der Ausführenden (vor allem wohl des Chorführers) war. Je stärker sich die Neigung zur akzentuierenden Deklamation bemerkbar macht, desto häufiger treten in Drucken und Handschriften Idemzeichen auf; mit ihrer Hilfe gelingt es, längere Melodiezüge, von denen man annehmen muß, daß sie ursprünglich auf eine Silbe gesungen worden sind, ganz oder doch fast ganz syllabisch zu textieren. Ein besonders auffallendes Beispiel findet sich im ›Kyrie Summum‹ von Thomas Stoltzer, das in einer relativ späten Quelle mit einer ungewöhnlich reichen Fülle von Idemzeichen versehen ist.[1]

Wenn nicht alles täuscht, so sind also ältere Kompositionen in späteren Niederschriften genauer und vor allem, mit Hilfe von Textwiederholungen, wesentlich reicher (oder dichter) textiert worden. In Drucken aus der Mitte des 16. Jahrhunderts pflegen vor allem die wortreichen Stücke eine so exakte Textverteilung zu besitzen, daß die Unterlegung dem Ausführenden keinerlei Wahl läßt. An diesem Punkt treffen die Syllabisierung der Vokalmusik und das Streben nach eindeutig fixierter Textunterlegung aufeinander.

---

[1] Faksimile aus dem Bassus des ›Kyrie Summum‹ von Thomas Stoltzer in: Erbe deutscher Musik, Reihe 1, Band 22, 1942, S. IX. Dort befinden sich allein zwischen »Kyrie« und »eleison« acht Idemzeichen.

Inzwischen war neben die Psalmkomposition in immer stärkerem Maße das ebenfalls schon bei den älteren Niederländern begegnende *mehrstimmige Evangelium* getreten, ebenfalls eine wortreiche Form ohne cantus firmus. Im übrigen spielte um und nach 1550 die cantus firmus-Gebundenheit für das Wort-Ton-Verhältnis kaum mehr eine entscheidende Rolle; zum mindesten war der Einfluß des cantus firmus auf die Textierung der einzelnen Stimmen außerordentlich abgeschwächt. Die vom durchimitierenden Satz bewirkte Angleichung aller Stimmen aneinander hat den cantus firmus im eigentlichen Sinne aufgelöst, die an seine Stelle tretenden, den »cantus prius factus« frei verarbeitenden Stimmen entbinden den Text von der Beachtung der original-choralen Silbenverteilung. Infolgedessen konnte sich die akzentuierende Deklamation auch auf alle wortarmen Formen ausdehnen. Akzentgerechte Melodiebildung muß aber durchaus nicht auf Melismatik verzichten; das Kyrie aus Palestrinas ›Missa Papae Marcelli‹ ist ganz akzentgetreu metrisiert, dehnt aber die akzenttragende Silbe »-lei-« (in »eleison«) durch einen absteigenden Skalenlauf.

Im Laufe der ersten Hälfte des 16.Jahrhunderts waren auch die national sehr verschiedenen volkssprachigen Liedbearbeitungen zu einer ähnlich sorgfältigen Textbehandlung übergegangen oder hatten sich ihr wenigstens so stark genähert, daß es zur Kongruenz von Wortakzent und musikalisch-metrischem Akzent nur eines Schrittes bedurfte, der in allen Ländern spätestens um 1570 dann auch getan wurde.

III. Pflege und Verbreitung der humanistischen Gelegenheitskomposition

Zu den unwandelbaren Eigenschaften des humanistischen Schriftstellers gehörte offenbar die Eitelkeit, von der selbst erlauchte und verehrungswürdige Geister wie Erasmus von Rotterdam nicht frei waren. Sie paarte sich mit dem unablässigen Geldbedürfnis; beide waren oft die wirklichen Triebfedern für die Poeterei. Huldigungsgedichte für fürstliche Personen, besonders zu wichtigen und feierlichen Anlässen, wie zur Thronbesteigung, zur Hochzeit und zur Geburt von Prinzen, Traueroden auf den Tod hochstehender Persönlichkeiten (oder auch anderer Humanisten), aber auch reine Loblieder waren gang und gäbe; die Lobgedichte waren vielfach auch für humanistische Freunde, Lehrer und Schüler bestimmt, sie wurden oft auf Gegenseitigkeit verfertigt.

Die Musiker wollten den Dichtern meist nicht nachstehen. So begann sich neben der Kirchenmusik und neben dem vulgärsprachigen Lied eine weltliche »Motetten«-Kunst mit lateinischem Text zu entfalten. Vorbilder waren die Huldigungsmotetten für

geistliche und weltliche gekrönte Häupter, die Festmotetten mit
halbkirchlichem Text zu besonders feierlichen Gelegenheiten
(vergleiche Guillaume Dufays ›Nuper rosarum flores‹ zur Einweihung des Florentiner Domes 1436) und die Musikermotetten,
die Nänien auf den Tod bedeutender Meister, die meist von deren
Schülern komponiert wurden. Die Kunst derartiger Epitaphien
(»Déplorations«, »Epicedia« u. a.) breitete sich immer weiter aus.
Waren es zuerst wirklich noch in der Hauptsache gekrönte Personen oder angesehene Musiker, deren Tod mit einem Epitaphium
beklagt wurde (Heinrich Isaacs Trauermotette für Lorenzo de'
Medici, Jean Moutons berühmter Klagegesang ›Quis dabit oculis
nostris fontem lacrimarum‹ für Anna von Frankreich und dessen
zahlreiche Umdichtungen und Neuvertonungen z. B. von Ludwig
Senfl, die Nänien auf Johannes Ockeghem, Josquin Desprez,
Alexander Agricola und viele andere), so stammten die Besunge-
nen und Angedichteten immer häufiger aus dem humanistischen
Freundeskreis der Verseschmiede und aus den Stadt- bzw. Kir-
chenobrigkeiten, je fester sich der Humanismus nördlich der
Alpen einnistete, je mehr er dabei verbürgerlichte und je zahlreicher die (vor allem evangelischen) Schulmeister-Humanisten wurden. Fast immer fand sich dazu ein Musiker, der solche Poemata
auf Motettenart komponierte. Gelegentlich wurden solche »Epitaphia«, »Epithalamia« (oder »Carmina nuptialia«), »Carmina
gratulatoria« usw. einem gedruckten Sammelwerk einverleibt,
einer Liebhaberhandschrift anvertraut oder auch als eigene Publi-
kation veröffentlicht; auf diese Weise sind zahlreiche Kompositionen dieser Art erhalten geblieben. Ihnen gesellte sich die
ursprünglich wohl nur als Fürstenhuldigung gedachte *Wahlspruch-
komposition*, meist als »Symbolum« bezeichnet. Unter den deutschen Komponisten des mittleren 16.Jahrhunderts findet sich
kaum ein einziger, der sich nicht auf dem Gebiete der Gelegenheitskomposition betätigt hätte. In diesen Stücken verkörpert sich
schon sehr früh die cantus firmus-freie Motette; ihre humanistische Herkunft und Wesensart bedingen eine musikalische Ein-
kleidung der Texte, die wohl beanspruchen kann, als Humanistenmusik bezeichnet zu werden. In der Satztechnik unterscheiden sich
alle diese Kompositionen grundsätzlich nicht von den kirchlichen
Motetten ihrer Zeit; sie stehen vielmehr innerhalb der Entwicklung des polyphonen Satzes. Häufig dienen sie als Anlaß zur Entfaltung besonderer satztechnischer Kunstmittel. Dazu gehört vor
allem der auch in der geistlichen Motette gelegentlich verwendete
»cantus gravitatis«, eine in gewichtigen langen Tönen durch einen
im übrigen normal polyphonen, in sich selbständigen Satz gravi-
tätisch hindurchschreitende Stimme, meist eine Mittelstimme. Oft
wird eine solche Stimme auch zur Trägerin einer ostinaten Ton-
gruppe; der »cantus gravitatis« wiederholt dann dieses Melodie-

gebilde entweder in gleichbleibenden oder auch verschiedenen Abständen, er pflegt mit längeren Pausen durchsetzt zu sein. Das ostinate »Motiv« kann auch transportiert werden, und es kann sein Tempo ändern, indem es in kürzere oder längere Notenwerte übertragen wird. An Caspar Othmayrs ›Symbola‹ von 1547[2] lassen sich derartige Abwandlungen des »cantus gravitatis« besonders gut verfolgen.

Der Charakter vieler humanistischer Gelegenheitsdichtungen prägt sich auch darin aus, daß man etwa den Toten, um den man trauert, zu den Hinterbliebenen sprechen läßt (Georg Fabricius, ›Epitaphia Rhavorum‹, komponiert von Johannes Reusch) oder gar einen fingierten Dialog durchführt (Epitaphium auf Alexander Agricola, Dichter und Komponist unbekannt, veröffentlicht in Georg Rhaus ›Symphoniae jucundae‹, Wittenberg 1538).

Die *motettische Anlage* der Komposition läßt sich jedoch dadurch nicht beeinträchtigen. Solange die polyphone Satztechnik noch nicht vom Prinzip des durchimitierenden Kontrapunkts beherrscht war, wurden auch die humanistischen Gelegenheitskompositionen davon nicht berührt. Auch hier zeigt sich, daß es keinen humanistischen Kompositionsstil gibt, sondern daß die Eigenart der humanistischen Texte, die intensive Wortbeachtung und das Fehlen des »cantus prius factus« allenfalls gewissen Satzweisen günstig sind. So ist es wohl auch kein Zufall, daß die relativ frühen Trauermotetten Isaacs und Moutons ebenso breit und ohne Initialimitation vollakkordisch beginnen wie die sogenannten Davidsklagen; diese spielen im Motettenschaffen eine gewisse Rolle, sie dürften wohl das Vorbild für solche »Epicedia« gewesen sein. In anderen mehrstimmigen Totenklagen ist dagegen offenbar die Anlehnung an die normale cantus firmus-Motette stärker wirksam geblieben (z. B. in dem erwähnten Agricola-Epitaph oder in den beiden Zwingli-Motetten von Johann Heugel, aber auch im ›Epitaphium Lutheri‹ von Caspar Othmayr). Erst mit der Generation von Nicolas Gombert (Schaffenszeit etwa 1530–1555) dringt der *durchimitierende Kontrapunkt* auch in die humanistische Gelegenheitskomposition ein. Dabei ist es von Bedeutung, daß die vom Komponisten frei erfundenen Motive der Stücke ohne »cantus prius factus« im durchimitierten Satz das gleiche Gewicht erhalten wie die am Modell einer choralen Melodie gebildeten melodischen Gebilde einer kirchlichen Motette. Die Substanz dieser Einfälle des Komponisten muß nunmehr zur konsequenten Imitation ausreichen, ihr sogar entgegenkommen. Das dichte polyphone Gewebe, in welchem bekanntlich die Pausen nur noch eine geringe Rolle spielen, verlangt Fäden, die in ihrer sehr mannigfaltigen Verflechtung deutlich erkennbar bleiben sollen.

---

[2] Neuausgabe von Caspar Othmayrs ›Symbola‹ (1547) herausgegeben von Hans Albrecht in: Erbe deutscher Musik, Reihe 1, Band 16, 1941.

Hier aber liegen die Schwächen und Gefahren der akzentuierenden Deklamation. Um ein echtes und eigenständiges Melos zu erreichen, hätte die Freiheit der Erfindung (wenn man diesen modernen Begriff vergleichsweise für den Schaffensprozeß des 16.Jahrhunderts zulassen will) nicht durch irgendwelche Regeln eingeengt werden dürfen, auch nicht durch ungeschriebene. Da jedoch das Prinzip der syllabischen Textierung sich im Zusammenhang mit der akzentuierenden Deklamation zu einer feststehenden Regel entwickelt hatte, verzichtet die Gelegenheitskomposition fast durchweg auf eine aus der diatonischen Stufenbewegung erwachsende Melodiebildung und auf Tonkurven oder -bögen über einzelnen Textsilben. Stattdessen versucht sie meistens, der musikalischen Texteinkleidung einen geradezu skandierenden Charakter zu geben. Das erzielt sie, indem sie sich weitgehend der Tonrepetition und der Akkordintervalle bedient. Die Initien von Othmayrs ›Symbola‹ zeigen deutlich, wie stereotyp der Beginn mit einer Tonrepetition geworden ist; auch der Intervallsprung nach der Tonrepetition beginnt Modellcharakter zu bekommen. (Auf ähnliche Typisierungserscheinungen außerhalb der humanistischen Gelegenheitskomposition, etwa auf die Neigung der französischen Chanson zum Initialmetrum lang-kurzkurz-lang, sei hier nur hingewiesen. Offenbar handelt es sich um einen allgemeinen Vorgang, der in jedem Falle auf der Anpassung des musikalischen Metrums an das poetische beruht.)

Das Ideal des einwandfrei skandierten Textes wird in vielen Fällen auch erreicht. So läßt sich manchmal feststellen, daß die einzelnen Stimmen eines durchimitierten Satzes die einzelnen Daktylen und Spondäen eines Hexameters oder Pentameters metrisch nachvollziehen. An der folgerichtigen Weiterentwicklung von Notation und Wertmessung ist denn auch die humanistisch beeinflußte Musik stark beteiligt. Die Ablösung der differenzierten Mensurierung durch das »tempus imperfectum diminutum« ($\math$) entspricht der metrischen Vereinheitlichung, und die Verlagerung der sogenannten Zählwerte auf die kleineren Noten hängt eng mit dem Streben nach möglichst exakter Akzentuierung zusammen. So ist der Übergang zur Semiminima als Silbenträgerin ($\math♩$, heutiger Wert etwa ein Achtel) gerade in humanistischen Kompositionen um 1550 besonders deutlich sichtbar. Hier bahnt sich der Semibreven-Takt bereits an; denn das von der zeitgenössischen Musiktheorie noch geforderte Schlagen »alla breve«, das dem vorgeschriebenen tempus wörtlich entspricht, ist bei syllabisch textierten Semiminimen sinnwidrig geworden.

In den Jahrzehnten von etwa 1550–1570 scheint die lateinische Gelegenheitsmotette einen Höhepunkt erreicht zu haben. Die Sammlungen von Trauer- und Hochzeitsmotetten von Johannes Reusch, die Einzeldrucke von Hermann Finck und das 5. Buch von Ruggiero Giovannellis ›Novus Thesaurus Musicus‹ (1568) mit vielstimmigen Huldigungsmotetten zahlreicher spät-niederländischer Komponisten seien als markante Beispiele genannt. Der Anteil solcher humanistischen Werke an der satztechnischen und stilistischen Entwicklung wird sich wohl nie genau bemessen lassen. Es hat aber den Anschein, als ob in jedem Falle der Zug der Zeit durch die vom humanistischen Denken berührten musikalischen Phänomene beflügelt worden sei. Das zeigt sich auch darin, daß das ganze Gefüge des mehrstimmigen Satzes bereits im zweiten Drittel des 16. Jahrhunderts eindeutige Anzeichen der beginnenden Homophonisierung erkennen läßt. Homophoner Satz ist allerdings schon vor 1500 nichts absolut Neues (siehe auch Abschnitt IV), hier handelt es sich aber um den allmählichen unausweichlichen Übergang der Polyphonie in die Homophonie, und zwar offenbar nicht unter dem Einfluß älterer, akkordisch-homophoner Kompositionsformen, sondern aus der Entwicklung der Polyphonie selbst heraus.

Die Metrisierung der Melodik zugunsten der akzentuierenden Deklamation hat eine »Entmelisierung« der Musik zur Folge. Die mit Hilfe von Tonrepetition und Dreiklangsintervallen aufgebauten Motive entziehen sich der kontrapunktischen Imitation zwar nicht (siehe oben), geben aber dem polyphonen Gewebe den Charakter der vorherrschend akkordischen Anlage. Es bedarf keiner Erläuterung, warum sich diese Wirkung einstellen mußte und gar nicht vermieden werden konnte. Die Mittelstimmen gerieten dabei zwangsläufig in die Funktion, zur Akkordfüllung zu dienen, und zwar nicht in jenem allgemeinen Sinne, wie sie es auch bei strenger Polyphonie müssen. Ihre melodische Verarmung ist vielmehr jetzt das entscheidende Merkmal der Stimmführung und (mindestens teilweise) die Folge der weitreichenden Veränderung der melodischen Strukturen überhaupt. Wenn sich hier der fast melodienlose, nur auf dem Harmoniewechsel aufgebaute Satz der venezianisch-römischen Kirchenmusik und der deutschen Chormusik des 17. Jahrhunderts (Michael Praetorius, Hermann Schein, Heinrich Schütz u. a.) bereits deutlich ankündigt, so geht diese Wandlung vom Liniengewebe zur Flächigkeit also zum Teil auch auf die Wirkung humanistischer Einflüsse zurück.

Neben der besonders im deutschen Kulturraum gepflegten Fülle der (im Grunde genommen repräsentativen) Gelegenheitswerke, für die auch die baldige Übernahme der Vielstimmigkeit (sechs- und achtstimmige Kompositionen bei Giovannelli) bezeichnend ist, nimmt sich der Anteil der anderen Nationen an der Vertonung humanistischer Texte im 16. Jahrhundert zunächst bescheiden aus. Hier sind hauptsächlich die Motetten auf Texte aus der klassischen römisch-antiken Dichtung, in erster Linie aus Vergils ›Aeneis‹, zu nennen. Die Stücke von Josquin, Adrian Willaert, Jacob Arcadelt,

Cipriano de Rore u. a. (auch deutsche Meister sind beteiligt) zeigen die Ähnlichkeit der Entwicklung dieser Vergil-Motetten mit der des humanistischen Gelegenheitsstücks. Bei allen Verschiedenheiten im einzelnen läßt sich nicht übersehen, daß die Vergil-Motette jeweils auf dem Boden der allgemeinen zeitgenössischen Motettenpolyphonie gewachsen ist; Ähnliches gilt, wie dargelegt, auch für die weltlichen lateinischen opera der humanistisch beeinflußten deutschen Musiker (Senfl, Sixt Dietrich, Ducis, Heugel, Breitengraser, Othmayr, Reusch, Hermann Finck und viele andere). Soweit man an Hand der Neuausgaben feststellen kann, sind auch bei den Vergil-Motetten erst die um die Mitte des 16.Jahrhunderts und später entstandenen Stücke vorherrschend akkordisch konzipiert und im Metrum vom Original bestimmt (Arcadelt, de Rore).

Neben das zu besonderen, relativ großen Anlässen komponierte Gelegenheitsstück und die feierliche Huldigungsmotette, die beide eine Domäne der deutschen Musiker im Zeitalter der Reformation waren (schon Johann Walter schrieb eine Ostinato-Komposition auf Kaiser Maximilian I.), tritt in Deutschland noch die unterhaltsame *Schulkomposition* auf gelehrter Basis. Die bisher fast gänzlich unausgeschöpfte Überlieferung läßt Urteile über etwaige Vorbilder (Praxis der Vagantenlieder?) und über das Vorkommen in anderen Ländern noch nicht zu. Es handelt sich um mehrstimmige Kompositionen auf meist scherzhafte lateinische (oder gemischt lateinisch-deutsche) Texte, die oft in Prosa gehalten sind und nur dem Kenner des Lateins verständlich waren und sein sollten; sie sind zum großen Teil wohl für Schüler und Studiosi gedacht, wenn nicht sogar von solchen verfaßt. Ihre musikalische Faktur ist dementsprechend meist auch relativ unkompliziert, so daß sie in Dilettantenkreisen wohl »über Tisch« (Luther) gesungen werden konnten.

IV. Die humanistische Odenkomposition

Einfachheit des Satzes in auf die Spitze getriebener Form findet sich in der rein didaktischen Zwecken dienenden sogenannten *Humanistenode*, einer für die von humanistischen Magistri geleitete deutsche Lateinschule wie für die Lehrmethode an den deutschen Universitäten offenbar besonders bezeichnenden Form. Den Namen »Ode« trägt sie, weil sie ihre Entstehung der Vertonung von Oden des Horaz verdankt. Der Inspirator dieser zwar scharf profilierten, in ihren Zielen und Wirkungsgebieten aber eng begrenzten Form war der Wandergelehrte und -poet Conrad Celtis. Er wollte eine musikalische Bearbeitung der Horaz-Oden, bei der alle Stimmen haargenau im Metrum des Textes zu singen hatten. Damit sollte ein Mittel geschaffen werden, den Schülern und Studenten die Versmaße der lateinischen Poetik und die Texte des Horaz auf angenehme und unauslöschliche Art einzuprägen. Zwangsläufig mußten die Vorstellungen von Celtis zu einer homometrischen Mehrstimmigkeit führen, d. h. weder Kontrapunktik noch Erfindung eigenständiger melodischer Linien konnten eine Rolle spielen. Herauskommen mußte vielmehr eine schlichte Akkordik. Diese als humanistische »Erfindung« anzusehen, wäre jedoch völlig falsch. Der Satz Note gegen Note ist vielmehr ein wesentlich älteres Kunstmittel. Er diente z. B. schon früh zur Hervorhebung besonders bedeutsamer Textstellen in der Ordinariumskomposition, etwa im Credo, wo z. B. schon in der Machaut-Messe die Worte »ex Maria virgine« mit breiten Akkordsäulen, also im Satz Note gegen Note behandelt sind. Im mehrstimmigen deutschen Lied finden sich ganze Kompositionen in dieser Satztechnik schon aus dem 15.Jahrhundert, wenn sie auch echt mensural, d. h. nicht nur nach Längen und Kürzen, rhythmisiert sind und strengste Homophonie nach Art der Humanistenode nur gelegentlich erreichen (Glogauer Liederbuch Nr. 50 und 80; Thomas Stoltzers ›Entlaubet ist der walde‹ und ›Ich klag den tag‹, u. a.).

Die niederländischen Meister, die nach Italien gingen, fanden dort in den Formen der volkstümlichen Mehrstimmigkeit (Lauden, Frottolen, Strambotti, Canti carnascialeschi) reichlich Anschauungsmaterial und Vorbilder für die Satztechnik des »contrapunctus simplex«, wie sie auch genannt wurde. Die italienischen Liedformen bringen sogar schon die Liedweise in der Oberstimme, haben also das Prinzip des Tenor-cantus-firmus-Satzes, die traditionelle Form der deutschen Liedbearbeitung bis in die Mitte des 16.Jahrhunderts, entweder nie gekannt oder absichtlich nicht übernommen. Die Beispiele und Anleitungen zum Satz Note gegen Note in musiktheoretischen Traktaten lassen erkennen, daß diese Technik sozusagen als Sprungbrett für den Anfänger in der Komposition diente. Sie hat in ebenfalls unmensurierter Musik, den mehrstimmigen Psalmen im sogenannten falso-bordone-Satz, ihre Angemessenheit für solche Stücke erwiesen, bei denen es galt, viel Text in möglichst knapper, aber auditiv bestens verständlicher Diktion zu singen, und auch hier treten infolgedessen Melos und polyphone Stimmführung in den Hintergrund. Bei dieser Satzweise, die dem humanistischen Odensatz am engsten verwandt ist, handelt es sich sozusagen um mehrstimmige Psalmodie. Die lateinischen Psalmen werden mehrstimmig so bearbeitet, daß der im Tenor geführte Psalmton in quasi stereotypen Akkorden begleitet wird. Man singt dabei also unmensuriert, d. h. man psalmodiert in allen Stimmen nach dem Prosarhythmus des Textes. Dazu bedarf es nun jedoch nicht der strikten Unterscheidung von Längen und Kürzen wie bei der Humanistenode, sondern man kann alle Stimmen in Choralnoten schreiben, da der Psalmton als cantus firmus dient. Zur Erleichterung für die Sänger, d. h. vorwiegend wohl zur Wahrung der akzentischen Prosarhythmik des Psalmtextes, teilt man die jeweils zu einem Textwort gehörenden Noten durch kleine, senkrechte Striche im Liniensystem ab. Fraglich ist allerdings heute noch, ob der falso bordone schon vor der Humanistenode als selbständige, eine ganze Komposition beherrschende Satzweise gepflegt worden ist.

Alle diese Beispiele für die Verwendung des »contrapunctus simplex« zeigen jedenfalls, daß die Einführung des schlicht akkordischen Satzes durch die Humanisten-Musiker keinerlei Sensation bedeutet haben kann. Neu war an der mehrstimmigen humanistischen Ode nur die Metrisierung, und sie war ja auch das eigentliche Ziel der Initiatoren. An die Stelle der rationalen, durch eines der gebräuchlichen Tempora ausgedrückten Mensur treten bei den Oden, wie bereits angedeutet, praktisch nur Längen und Kürzen. Diese stehen, ihrer Notierungsweise nach, im Verhältnis 2:1 zueinander, folgen also der quantitierenden Poetik des klassischen Latein nahezu mechanisch. (Im praktischen Singen ist dieses mechanische 2:1-Verhältnis zweifellos durch unwillkürliche leichte Bedeutungsakzente bzw. expressive Straffungen und Dehnungen irrational gestaltet worden.) Im Odensatz wäre die vorherige Aufstellung eines Tenor-cantus firmus natürlich eigentlich überflüssig, da weder mit seinem Material imitatorisch gearbeitet wird noch seinen Duktus frei umspielende Nebenstimmen komponiert werden können.

Die Odenkomposition und ihre Verwendung im Unterricht an Universitäten und Lateinschulen scheinen in der Mitte der 1490er Jahre aufgekommen zu sein, als Celtis an der Universität Ingolstadt Horaz-Vorlesungen hielt. Die ersten mehrstimmigen Sätze stammen von seinem Schüler Petrus Tritonius; es kann als sicher gelten, daß der Lehrer und »Erfinder« dem Musiker alle Anregungen und wohl auch Anleitungen gegeben hat, so daß das wirkliche Verdienst an der Schaffung der Humanistenode Celtis gebührt und man Tritonius sicherlich mehr als den technisch Ausführenden ansehen muß. Die früheste bis heute bekannte Druckausgabe dieser Oden kam 1507 bei Oeglin in Augsburg heraus. Die völlig kunstlosen Kompositionen erfreuten sich schneller Verbreitung und offenbar größter Beliebtheit, und das lebhafte Interesse der bedeutendsten deutschen Meister an der Komposition solcher Sätze, das bald in neuen Stücken dieser Art seinen Niederschlag fand, beweist, daß eben diese Meister der kunstvollen Polyphonie die Komposition der schlichten homometrischen Oden nicht als Spielerei auffaßten (Hofhaimer, Senfl, Ducis u. a.). Man kann die

Beteiligung bedeutender Komponisten an der Erprobung einer neuen, ungewohnten, aber durch die Herkunft aus der römischen Antike geadelten Metrik vielleicht mit Albrecht Dürers (und Leonardo da Vincis) Versuchen zur Proportionslehre auf eine Stufe stellen. Obwohl, wie erwähnt, ein Tenor-cantus firmus bei den Odensätzen eine Fiktion sein mußte, hat doch Senfl die »Tenores« der Tritonius-Oden als »cantus prius facti« in seinen ›Varia carminum genera‹ (Nürnberg 1534) benutzt. Das spricht wohl weniger für seine Hochachtung vor der Erfindungsgabe von Tritonius, als es ein Zeichen dafür ist, daß ein zu dieser Zeit sicherlich zu den konservativen Meistern gehörender Komponist wie Senfl auf einen »cantus prius factus« nicht verzichten konnte, nicht einmal in Stücken, bei denen es völlig gleichgültig gewesen wäre, ob sie auf einer solchen Weise aufgebaut oder frei erfunden wären. Es wird an dieser Stelle deshalb hervorgehoben, weil es den Abstand zwischen der altniederländischen Polyphonie und einer offenbar doch als neuartig empfundenen Wortbehandlung in einzigartiger Weise erkennen läßt. Im Verfahren Senfls zeigt sich, wie der humanistisch interessierte Musiker, der aus der Schule des 15.Jahrhunderts (Isaac) kommt und, wie oben (Abschnitt I) geschildert, die konservative hohe Kunst des polyphonen Motetten- und Messenschaffens bzw. der kunstvollen Liedbearbeitung als seinen Besitz betrachten kann, auch an eine rein humanistische Form, für die er sich brennend interessiert, nur herangehen kann, indem er sich diejenigen kompositorisch-technischen Mittel zu bewahren trachtet, die sich zum mindesten ohne Schaden für die neue Form verwenden lassen. Es beweist, daß die Ode tatsächlich eine radikale Lösung des humanistischen Wort-Ton-Problems war. Bald ging man dann über die Oden des Horaz hinaus. Schon Martin Agricola in seinen ›Melodiae scholasticae‹ und Senfl nahmen Texte von Ovid, Catull, Vergil u. a. auf. Dazu trat bei Senfl der mittelalterliche Hymnendichter Prudentius, dessen geistliche Dichtungen von den frommen und gottesfürchtigen Schulmännern des 16.Jahrhunderts den heidnischen (und oft leichtfertigen) Gedichten der Römer mehr und mehr vorgezogen wurden und der eine wahrhafte Renaissance erlebte. Auch Paul Hofhaimer hatte sich schon mit Prudentius-Texten beschäftigt; evangelische Schulrektoren und Poeten wie Georg Fabricius versuchten dann, diese in eigenen lateinischen Poemata nachzuahmen. Noch gegen Ende des 16.Jahrhunderts lebte die Technik der humanistischen Odenkomposition in den Sätzen von Statius Olthof fort, vierstimmigen Kompositionen der metrischen Psalmumdichtungen von George Buchanan (1585). Neuauflagen der verschiedenen Sammlungen mit odenartigen Stücken zeigen – was auch Nachrichten bestätigen –, daß man in den deutschen Schulen und Universitäten an den homometrischen, unkomplizierten und neben der hochstehen-

den Kunstmusik geradezu primitiv wirkenden Sätzen lange festgehalten hat. Fast alle entscheidenden, damit zusammenhängenden Fragen sind heute noch ungelöst, da zur Geschichte der mehrstimmigen Ode seit langer Zeit keine zusammenfassenden Darstellungen mehr versucht worden sind. Es ist z. B. noch nicht nachgewiesen, in welchem Verhältnis die lateinische Odenkomposition
(darunter mögen also auch die Hymnen und Psalmmetrisierungen
wie sonstige poetische Formen im odenartigen Satz verstanden
werden) zum evangelischen Gemeindelied des 16.Jahrhunderts
steht, vor allem auch zum Lied der Böhmischen Brüder, bei denen
offenbar mehrstimmiger Männergesang bekannt war. Sicherlich
ist das Prinzip der Odenmetrik (Beschränkung auf zwei Notenwerte, die im Verhältnis 2:1 stehen) nicht unbeachtet geblieben,
dazu wurde es den Schulknaben schon zu früh und zu fest einge-
hämmert; es ist wohl gelegentlich auch in die grundsätzlich mensurale, heterometrische Kontrapunktik eingedrungen und offensichtlich auch bei der Komposition von nichtlateinischen Texten
wirksam geworden, wenn auch hier vielleicht nur selten. Ob sich
in der mehrstimmigen Musik aus der Mitte des 16.Jahrhunderts
(besonders etwa auch in deutschen Psalm- und Spruchmotetten)
unter dem Einfluß der metrischen Odenkomposition bereits das
Prinzip des Zusammenfallens von Prosa-Wort-Akzent mit Vers-
hebung dadurch zu manifestieren beginnt, daß der Komponist
diese Koinzidenz auch ohne poetisches Vorbild herbeiführt, bleibt
vorerst eine offene Frage. Vorahnungen zur Poetik des Martin
Opitz kann man in dieser Kunst jedenfalls vorläufig nicht exakt
nachweisen. Homometrische und homophone Stellen mit genauer
Beachtung der Silbenquantitäten, wie sie sich innerhalb der Polyphonie seit etwa 1500 in ständig wachsender Zahl finden, sind
vielleicht doch auf die unmittelbare Wirkung des Odensingens in
den Schulen zurückzuführen; darüber dürfte eine entsprechende
Untersuchung besonders der evangelischen Kantorenmusik (Gallus Dreßler, Leonhart Schröter, Johannes Eccard usw.) Aufschluß
geben können.

Dagegen läßt das Arbeiten mit exakt nach dem Wortakzent
metrisierten Melodiegebilden an und für sich den Schluß auf eine
solche unmittelbare Wirkung nicht ohne weiteres zu, solange es
sich nicht um gleichzeitig homophone Stellen handelt. Die akzentuierende Deklamation innerhalb polyphoner Komposition ist,
wie oben dargelegt, mit größter Wahrscheinlichkeit vielmehr als
die Frucht der allgemein-humanistischen Hochschätzung des Wortes anzusehen. Sie wäre nur etwas gewaltsam aus der Ode abzuleiten. Es ist aber wohl kaum zweifelhaft, daß sowohl diese Deklamation als auch die Odenmetrik aus der gemeinsamen Wurzel des
neuen Verhältnisses zum Wort, der neuen Stellung des Musikers
zum Text erwachsen sind. Beide stehen nun wohl auch der soge-

nannten Figurenlehre, der Übertragung rhetorischer Kunstmittel auf den musikalischen Redestil sehr fern, die Ode schon deshalb, weil es sich bei ihr gar nicht um ein Analogon zur gesprochenen »Oratorie« handelt, nicht um Rhetorik, sondern eindeutig um Poetik. Auch die akzentuierende Deklamation strebt nicht eine Art von musikalischer Rhetorik im eigentlichen Sinne des Wortes an, sondern die Behandlung des Wortes nach den Gesetzen seines Metrums. Die Frage nach etwaigen Zusammenhängen zwischen humanistisch inspirierter Textbehandlung (im Sinne der bisher erörterten Formen) und der musikalischen Figurenlehre muß wohl negativ beantwortet werden. Daß die humanistische Ode eine erstaunliche Lebensdauer (bis ins 17.Jahrhundert) zeigt, hängt zweifellos damit zusammen, daß Methodik und Didaktik des Lateinschulunterrichts mit ihrer Betonung des Auswendiglernens (nicht nur von Vokabeln, sondern auch von grammatikalischen und syntaktischen Regeln sowie vor allem auch von ganzen Epen und Prosakapiteln) bis zum Ende des 17.Jahrhunderts konstant geblieben und von irgendwelchen pädagogischen Reformbestrebungen nicht gestört worden sind. Zum Einprägen lateinischer Gedichte ins Gedächtnis war nun aber das Singen odenartiger Stücke eine sehr wirksame und willkommene Hilfe für Lehrer und Schüler. Der mehrstimmige Schulgesang war außerdem auch für den Religionsunterricht wichtig geworden, seitdem christliche Texte in metrisch ausgerichteten, für die Jugend leicht ausführbaren Sätzen vorlagen (»Odae«, »Melodiae scholasticae«, »Melodiae Prudentianae«, »Odae sacrae«, »Hymni« und ähnliches). Ihre Triumphe feierte diese Art von mehrstimmiger Humanistenmusik vor allem in den *Schuldramen*, wo sie sich vor Obrigkeit und Öffentlichkeit produzieren und ihren Wert bestätigen lassen konnte. Sie ist ein wesentliches Kennzeichen der humanistischen Schule geblieben und hat (in stilistisch veränderter Form) sich bis in die neuzeitlichen Schulchöre erhalten (vergleiche das lange Zeit für Gymnasialchöre als Grabgesang unumgängliche ›Integer vitae scelerisque purus‹).

V. Zur Frage des Verhältnisses von Musiktheorie und Humanismus

Es ist klar, daß eine geistige Bewegung, in deren Mittelpunkt das sich selbst entdeckende Individuum stand, an keiner Äußerung des menschlichen Geistes achtlos vorübergehen konnte. In der Fülle der humanistischen Lebenslehren und Darstellungen zur Lebensanschauung fehlen denn auch nicht Ansichten über die Musik. Im wesentlichen geht es dabei um *die Wirkung der Musik auf den Menschen*, von der aus der Wert dieser Kunst bemessen wird. Da die Humanisten auf Plato zurückzugehen strebten, mußten die Anschauungen dieses antiken Philosophen über die Rolle der Musik im Leben sich in mehr oder weniger den Lebensumständen und musikalischen Stileigenheiten der neuen Zeit angepaßter Form in das humanistische Denken eindrängen. Obwohl die humanistischen Schriften bisher noch nicht eingehend auf die Musikanschauung hin untersucht worden sind, läßt sich unbedenklich behaupten, daß es sich fast ausschließlich um neuplatonische Gedanken und Argumente handeln muß. Für die Musikgeschichte selbst sind derartige Philosopheme zweifellos nur eine periphere Erscheinung; sie gehören eher in die Geschichte der Musikphilosophie oder der musikalischen Ideologien. Hinzu kommt, daß es sich bei den humanistischen Schriftstellern, soweit sie keine musikalische Fachbildung besaßen, nie feststellen läßt, welche Art von Musik ihnen eigentlich vorschwebte. In den meisten Fällen dürften solche Vorstellungen nur sehr blaß gewesen sein, kannte man doch nicht ein einziges antikes Musikstück und hatte man über die griechische Musiktheorie eher irreführende als historisch richtige Meinungen (Verwechslung der antiken mit den mittelalterlichen Oktavgattungen usw.).

Außerdem scheint aber vor allen Dingen fraglich, wie weit der einzelne Humanist ernsthaft von dem überzeugt war, was er über die Musik behauptete. Von der echten Einfühlung in antike Musikanschauung, soweit man sie kannte und verstand, über die lebhafte Imagination, bei der man sich wenigstens zeit- und teilweise als modernen Menschen mit antikem Denken fühlte, über bewußte Metaphorik, die man aus Ehrfurcht vor den klassischen antiken Vorbildern trieb, über angelerntes Gebaren, als ob man von dem allem überzeugt sei, bis zu einer (vielleicht ohne Zynismus entstandenen) Sucht, sich »der Mode gemäß« über Musik im Sinne Platos und der »Alten« auszulassen, waren alle Verhaltensweisen möglich und sind auch sicherlich vorgekommen.

Es ist also außerordentlich gefährlich, Äußerungen humanistischer Schriftsteller über Musik unbesehen für bare Münze zu nehmen, d. h. aus ihnen Schlüsse auf die Musikanschauung der ganzen Epoche zu ziehen, so interessant und aufschlußreich für die Geistesgeschichte sie auch sein mögen. Es darf auch nicht vergessen werden, daß es innerhalb des Humanismus musikfremde und unmusikalische Philosophen gab, die sich gleichwohl, wie auch neuere Philosophen, zu Urteilen über Musik fähig glaubten. Beschränkt man sich angesichts der noch zu unsicheren Kenntnis auf diesem Gebiet auf die Musiktheorie im eigentlichen Sinne des Wortes, so ist zwar auch hier die Tatsache, daß man das musiktheoretische Schrifttum der in Betracht kommenden Zeit nur bruchstückweise kennt, ein starkes Hindernis, aber es besteht dennoch die Aussicht, Meinungen und Urteile über die lebendige Musik der humanistischen Epoche zu erfahren. Man muß hier wohl zwischen Humanisten, die musiktheoretische Schriften verfaßt haben, und Musikern bzw. Theoretikern, die vom Humanismus berührt worden sein müssen, unterscheiden. Prototypen für diese beiden Kategorien von »Musikschriftstellern« des 15. und 16.Jahrhunderts sind Heinrich Glarean als humanistischer Gelehrter und Universitätslehrer und Johannes Tinctoris als praktischer Musiker und Komponist.

Sobald man sich nun bemüht, das humanistische Element in der Musiktheorie zu erkennen, gelangt man zu der Feststellung, daß es auch hier im wesentlichen in der Ideologie liegt, d. h. darin, wie und von welcher weltanschaulichen Basis aus man über die Musik, ihr Wesen und ihre Wirkungen urteilt, nicht aber darin, daß man konkrete stilistische oder kompositorisch-technische Normen für eine ideale Musik aufstellt. Das bedeutet keineswegs, daß solche Normen nicht gegeben werden, aber sie werden nicht mit humanistischen Argumenten begründet, sind überhaupt nicht aus dem Geiste des Humanismus abzuleiten oder zu erklären (siehe auch Abschnitt VI). Das ist durchaus nicht verwunderlich, denn es gibt auch keine andere humanistische Kunstlehre, und der Humanismus ist, wie bereits erwähnt, im Grunde genommen Gelehrsamkeit im weitesten Sinne des Wortes, intendiert also künstlerische Phänomene nicht in ihren spezifischen Einzelelementen. Was z. B. Glarean in der Einführung der Zwölfmoduslehre (›Dodekachordon‹, 1547) als »prinzipielle Intention« geleitet haben soll: »die musikalische Tonwelt in sich selbst zu fundieren, der musikalischen Kunst ihr immanentes Gesetz zu offenbaren« (Herbert Birtner, Studien zur niederländisch-humanistischen Musikanschauung, Heidelberg 1930), wäre zweifellos ein Gegenbeweis gegen diese Behauptung, wenn es sich in seiner Schrift de facto oder auch nur dem Sinne nach nachweisen ließe und nicht nur geistvolle Interpretation aus der Sicht einer hypergeistesgeschichtlichen Betrachtungsweise wäre. Vielmehr zeigt sich gerade bei Glarean (was auch Birtner ausdrücklich feststellt), daß dem humanistischen Musikschriftsteller seiner Zeit und der vorhergehenden Generationen im wesentlichen die hohe Kunst der sogenannten Niederländer vorlag (siehe Abschnitt I), und eben Glarean begeistert sich für die Polyphonie der Jahrzehnte ca. 1480–1520, die für ihn den Höhepunkt der musikalischen Entwicklung bedeuten. Darin gleicht er dem Fachmusiker Tinctoris, steht aber in unüberbrückbarem Gegensatz zu den Musiktheoretikern, die aus der Tendenz, die antike Musik »alla moderna prattica« wiederzugeben (N. Vicentino), der kunstvollen Polyphonie den Kampf anzusagen beginnen und die Monodie vorbereiten.

Wo in der Musiktheorie des frühen und mittleren 16.Jahrhunderts humanistisches Gedankengut durchschimmert, begegnet es (soweit bis heute bekannt ist) in den typischen Erörterungen über Wesen und Wirkung der Musik in der Antike und dergleichen. Es ist jedenfalls viel auffallender, daß ein sehr großer Teil der Theoretiker noch an mittelalterlichen Definitionen und Argumenten festhält und daß ihr großer Kronzeuge Franchinus Gaffurius ist, der »ein rein gelehrtes Interesse an der antiken Musik« hatte und nicht daran dachte, die Musik seiner Zeit, mit der er »zufrieden« war, »zu reformieren« (Daniel Pickering Walker, Der musikalische Humanismus, Kassel und Basel 1949, S. 9). Gaffurius war aber Fachmusiker und Komponist.

Wenn vorwiegend die italienische Musiktheorie des späteren 16.Jahrhunderts eine Wiedererweckung der griechisch-antiken Musik erstrebte, so sind die deutschen und auch die niederländischen humanistisch beeinflußten Musiktheoretiker im wesentlichen bei gelehrten Betrachtungen dieser Musik geblieben. Wie üblich, sind ihre Schriften mit Zitaten aus antiken Dichtern und Philosophen reich geschmückt und nehmen die Erörterungen über Oktavteilung (Zahlenproportionen), Modi und Genera breiten Raum ein. Das alles gehört zum Repertoire eines jeden Musiktheoretikers und geht zum Teil auf mittelalterliche Tradition zurück, so wie man sich gern an den französischen Humanisten Jacobus Faber Stapulensis anlehnte, der die Lehre von Boethius erneuert hatte.

Es ist heute noch nicht möglich, zu definieren, wodurch sich ein humanistischer Musiktheoretiker wesentlich auszeichnet. Eine anscheinend charakteristische Eigenschaft, die sich besonders eindringlich bei Tinctoris zeigt, ist die Neigung zur Deskription statt zur normativen Lehre. Man beschreibt die empirisch bekannte Musik, meist die der eigenen Zeit, und vernachlässigt die Spekulation, durch die sich die mittelalterliche Musiktheorie so sehr ausgezeichnet hatte. Abgesehen jedoch von der Tatsache, daß es eine stark deskriptiv gerichtete Musiktheorie auch schon im Mittelalter gegeben hatte (z. B. Coussemakers Anonymus IV und vor allem Johannes de Grocheo), dürfte sich hier eher der Realismus des 15.Jahrhunderts äußern als eine spezifisch humanistische Denkweise, zumal dem Neuplatonismus ein besonderer Hang zur Realistik kaum nachzusagen ist. Deskriptiv ist vor allen Dingen ein großer Teil der bedeutenden und umfangreicheren musiktheoretischen Traktate seit Tinctoris, dessen ›Terminorum musicae diffinitorium‹ (ca. 1471–1474) außerdem auch ein Beweis für das Bedürfnis nach einem klaren Begriffsschatz ist.

In fast allen Schriften, die sich mit der »musica mensuralis« beschäftigen, begannen im 16.Jahrhundert die praktischen Beispiele (nach dem Vorbild von Tinctoris) einen wesentlichen Platz zu erhalten. Zu den wichtigsten Punkten wurden in zunehmendem Maße ganze Kompositionen als Anschauungsmaterial beigegeben.

Besonders reich ausgestattet ist Glareans ›Dodekachordon‹, aber auch kleinere Drucke bringen oft erstaunlich umfangreiche Kompositionen (Gregor Faber, ›Musices Practicae Erotematum Libri II‹, Basel 1553; Sebald Heyden, ›De arte canendi‹, Nünberg 1540). Zugleich mehrte sich die Zahl der beschreibenden Traktate, in denen die Ausführungen über Sing- und Spieltechniken (Hermann Finck, ›Practica Musica‹, Wittenberg 1556, besonders das 5. Buch), über Instrumente (Juan Bermudo, ›Declaración de Istrumentos musicales‹, Osuna 1555) breiten Raum einnehmen, bis in Michael Praetorius' ›Syntagma musicum‹ (Wolfenbüttel 1614 bis 1618) ein gewissermaßen enzyklopädisches Kompendium geschaffen wurde.

VI. Probleme der Bestimmung und Abgrenzung des Begriffs Musikalischer Humanismus

Zur hier gestellten Frage spielen einige musikgeschichtliche Erscheinungen eine Rolle, die durch Ort und Zeit ihres Auftretens von den bisher behandelten Phänomenen verschieden sind. Außerhalb des deutschen Kulturraumes setzten sich ähnliche Bestrebungen wie die in der Humanistenode verwirklichten hauptsächlich in *Frankreich* und in der *französischen Schweiz* durch, allerdings wesentlich später als in Deutschland. Was Jean-Antoine de Baïf mit seiner 1570 gegründeten »Académie de Poésie et de Musique« bezweckte, schlug sich auf musikalischem Gebiet in der »musique mesurée« nieder. Auch hier handelt es sich um Versuche ›à l'antique«, und der Unterschied zur deutschen Odenkomposition beruht im wesentlichen auf Stilmerkmalen, denn zwischen den Tritonius-Sätzen und der beginnenden »musique mesurée« liegen circa siebzig Jahre. Außerdem hatte sich in Frankreich die Musik unter das Gesetz der neuen Poetik der französischen Sprache (»vers mesurés«) zu beugen; es handelte sich also nicht um Texte der klassischen Antike bzw. des frühchristlichen Altertums, auch nicht der christlichen Latinität des Mittelalters. Den französischen Bestrebungen haftet zudem ein gewisser Höhenflug an; man wollte nicht nur die antike Metrik wieder verlebendigen, sondern auch das Ethos antiker Dichtung und Musik. Darin unterscheidet sich der französische Späthumanismus von dem der deutschen Schulrektoren und -kantoren am allerdeutlichsten. Man wollte in Frankreich auch keinerlei didaktisch bedingte und dienstbare Musik; die Impulse galten der künstlerischen Komposition im eigentlichen Sinne. Wirkliche Berührungspunkte kann man allenfalls in den Vertonungen von Baïfs »psaumes mesurés« finden, sofern man diese als Gegenstück zu Olthofs Psalmkompositionen ansehen will.

Unter den Vertretern der »musique mesurée« ragen besonders Claude Le Jeune und Orlando di Lasso (dieser mit einigen Texten aus der Académie) hervor und werden daher hier als einzige erwähnt. Ihrer ganzen Tendenz entsprechend, sind die Stücke der »musique mesurée« homorhythmisch und homophon, insofern ein Analogon zur deutschen Humanistenode. Indessen stechen sie von dieser doch durch ihre künstlerischen Ambitionen und durch ihren Hang zum Expressiven ab; die Tendenz zum Ausdruck (im modernen Sinne) lag der deutschen Ode fern. Zwischen dem, was um 1510 an Ausdruckskategorien bekannt war (»suavis«, »dulcisonus«, »mitigans« usw.), und der deutlich angestrebten Expressivität der französischen Komposition um 1580 liegen Welten.

Die »musique mesurée« trat ferner zwar auch zu ihrer Vorläuferin, der polyphonen Chanson, in bewußten Gegensatz, aber sie löste diese Form regelrecht ab, trat an ihre Stelle. Die deutsche Humanistenode aber blieb eine Randerscheinung, Spezialmusik (gewiß auch mit speziellem Wert) für einen sehr begrenzten und nur teilweise künstlerischen Zweck und für ganz bestimmte Kreise. Neben ihr blieben die polyphonen Formen des Liedes und der deutschen Motette lebendig; sie bestimmten die eigentliche künstlerische Höhenlinie, sie wurden also nicht von der Ode abgelöst.

Auffallend ist dann die Distanz zwischen der deutschen und französischen Manifestation humanistischer Ideen einerseits und dem *italienischen Madrigal* andererseits. Dieses ist vorwiegend Ausdruckskunst geblieben und hat metrisch-formale Experimente nicht unternommen. In ihm geht bekanntlich die Musik mit dem Text Hand in Hand wie kaum in einer anderen mehrstimmigen Form, aber dieses enge Sichanschmiegen der Musik an das Wort richtet sich auf den expressiven oder deskriptiven Wortsinn, nicht jedoch auf Silbenquantität und metrische Skansion. Infolgedessen sind hier Klangqualitäten (im Dienste des Ausdrucks und der Malerei) das Entscheidende. In Italien begannen Auseinandersetzungen über die Angleichung der zeitgenössischen Musik an die der Antike bezeichnenderweise erst nach der Mitte des 16.Jahrhunderts die Geister ernsthaft zu erregen, und zwar stand im Mittelpunkt der Erörterungen nicht das Wort-Ton-Verhältnis im engeren Sinne, sondern die Wiederbelebung der drei griechischen Genera diatonisch, chromatisch, enharmonisch. Darin unterscheidet sich die Anknüpfung der späten italienischen Madrigalistik an antike Vorbilder von der peinlichen Beobachtung des lateinischen Wort- bzw. Versakzents durch die deutschen Musiker der ersten Hälfte des 16.Jahrhunderts, aber auch von den Tendenzen der französischen »musique mesurée«. Nur in dem Maße, wie die Madrigalistik (besonders das sogenannte chromatische Madrigal) in die deutsche, französische und vor allem englische Liedkunst eingedrungen ist, könnte man davon sprechen, daß der spezifisch italienische musi-

kalische Humanismus sich zu einer europäischen Erscheinung ent
faltet habe. Man kann aber sehr darüber im Zweifel sein, ob da
alles noch als im engeren Sinne humanistisch zu bezeichnen ist
oder ob es sich nicht vielmehr um ein Phänomen handelt, das sich
nur aus den allgemeinen Idealen der Renaissance erklären läßt. Al
solches bietet es sich dem unvoreingenommenen Blick insofern dar
als Wiederbelebung antiker Lebensäußerungen offenbar Sinn und
Wesen der Renaissance ausmachen, wobei die unmittelbare Nach
ahmung der Antike den wichtigsten Impuls gegeben haben dürfte
Ob der Begriff der musikalischen Renaissance dadurch wesentlich
an Inhalt verliert, daß man ihn von dem des Humanismus zu
unterscheiden versucht (was Walker zur Übernahme des Begriffs
»Humanismus« für alle antiken Vorbildern verpflichteten musika
lischen Erscheinungen des 16. und 17.Jahrhunderts ins Feld führt)
ist, im Grunde genommen, ganz unerheblich. Um den Inhalt des
Begriffs der musikalischen Renaissance zu bestimmen, bedarf man
seiner absoluten Verschmelzung mit dem des Humanismus keineswegs. Es ist auch unerheblich, ob man die Grenze zwischen Renaissance und Barock für die Musikgeschichte aufheben will, indem
man Humanismus mit Nachahmung der Antike schlechthin identifiziert. Daß auch der Barock antike Ideale zu verwirklichen sucht,
daß die antike Musik auch das Vorbild der Monodie war und daß
die Sujets des Barock die Antike bevorzugen, ist ja unbestritten.
Nur wenn man an einen humanistischen Stil in der Musik denkt,
kann man sich gegen eine Trennung des Begriffs Humanismus von
den Stilbegriffen Renaissance und Barock wehren. Da von einem
solchen Stil aber nicht die Rede sein kann, besteht auch kein Anlaß
dazu, die Musik der zweiten Hälfte des 16.Jahrhunderts und des
frühen 17.Jahrhundert unter dem Begriff »der musikalische Humanismus« zusammenzufassen. Gewiß sind Nachahmung der Antike und humanistische Ideale aufeinander bezogen, ist eines nicht
ohne das andere denkbar. Vom Standpunkt des musikalischen
Sachverhalts aus (und allein auf diesen kommt es bei einer Untersuchung über das Verhältnis von Humanismus und Musik an)
sind sie dadurch noch keineswegs miteinander identisch. Trotz
Walkers Ablehnung der Attribute, die man bisher der sogenannten
musikalischen Renaissance zugeschrieben hat, läßt sich nicht leug-
nen, daß die Monodie des »stile rappresentativo« von der Polyphonie von Josquin Desprez oder Jacob Obrecht weit getrennt ist.
Die Musik dieser Meister, die den wahren Humanismus in seiner
lebendigsten Periode an Ort und Stelle erlebt haben, unterscheidet
sich von der ein Jahrhundert später entstandenen Musik der Florentiner Camerata durch so viele entscheidende Elemente, daß
man geneigt ist zu sagen: Entweder ist der Humanismus an den
Zeitgenossen spurlos vorübergegangen, so daß sie im vorhumani-
stischen Stadium der musikalischen Komposition stecken geblie-

ben sind, oder die Monodisten haben (als Barockmusiker) den »renaissancistischen« Humanismus mitsamt der »wortfeindlichen« Polyphonie und der »ausdrucktötenden« Mehrstimmigkeit über Bord geworfen. Der Fehler dieser Antithese liegt darin, daß humanistisch beeinflußte Musik hier (stillschweigend) als Musik einer bestimmten Stilrichtung postuliert wird. Es ist aber im vorhergehenden wegen der Wichtigkeit dieser Erkenntnis des öfteren betont worden, daß es unmöglich sei, aus der Musik des 15. und 16.Jahrhunderts ein humanistisches Stilmerkmal herauszudestillieren, und diese Feststellung gilt auch für das frühe 17.Jahrhundert.

Wo humanistischer Einfluß sich äußert, geschieht es immer über das Wort-Ton-Verhältnis, und zwar im engsten Wortverstand, d. h. über das Verhältnis von Wortakzent und musikalischer Deklamation. Zu einem Durchbruch neuer Deklamationsprinzipien innerhalb der Musik war dann nach dem Sieg der akzentgerechten Wortbetonung wohl keine Gelegenheit mehr. Humanistischer Einfluß auf die Musik wird sich daher auch nach dem Beginn des 17.Jahrhunderts nicht mehr nachweisen lassen.

Das entscheidende Kennzeichen des musikalischen Humanismus (dieses Wort im eingeschränkten Sinn der vorstehenden Ausführungen verstanden) kann also mit einiger Sicherheit darin gesehen werden, daß er die Ablösung einer dem Wortakzent indifferent gegenüberstehenden musikalischen Deklamation durch eine dem Wortakzent gerecht werdende Textbehandlung inspiriert hat. Er hat sie ebenso wenig aus dem Nichts geschaffen, wie die Humanistenode etwa die homometrische Homophonie aus dem Boden gestampft hat. Der Humanismus hat in der Musik des späten 15. und des 16.Jahrhunderts alle solche Kompositionstechniken, die eng mit der Textdeklamation zusammenhängen, entscheidend vorwärtsgetrieben. Dadurch hat er sich in der Geschichte der Mehrstimmigkeit einen wichtigen Platz errungen. Wie stark einzelne Musiker sich wirklich als Bannerträger des Humanismus betrachtet haben, bedarf noch vieler und sehr eingehender Untersuchungen.

FRIEDRICH BLUME
Renaissance

I. Zum Begriff Renaissance

Das Wort *Renaissance* ist in dieser Form in der deutschen, englischen und französischen Sprache gebräuchlich; die italienische Entsprechung ist »rinascimento«, die spanische »renacimiento«. Wurzel ist lateinisch »renasci«, daher italienisch »rinascere«, »rinascenza«, »rinascita« = Wiedergeburt. Im Sinne eines geschichtlichen Vorgangs oder Zeitabschnitts ist das Wort schon früh angewendet worden. Die im 14. Jahrhundert allmählich erwachsende Vorstellung (der Petrarca, Boccaccio, Cola di Rienzo und viele andere huldigten), daß römische Bildung, Sprache, Dichtung und bildende Kunst »nach einem vielhundertjährigen Todesschlaf zu neuem Leben erweckt worden seien«, ist schon im Laufe des 15. Jahrhunderts »ein Gemeinplatz des humanistischen Geschichtsdenkens« geworden (A. Buck), und das Gefühl, im *Zeitalter einer umfassenden Erneuerung des menschlichen Geistes* zu leben, das Gefühl, »wiedergeboren« zu werden, war im 15. Jahrhundert weit verbreitet. Begriff und Wort »rinascita« hat schon Matteo Palmieri (15. Jahrhundert) in eben derselben Bedeutung gebraucht, wie sie heute verwendet werden, und 1550 hat erstmals Giorgio Vasari in seinen ›Vite‹ das Wort »rinascita« im Sinne kunstgeschichtlicher Periodisierung benutzt. Im heutigen allgemeingültigen Sprachgebrauch der Universalgeschichte bezeichnet das Wort »Renaissance« einen Komplex von geistigen (wissenschaftlichen, künstlerischen, religiösen, politischen, sozialen) Strömungen innerhalb einer Epoche, deren Grenzen zwar äußerst labil sind, die sich aber in der Hauptsache auf das 15. und 16. Jahrhundert erstreckt. In diesem allgemeinsten Sinne wird das Wort im folgenden verstanden.

Ob jedoch die Gesamtheit dieser geistigen Strömungen auf einen gemeinsamen und einheitlichen Antrieb zurückführbar ist, worin dieser Antrieb zu erblicken ist, ob die Gesamtheit der Tendenzen und Geschehnisse, die unter dem Kennwort Renaissance zusammengefaßt werden, einer bestimmt abgrenzbaren, in sich mehr oder minder einheitlichen Geschichtsepoche entsprechen und wie eine solche Epoche gegen andere abzugrenzen sei, ist stark umstritten. Ob die Wiederbelebung der Antike in Kunst und Musik, in Sprache

und Literatur Antrieb oder Symptom, ob die religiösen Reform-
ideen Früchte des Humanismus oder von der »rinascita« unabhängig gewesen sind, ob das neue Lebensgefühl aus tiefen irrationalen
Quellen geströmt oder eine Folge der neuen Wissenschaft und
Kunst gewesen ist, ob ein neuer Messianismus dem allem zu-
grundegelegen hat oder die Wiedergeburt eine Reaktion auf die als
Barbarei empfundene mittelalterliche Alleinherrschaft der Scholastik und des Thomismus gewesen ist, das alles ist Gegenstand
heftiger Kontroversen. Die zeitlichen Begrenzungen unterliegen
weiten Schwankungen. Französische und italienische Historiker
betrachten vielfach schon das 13. oder 14.Jahrhundert als die Zeit
der »Wiedergeburt«, andere wollen unter Verkennung der geschichtlichen Selbständigkeit des Aufklärungs- und Barockzeitalters noch das 17., ja das 18.Jahrhundert in die Epoche der »Renaissance« einbeziehen. Daß die universalgeschichtliche Terminologie sich gewöhnt hat, den Beginn der Renaissance mit dem Ende
eines »Mittelalters« und dem Beginn einer »Neuzeit« gleichzusetzen (sogar das Wort »medio evo« stammt schon aus dem 15.Jahr-
hundert), erschwert überdies die Verwendung des Wortes »Renaissance« als Bezeichnung einer geschichtlichen Epoche. Nach George
M.Trevelyan (English Social History, 1944) hat das Mittelalter
bis ins 18.Jahrhundert fortgedauert und die Neuzeit erst mit der
industriellen Revolution begonnen; nach G.Voigt (1859) beginnt
die Renaissance mit dem Humanismus Petrarcas. Die Verquickung
mit den religiösen Reformbewegungen des 15. und 16.Jahrhunderts,
mit den Reformen Luthers, Zwinglis, Calvins, König Heinrichs
VIII., mit den Gegenreformen Papst Pauls IV., Ignatius von Loyolas, mit den Konfessionskämpfen des späteren 16.Jahrhunderts,
belastet und verwässert den Begriff Renaissance bedenklich, und
die vielfach übliche Gleichsetzung der Begriffe »Renaissance« und
»Humanismus« droht vollends, das Wort Renaissance als Bezeichnung einer geschichtlichen Epoche zu entwerten.

In der Verfolgung solcher Gedanken konnte es nicht ausbleiben,
daß eine jüngere Richtung der Geschichtsforschung, die W. K. Fer-
guson (The Renaissance, in Historical Thought, Boston 1948) als
»the revolt of the medievalists« bezeichnet hat, die Existenz einer
»Renaissance« als geschichtlicher Epoche geradezu in Frage gestellt hat. Ohnehin war das in der Hauptsache auch heute noch
verbreitete und grundlegende Bild der Renaissance, das auf Jacob
Burckhardt zurückgeht (Die Kultur der Renaissance in Italien, zuerst 1860), ganz ausschließlich von der Geschichte, Kultur, Wissenschaft und Kunst Italiens geprägt worden. J.Michelet hatte
(Histoire de la France, Band 7, 1855) als erster die (freilich aus
ganz anderen Zusammenhängen konzipierte) Formel »la découverte du monde, la découverte de l'homme« entwickelt, die Burckhardt dann auf die geistige und politische Geschichte Italiens über-

tragen hat. Damit war Italien zum Kernland der Renaissance, »die Entdeckung der Welt und des Menschen« zu ihrer entscheidenden Tat erhoben worden.

Ist Burckhardts Bild der Renaissance auch zweifellos einseitig und hat es mit Recht zahlreiche Kritiken und Korrekturen herausgefordert, so hat es doch für die Periodisierung der Geschichte den großen Vorzug, mit einem der Terminologie des Zeitalters entstammenden und dem Selbstverständnis des Zeitalters entsprechenden Wort eine diesem Wort gemäße, konkrete und begrenzbare geschichtliche Wirklichkeit zu verbinden, einerlei, wie diese sich zu anderen gleichzeitigen, vorhergehenden oder nachfolgenden geschichtlichen Wirklichkeiten verhalte. Mag Burckhardts Auffassung von der Wiedereroberung der Welt aus neuerwachten Sinnen und neuerwachtem Denken einseitig sein, nicht minder einseitig, dafür aber blasser, verblasener und wirklichkeitsfremder sind gewisse neuere Bestrebungen, die aus der italienischen Renaissance ein Zeitalter kalter Rationalität und naturwissenschaftlichmathematischer Spekulation zu machen oder ihre Existenz als geschichtliche Epoche überhaupt hinwegzudisputieren suchen. Die Neigung, die Wirklichkeit »more mathematico« zu fassen, wie sie sich bei den bildenden Künstlern von Leon Battista Alberti über Leonardo da Vinci und Albrecht Dürer das ganze 16.Jahrhundert hindurch, bei den Musikern unerachtet aller sonstigen Zeitströmungen von Prosdocimus de Beldemandis und Johannes Gallicus an über Ramos de Pareja, Francisco de Salinas, Giovanni Spataro hinweg bis zu den zahllosen Schultheoretikern des 16.Jahrhunderts findet, ist keine Eigentümlichkeit der Renaissance, sondern weitergetragene Überlieferung der Antike und des Mittelalters. In der Musik galten Jahrhunderte hindurch die Schriften von Johannes de Muris aus der ersten Hälfte des 14.Jahrhunderts als Kanon alles Wissens, und noch im 16.Jahrhundert hieß an den deutschen Universitäten »Muris lesen« soviel wie Vorlesungen über Musik halten.

Die Renaissance ist zweifellos diejenige Epoche der Menschheitsgeschichte der letzten beiden Jahrtausende, die auf die Dauer den europäischen Geist (und so mittelbar den Geist vieler außereuropäischer Völker) am tiefsten und nachhaltigsten bestimmt und gelenkt hat. Die Grundlagen nicht nur des künstlerischen, sondern des gesamten geistig-sittlichen Lebens bis in die Anfänge des 20.Jahrhunderts hinein sind durch die Renaissance gelegt worden, und die Bestrebungen der »neuen« Kunst und Musik in diesem Jahrhundert sind in gewissem Sinne ein Kampf gegen das Erbe der Renaissance. Insofern hat mit ihr sehr wohl eine »Neuzeit« angefangen, so viel das auch jüngst bestritten worden ist.

Der häufigste Fehler in dem Versuch, die Renaissance als Epoche zu charakterisieren und abzugrenzen, ist die Einseitigkeit. Die Renaissance ist ebenso komplex wie das Mittelalter oder der

Barock. Reste scholastischen und thomistischen Denkens haben zusammen mit den Überbleibseln griechischer, römischer und patristischer Lehren in ihr weitergelebt; noch im 17.Jahrhundert hat sich der mathematische Empirismus Johannes Keplers mit dem mittelalterlichen Zahlensymbolismus Robert Fludds in leidenschaftlichen Streitschriften auseinandergesetzt, und der Aristotelismus hat nicht minder als der Platonismus immer wieder von neuem die Anschauungen der Dichter und der Musiker bestimmt. In den zahllosen »regolamenti« der Kunstlehre, der Architektur und Zeichnung, der Literatur und Musik schlägt ja nicht einzig und allein das Leben der Renaissance: sie sind Kodifikationen, Versuche, die hereinbrechende Fülle der sinnlichen Erfahrung dem Verstande faßbar zu machen. Das wird häufig verwechselt. Die Künstler der Renaissance fühlten das Bedürfnis, den Reichtum der Sinnenerlebnisse in Gesetze zu fassen; wie die Künstler und Musiker des 20.Jahrhunderts theoretisierten sie, weil sie den Grund der Überlieferung unter ihren Füßen schwanken fühlten, und klammerten sich an das logisch und mathematisch Faßbare, um nicht im Meer des Sinnlichen zu ertrinken. Daher ihr normatives Bedürfnis, das viel eher mittelalterlich als neuzeitlich wirkt und das sich gerade in der Musik sehr stark fühlbar macht. Zu diesem Bedürfnis kam wohl als weiterer Beweggrund die Neigung zur »Gelahrtheit« (die Musik z. B. ist noch immer eine »scientia«). Wie die Künstler des Barockzeitalters liebten es die der Renaissance, sich »wissenschaftlich« zu geben und so auf gleichen Boden neben die Gelehrten zu treten. Dieses Motiv ihrer endlosen theoretischen Raisonnements darf man nicht übersehen. Es ist dasselbe Motiv, das um 1600 die Musiker zur »Figurenlehre« geführt hat: sie hängten sich den Mantel der »Gelahrtheit« um, indem sie in die Termini der Quintilianischen Rhetorik kleideten, was sie in ihren Kompositionen auch ohne diese Termini praktisch längst getan hatten.

Den Begriff der Renaissance als *Bezeichnung für eine Epoche der Kultur- und Geistesgeschichte* aufrechtzuerhalten, bleibt, allen Bedenken und Einwänden zum Trotz, guter Grund. Burckhardts Kernsatz bleibt zu Recht bestehen: »Die ›Renaissance‹ wäre nicht die hohe weltgeschichtliche Notwendigkeit gewesen, die sie war, wenn man so leicht von ihr abstrahieren könnte.« Jedoch wäre es verfehlt, sie allein aus der Wiedererweckung der Antike ableiten zu wollen; für die Geschichte der Musik insbesondere verlöre der Begriff damit viel von seiner Brauchbarkeit, weil eine entschiedene Hinwendung der Kompositionspraxis zu (wahren oder vermeintlichen) Grundsätzen des griechisch-römischen Altertums erst seit der Mitte des 16.Jahrhunderts zu beobachten ist. Schon Burckhardt hat gesehen, daß die Renaissance nur durch »ihr enges Bündnis mit dem neben ihr vorhandenen italienischen Volksgeist die abendländische Welt bezwungen hat« (Kultur der Renaissance,

3. Abschnitt, Einleitung). Ob es das Bündnis allein mit dem »italienischen Volksgeist« war, durch das die wiedererweckte Antike das Abendland bezwungen hat, ist vielfach bestritten worden und muß von der Seite der Musikgeschichte aus entschieden bestritten werden. Allein die unleugbare Tatsache, daß die hohe Kunstmusik der Kirche, der Höfe, des Adels und der Handelsmetropolen im Zeitalter der Renaissance anderthalb Jahrhunderte hindurch ganz überwiegend von Nichtitalienern getragen worden ist, und zwar ihre Komposition, ihre Ausführung und großenteils auch ihre Theorie, spricht dagegen. Wie in den bildenden Künsten und in der Literatur, so ist auch in der Musik der »italienische Volksgeist« an der Herausbildung eines neuen Kunstideals beteiligt gewesen; wie, in welcher Weise und in welchem Umfang, ist großenteils noch unerforscht. Sicher war er es in viel schwächerem Maße als etwa in der Plastik oder der Malerei. In vorderster Linie und in maßgebender Weise sind es aus den nördlichen Ländern Europas stammende, aber in Italien wirkende Musiker gewesen, die dieses Ideal erfüllt, ausgesprochen, verwirklicht und fortgebildet haben. Als Italien mit voller Kraft und unverbrauchter Frische führend in den Gang der Musikgeschichte einzugreifen begann, nach der Mitte des 16.Jahrhunderts, da war der Geist der Renaissance bereits in sein Altersstadium eingetreten und schlug die Stunde des Barock (oder des »Manierismus«, wenn man diesen Begriff in die Musikgeschichte einzuführen für nötig hält). Weder auf die »renascentes bonae litterae« des Erasmus von Rotterdam allein noch auf den »italienischen Volksgeist« Burckhardts allein geht die Renaissancebewegung der Musik zurück; auch mit Vorgängen der religiösen, sozialen oder politischen Geschichte hat sie nichts oder wenig zu tun. Sie kann, wenn sie als Eines und Ganzes verstanden werden soll, nur als ein Aufbruch aus irrationalen Tiefen begriffen werden, als eine spontane Entfesselung neu erwachter, autonom-musikalischer Kräfte, in die dann im Laufe der Zeit auch Einflüsse aus den humanistischen, literarischen, religiösen oder sozialen Strömungen der Zeit eingemündet sind. Es geht deshalb auch nicht an, die Wandlung der Musik im Renaissancezeitalter allein auf die religiösen Sektenbewegungen des Nordens, auf die »devotio moderna« der Brüder vom gemeinsamen Leben und der Windesheimer Kongregation zurückzuführen, wie das Herbert Birtner versucht hat: »Im Gegensatz zu den anderen Künsten fehlt ihr (der Musik) die vollbewußte Freude an sich selbst. Sie ist ein rechtes Kind des nordischen Humanismus« (Renaissance und Klassik in der Musik, in Festschrift für Theodor Kroyer, Regensburg 1933, S. 52). Am nächsten kommt man ihrem Ursprung wohl, wenn man sie als die *Frucht eines glücklichen Augenblicks der Geschichte* betrachtet: die Musiker, die aus dem Norden nach Italien kamen, befruchteten mit dem Erbe ihrer strengen und

abstraktiven Überlieferung den sinnenfrohen Schoß einer noch unerschlossenen und unverbrauchten Musikbegabung im italienischen Volke. Die Renaissance *war* eine »weltgeschichtliche Notwendigkeit«, und sie brach aus vielen Quellen gleichzeitig hervor.

Das *griechisch-römische Altertum* war auch im Mittelalter niemals in Vergessenheit geraten. An Zitaten aus Platon, Aristoteles, Horaz, Plinius, Boethius und zahllosen anderen Schriftstellern quellen die Schriften des Mittelalters über wie an Exzerpten aus den Kirchenvätern. Die Legenden von Orpheus und Amphion, von Pythagoras und Olympos werden ebenso unermüdlich aufgetischt wie die von Jubal und David. Die »Vor-« und »Protorenaissancen« der karolingischen, ottonischen und staufischen Epoche sind fast periodisch wiederkehrende Rückbesinnungen auf das antike Erbe. Die karolingische Renaissance hat schon im 15.Jahrhundert Gianozzo Manetti als eine seiner eigenen Zeit ähnliche Bewegung erkannt. Mit demselben Eifer, mit dem die karolingischen Schreiber der Nachwelt nahezu die Gesamtmasse des antiken Schrifttums überliefert haben, sind Petrarca, Boccaccio, Coluccio Salutati, Manuel Chrysoloras und zahlreiche andere Humanisten bis herunter zu dem mediceischen Kreise um Lionardo Bruni, Manetti, Poggio Bracciolini, Francesco Filelfo und den zahlreichen kleinen italienischen Hofhumanisten des 16. Jahrhunderts bemüht geblieben, das Erbe des Altertums zu bewahren und weiterzureichen. Eginhard hat sich an Suetons ›Vitae‹ gebildet wie 750 Jahre später G. Vasari. Die Aachener Palastkapelle war eine Nachbildung von S. Vitale in Ravenna, die Basiliken des ottonischen Zeitalters haben sich an die stadtrömischen angelehnt und sind wiederum Muster für die basilikalen Bauten des 15.Jahrhunderts in Florenz, Rom und andernorts geworden.

Die Personifikationen der antiken Mythologie tauchen in den »Vorrenaissancen« des Mittelalters in denselben Gestalten wieder auf, die sie an die Renaissance des 15. und 16.Jahrhunderts vererbt haben. In der bildenden Kunst haben die antiken Modelle immer wieder von neuem stilbildend und Nachahmung anregend gewirkt. Die Visitationsgruppe der Kathedrale in Reims ist lange Zeit für ein Werk des 16.Jahrhunderts gehalten worden, obwohl sie von 1227–1230 stammt, und Niccolò Pisano konnte einen leicht überarbeiteten antiken Dionysos um 1260 im Baptisterium von Pisa unter die Zeugen der Darstellung Christi mischen. Eine antikisierende Unterströmung ist in den bildenden Künsten und der Literatur das ganze Mittelalter hindurch am Werke gewesen und in zahlreichen »Renaissancen« an die Oberfläche gedrungen. Die Gotik beruhte nicht auf dem vollkommenen Verfall der griechisch-römischen Überlieferung, sondern war eine Reaktion auf diese Überlieferung, die jedoch von Zeit zu Zeit aus jenem Erbe ihrerseits zahlreiche Anregungen aufgenommen hat. Am wenigsten scheint das in der Musik der Fall gewesen zu sein. Inwieweit die Musik des gotischen Zeitalters aus einer eigenständigen, vom griechisch-römischen Erbe unabhängigen Entwicklung hervorgegangen ist und inwieweit sich hier »Vor-« und »Protorenaissancen« geltend gemacht haben (am ehesten wohl noch in der Theorie), ermangelt bisher der Untersuchung. Vielleicht kann man die Aufnahme der römischen Choralformen und der antikisierenden Hymnendichtung im karolingischen Zeitalter als eine Parallele dazu ansehen.

In einem aber stimmt das geschichtliche Selbstverständnis der Musiker des Renaissancezeitalters mit dem der bildenden Künstler offenbar überein: sie fühlen eine tiefe geistige Verwandtschaft mit dem nie ganz erloschenen Erbe der Antike, und sie fühlen sich wie jene im Anbruch eines *neuen Zeitalters.* »It is precisely this notion of a new time which distinguishes the Italian Renaissance from all the so-called earlier Renaissances« (Th. E. Mommsen, Petrarch's Conception of the Dark Ages, in Speculum 18, 1942, S. 226–242). Ob Filippo Villani oder Leon Battista Alberti, ob Giorgio Vasari, Nicola Vicentino oder Gioseffo Zarlino: sie alle betrachten »maniera moderna« und »maniera antica« als im Grunde Eins, einen großen geistigen Zusammenhang, der im äußersten Gegensatz zur »maniera vecchia« des »medio evo«, zu den »tenebre« des »finsteren Mittelalters« steht. Auch die bildenden Künstler verstanden das neue Zeitalter nicht allein, nicht einmal überwiegend als Rückkehr zur Antike. Leonardo da Vinci hielt die Ähnlichkeit mit der Natur und eine neue mathematische Grundlegung der Kunst für das Wesentliche, Prinzipien, mit denen er freilich an das Altertum anknüpfen konnte. Den Musikern lieferten die griechischen Intervallberechnungen die mathematische, der Nachahmungsbegriff die ästhetische Handhabe zur Anknüpfung. Die Pythagoräer wie Archytas, Eratosthenes, Didymus und Ptolemaeus hatten die Intervalle auf die Grundlage exakter mathematischer Verhältnisse gestellt. Und Aristoteles hatte formuliert: »ἡ τέχνη μιμεῖται τὴν φύσιν«. In diesen axiomatischen Grundzügen stimmten die Musiker der Renaissance über die des Mittelalters hinweg mit denen des Altertums überein. Hier liegen Elemente der Tradition zutage, die wohl mit den »renascences« der Antike in den bildenden Künsten und der Literatur vergleichbar sind. Aber im musikalischen Schaffen des Mittelalters, in der Komposition, erinnert nichts an jene Unterströmung, deren Pulsieren das Fortleben des Altertums in der Literatur und den bildenden Künsten des Mittelalters fühlbar macht. Jedenfalls ist auch auf diesen Gebieten im Mittelalter niemals der Gedanke aufgetaucht, die Gegenwart durch eine »Wiederbelebung« der Antike zu überwinden, die Menschheit aus dem Geist des klassischen Altertums von irgendeiner »Barbarei« zu befreien und sie zu einem neuen, sehnlich begehrten Zustand geistig-sittlicher Freiheit zu führen. Das war erst in der »eigentlichen«, der sogenannten italienischen Renaissance des 15.Jahrhunderts der Fall. Insofern sind alle »Vor-« und »Protorenaissancen« auf die Dauer fruchtlos geblieben, und wenn sich solche Bewegungen in der Musik nicht oder nur schwach gezeigt haben, so setzten doch die Musiker am Anfang des 15.Jahrhunderts an eben demselben Punkte an wie die bildenden Künstler und die Literaten. Die älteren »renascences« waren begrenzt und vorübergehend, der »rinascimento dell'antichità« des 15. und 16.Jahrhunderts war umfassend und dauernd. Wie aber unter der Decke der Scholastik und des Thomismus Spuren des antiken Geistes weiterleben, die dann von Zeit zu Zeit sichtbar an die Oberfläche treten, so laufen unter der Renaissance hindurch die Rinnsale mittelalterlichen Denkens weiter und treten in Ereignissen und Personen wie Savonarolas Revolte oder Loyolas Reformgründung, in den Finsternissen der Inquisition und des Hexenwahns oder in sozialen Umsturzversuchen wie dem Bauernkrieg mit grausiger Gewalt zutage. Der Protestantismus selbst ist zwar ohne den Durchbruch des Humanismus kaum zu denken, ist aber selbst alles andere als eine Manifestation von »Renaissancegeist«. »Die Renaissance umfaßt keineswegs die Gesamtheit der Kultur des 16.Jahrhunderts, sondern nur einen ihrer bedeutendsten Aspekte« (Johan Huizinga, Das Problem der Renaissance, Darmstadt [3]/1971), und der Gegensatz zwischen Mittelalter und Renaissance ist keineswegs so groß, wie Burckhardt geglaubt hat.

Im Vollgefühl eines anbrechenden *goldenen Zeitalters* (Marsilio Ficino) begannen die Künstler, die Dichter und die Musiker sich selbst als Schaffende, ihre Kunst als eine schöpferische Tätigkeit und nicht mehr als ein bloßes Nachahmen gegebener Muster zu begreifen. Das unterscheidet sie von denen aller vorausgegangenen Jahrhunderte; das Mittelalter hatte der Anschauung gehuldigt, daß Neues nicht geschaffen werden könne. Ein Kulturoptimismus, wie er in so überwältigender Kraft wohl keinem späteren Zeitalter mehr beschieden gewesen ist, erfaßte die Menschen. Der schaffende Künstler gestaltet das individuelle Kunstwerk und formt damit seine Zeit. Für Machiavelli sind es die großen Männer, die den Gang der Dinge bestimmen, die »Geschichte machen«; für die Kunstschriftsteller sind es die großen Schaffenden, die Werke *ihres* Geistes gestalten und damit den Geist ihrer Zeit fortbilden. Niemals vorher ist der Einzelne in dem Maße als geschichtliche Erscheinung, als individueller Gestalter gesehen worden, und niemals vorher ist die einzelne Kunstdisziplin in dem Maße als gestaltbares Wesen sui generis gesehen worden, wie es nun vom frühen 15.Jahrhundert an häufig geschieht. L. B. Alberti glaubte, daß die Künstler seiner Zeit wie Filippo Brunelleschi, Lorenzo Ghiberti, Masaccio, Luca della Robbia dem Altertum überlegen seien; sie gestalteten nicht nur Neues, sondern Höheres als die angebetete Antike. Der menschliche Geist, die »virtù«, ist stärker als das Schicksal, die »fortuna«. L. B. Alberti hat den kühnen Satz geprägt: »Tiene giogo la fortuna solo a chi se gli sommette« (Vorwort zu ›I primi tre libri della famiglia‹, 1441). Damit steht die Renaissance im vollen Gegensatz zum Mittelalter wie zum Lebensgefühl jener Epoche, die den Barock hervorgebracht hat, und dieses Lebensgefühl hat auf allen Gebieten der Kunst, auch in der Musik, grundlegend Neues geschaffen, dessen Nachwirkung bis in die Gegenwart nicht erloschen ist. War auch die Renaissance ein »Proteus« (Huizinga), so besteht doch keine Veranlassung, ihre Existenz als geschichtliche Epoche zu verleugnen. Man wird gut tun, für die musikgeschichtliche Epochengliederung den weisen Rat Huizingas zu beherzigen: »Die einzige Rettung aus dem Dilemma einer exakten Periodisierung liegt in der wohlüberlegten Preisgabe jeder Forderung der Exaktheit. Man gebrauche die Ausdrücke mit Maaß und Bescheidenheit, wie es der historische Sprachgebrauch mit sich bringt. Man lasse ihnen Spielraum und baue keine Häuser darauf, die sie doch nicht tragen können. Man hüte sich davor, die Ausdrücke zu pressen oder breitzutreten, wie es mit der Renaissance geschehen ist. Man bleibe sich bewußt, daß jeder Ausdruck, der prätendiert, das Wesen oder die Beschaffenheit einer Periode auszudrücken, schon dadurch präjudiziert. Im Sprachgebrauch vergesse man lieber, daß ›Mittelalter‹ von einer Zwischenstellung und ›Renaissance‹ von Wiedergeburt spricht. Man sei ständig bereit, den Sinngehalt des Ausdrucks zu verleugnen, sobald es sich zeigt, daß er im Licht, das von dem besonderen Wesen der Dinge selbst ausstrahlt, seine Geltung verliert« (Aufgaben der Kulturgeschichte, 1929, S. 75). Unter solchen Vorbehalten kann der Begriff Renaissance auch weiterhin jene Epoche des 15. und 16.Jahrhunderts decken, für die ihn der Sprachgebrauch der Universalgeschichte eingebürgert hat.

II. Die Musik im Selbstverständnis der Renaissance

Den Schlüssel zu der Frage, wann in der Geschichte der Musik die Renaissance begonnen habe, liefert das *Selbstverständnis der Zeit*, das als spontane Reaktion, ja als heftige Opposition gegen eine als »barbarisch« empfundene Vergangenheit zutage tritt. Im 15.Jahrhundert beginnen die Musiker wie die Literaten und die bildenden Künstler, ihr Zeitalter als ein »neues«, sich selbst als Vertreter einer »neuen« Kunst zu empfinden. Mehr oder minder deutlich kommt dabei der Gedanke der gemeinsamen Wiedergeburt der Künste nach der »lacuna« des 5. bis 14.Jahrhunderts,

nach dem »medio evo« zum Vorschein, wie ihn u. a. Marsilio
Ficino ausgesprochen hat. Wie die anderen Künste, so wird auch
die Musik wiedergeboren. Die Kronzeugen dieser Selbstauffassung
sind Johannes Tinctoris und Franchinus Gafurius (Gafori), der
erstere aus einer betont geschichtskritischen Haltung heraus, der
letztere mehr als Verfechter neuartiger musikästhetischer Anschauungen.

Für *Tinctoris* ist die Musik seiner Zeit eine »nova ars«; ihren
Ursprüngen geht er nach: »Quo fit ut hac tempestate facultas
nostrae musices tam mirabile susceperit incrementum quod ars
nova esse videatur, cujus, ut ita dicam, novae artis fons et origo
apud Anglicos quorum caput Dunstaple exstitit fuisse perhibetur,
et huic contemporanei fuerunt in Gallia Dufay et Binchois quibus
immediate successerunt moderni Okeghem, Busnois, Regis et
Caron omnium quos audiverim, in compositione praestantissimi.
Haec eis Anglici nunc (licet vulgariter jubilare, Gallici vero cantare
dicuntur) veniunt conferendi. Illi etenim in dies novos cantus no-
vissime inveniunt, ac isti (quod miserrimi signum est ingenii) una
semper et eadem compositione utuntur« (›Proportionale‹, vor 1476;
CoussS 4, 154). »Fons et origo« der neuen Kunst sind die Engländer
der um John Dunstable; sind diese (was wohl der Schluß der
Stelle besagen soll) jetzt auch nicht mehr auf der vollen Höhe, so
sind doch die »Gallici« von Guillaume Dufay bis Johannes
Ockeghem an ihre Stelle getreten. Sie haben das »mirabile incrementum« der Musik heraufgeführt. Mit vielen von ihnen, mit
Anthoine Busnois, Ockeghem, Caron, Guillermus Faugues,
J. Carlier, Robert Morton, auch noch mit Jacob Obrecht hat
Tinctoris in persönlichen Beziehungen gestanden. Dem »Protho-
Capellanus« der Könige von Frankreich, Ockeghem, und dem
»cantor« des Herzogs von Burgund, Busnois, hat er 1476 seine
Schrift ›De natura et proprietate tonorum‹, dem »Protho-Capel-
lanus« des Herzogs von Mailand, G. Guingnant, den ›Tractatus
alterationum‹ dediziert. Beispiele aus Kompositionen kleinerer
Meister wie Lerouge, Pyllois, Domarto, Faugues, Boubert, Cour-
bert, Cousin hat er im ›Proportionale‹ zitiert.

Man darf Tinctoris selbst als eine der Zentralfiguren dieser ersten
zentralen Renaissancegruppe betrachten. In seiner Kontrapunktlehre steht sein entschiedenstes Bekenntnis zur »neuen Zeit«:
»Neque, quod satis admirari nequeo, quippiam compositum nisi
citra annos quadraginta extat, quod auditu dignum ab eruditis
existimatur; hae vero tempestate, ut praeteream innumeros concen-
tores venustissime pronunciantes, nescio an virtute cujusdam
coelestis influxus, an vehementia assiduae exercitationis infiniti
floruerunt compositores, ut Joannes Okeghem, Joannes Regis, An-
thonius Busnois, Firminus Caron, Guillermus Faugues, qui novis-
simis temporibus vita functos Joannem Dunstaple, Egidium Bin-

chois, Guillermum Dufay se praeceptores habuisse in hac arte divina gloriantur. Quorum omnium omnia fere opera tantam suavitatem redolent, ut, mea quidem sententia, non modo hominibus heroibusque verum etiam diis immortalibus dignissima censenda sint. Ea quoque profecto nunquam audio, nunquam considero quin laetior ac doctior evadam, unde quemadmodum Virgilius in illo opere divino Eneidos Homero, ita iis, Hercule, in meis opusculis utor architypis; praesertim autem in hoc, in quo, concordantias ordinando, approbabilem eorum componendi stilum plane imitatus sum« (›De arte contrapuncti‹, 1477; CoussS 4, 77). Die Musik hat eine unerhörte Höhe erreicht; es ist kaum zu verstehen, wie sie dazu gelangt ist. Was die Meister um Ockeghem (summarisch als Schüler der Dufay-Generation aufgefaßt) schreiben, strahlt eine Süße, eine »suavitas« aus (»suavitas« und »varietas« sind für Tinctoris die entscheidenden Qualitäten guter Musik), die Menschen, Heroen und Göttern gefallen muß. Aber diese Musik gibt es erst seit vierzig Jahren: alles, was vor dieser Grenze komponiert worden ist, lehnen die »eruditi« ab – das ganze Selbstbewußtsein, aber auch der ganze geistige Dünkel der Renaissance kommen in diesem einen Satz ans Licht. Wie Vergil auf Homer, so stützt sich Tinctoris in diesem seinem Buch auf die Meister der Ockeghem-Busnois-Gruppe und folgt ihrem beifallswürdigen Kompositionsstil. Niemals zuvor ist im Schrifttum die Musik so entschieden als selbständige, eigenen Bedürfnissen unterworfene und eigenen Kräften gehorchende Kunst, niemals zuvor eine Epoche der Musik mit solcher Schärfe als beendet, eine andere als begonnen, niemals zuvor auch eine Gruppe von Musikern so deutlich gegen eine andere (frühere oder spätere) abgegrenzt worden wie hier.

Diese Art Gruppierungen war im Schrifttum der Renaissance beliebt. Auf musikalischem Gebiet wiederholen sie sich in den »Sängergebeten« der Zeit wie bei Loyset Compère (›Omnium bonorum plena‹, um 1470), in der französischen ›Déploration‹ von Jean Molinet auf Ockeghems Tod (›Nymphes des bois‹), die Josquin Desprez komponiert hat (um 1496). L. B. Alberti versteht Brunelleschi, Donatello, Ghiberti, Luca della Robbia und Masaccio als die Künstlergruppe, die das neue Zeitalter heraufgeführt hat (in der Musik also der Dufay-Gruppe zu vergleichen); sie ist es, die das Altertum wiedererweckt, es gleichzeitig aber auch bei weitem überflügelt hat. Ein Jahrhundert später sieht Vasari eine Epoche, die mit der »rinascita« begonnen hat, in der »maniera perfetta« der Leonardo da Vinci, Raffael und Michelangelo zur Reife gebracht wie Gioseffo Zarlino in Adrian Willaert und seinen Zeitgenossen.

Fr. Gaffurius war weit weniger radikal als Tinctoris, hat viel mehr mittelalterliche Tradition weitergereicht, hat aber, vor allem durch seine ›Practica musicae‹ (1496), durch sein ›De Harmonia

Musicorum Instrumentorum Opus‹ (1500, gedruckt 1518) und durch seine persönlichen Verbindungen weitreichende Wirkung ausgeübt. Wie der Niederländer Tinctoris in Neapel, so stand der Italiener Gaffurius in Mailand im Mittelpunkt eines weit ausstrahlenden Kreises. Er zitiert L. B. Alberti; auf Marsilio Ficino hat er eingewirkt, mit Leonardo da Vinci (der ihn gemalt hat oder durch einen Schüler hat malen lassen) war er befreundet. Als Domkapellmeister (1484–1522) hatte er enge Beziehungen zu seinem niederländischen Kollegen, dem Hofkapellmeister Gaspar van Weerbecke, der im Dienst von Galeazzo Maria Sforza und von Ludovico Moro stand, und durch ihn zu dem ganzen mailändischen Niederländerkreis: Josquin Desprez, Loyset Compère, Baude Cordier, Johannes Martini, Jacotin, Alexander Agricola. Sein schriftstellerisches Werk ist insgesamt eine systematische Kompositionslehre und insofern eine unmittelbare Parallele zu dem des Tinctoris; insbesondere die Kontrapunktregeln seiner ›Practica musicae‹ stehen denen der ›Ars contrapuncti‹ sehr nahe. Seine eigenen Kompositionen weisen jene Verschmelzung von »varietas« und »suavitas« (frei interpretiert: von niederländischer Satzkunst und italienischem Schönklang) auf, die das Ideal des Zeitalters bildet (Tinctoris scheint als Komponist weniger bedeutend gewesen zu sein). Seine vielseitige literarische und dichterische Tätigkeit erweist Gaffurius als einen echten Humanisten, und seine Lehre wie sein kompositorisches Werk nähern sich in ihrem Streben nach tonaler Vereinfachung und Akkordklang eng demjenigen Josquins und seines Kreises an.

Tinctoris und Gaffurius sind kein Anfang gewesen. Das Bewußtsein, einem neuen Zeitalter anzugehören, hat sich jedoch bei den Schriftstellern des 15. Jahrhunderts nur langsam durchgesetzt. Bei Ramos de Pareja klingt zwar jenes neue Selbstbewußtsein an, wenn er gelegentlich meint, die Musik seiner Zeit habe sich aus eigener Kraft über die der älteren Meister weit erhoben (›Musica practica‹, 1482). Dagegen überwiegt in dem ›Ritus canendi vetustissimus et novus‹ des Kartäusers Johannes Gallicus (um 1458–1464) aus Namur trotz des Titels noch bei weitem die Tradition; an eine Schule zu denken, die bei Vittorino da Feltre begonnen und über Gallicus später zu Nicolaus Burtius, Gaffurius usw. geführt habe (Leo Schrade in Kongreßbericht Utrecht 1952), scheint gewagt. Eher mag man Spuren des neuen Selbstverständisses in dem um 1412 entstandenen Kontrapunkttraktat von Prosdocimus de Beldemandis oder seinem Monochordtraktat von 1413 finden (Heinrich Hüschen in MGG, Artikel ›Beldemandis‹); da er zum Paduaner Kreis von Johannes Ciconia gehört hat und der Lehrer von Nicolaus Cusanus gewesen ist, darf man vielleicht annehmen, daß sich hier ein erster theoretischer Niederschlag des neuen Bewußtseins abzeichnet.

Die Gruppierungen von Künstlernamen setzen sich im 16. Jahrhundert fort. Pietro Aron, der 1516 in eine Kontroverse mit Gaffurius eingetreten, 1521 von Giovanni Spataro gegen die ›Errori di Franchino Gafori‹ in Schutz genommen worden war, der in Florenz persönliche Beziehungen zu Josquin, Obrecht, Isaac und Agricola unterhalten, durch lange Jahre im Briefwechsel mit Giovanni del Lago gestanden und 1545 in seinem ›Lucidario‹ wesentliche Beiträge zur Kompositionslehre seiner Zeit geliefert hat, konnte 1523 in seinem ›Toscanello‹ auf die mittlere Renaissancegeneration bereits als auf einen abgeschlossenen Abschnitt der Geschichte zurückblicken; für ihn gehören Jacob Obrecht, Pierre de La Rue, Heinrich Isaac, Marbrianus de Orto und Loyset Compère schon zu den »Alten« (Schrade). Wie Giovanni Maria Lanfranco (›Scintille‹, 1533) die Schriftsteller, Bildhauer, Maler und Musiker seiner Zeit jeweils einem hochgepriesenen Vorbild aus dem klassischen Altertum als Erben und Fortsetzer entgegenstellt, so vergleicht Heinrich Glarean (›Dodekachordon‹, 1547) Josquin mit Vergil, Obrecht mit Ovid, La Rue mit Horaz, Isaac mit Lucanus usw., und Cosimo Bartoli erblickt in seinen vielzitierten ›Ragionamenti accademici‹ (1567) in Ockeghem den Wiedererwecker der Musik, wie es Donatello für die Plastik gewesen sei, und in Josquin den absoluten Gipfel der Musik seines Zeitalters, vergleichbar mit Michelangelo, der der unerreichte Meister der Architektur, Plastik und Malerei gewesen sei. Mit Lodovico Zacconi (›Prattica di musica‹, Band 1, 1592) läuft dann (wie L. Schrade gezeigt hat) dieses Selbstverständnis aus, das sich noch als Erben der »rinascita« fühlt; für ihn ist die Josquin-Generation nicht nur die zentrale, sondern auch die älteste der Renaissancemusiker, die Generation der »antichi«; zu ihr kommt als zweite die von Adrian Willaert, Cristóbal de Morales, Cipriano de Rore, Zarlino und Palestrina, als jüngste Schicht endlich die seiner eigenen Altersgenossen, der um 1550 geborenen Musiker (Schrade). Um dieselbe Zeit aber beginnt mit Vincenzo Galilei und Girolamo Mei schon eine Richtung, die sich neuen Ufern zuwendet und für die die ganze »rinascita« nur noch historische Erinnerung war.

Tinctoris ist wohl der erste Schriftsteller, der die Musik als *autonome Kunst* verstanden und mit den Augen des Historikers zu sehen vermocht hat, der erste, dem es gelungen ist, sich von einer schal gewordenen Tradition frei zu machen, der erste von vielen nachfolgenden, der bewußt die spekulativen Theoreme mittelalterlicher Überlieferung als überflüssigen Ballast abgestreift und sie durch eine ganz nüchterne und kritische, dem praktischen Musikwesen seiner Zeit angemessene Erfahrung ersetzt hat (daher auch seine vielen Zitate aus zeitgenössischen Kompositionen). Aus solcher Erfahrung hat er entscheidende Grundsätze der neuen Musik präzis formuliert. Konsonanz und Dissonanz werden nur nach dem Gehör beurteilt (›Diffinitorium‹, 1474?). Hatte noch Marchettus von Padua in seinem ›Lucidarium‹ den Begriff der »harmonia« definiert als »ratio numerorum in acuto et gravi« (nach H. Hüschen in MGG, Artikel ›Marchettus‹: um 1317/18), so setzt Tinctoris kurzerhand »harmonia« = »euphonia« und definiert: »est amoenitas quaedam ex convenienti sono causata« (›Diffinitorium‹). Dasselbe erklärt Gaffurius (1496) für den dreistimmigen Satz: »Harmonia est extremarum contrariarumque vocum communi medio consonantias complectentium suavis atque congrua sonoritas«; d. h. nichts anderes als »harmonia« = Dreiklang. Stefano Vanneo geht (›Recanetum‹, 1537) noch darüber hinaus: »est concinnitas quaedam vocum non similium« und überantwortet damit den Harmoniebegriff der freien Wahl zusammenpassender Töne (siehe H. Hüschen in MGG, Artikel ›Harmonie‹).

Auf der vollen Höhe der Renaissance sieht dann Nicola Vincentino 1555 die Harmonie in der Häufung der Konsonanzen erfüllt; eine Komposition muß »piena d'armonia«, »senza povertà di consonanze« sein, sonst »rimarrà insipida«; denn »gl'orecchi si notricano (an anderer Stelle: »si pascono«) di consonanze« (›L'antica musica‹, 4. Buch, Kapitel 21). Wohlklang, Klangfülle und Befriedigung des Gehörs sind nun oberste Gebote geworden, Empirie ist die Grundlage der neuen Theorie. »Con la esperiena maestra delle cose« (›Libro della Teorica‹, Kapitel 1) kann sich Vicentino über alle geheiligten Erbstücke mittelalterlicher Spekulation hinwegsetzen: »hauiamo lasciato a dire tutte queste cose per non ci essere utile alcuno alla nostra prattica« (ebenda, Kapitel 16). Die ganze ehrwürdige »musica theorica« wird auf zwölf von den rund dreihundert Seiten seines Traktats abgehandelt. Alles Interesse gilt der Praxis seiner Gegenwart, die sich über die »vecchi« hoch erhoben hat, und der Titel ›L'antica musica ridotta alla moderna prattica‹ kündet laut von dem Bewußtsein, daß Altertum und Gegenwart, über die »lacuna« hinweg, eins sind: wir stehen auf den Schultern der »antichi«, aber wir haben sie bei weitem überholt »per far molto più ricca et abondante la musica . . . che noi facessimo muouere più gli oditori, che non faceuano gl'antichi«.

Selbst ein so traditionsgesättigtes Heiligtum aus Urväter Hausrat wie die boethianische *Klassifikation* der Musik, die sich über alle Wandlungen hinweg in den Grundzügen bis zu Ugolino von Orvieto (um 1400) am Leben gehalten hatte, wird nun über Bord geworfen. Bei Tinctoris heißt es, nüchtern und praktisch: Musik ist »modulandi peritia, cantu sonoque consistens«, »musica armonica est illa quae per vocem practicatur humanam«, »musica organica est illa quae fit in instrumentis flatu sonum causantibus«, »musica rithmica est illa quae fit per instrumenta tactu sonum reddentia« (worunter die Streichinstrumente mitverstanden sind).

117

Das ist alles: die Musik besteht aus Klängen, die von Singstimmen, Blasinstrumenten oder anderen (Zupf-, Streich- und Schlaginstrumenten) hervorgebracht werden. Nichts mehr von Sphären- oder Leibseelenharmonie, von mystisch-spekulativer »theorica«, aber auch nichts von der mathematisch-traditionellen »practica«.

Neue Arten der Klassifikation melden sich an und treten zu dem Pragmatismus von Tinctoris. Eine Einteilung sozialer Natur erinnert an die Unterscheidung von Johannes de Grocheo (14.Jahrhundert) zwischen »musica simplex vel civilis vel vulgaris pro illitteratis« und »musica composita vel regularis vel canonica pro litteratis«; was aber damals isoliert und ohne geschichtlichen Zusammenhang erscheint, das findet nun in der Renaissance eine weitverbreitete und allgemeingültige Nachfolge in der Unterscheidung zwischen der Musik für den verfeinerten Geschmack der Fürsten und Herren, der »Kenner« und »Liebhaber« auf der einen und der Musik für den Tagesbedarf der »misera plebs« auf der anderen Seite. Einer ausdrücklich so genannten »Musik für die Kammer« tritt gegenüber die Musik, die für die Kirche und für öffentliche Festlichkeiten gebraucht wird. Bei Vicentino heißt es eindeutig (›L'antica musica‹, 1. Buch, Kapitel 4): »era meritamente ad altro uso la Cromatica & Enarmonica Musica riserbata che la Diatonica, perchè questa in feste pubbliche in luoghi communi à uso delle vulgari orecchie si cantava: quelle fra li privati sollazzi di Signori e Principi, ad uso delle purgate orecchie in lode di gran personaggi ed Heroi s'adoperavano. Onde per la sua mirabil dolcezza, et per non deviare in parte alcuna dalla virtù de gli antichi Principi« haben Fürsten und Herren diese wiedererstandene chromatische und enharmonische Musik, diese wahre »musica rinata«, gelernt, die einzig für verfeinerte Ansprüche, für »purgate orecchie« geschaffen ist, während auf öffentlichen Festen für die »vulgare orecchie« diatonisch musiziert wird (schon in Baldassarre Castigliones ›Cortegiano‹, 1527, werden »orecchie esercitate« und »auditori disposti ad udire« verlangt). Die Wiedererstehung der antiken genera, für die sich Vicentino so leidenschaftlich einsetzt (des chromatischen und des enharmonischen, wie sie seiner Meinung nach beschaffen gewesen waren), sind das wahre Kennzeichen der »musica moderna«, die er hier mit »musica riserbata« gleichsetzt (dies erkannt zu haben, ist das Verdienst Edward Lowinskys).

Was immer man im einzelnen mit dem vielumstrittenen Ausdruck *musica reservata* verbinden möge, der seit den 1550er Jahren zum Schlagwort für die Musik der gehobenen Gesellschaft wurde, ob man sie besonders mit dem Chromatismus verknüpfen darf, ob es sich mehr um Besetzungs- oder Aufführungspraktiken handelte, ob bestimmte Kompositionsgattungen darunter begriffen wurden, gewiß ist, daß in dem Begriff »musica reservata« die musikalischen Ansprüche und Auffassungen der Renaissance ihren

Brennpunkt gefunden haben. Der schillernde Ausdruck hat ebenso mit kammermusikalischer Verfeinerung der Musik, mit Rückbesinnung auf die Antike in irgendeiner Form (sei es in Gestalt wiederbelebter genera, wiederbelebter Metren oder wiederbelebter Gesangspraktiken) wie mit der Vorrangstellung des Textes und gesteigertem Ausdruck zu tun.

Für Vicentino steht das »soggetto delle parole« am Anfang und im Vordergrund alles Komponierens. Der Komponist empfängt seinen Anstoß vom »concetto«, von der »passione« der »orazione«. Claudio Monteverdis berühmte Formulierung steht auf der Schwelle. Stärker noch als Zarlino arbeitet Vicentino den antikisierenden, auf Platon zurückgehenden Gedanken heraus, daß die Musik vom Wort her ihren Sinn empfangen müsse. Für den »moderno« ist die Komposition in italienischer Sprache, die »composizione volgare«, die fesselnde Aufgabe, gegen die die »cose latine« sichtlich zurücktreten; die Aufgabe löst der Komponist durch »imitar la natura delle parole«. Groß ist der Unterschied zwischen einer »composizione da cantare in chiesa e quella che si ha da cantare in camera«, und »differenti sono le compositioni, secondo che sono i suggetti sopra che sono fatte«. Solchen Unterschieden muß naturgemäß auch die Ausführung entsprechen: »cosi il cantante dè considerare la mente del poeta musico (des Tondichters), et cosi del poeta volgare, ò latino, & imitare con la voce la compositione, & usare diversi modi di cantare« (›L'antica musica‹, 4. Buch, Kapitel 21 und 42; das letztere ist überschrieben ›Regola da concertare cantando ogni sorte di compositione‹, gebraucht also schon den Terminus »konzertieren« für die Arten der gesanglichen Ausführung). Kammermusik wird leise, gedämpft ausgeführt, mit Diminutionen, bewegt, differenziert, Kirchenmusik dagegen einfach, kräftig, feierlich. Damit tritt zu der sozialen Klassifikation auf der Höhe der Renaissance zum ersten Male eine deutlich ausgeprägte (wenn auch noch nicht wörtlich so benannte) Klassifikation nach Stilen; Vicentino unterscheidet strikt zwischen Musik »da cantare in chiesa« und »da cantara in camera«, und als dritter Stil treten die »cose basse« der volkstümlichen Musik hinzu, die an die »cose buffoni« grenzen. Bei der Beschreibung der Stile tauchen Kennzeichnungen auf, die schon den »stylus gravis« und »luxurians« des 17.Jahrhunderts weitgehend vorwegnehmen.

Höchst bezeichnend ist, daß in diesem Zusammenhang auch noch eine weitere Scheidung auftritt, die dem Mittelalter völlig unbekannt gewesen war und die, soweit bekannt, auch im 15.Jahrhundert noch kaum eine bemerkenswerte Rolle spielt, diejenige nach *Nationen*. »Ogni natione ha gli suoi accenti« heißt es bei Vicentino gleich im Kapitel 1 des 1. Buches von ›L'antica musica‹, und später (4. Buch, Kapitel 29) folgen Einzelheiten über die Behandlung der lateinischen, italienischen, französischen, spanischen und deutschen Sprache in der Musik; ja sogar das Ungarische, Türkische und Hebräische werden erwähnt. Trägt Vicentino damit auch nur einem längst bestehenden Zustand der praktischen Komposition Rechnung, so ist es doch für das beginnende naturrechtliche Bewußtsein des Zeitalters bezeichnend, daß die Unterschiede anerkannt werden, wenn es auch bei einer mehr kursorischen Bemerkung bleibt, wie es ja auch bei den Schriftstellern des 17.Jahrhunderts noch oft der Fall ist. Erst das 18.Jahrhundert hat die Nationalmusiken als grundverschieden und als gegnerische Kräfte aufgefaßt.

Vicentino war der kühnste, fortschrittlichste, extremste Verfechter des Neuen in der Musik der Renaissance; mit ihm einerseits, Zarlino andererseits hat sich das Selbstverständnis der Epoche in zwei sehr verschieden gearteten, einander ergänzenden, fast wie Symbole des Zeitgeistes wirkenden Gestalten ausgesprochen. Zarlino wurde der Wahrer einer modifizierten und erneuerten Tradition; an ihn konnten in der Folgezeit die Fortsetzer der »prima pratica« anknüpfen, und in gewissem Sinne ist er als Träger des Erbes über den Barock hinweg bis in jüngste Zeiten der Musikgeschichte hinein wirksam geblieben. An Vicentino hingegen konnte die »seconda pratica« unmittelbar anschließen, sowohl mit ihren Bemühungen um Auflockerung der Tonalität, um Chromatik, Affektendarstellung usw. wie mit ihrer Forderung, daß die »orazione padrona dell'armonia« sein solle, und schließlich auch mit ihrer ganz ernsthaften Absicht, die griechische Musik wiederherzustellen‹. In Vicentinos ›L'antica musica ridotta alla moderna prattica‹ fanden V. Galilei (›Dialogo della musica antica e della moderna‹, 1581), G. Mei (›Discorso sopra la musica antica e moderna‹, 1602), Conte Giovanni Bardi, Ottavio Rinuccini, Giulio Caccini, Jacopo Peri und Monteverdi ihre Ideen vorgebildet, und ebenso konnten Giovanni Maria Artusi, Scipione Cerreto, Zacconi, Adriano Banchieri, Giovanni Andrea Bontempi, von den Schriftstellern anderer Länder zu schweigen, den Bahnen folgen, die Zarlinos ›Istitutioni‹ (1558) vorgezeichnet hatten. In der geschichtlichen Wirklichkeit überschneiden sich selbstverständlich die Linien vielfältig. Das besagt aber gleichzeitig, daß beide, Vicentino und Zarlino, bereits am Ende der Renaissance im engeren Sinne stehen. Zarlino faßt rückschauend die Lehren zusammen, die sich für ihn aus den Werken der Künstlergruppen von Ockeghem über Josquin und Gombert bis Willaert ergeben haben; er steht »als künstlerischer Gesetzgeber am Ende der ruhmreichen Tradition«, zwar nicht der »prima pratica«, wie Hermann Zenck meinte, wohl aber der niederländisch-italienischen Renaissance; Vicentino fußt auf derselben Tradition und verleugnet sie nicht; aber »sein unruhig experimentierender Geist . . . drängt auf Veränderung; er ist erpicht auf das Neue und Noch-Nicht-Dagewesene« (Zenck, N. Vicentinos ›L'antica musica‹, in der Festschrift für Th. Kroyer, 1933).

Sind die Musikschriftsteller des 15. Jahrhunderts auch nur langsam zu der Erkenntnis gelangt, daß ein neues Zeitalter angebrochen ist, so vertreten sie doch seit Tinctoris um so nachdrücklicher und oft temperamentvoller dieses Selbstverständnis. Überlebtes wird allenthalben abgestoßen; was nicht den Absichten und Grundsätzen der »aurea aetas« entspricht, muß fallen. Ein kräftiges, jugendliches Selbstbewußtsein weht durch die Literatur; wo Altes und Neues zusammentrifft, gibt es Disputationen und Kontroversen, die berühmteste unter ihnen die zwischen Vicentino und V. Lusitano, über die 1551 in Rom ein Schiedsgericht unter dem Vorsitz von Ghiselin Danckerts und Bartolomé Escobedo urteilte. Die fragmentarisch überlieferte Spätschrift von Tinctoris ›De inventione et usu‹ (um 1484) ist ein reines Kompendium der praktischen Musikübung seiner Zeit und hat, insbesondere bei den italienischen Theoretikern, viel Nachahmung gefunden, so bei P. Aron (›Toscanello‹, 1523; ›Lucidario‹, 1545), bei St. Vanneo (›Recanetum‹, 1533), bei G. M. Lanfranco (›Scintille‹, 1533); es sind die Schriftsteller des Kreises um Willaert, die mit Vicentino und Zarlino abschließen. Dazwischen stehen Gaffurius, Ramos de Pareja, G. Spataro und Giovanni del Lago als Autoritäten, die maßvoll das Überlieferte mit dem Neuen zu vereinigen suchen. Die Grundzüge der Musikanschauung sind bei allen die gleichen; sie alle sind von dem Optimismus des neuen Zeitalters erfüllt, sie alle distanzieren sich von einer dunklen, zurückliegenden Epoche, von der sie meist nur noch die Namen einiger hervorragender Theoretiker wie Johannes de Muris, Guido von Arezzo usw. kennen.

Die Magna Charta der Musik im Zeitalter der Renaissance, ihre abschließende enzyklopädische Selbstdarstellung, noch aus der ganzen Fülle ihres Lebens heraus verfaßt und doch unmißverständlich eine Wende ankündigend, sind Zarlinos ›Istitutioni harmoniche‹ (1558). Das Buch ist Vicentino durch die maßvolle Nüchternheit und die reife Ausgewogenheit überlegen, mit der es eher die wirkliche Situation der Musik am Ende des Zeitalters darstellt, als ein Wunschbild zu propagieren, wie sie beschaffen sein sollte. Daß Zarlino, verglichen mit Vicentino, konservativ, ja retrospektiv wirkt, erklärt sich, abgesehen von seiner lehrhaften Ausdrucksweise, daraus, daß er der Tradition mehr Raum läßt als jener und daß er dessen extremen Modernismus nicht mitmacht. Die ›Istitutioni‹ stehen am Ende einer Epoche als Brevier ihrer musikalischen Anschauung und (vornehmlich in Verbindung mit den späteren Schriften Zarlinos) ihrer musikalischen Praxis. Auch Zarlino ist Empiriker. Wie für Tinctoris und Gaffurius, so verwirklicht sich auch für ihn die Musik in der klingenden Erscheinung. Die Erbstücke der »musica mundana« und »musica humana« werden zwar noch behandelt, aber sichtlich nur noch als Wissensgegenstände; der Stoff der »musica theorica« wird auf den geringstmöglichen Umfang zusammengedrängt. Schärfer noch als Tinctoris oder einer der anderen Schriftsteller dekretiert Zarlino die Autonomie der Musik, und bestimmter als sonst jemand fordert er ihre Freiheit von Zwecken. Im Anschluß an die aristotelische διαγωγὴ ἐλευθέριος und wohl unter dem Einfluß B. Castigliones bestimmt er den Sinn der Musik mit einer für das gesamte Renaissancezeitalter treffenden und verbindlichen Formel als: »passare il tempo & trattenersi virtuosamente«. Das steht ebenso entschieden den aus der Patristik herrührenden Zweckbestimmungen der Musik in der mittelalterlichen »musica theorica« entgegen wie den Deklarationen der barocken Musiktheoretiker über ihren Pathoscharakter. »Dall'udito . . . la scienza della musica ha havuto la sua origine«; Musik besteht in der »harmonia, la quale nasce dai suoni & dalle voci«. Zu ihnen treten als weitere Determinanten des Kunstwerks der »numero determinato & proportionato«, d. h. der Rhythmus, und die »narratione« oder »oratione«, die sinnlich und seelisch faßbare Gegenstände hinzuträgt. Im Zusammenwirken dieser Elemente wird das vokale Kunstwerk (und nur dieses ist für Zarlino, im Gegensatz zu Vicentino, maßgebend) zum Träger bestimmter Affektencharaktere. Der Komponist muß sich »con quel modo migliore ch'ei può fare« darum bemühen, daß Klänge, Harmonie und Rhythmus mit Hilfe der μίμησις »esprimano le parole contenute nell'oratione« (Zarlino, ›Sopplimenti‹, 1588).

Was Zarlino definiert, ist die »ars perfecta« (der Ausdruck stammt von Glarean und bezeichnet dort das Werk Josquins), die »buona maniera« der Renaissance in ihrem vollendeten, noch nicht barockisierten letzten Zustand. Die musikalischen Elemente des Klanges und des Rhythmus befinden sich *im Gleichgewicht* und werden durch das »imitar le parole« auf den Weg zu ihrer höchsten Bestimmung gebracht: die Affekte darzustellen, auf die der empfängliche Hörer (ihm widmet Zarlino eine ausführliche Schilderung) mit Verständnis antworten wird.

Durch Zarlino ist die »imitatio naturae« zu einer entscheidenden Forderung der ausklingenden Renaissance an die Musik geworden. So erklärt sich z. B., daß es eine hervorragende Auszeichnung für Palestrina war, wenn Vincenzo Galilei ihn einmal »quel grande imitatore della natura« genannt hat. Gleichzeitig ist damit im Verein mit den Forderungen Vicentinos eines der Fundamente für die Wendung zum Barock gelegt worden.

Das Kunstwerk ist autonom wie der »musico perfetto«, der es hervorbringt. Kunstfertigkeit ist gewiß nötig. Die hochentwickelte Technik des Kontrapunkts wird nicht in Frage gestellt. Aber sie darf nicht um ihrer selbst willen betrieben werden und hat sich der »bellezza« unterzuordnen. Wie für Vicentino, so ist auch für Zarlino der *konsonante Akkordklang* die ästhetische Basis der Schönheit. Mögen die Stimmen sich auf den verschlungensten Wegen des Kontrapunkts ergehen: auf ihr Zusammenwirken zum harmonischen Gesamtklang kommt es an. Ein Schritt weiter, und der Barock wird den Fundamentalbaß und den auf ihm ruhenden Akkord zum Grundstein alles Komponierens machen. Einem so gearteten Kunstwerk antwortet der »ben disposto« Hörer, der sich der Kunst in freier Muße hingibt und an ihr das »bello e elegante procedere, con un non sò misto di gravità« zu schätzen weiß. Dem Schönheitsideal des konsonanten Satzes gleichberechtigter Stimmen entspricht das Ideal des Einheitsklanges: der a cappella-Klang oder der Klang aus einem Satz von Instrumenten gleicher Familie (Violen, Flöten oder dergleichen), der Klang der Prinzipale oder der Flötenregister der Orgel oder auch eine Mischung von »verschmelzenden« Vokal-Instrumentalklängen im Gegensatz zum »Spaltklang« des Mittelalters und des Barock. Musik wird ähnlich der schönen Rede verstanden (der Gedanke der »Klangrede« zieht sich von Zarlino bis C. Ph. E. Bach hin), aber noch fehlt jede engere Bindung an die Lehre von der rhetorischen Disposition, von den »figurae« und »elegantiae«. Die alten Modi werden noch gelehrt, aber wie bei Glarean (›Dodekachordon‹, 1547), so sind auch bei Zarlino (1558) praktisch Dur und Moll (das Jonische und das Äolische) im Begriff, die alten Tonarten zu verdrängen.

Am Ende der Renaissance verstehen sich Zarlino und seine Zeitgenossen als die Vollender eines Zeitalters der »Wiedergeburt«, das ihnen noch gegenwärtig ist, dessen Stufenfolge sie noch überblicken und das in der Gruppe Willaerts und seiner Schüler (zu denen ja Vicentino und Zarlino selbst gehören) seine höchste Vollendung erreicht hat. Knapp ein halbes Jahrhundert später werden die Florentiner Monodisten um Bardi, Caccini, Peri und Mei den »Kampf gegen den Kontrapunkt« eröffnen. Knapp ein Jahrhundert nach Zarlino werden die Meister der Renaissance vergessen sein oder, soweit sie noch in der Erinnerung haften, wie bei Giovanni Battista Doni nur noch als Greuel vergangener Zeiten nachleben.

III. Renaissance als musikgeschichtliche Epoche

Die Musik der Renaissance ist seit dem 17. Jahrhundert zunehmend in Vergessenheit geraten. Nur die Erinnerung an Lasso und Palestrina wurde von Zeit zu Zeit durch Neubelebungen ihrer Werke neu erweckt. Das Interesse an der Musik des 16. (und später des 15.) Jahrhunderts erwachte im 19. Jahrhundert ganz von der *Praxis* her und hing mit den seit Herder, Mastiaux, E. T. A.

Hoffmann u. a. hervorgerufenen Bemühungen um die »wahre Kirchenmusik« zusammen. Dabei hat die beginnende Forschung zunächst im Dienste der Praxis mitgewirkt, wie die Praxis umgekehrt der Forschung Anregungen gegeben und Dienste geleistet hat. Durch A. F. J. Thibaut, G. Baini, C. von Winterfeld, durch C. Proske, G. von Tucher, R. G. Kiesewetter, F. J. Fétis, durch E. A. Choron, J. A. L. de La Fage, P. Alfieri, C. F. Rimbault, W. Horsley und viele andere ist die Musik der Renaissance allmählich wieder in den Gesichtskreis der Praxis und der Forschung gerückt worden, aus dem sie fast ganz geschwunden war. Das galt zunächst fast ausschließlich für die Kirchenmusik. Erst sehr allmählich hat, in der zweiten Hälfte des 19.Jahrhunderts, auch das Interesse für die weltliche Musik, noch langsamer das für die Instrumentalmusik zugenommen. Es ging mit der Wiedererschließung der Renaissancemusik ähnlich wie mit der des griechisch-römischen Altertums im 18. und 19.Jahrhundert: wie die griechische Kunst der klassischen und archaischen Zeit erst allmählich von den römischen Kopien und von der hellenistischen Spätzeit her erobert und verstanden worden ist, so wurde die Musik der Renaissance von ihrem manieristischen oder barockisierenden Spätstadium, von Palestrina, Tomás Luis de Victoria, Giovanni Maria Nanino, Francesco Soriano, kurz, von der römischen Schule her, in die man mehr oder minder Orlando di Lasso mit einschloß, zugänglich gemacht. War etwa J. N. Forkels und Winterfelds Geschichtsbild noch ganz von einem idealisierten Palestrina-Kult her geprägt, der in Baini seinen Mittelpunkt gefunden hatte, so haben Kiesewetter und Fétis erstmals den Ausblick auf eine »niederländische Epoche« der Musikgeschichte freigelegt.

Der erste Historiker, der den Versuch gewagt hat, die Renaissance als einheitliche Epoche der Musik zu verstehen, ist A. W. Ambros gewesen. Der 3. Band seiner Fragment gebliebenen Gesamtdarstellung der Musikgeschichte, heute über hundert Jahre alt (1868), getragen von umfassendem Wissen und unbefangener Klarheit des Urteils und insofern noch heute grundlegend, trägt den Titel ›Geschichte der Musik im Zeitalter der Renaissance bis zu Palestrina‹. Das Wort »Renaissance« steht mit Selbstverständlichkeit für das Zeitalter, aber wie wenig selbstverständlich Ambros selbst die Einheit eben dieses Zeitalters gewesen ist, beweist sein Werk auf Schritt und Tritt. Ob sein Renaissancebegriff ohne Burckhardts ›Kultur der Renaissance‹ (zuerst 1860) möglich gewesen wäre, bleibe dahingestellt; Burckhardt wird gelegentlich (Band 3, S. 8; auch Band 4, S. 50) mit seinem ›Cicerone‹ (zuerst 1855), nicht aber seiner ›Kultur der Renaissance‹ erwähnt. Im übrigen leitet Ambros seine Anschauungen von Goethes ›Italienischer Reise‹, Gregorovius' ›Geschichte der Stadt Rom‹ und mancherlei kunstgeschichtlichem Schrifttum her. Musikgeschichtlich lag nicht viel mehr vor als Forkel, Baini, Kiesewetter, Fétis usw. Um so bemerkenswerter, wie Ambros, auf der Grundlage so weniger Vorarbeiten, das Gebiet in so weiter Vollständigkeit hat umfassen können. Er hat den Gesamtbereich der Epoche im wesentlichen so abgesteckt, wie er auch heute noch verstanden wird. Er hat eine Gliederung eingeführt, die sich (trotz mancher Abwandlungen) im großen ganzen bis in das heutige Schrifttum erhalten hat. Sein größtes Verdienst ist vielleicht, die Proportionen und Akzente so verteilt zu haben, wie sie – immer von Änderungen im einzelnen abgesehen – auch heute noch verteilt werden.

Beherrschend stehen im Vordergrunde die *Niederländer*, zunächst mit der Gruppe um Ockeghem und Obrecht, dann mit Josquin Desprez als Zentralmeister und mit einer dritten, bei Ambros hauptsächlich um Nicolas Gombert gescharten Gruppe. Die deutsche Musik des 15. und 16. Jahrhunderts wird ausführlich gewürdigt; die französische, englische und spanische Musik des Zeitalters waren Ambros noch verhältnismäßig wenig bekannt. Einen zweiten Hauptkomplex bildet dann die venezianische Gruppe, an deren Spitze Willaert und Rore stehen und denen Ambros zunächst ihre italienischen Gefolgsleute, dann die »deutsche, venezianisch gebildete Tonsetzerschule« angliedert. Ein dritter Teil des Buches setzt bei den Italienern und Spaniern der Zeit Papst Leos X. an und sollte ursprünglich bis Palestrina führen. Daß Ambros diesen Meister erst in seinem 4. Band unterbringen konnte, stört das Gleichgewicht ebenso wie die Tatsache, daß er die Dufay-Busnois-Gruppe schon im 2. Band abgehandelt hatte. Von dem Fehlen vielerlei Stoffes und von diesen Mängeln abgesehen, war doch Ambros der erste Historiker, dem es gelang, das Zeitalter als ein Ganzes zu begreifen, wenn auch unter Schwanken und Mühen. Daß von den »mittelalterlichen Resten« in Dufay bis zu Palestrinas Vollkommenheit eine in sich geschlossene Geschichtsepoche reichen sollte, war eine schwer zu erringende Einsicht. »Das 15. Jahrhundert, zugleich Abschluß des Mittelalters und Anfang der Neuzeit« heißt es erst, dann: »In Italien kann man dieses 15. Jahrhundert nicht mehr zum Mittelalter rechnen. Anders in Deutschland.« Daß es zwischen dem »Kunststück« (der komplizierten Kanontechnik und dergleichen) und dem »Kunstwerk« keinen Gegensatz gibt und daß die Musik der Niederländer, wenn sie auch »im Boden des Mittelalters« wurzelte, »ihre Blätter und Blüten im milden Sonnenlicht der Renaissance« trieb, »das ihnen reinere Formen und wärmere Farben gab«, klingt leicht hingesagt, war aber für Ambros die Frucht schwer errungener Erkenntnis.

Ambros hat den universal- und musikhistorischen Grund gelegt, auf dem rund siebzig Jahre später noch A. Pirro mit seiner ›Histoire de la musique de la fin du XIVe siècle à la fin du XVIe‹ (1940) weiterbauen konnte, nun unter Einbeziehung der Dufay-Gruppe einerseits, des Palestrina-Kreises andererseits, unter Ergänzung zahlreicher neuer Quellen und Erkenntnisse im einzelnen, aber ohne Ambros' Konzeption der Renaissance in Frage zu stellen. H. Besseler (Die Musik des Mittelalters und der Renaissance, 1931) vermied eine scharfe Grenzziehung und versuchte, durch die Einführung einer »Burgundischen Epoche« den »spätgotischen« Sondererscheinungen der nördlichen Länder gerecht zu werden, in die er freilich auch die spezifisch italienischen Ansätze zur Musik der Renaissance einbezog. Wenn das Zeitalter der Renaissance im engeren Sinne dann unter einem Kapitel ›Das Niederländische Zeitalter‹ zusammengefaßt wird, so ergibt sich das Bild einer Spaltung zwischen Nord und Süd, zwischen 15. und 16.Jahrhundert, zwischen frühen und späten Niederländern und erscheint die Einheit der Epoche eher in Frage gestellt.

Einer gefährlichen Verwässerung unterliegt der Begriff der Renaissance bei Fr. Abbiati (Storia della musica, Band 1, 1939), für den das Zeitalter des Bürgertums, der Hanse, der niederländischen Stadtkultur, Papst Johannes' XXII. und des Johannes de Muris ebenso wie die Ära Machauts bereits als Teile der Renaissance gelten. Wenn hier das Trecento nach Ländern, das Quattrocento teils nach Schulen, teils nach der Erfindung des Musikdrucks und teils als »L'Umanesimo nelle forme d'arte popolari«, das Cinquecento aber nach Personen und Gattungen gegliedert werden, so geht das verhältnismäßig geschlossene Bild, das Ambros gezeichnet hatte, vollends verloren.

Bei C. Sachs (Our Musical Heritage, 1948, ²/1955) taucht merkwürdigerweise »Renaissance« nur als Untertitel des Kapitels 8, ›The Age of Dufay‹, auf und werden das 15. und 16.Jahrhundert schlicht nach Personengruppen gegliedert. Die Renaissance ist ihm in viel höherem Grade eine Wiedergeburt des italienischen Geistes nach Jahrhunderten »barbarischer«, »gotischer« Denkweise als eine Wiedergeburt der Antike. »Boldly, it established the right of the senses against the spirit, the right of personal experience and judgment versus authority, the right of individual against collective mentality.« Burckhardtsche wie Ambrossche Gedanken klingen an, wenn es heißt, das Ergebnis dieses Prozesses sei der Sieg der klassischen Ideale des Gleichgewichts, der Klarheit, Einfachheit und Genauigkeit in der Struktur gewesen, und der Import niederländisch-burgundischer Musiker habe nur dazu geführt, daß sie ihren heimischen, gotischen Stil dem Geschmack der italienischen Renaissance angepaßt hätten. Hier sind wohl allzu sehr vereinfachende Anschauungen aus der Geschichte der bildenden Künste auf die Musik übertragen worden. Die starken Schwankungen und Gegensätze zwischen den Stilen der verschiedenen Gruppen hat Sachs jedoch nicht übersehen und sie durch eine periodische Pendelbewegung zu erklären versucht. So heißt es von

den Komponisten um Ockeghem, Obrecht und Heinrich Finck:
»The tidal law, manifest in aesthetic reversals from age to age . . .
interrupted the classical trends of the Renaissance in the 1460's.
The arts went back to picturesqueness, haste, and stress on action
and feeling. And music went with them«; ähnlich über die zwei
Phasen der Hochrenaissance, 1500–1530 und 1530–1565, die Sachs
konstruiert. Wenn auch eine zu starke Vereinfachung, so ist dies
immerhin ein Versuch, die inneren Widersprüche des Zeitalters
unter dem Gedanken einer epochalen Einheit zu begreifen.

Der Auffassung der französischen und italienischen Historiker
hat sich, freilich von einem ganz selbständigen Gesichtspunkt aus,
Hugo Riemann angenähert. Nachdem er noch in Band 1, Teil 2
seines ›Handbuchs der Musikgeschichte‹ (1905) dem Mittelalter
eine Ausdehnung bis ins 15.Jahrhundert hinein zugebilligt hatte,
fühlte er sich im Vorwort zu Band 2, Teil 1 (1907) zu einer förm-
lichen Entschuldigung gedrängt: die Entdeckung des Florentiner
Trecento zwinge ihn dazu, »das musikalische Mittelalter statt mit
1450 bereits mit 1300 abzuschließen«. Die Entdeckung des »instrumental begleiteten weltlichen Kunstliedes«, dessen »Blüteperiode«
nunmehr das 14. und 15.Jahrhundert umfaßt, nötigte Riemann zu
der Erkenntnis, daß die Musik des 15. und 16.Jahrhunderts »eine
höchst respektable Blüte eines kunstvoll Gesang mit Instrumental-
begleitung verbindenden Stils«, die Monodie im 17.Jahrhundert
daher nichts Neues gewesen sei. Unter Zeitalter der Renaissance
werden die Jahrhunderte vor der ars nova bis zu Palestrina und den
Anfängen der Instrumentalmusik verstanden. Von seinem eigenen
Standpunkt aus ist es also inkonsequent gewesen, wenn Riemann
dieses Zeitalter um 1600 abgeschnitten und in Band 2, Teil 2
behandelt hat als ›Das Generalbaß-Zeitalter. Die Monodie und
die Weltherrschaft der Italiener‹.

Wiederum von durchaus eigenen Gesichtspunkten aus gliedert
Ch. van den Borren (Geschiedenis van de Muziek in de Nederlanden, Band 1, 1959), indem er die ganze Geschichte der niederländischen Musik im 15.Jahrhundert von Dufay bis zu La Rue,
Isaac, Tinctoris usw. in ein »Jahrhundert der burgundischen Herzöge« einschließt und die Renaissance (3. Hauptstück, S. 230 ff.)
erst mit dem »Triumph des durchimitierenden Stils« beginnen läßt,
den 1520–1550 Jean Mouton, Jean Richafort, Adrian Willaert, Nicolas Gombert, Clemens non Papa, Philippe Verdelot, Jakob Arcadelt, Cipriano de Rore und viele andere Niederländer in Italien
erringen; die zweite Hälfte des Jahrhunderts rundet dann das
Renaissance-Zeitalter mit der Stufe der »klassischen Polyphonie«
ab. Van den Borrens Begründung ist ebenso sorgfältig wie charakteristisch: »De benaming van dit hoofdstuk mag geen verwarring
stichten. Het dient wel begrepen, dat het hier gaat om de grote
zestiende-eeuwse renaissance en niet om de renaissance, die zich

127

tijdens het Trecento en het Quattrocento hoofdzakelijk in Italië afgespeeld heeft. Men kan niet loochenen, dat deze eerste, primitieve renaissance voor de tweede een voorspel geweest is van onschatbar belang, maar het staat eveneens vast, dat ze voor de streken benoorden het schiereiland niet meer geweest is dan een ferment, dat eerst na langen tijd uitwerking kon hebben en dan werkelijk ook gehad heeft. Inzonderheid in de kunst. Feitelijk werd deze in de Nederlanden tot de laatste Jaren van de XVe eeuw door den middeleeuwsen geest beheerst, afgezien . . .«. Vom niederländischen Standpunkt aus gesehen, eine treffende Einschränkung, bei der aber der für die Gesamtrenaissance wohl entscheidende Vorgang, die Verschmelzung der italienischen Anlagen mit der nordischen Tradition, die Befruchtung der italienischen Keime durch den niederländischen Samen an den Rand geschoben wird. Zu den überlieferten Formen bemerkt van den Borren mit Recht, vor dem Ende des 15.Jahrhunderts habe keine von ihnen sich von der Gotik gelöst, andererseits jedoch hält er selbst den »gotischen« Überhang mehr für eine Frage der Technik, während der Inhalt mehr und mehr das dekorativ-symbolische mittelalterliche Element mit humanen Zügen erfüllt habe. Wenn, van den Borren zufolge, erst nach der Krönung Karls V. zum deutschen Kaiser (1520) der Geist der Renaissance auch die niederländische Musik ergriffen hat und wenn auf diese Weise Gestalten wie Isaac, La Rue und Josquin zu »Übergangsmeistern« werden, bei denen nur manchmal »klassische« Züge hervortreten, sonst aber das »Genial-Willkürliche« herrscht, so wird deutlich, daß hier nicht Glareans Ideal der »ars perfecta«, das an Josquin ausgerichtet war, sondern die Spätrenaissance Willaerts und seiner Schule das Leitbild abgegeben hat.

Die bisher umfangreichste und am eingehendsten spezialisierte Geschichte der Musik im Zeitalter der Renaissance ist G. Reese, ›Music in the Renaissance‹ (1954). Reese verzichtet darauf, die grundsätzlichen Fragen der Periodisierung aufzurollen und versteht unter dem Schlagwort ohne weitere Diskussion das Zeitalter von Dufay bis zu Palestrina und Andrea und Giovanni Gabrieli. Auch in kleineren Darstellungen hat sich inzwischen diese Konvention eingebürgert. Der Versuch einer grundsätzlichen Differenzierung zwischen Mittelalter und Renaissance wird nicht unternommen, während andererseits M. Bukofzer, ›Music in the Baroque Era‹ (1947), in einem glänzenden Einleitungskapitel ›Renaissance versus Baroque Music‹ die Gegensätze und Unterschiede zwischen der ausgehenden Renaissance und dem beginnenden Barock überzeugend bewiesen hat.

Die jüngste Gesamtdarstellung endlich, ›Ars Nova and the Renaissance 1300–1540‹ (= New Oxford History of Music, Band 3, 1960), umgeht durch die Gliederung nach Ländern und

Gattungen in Einzeldarstellungen die Problematik sowohl der Periodisierung wie der inneren Einheit und löst die (nur bis um 1540 geführte) Geschichte des Zeitalters in eine Reihe mehr oder minder unabhängig voneinander verlaufender Einzelentwicklungen auf, so daß z. B. die englische Musik des 15. Jahrhunderts in drei, die niederländische Musik in zwei separaten und selbständigen Kapiteln erscheint.

Bei so weit divergierenden Konsequenzen für die Musikgeschichtsschreibung ist doch nicht zu übersehen, daß der Begriff »Renaissance« fest eingebürgert ist und daß die ihm zugrunde liegenden Aspekte im wesentlichen die aus der Burckhardt-Ambros-Tradition stammenden sind. Nur hinsichtlich der geographischen (und damit indirekt der chronologischen) Reichweite und Beziehungen bestehen tiefgehende Differenzen, hervorgerufen durch das Trugbild, als habe die Musik im Norden Europas eine von der des Südens wesentlich abweichende Entwicklung genommen. Das Trugbild beruht darauf, daß im Norden (wie schon van den Borren erkannt hat) die »Überhänge« des Mittelalters länger als im Süden am Leben geblieben sind (ähnlich wie im Norden die gotische Baukunst ein Jahrhundert länger gelebt hat als im Süden) und sich dort die neuen Gattungen und Formen der niederländisch-italienischen Renaissance viel langsamer durchgesetzt haben als in Italien oder selbst Spanien. Überhänge dieser Art gibt es aber in jeder Stilepoche; sie können das Bild verschleiern, ändern aber nichts an seinen Grundzügen. Mittelalterliche Überhänge reichen in stärkerem oder schwächerem Grade von Dufay bis Palestrina. Aber die spätmittelalterlichen Gattungen und Techniken wie die isorhythmischen Motetten, die mehrstimmigen französischen Balladen, Rondeaux, Virelais, Chaces, die entsprechenden italienischen Madrigale älteren Stils, die Ballate und Cacce, der Fauxbourdon und dergleichen mehr verschwinden um diese Zeit zusammen mit der einstimmigen lateinischen Lyrik, dem Minnesang, der reichen Literatur der einstimmigen Lauden, Carols usw. oder verwandeln sich in starre Konvention; neue Gattungen und Techniken fangen etwa mit dem zweiten Drittel des 15. Jahrhunderts an sich zu entwickeln und bleiben fruchtbar, bis sie um 1570 von dem neuen affekthaft-pathetischen Stil des frühen Barock abgelöst werden und bis sie selbst wieder zu Stilüberhängen und starrer Konvention entarten. Gewisse Zweifel bestehen über das Ende der Epoche insofern, als die Zeit Luca Marenzios, des späten Lasso und des späten Palestrina konventionellerweise meist noch zur Renaissance gerechnet wird, obwohl sie weit eher als frühes Stadium des Barock verstanden werden muß.

Offen bleibt das Problem, ob (in Anlehnung an die Geschichte der bildenden Künste und der Literatur) auch in die Musikgeschichtsschreibung das Zwischenstadium eines *Manierismus* einzuschieben ist. Man wird jedenfalls, will man den Begriff Renaissance nicht jeglicher Prägnanz berauben, gut darantun, seine Grenzen nicht über einen Zeitabschnitt hinaus zu dehnen, der etwa von der mittleren Lebenszeit Dufays bis zum Ausklang der Willaert-Schule, bis zu Zarlino und Rore, zu Vicentino und Gombert, zu Clemens non Papa und allenfalls zu Andrea Gabrieli reicht, und den Kern dieser Epoche in der niederländisch-italienischen Verschmelzung des 15. und 16.Jahrhunderts zu erblicken. Wieweit dabei die Sonderentwicklungen der nördlichen Länder mit unter Renaissance zu verstehen sind oder isoliert bleiben, ist eine andere Frage.

IV. Süden und Norden. Die Nationen und die Gattungen

Tinctoris hat bezeugt, es sei erst »citra annos quadraginta«, also seit etwa 1430–1440, etwas komponiert worden, was »auditu dignum ab eruditis existimatur«; der Ursprung einer solchen neuartigen Musik habe bei den Engländern um Dunstable gelegen, an deren Stelle dann die »Gallici« um Dufay getreten seien. Damit ist eindeutig festgelegt, wann und mit wem nach dem Selbstverständnis des Zeitalters die neue Epoche begonnen hat. Die Begrenzung deckt sich mit dem Befund an überlieferter Musik und mit dem Beginn der »niederländischen« Vorherrschaft in Europa. Hatte das 14.Jahrhundert hindurch die französische Musik im wesentlichen das Feld beherrscht (die oberitalienische »ars nova« hatte daneben nur eine begrenzte Geltung in Anspruch nehmen können, wie die Quellen ausweisen), so ist um 1420–1430 eine Verschiebung eingetreten, die eindeutig für einen Zeitraum von rund anderthalb Jahrhunderten die *Niederländer* in die Führungsposition der europäischen Musik gerückt hat. Über ihre nationale Zugehörigkeit zu streiten, ist müßig, und speziellere Benennungen wie »frankoflämisch«, »burgundisch«, »belgisch«, »franko-niederländisch« u. ä. sind unzweckmäßig, weil sie immer nur einen Teil des einen und unstreitigen Sachverhaltes treffen, daß die führenden Musiker des Renaissance-Zeitalters zum weitaus überwiegenden Teil aus dem engen Bezirk stammten, der heute das französisch-belgische Grenzgebiet, Belgien und die südlicheren Landschaften von Holland, damals etwa die Grafschaften Vermandois, Artois, Hennegau, Flandern, das Herzogtum Brabant, die Bistümer Cambrai, Lüttich und Utrecht umfaßt. Für sie ist die schon seit Kiesewetter und Fétis eingebürgerte Bezeichnung »Niederländer«, die in ihrem alten Sinne keine spezifisch nationale Nebenbedeutung besitzt, noch immer die passendste.

Diese Niederländer haben zwischen etwa 1430 und 1570 die

führenden Stellungen nicht nur in ihrer Heimat, sondern auch in den italienischen Städten, Residenzen und Kathedralen, an den habsburgischen Höfen und vielen kleineren und größeren deutschen Hofhaltungen, im habsburgischen Spanien und anderwärts innegehabt. Sie waren nicht nur die »magistri puerorum«, die Kapellmeister und Komponisten, sondern auch die ausführenden Sänger, ja vielfach auch die Instrumentisten und die Schreiber. Ihr Schaffen war, wie im 15.Jahrhundert die handschriftlichen und seit 1500 auch die gedruckten Quellen ausweisen, von absoluter und internationaler Gültigkeit. In Frankreich und England hat sich der Einfluß der Niederländer eher auf die stilbildende Wirkung beschränkt, die ihre Kompositionen ausübten, und ist ihre persönliche Wirksamkeit in den Hintergrund getreten. Das Verhältnis zwischen dieser niederländischen Oberschicht und den Schichten der nationalen Musiker und Gattungen ist von Land zu Land verschieden gewesen. In Burgund waren die Niederländer schlechthin herrschend. In Frankreich sind nach dem Tode Ockeghems die heimischen Musiker bald an die Stelle der niederländischen getreten. England hat ohnehin im Renaissance-Zeitalter eine weitgehend vom Kontinent unabhängige Sonderentwicklung durchgemacht. In Deutschland haben das 15. und anfangende 16.Jahrhundert hindurch deutsche Musik und deutsche Musiker noch im Vordergrund gestanden und ist erst im Laufe des 16.Jahrhunderts das Niederländertum übermächtig hervorgetreten. In Italien hat offenbar eine fortdauernde und fortschreitende Verschmelzung niederländischer und italienischer Musik stattgefunden, wobei die italienischen Musiker selbst die ganze Epoche hindurch hinter den Niederländern im Schatten gestanden haben; erst mit der Palestrina-Generation haben die Niederländer dort abgedankt und damit den Italienern den Weg in die führende Position eröffnet, die sie im Barockzeitalter eingenommen haben. Spanische Musiker haben zwar schon im späteren 15. und im frühen 16.Jahrhundert im Ausland (besonders in der päpstlichen Kapelle) eine erhebliche Rolle gespielt und sind auch in Spanien selbst nicht unbedeutend tätig gewesen, sind aber ebenfalls von der niederländischen Vorrangstellung in den Hintergrund gedrängt worden und haben erst etwa mit Morales begonnen, am »europäischen Konzert« teilzunehmen.

Der Abschnitt vom ausgehenden 14.Jahrhundert bis um 1420, der, roh gesprochen, dem Großen Schisma entspricht (1378–1417), ist eine *Zeit des Übergangs* gewesen. Die Überlieferung besteht in vorwiegend weltlicher Musik, deren französische Gattungen wie Ballade, Rondeau und Virelai neben den italienischen wie Ballata und Madrigal (alten Stils) einen kräftigen mittelalterlichen Überhang bilden und sich nur langsam verändern. Der rhythmisch oft äußerst komplizierte und oft sehr dissonanzenreiche Satz bleibt erhalten; Dreistimmigkeit ist die Regel, aber Zwei- und Vierstimmigkeit sind nicht selten. Die in der Isorhythmie erstarrte Motette, zum großen Teil weltlichen, festlichen, repräsentativen, seltener liturgischen Inhalts, lebt in ihren verschiedenen überlieferten Formen fort. Messen werden fast ausschließlich in einzelnen Sätzen komponiert und gehen von dem Muster der Motette, des Conductus, der Ballade u. a. aus. Erste Ansätze zur späteren »Parodiemesse« liegen schon hier, insbesondere bei Ciconia, zutage. Der Grund zum einheitlich durchkomponierten Meßzyklus scheint im England John Dunstables, Leonel Powers und Benets gelegt worden zu sein. Eine neuartige Stilrichtung, geschweige denn eine einheitliche Tendenz ist jedoch in keiner Gattung zu erkennen.

An Komponisten sind in dieser Übergangsperiode am burgundischen Hof und in Frankreich Pierre Fontaine, Nicolas Grenon, Ruby, Richard de Bellengues, Johannes Tapissier, Johannes Carmen, Johannes Cesaris, Richard Loqueville, Tailhandier, Guillaume Legrant, Johannes Simon Hasprois, Gilet Velut, Alain u. a. tätig gewesen. In Rom wirkte frühzeitig Baude Cordier aus Reims, später auch Guillaume Legrant, und nach der Neuordnung der Kapelle durch Papst Martin V. gehörten zeitweilig auch N. Grenon, Pyllois, Pierre Fontaine, Arnold und Hugo de Lantins, vielleicht Johannes de Limburgia und andere Niederländer, die z. T. neben Dufay in Rom tätig waren und weit in dessen Lebenszeit hineinreichen, dieser Institution an.

In Italien scheint um diese Zeit die Praxis der *chorisch besetzten Mehrstimmigkeit* aufgekommen zu sein, die sich in der Einführung des großformatigen Chorbuchs spiegelt; nach M. Bukofzer (Studies in Medieval and Renaissance Music, New York 1950, S. 176 ff.) geschah das gegen die Mitte des Jahrhunderts auch schon in wechselchöriger Form. Unter den italienischen Namen, die hier begegnen, wie Antonio da Cividale, Cristoforo da Feltre, Grazioso da Padua, ist der bedeutendste Matteo da Perugia in Mailand. Sein Nachfolger an der dortigen Kathedrale wurde der Provenzale Beltrame Feragut, der (nach N. Pirrotta) mit Bertrand d'Avignon identisch ist. In diese Zeit fällt auch das Wirken des wohl bedeutendsten Vorläufers der kommenden niederländischen Invasion in Italien, Johannes Ciconia. Die päpstliche Kapelle hatte während des Schismas vorwiegend aus Lütticher und französischen Musikern bestanden; mit der Reform Martins V. wurde sie zu einem Mittelpunkt der Musikpflege in Italien und zu einem Magneten für die Musiker des Nordens. In diesem allgemeinen Zusammenhang dürfte auch Ciconia aus Lüttich nach Italien gelangt sein, der zeitweilig in Padua neben Prosdocimus de Beldemandis und Grazioso da Padua gewirkt hat.

Eine Sonderstellung hat während der Übergangsperiode *England* eingenommen. Die Meister der Old Hall-Handschrift (in der Bibliothek von St. Edmund's College in Old Hall bei Ware, England),[1] die älteren wie Bittering, Fonteyns, Mayshuet, Pycard, »Roy Henry«, aber auch noch die jüngeren wie Thomas Damett und Nicholas Sturgeon schließen sich noch vorwiegend der französischen Tradition unter Bevorzugung englischer Gewohnheiten an. Messensätze in den verschiedensten Stilarten sind zahlreich wie Motetten zu Festtagen und besonders Marienantiphonen; den Dissonanzenreichtum wie die rhythmische Komplikation haben beide Schichten noch mit den Erscheinungen auf dem Kontinent gemein.

Mit Dunstable und seinen Zeitgenossen wie J. Pyamour, Leonel Power, Forest, Benet, J. Bedingham, J. Plummer, eben jener englischen Gruppe, auf die Martin le Franc und Tinctoris sich bezogen haben, war etwas Neues hervorgetreten, die »contenance angloise«. Sie bestand (nach Bukofzer) vorwiegend in dem Übergang zu einer Euphonie, einem »pankonsonanten« Stil, der die alte englische Vorliebe für Terz- und Sextwirkungen zu einer scharfen Beschränkung der freien Synkopendissonanz auf die vorbereitete Vorhaltsdissonanz und somit zu einem vorwiegend konsonanzbetonten Stil, die rhythmisch zersplitterte melodische Kurzgliedrigkeit der älteren Musik zu kantabler melodischer Entfaltung weiterentwickelte und damit die Grundlage für Binchois' und Dufays »nouvelle pratique de faire frisque consonance« geschaffen hat. In Dunstables späteren Werken überwiegt der Lyrismus der liedartigen Motette im dreistimmigen »Kantilenensatz«, vorwiegend über Marientexte, die erstarrende isorhythmische Festmotette; gleichzeitig tritt der Ansatz zur zyklischen (zunächst nur partialzyklischen, dann aber auch vollzyklischen) Messenkomposition über gemeinsame Kopfmotive oder gemeinsamen liturgischen cantus firmus im Tenor hervor. Alle diese Veränderungen haben stark auf den Kontinent gewirkt; bei Dunstable ist (nach Bukofzer) klar die Trennungslinie zwischen Mittelalter und Renaissance zu ziehen. Walter Frye und Robert Morton, beide am burgundischen Hof tätig, gehören schon der Altersschicht und dem Einflußkreise Dufays an.

Mit Dufay wird die Verschmelzung der englischen Überlieferung mit den Resten der französischen ars nova vollzogen; mit ihm und seinen Zeitgenossen erfolgt seit dem Beginn der niederländischen Invasion in Italien auch die Einschmelzung der älteren italienischen Musik zu dem neuen pankonsonanten und vollharmonischen Klangbild. Mit Dufay beginnt die durch Kantabilität und durch das Bedürfnis nach harmonischer Fülle, allmählich auch durch vorwiegende Vierstimmigkeit und (vielleicht) durch Zurück-

---

[1] The Old Hall Manuscript, herausgegeben von A. Ramsbotham, Henry Bird Collins und Dom Anselm Hughes, 3 Bände, Burnham (Buckinghamshire) und London 1933 bis 1938.

133

drängung des instrumentalen Anteils und das Vordringen der rein vokalen Ausführung gekennzeichnete »neue Musik«, auf die Tinctoris gezielt hat. Mit ihm verschiebt sich das Gewicht von der noch in der Übergangszeit bei weitem vorwaltenden weltlichen Musik zur geistlichen und zur liturgischen Kirchenmusik. Der *Fauxbourdon*, am Muster des englischen Diskants gebildet und von Dufay in seinem (wahrscheinlich in Rom entstandenen) Hymnenzyklus sowie seinen Magnificat-Versetten rein dargestellt, zuerst in seiner ›Missa S. Jacobi‹ (1426–1428) nachgewiesen, durchdringt mit seiner Akkordfülle auch die anderen Gattungen, besonders der Kirchenmusik; das Bedürfnis nach Vollklang nimmt ganz allgemein zu.

Die harmonische Grundlegung der Komposition wird zunehmend tonal im Sinne späterer Zeit. Was am Ende des Renaissance-Zeitalters Vicentino und Zarlino von der »armonia« gefordert haben, findet hier erste Verwirklichung. Aus dem englischen Vorbild übernimmt Dufay den Meßzyklus, den er anfangs noch mit Propriumssätzen verbindet, später zum fünfsätzigen Ordinariumszyklus über einheitlichem, anfangs liturgischem, später in der Regel weltlichem Liedtenor entwickelt. Seine ›Missa Caput‹ ist vielleicht einem englischen Muster nachgebildet.

Die *Messe* wird seit der Mitte des 15. Jahrhunderts zur repräsentativen Aufgabe jedes Komponisten; ihre Konstruktion über einem langmensurierten, dann meist satzweise mechanisch verkürzten Tenor-cantus firmus hat sich bis in das frühe 16. Jahrhundert hinein gehalten, ist aber als archaisches Prunkstück noch bis zu Palestrina und darüber hinaus gepflegt worden.

Auch die *Motette* erfährt eine Umgestaltung und geht von der anfangs noch festgehaltenen mehrtextigen isorhythmischen Repräsentationsgattung allmählich zur liturgischen lateinischen Tenor-Motette über. Daneben steht die – wohl für Andachtszwecke bestimmte – kleine, dreistimmige liedartige Motette mit stark figuriertem cantus firmus im Diskant und zwei stützenden Instrumentalstimmen, eine Gattung, die bei Dufay ihre feinsten Blüten getrieben hat, ausgezeichnet durch den kantablen Strom der Singstimme und die harmonisch stützende Funktion der Instrumente wie durch ihren relativen Vollklang. Die Tenor-Motette, zuletzt durch Johannes Regis vertreten, wird später zum Tummelplatz handwerklicher Kunststücke, während die Choralmotette sich allmählich zum homogenen Satz gleichberechtigter Stimmen und somit zu dem Motettentypus umbildet, der dann von Ockeghems Zeit an für die ganze Renaissance (und darüber hinaus) grundlegend geblieben ist. Gleichzeitig weitet sich das Textrepertoire der Motette und nimmt zu den schon vorher beliebten Marienantiphonen Cantica, Sequenzen und andere Elemente der Liturgie auf.

Das *weltliche Lied* Dufays und seiner Zeitgenossen bedient sich mit Vorliebe des Kantilenensatzes mit führender Oberstimme und zwei stützenden Instrumentalstimmen; auffällig ist gegenüber der vorhergehenden Periode die Knappheit, Kürze und Einfachheit der Formen, die sich auch auf diesem Gebiet wieder durch Kantabilität und relativen Vollklang, durch Terz- und Sextreichtum und durch klar gliedernde Kadenzen auszeichnen.

Im einzelnen sind die Zusammenhänge dieser Entwicklung noch zum Teil unzureichend erforscht. Das gilt insbesondere auch von der Frage, wie weit und an welchen Wirkungsorten die einzelnen Komponisten daran beteiligt gewesen sind. In Italien haben neben und nach Dufay zeitweise G. Faugues, B. Feragut, Reginald Liebert, Johannes de Limburgia u. a. gewirkt. G. Binchois ist ausschließlich in Paris und Burgund tätig gewesen. Vorwiegend im Norden lebten vermutlich François de Gembloux, Hubert de Salinis, Jacobus Vide u. a. Zur unmittelbaren Umgebung Dufays darf man wohl Johannes Regis, Johannes Brassart, Johannes de Sarto und Arnold und Hugo de Lantins rechnen. Die am burgundischen Hofe tätigen Engländer W. Frye und R. Morton, die zur Dufay-Gruppe gehören, wurden bereits erwähnt.

Mit der Generation Dufays war die Führung der europäischen Musik eindeutig auf die Niederländer übergegangen. Die englische Musik machte in der zweiten Hälfte des 15. Jahrhunderts eine Periode der insularen Verselbständigung oder Abkapselung durch und hat trotz bedeutender Leistungen, besonders der Meister der Handschrift 178 im Eton College, genannt ›Eton Choirbook‹,[2] darunter Walter Lambe, Richard Davy, Robert Wilkinson, William Cornyshe, Robert Fayrfax, Gilbert Banaster u. a., zur europäischen Gesamtentwicklung kaum etwas beigetragen – obwohl kurz nach der Mitte des 15. Jahrhunderts in England die ersten mehrstimmigen Kompositionen von Passionsteilen, Mysterienspielen und Prozessionsgesängen auftreten. Italienische und spanische Musiker kommen erst ganz gegen Ende des 15. Jahrhunderts und dann nur auf Sondergebieten zur Geltung. Die deutsche Mehrstimmigkeit schließt mit ihren ersten Zeugnissen wie dem Lochamer-Liederbuch (1452–1460; Berlin, Deutsche Staatsbibliothek, Mus. ms. 40613), dem Liederbuch des Dr. Hartmann Schedel (um 1460; München, Bayerische Staatsbibliothek, mus. 3232, früher cgm 810), dem Glogauer Liederbuch (nach 1470; Berlin, Deutsche Staatsbibliothek, Mus. ms. 40098) und kleineren Quellen zunächst an die Meister des niederländisch-französischen weltlichen Liedsatzes an, entwickelt dann aber mit dem vierstimmigen Tenorliedsatz einen selbständigen Typus, der freilich vorerst außerhalb des gesamteuropäischen Zusammenhangs bleibt und erst im 16. Jahrhundert von der niederländisch-italienischen Renaissance stärker

[2] The Eton Choirbook, herausgegeben von Frank Ll. Harrison, 3 Bände = Musica Britannica 10–12, London 1956, 1958 und 1961.

beeinflußt wird. Es gilt aber für das ganze Zeitalter, daß die Nationen nicht, wie im Barock, in den verschiedenen gebräuchlichen Musikgattungen nationale Stile bilden, mit denen sie dann wieder in die gesamteuropäische Entwicklung zurückwirken. Soweit die nichtniederländischen Musiker in den Strom der niederländisch-italienischen Entwicklung eintauchen, assimilieren sie sich völlig und erreichen dann in vielen Fällen europäischen Rang. Soweit sie das nicht tun, bringen sie auf einzelnen, mehr oder minder am Rande liegenden Gebieten nationale Eigentümlichkeiten hervor, die dann Sonderergebnisse und in der Regel ohne Rückwirkung auf die Gesamtgeschichte des Zeitalters bleiben. Die einzige nationale Sondergattung, die einen, nun allerdings sehr tief reichenden Einfluß ausgeübt hat, ist die italienische *Frottola* und *Laude* gewesen.

Vorerst blieb die Entwicklung ausschließlich in den Händen der maßgeblichen niederländischen Musiker und wurde von diesen mit einer gewissen Konsequenz vorangetrieben, wenn auch mancherlei mittelalterliche Reste sich noch lange Zeit erhalten haben. Hierhin gehören die viel beredeten Kanon- und Mensurkünste, prunkvolle Schaustellungen kompositorischen Könnens, die sich indes doch in der Hauptsache auf die Messenkomposition beschränken und nicht häufig genug sind, um das Bild zu bestimmen.

Viel eher ging die allgemeine Entwicklung auf die Befreiung von den Fesseln der Tradition. Die Reste der Isorhythmik sterben ab. Die streng gebundenen Formen des Rondeau, der Ballade und des Virelai machen schlichteren und variableren Dichtungsarten Platz, wobei in der Kunstmusik neben dem Französischen auch andere Volkssprachen, besonders das Italienische und das Flämische hervortreten. Die Tenorbindung der Motette und des weltlichen Liedes (außer dem deutschen) wird mehr und mehr aufgegeben. Die Unterschiede zwischen den Funktionen der Stimmen werden zugunsten zunehmender Homogenität eingeebnet. Die vier Register der menschlichen Singstimme werden zu Normen für die Umfänge der Stimmen in der kunstmäßigen Komposition des nunmehr zur Norm gewordenen vierstimmigen Satzes. Mit der zunehmenden Homogenität nimmt auch die Vokalisierung der Stimmen zu. Grundsätzlich ist von der Generation Ockeghems und Busnois' an jede Stimme singbar, wenn auch die Praxis noch oft von dieser Regel abweicht und oft weit in instrumentalistische Stimmbehandlungen ausbiegt.

Einer der bemerkenswertesten Vorgänge ist die gegenseitige Angleichung der vormals so streng geschiedenen Gattungen zu dem sich gegen 1500 immer entschiedener herausbildenden Einheitsstil der »ars perfecta«, und dieser ist seinerseits das Resultat einer grundstürzenden Wende in der kompositorischen Praxis: die altüberlieferte Technik der Sukzessivkomposition wird zugunsten der simultanen Konzeption und Ausarbeitung der Stimmen aufgegeben, wie schon Johannes Cochlaeus (1507), Pietro Aron (1516) und Auctor Lampadius (1537) bezeugt haben. Eine oder zwei Generationen nach Dufay sind die ästhetischen und technischen Fundamente der neuen Kompositionsweise gelegt, die für das Renaissance-Zeitalter selbst und seitdem für alle weitere Zeit maßgeblich geblieben sind.

Diese Wandlungen haben sich über zwei Altersschichten hin erstreckt, deren erste, die Ockeghem-Busnois-Gruppe, etwa von der Mitte des 15.Jahrhunderts bis um 1490 tätig gewesen ist und deren zweite, die Josquin-Obrecht-La Rue-Gruppe von etwa 1480 bis um 1520 gewirkt hat. Daß in den Werken der erstgenannten Gruppe (zu der im weiteren etwa Meister wie Caron, G. Faugues, Hayne van Ghizegem, auch wohl Johannes Martini und von etwas älteren Komponisten noch Johannes Regis und Jakob Barbireau gehören) altertümliche Züge noch oft bemerkbar sind und daß ihre Hauptvertreter ständig im Norden gewirkt haben, am französischen und burgundischen Hofe, in Cambrai, Antwerpen usw. (von den genannten Meistern scheinen nur Caron und Martini zeitweilig im Süden tätig gewesen zu sein), hat gelegentlich zu der irrigen Vorstellung geführt, als habe sich in ihnen eine »spätgotischburgundische« Richtung von der durch die zweite Gruppe vertretenen niederländisch-italienischen Renaissance abgespalten. Doch läßt sich eine solche Anschauung schon deswegen nicht aufrechterhalten, weil Ockeghem selbst (wenn schon etwa Faugues in seinen Messen, Regis in seinen Motetten, Busnois oder Barbireau in ihren Chansons mitunter archaisch und gekünstelt-konstruktiv wirken) einer der kraftvollsten Wegbereiter jenes geschilderten hohen Renaissancestils gewesen ist und weil der größte Theoretiker des Jahrhunderts, Tinctoris, an eben den Werken von Ockeghem, Busnois, Caron usw. mit Vorliebe den neuen Stil exemplifiziert hat.

Tinctoris gehört noch annähernd derselben Altersschicht an. Geboren um 1436, hat er im Alter etwa mitten zwischen Ockeghem und Obrecht gestanden und ist nur wenige Jahre älter als Josquin gewesen; er hat den größten Teil seines Lebens in Italien verbracht und dort noch fast die ganze italienische Wirkenszeit Josquins erlebt, aber er demonstriert nicht an Kompositionen von Josquin, La Rue, Compère, Weerbecke oder Isaac, sondern an denen der Ockeghem-Gruppe, die für ihn die Vollendung der »musica auditu digna« bildet, und beweist damit, daß sie auch von einem so tief in italienischen Beziehungen stehenden Musiker als Glied des großen Zusammenhanges betrachtet wird, der von Dufay bis in seine eigene Zeit reicht.

Ockeghem selbst war ein höchst eigenwilliger Geist. Keine seiner Messen ist nach demselben Schema gearbeitet wie die andere; von dem Muster strengster Doppelkanonik bis zur völlig frei gestalteten, von der Tenor-cantus-firmus-Messe mit Parodieeinschlägen bis zur Zyklusbildung durch Imitation eines Kopfmotivs gibt es alle Arten, und die Freiheit der Phantasie ist nicht beengt. Seine wenigen Motetten sind sehr selbständig; seine Chansons zeigen die meisterhafte Nutzung aller Möglichkeiten der Satztechnik bis hin zum durchimitierten vierstimmigen Satz und zur Kanongestalt. Seine leicht hart wirkende und dissonanzenreiche Harmonik hat gleichwohl nichts Archaisches an sich, und der strömende Fluß seiner rhythmisch ungemein geschmeidigen Linien wirkt höchst vital und kraftvoll. Mangeln so charakteristische Züge den kleineren Meistern der Gruppe und tritt infolgedessen bei ihnen das konstruktive Gerüst der Komposition vernehmlicher hervor, so unterscheiden sie sich doch grundsätzlich in ihrem Stil nicht von Ockeghem. Man wird daher gut tun, diese Schicht mit derjenigen der um 1440–1450 geborenen Meister zur ersten zentralen Renaissancegruppe zusammenzufassen.

Wie die Komponisten untereinander zu gruppieren sind und wie sie als Schulen zusammengehören, ist meist noch unbekannt. Jedenfalls ist das aus Guillaume Crétins ›Déploration‹ auf Ockeghem gefolgerte Schülerschaftsverhältnis von Josquin, La Rue, Gaspar van Weerbecke und Compère zu ihm sehr unwahrscheinlich. Dagegen ist eindeutig, daß diese vier Meister zusammen mit Isaac, Obrecht, Anton Brumel, A. Agricola, Antoine und Robert de Fevin, M. de Orto, Antonius Divitis, Johannes Ghiselin-Verbonnet, Matthaeus Pipelare, Eleazar Genet, Johannes Stokem, Crispin van Stappen und vielen anderen Niederländern eine geschlossene Gruppe bilden, deren Zentren neben den habsburgisch-niederländischen Hofhaltungen vor allem die Mailänder und die päpstliche Kapelle in Rom, daneben auch die herzogliche Kapelle des estensischen Hofes in Ferrara gebildet haben. Von diesen Komponisten sind, soweit bekannt, nur La Rue und Divitis nicht in Italien gewesen (sie haben aber beide ebenso wie A. Agricola und M. de Orto Philipp den Schönen auf seinen Spanienreisen begleitet); Brumel ist erst sehr spät nach Italien gekommen. Isaac steht als Musiker der kaiserlichen Kapelle in Innsbruck und der Medici in Florenz etwas außerhalb der Gruppe, der als einziger hervorragender Italiener Franchinus Gaffurius, berühmt als Komponist wie als Theoretiker, zuzurechnen ist.

In der Josquin-Gruppe ist es zur Herausbildung eines Stils gekommen, der ohne das Erbe der Dufayschen Frührenaissance ebenso wenig denkbar ist wie ohne den Vorgang Ockeghems und seiner Altersgenossen, der aber andererseits auch unverständlich bleiben muß, wenn man nicht berücksichtigt, daß ihm eine zweite Komponente in der Gestalt der italienischen Frottolen- und Laudenmusik zugrunde liegt. Sind alle übrigen nationalen Sonderentwicklungen des späten 15.Jahrhunderts für die zentrale niederländisch-italienische Renaissance (und somit für den Fortgang der Renaissance als musikalischer Epoche überhaupt) unerheblich und ohne Einfluß geblieben, diese eine bildet jenes Element jugendlich-unverbrauchter Volkstümlichkeit, das aus der Befruchtung mit der reifen Strenge der niederländischen Überlieferung den Stil der zentralen Renaissance hervorgebracht hat, jenen Stil, der heute vielleicht als die reinste Äußerung des Renaissancegeistes in der Musik erscheinen mag und schon Ambros so erschienen ist.

Aus der rein italienischen, halb volkstümlichen Überlieferung der *Giustiniane* (»Arie veneziane«), der *Strambotti*, der *Canti carnascialeschi*, der *Frottole*, der *Canzoni zu Trionfi und Carri*, auf der geistlichen Seite aus der ebenso halb volkstümlichen Tradition der *Laudi* hat sich bald nach 1450 (vielleicht auch früher) eine zunächst improvisierte, einfachere, seit etwa 1470 oder 1480 eine kunstvollere, dann auch schriftlich fixierte Mehrstimmigkeit herausgebildet, offensichtlich ohne jede Beziehung zur niederländischen Hochkunst und offensichtlich aus ganz anderen Quellen gespeist als diese. Diese Mehrstimmigkeit beruht von Grund aus auf der Diskantmelodik, dem Dreiklang und einer klaren Dur-Moll-Harmonik, und sie hat erst sekundär eine gelöstere, scheinpolyphone Stimmenbehandlung aufgenommen. Die Komponisten waren von allem Anfang an ausschließlich Italiener und blieben es auch später bis auf Ausnahmen. In den Händen ihrer besten Meister wie Bartolomeo Tromboncino, Marco Cara, G. Broccho, Michele Pesenti, Antonio Capreolo, J. B. Zesso, Sebastiano Festa, Jacopo Fogliano u. a., für die Lauden außerdem Pietro Capretto und Innocentius Dammonis sind diese Gattungen im späten 15.Jahrhundert aus dem Halbdunkel aufgestiegen und anerkannte Gesellschaftskunst bzw. Kunst für Andachtszirkel geworden.

Das Zentrum einer hochliterarisierten Frottolenkomposition war der Hof von Isabella d'Este. Den Frottolisten hat der Herausgeber und Verleger Ottavio Petrucci nicht weniger als elf (1504 bis 1514), den Laudisten zwei (1508) Bücher seiner Produktion gewidmet. Fünfzehn weitere Frottolendrucke aus der Zeit von 1510–1531 (Laudendrucke gibt es erst wieder 1563) und zahlreiche Handschriften beider Gattungen sprechen für ihre außergewöhnliche Beliebtheit und Verbreitung ebenso wie die Gastrolle, die berühmte Ausländer (wie Escribano, Isaac, A. Agricola, Japart, Compère, Eleazar Genet, als der wichtigste Josquin selbst) auf diesen Gebieten gegeben haben. Die Einschmelzung dieser sinnenfrohen, unbeschwerten und empfänglichen Nationalkunst der Italiener (von etwa 1480 an) in die hochgesteigerte, formgewaltige und überlieferungssichere Kunst, die die niederländischen Meister aus dem Norden mitbrachten, muß als die Geburtsstunde der zentralen Renaissance angesehen werden.

Für den niederländisch-italienischen Stil der zentralen Renaissance steht beispielhaft der Name *Josquin Desprez*. Sein Werk ist eine umfassende Synthese aller Strömungen des 15.Jahrhunderts und hat grundlegend auf das 16. weitergewirkt. Repräsentieren die übrigen Meister teilweise stärker als er einzelne Aspekte dieses Stils oder einzelne Gattungen, so überragt er durch Vielseitigkeit und Wirkungskraft alle anderen. Kein anderer aus dieser *Zentralgruppe* hat eine so weitverbreitete und lang andauernde Verehrung genossen. Für den Meßzyklus waren die Grenzen durch Ockeghem abgesteckt worden; sie hat weder Josquin selbst noch einer seiner Zeitgenossen überschritten. Von der traditionellen cantus firmus-Messe (über weltlichen oder liturgischen Tenor), mit mechanischer Verkürzung oder ohne solche, zur Imitation über das Tenor-Material, zur Parodiemesse nach gegebenem Muster oder zur quodlibetartigen Verarbeitung verschiedener »cantus prius facti«, auch zur Verarbeitung verschiedener Stimmen eines vorgegebenen Satzes, schließlich bis zur frei über Choralmotive imitierenden oder zur ganz frei erfundenen Messe sind alle Typen vertreten.

Josquins Satz ist in der Messe wie in der Motette und der Chanson vollkommen homogen, soweit nicht ein cantus firmus hervorgehoben wird oder Kanons eingebaut werden. Die Durchimitation ist zum grundlegenden Prinzip erhoben. Langlaufende elegante Linienverwicklungen wechseln mit akkordisch-homorhythmischer Textdeklamation. Kompakter Satz wechselt mit Dünnstimmigkeit, Stimmpaarigkeit, Satzspaltung, Vollstimmigkeit mit eingelegten Duos oder Trios (oft kanonisch). Welche Satzart jeweils gewählt wird, hängt vielfach vom Text ab. Gliederung, Aufbau, Motivwahl (soweit sie frei erfolgt) treten bei Josquin erstmals sichtlich in den Dienst der Wortinterpretation; eine prägnante, grammatisch richtige und bei metrischen Texten oft auch metrisierte Textdeklamation zeigen den vollen Durchbruch des Humanismus in die Musik an. Die Motetten schreiten darüber hinaus zur Bildhaftigkeit und zur affektgemäßen Ausdrucksweise.

Damit ist Josquin zum Modell für die von der abschließenden Renaissancetheorie so nachdrücklich geforderte innige Verbindung von Wort und Ton, für die Erfindung der Musik aus den Worten der Sprache heraus und die pathosgeladene Verschmelzung von »orazione« und »armonia« geworden. Hierin liegt zweifellos auch einer der Gründe seiner starken Wirkung auf die zeitgenössischen und nachfahrenden Musiker, die vielfach bezeugt ist, auf die Theoretiker (von Gaffurius über Spataro und Glarean zu seinem »Propheten« Adrian Petit Coclico, zu Vicentino und Zarlino) und nicht zuletzt auf Laien wie Luther oder Rabelais. Noch Palestrina, Sethus Calvisius, Thomas Morley und Cesare Monteverdi haben seine Werke gekannt.

War die Messe für Josquin schon stark mit Traditionselementen

belastet, so konnte er in der Motette freier schalten. Hierzu trug
die grundwichtige Erweiterung des Textrepertoires bei, das nun zu
den üblichen Antiphonen, Sequenzen, metrischen Dichtungen
usw. auch den Psalm, das Evangelium und sogar alttestamentliche
Texte aufnahm. Der cantus firmus nimmt in Josquins Motetten
nur einen untergeordneten Platz ein und fällt meist ganz weg.
Kanonik ist verhältnismäßig selten. Der größte Wert wird auf
Deklamation, Ausdruck und (gelegentlich) Bildhaftigkeit gelegt;
der Satz reicht von subtilster Kontrapunktik bis zur reinen Homophonie und Homorhythmie der Laude (tatsächlich kommt es bei
Josquin bis zu völliger Identität: dasselbe Stück erscheint das eine
Mal mit lateinischem Motettentext, das andere Mal mit italienischem Laudentext).

Auch Josquins bedeutendes weltliches Schaffen macht von den
verschiedensten Techniken Gebrauch; in seinen Chansons ist die
endgültige Abkehr von den Formen der Busnois-Zeit und die Hinwendung zu einer der Motette angeähnelten neuen Behandlungsweise zu erblicken.

In dem größten Teil von Josquins Werk ist ein Gleichgewichtszustand zwischen schwebender Polyphonie und kräftig durchdrin-
gendem harmonischen Grundgefühl erreicht worden; höchst eindrucksvoll prägt sich ein Formbewußtsein aus, das Maß und Fülle
in sich vereinigt. Im Vergleich zu Lasso oder Willaert ist Josquins
Stil jüngeren Zeiten mitunter spröd und nüchtern erschienen. Man
darf aber nicht verkennen, daß dieses Urteil (so etwa bei Zarlino)
von Späteren gefällt worden ist, die in Josquin nicht mehr die klare
Ausprägung des renaissancehaften Formgefühls verstanden (ähnlich wie das späte 19.Jahrhundert die Lieder Zelters im Vergleich
zu denen Schuberts spröd und nüchtern schalt und nicht mehr verstand, daß gerade in ihnen sich der Geist der Klassik am reinsten
ausgeprägt hatte). Josquin war Generationsgenosse von Mantegna,
Bramante, Botticelli, Ghirlandajo und Leonardo da Vinci;
Willaert gehört der Altersstufe Michelangelos und Tizians an.

Was bei Josquin evident zutage liegt, insbesondere in seinen
reifsten Werken (die Chronologie ist noch immer nicht restlos
geklärt; ob z. B. die sechsstimmigen Motetten Frühwerke oder
eine späte Rückkehr zu den subtilen Satzkünsten seiner Frühzeit
sind, ist ungewiß), das findet sich individuell abgewandelt, im Ganzen aber übereinstimmend bei den anderen Meistern der Gruppe.
Heinrich Isaac steht vielleicht in seinen Messen Josquin am nächsten, zeichnet sich aber mit seinen weltlichen Liedern in verschiedenen Sprachen stärker als er durch eine Art kosmopolitischer
Haltung aus (charakterlich wird ihm ein verbindlicheres Wesen
als dem offenbar sehr selbstbewußten Josquin nachgesagt) und hat
mit seinen Instrumentalstücken eine sonst von seinen niederländischen Generationsgenossen augenscheinlich vernachlässigte Gat-

tung gepflegt. Es war nicht von ungefähr, daß seine Werke neben oder nach denen Josquins die weiteste Verbreitung erfuhren. Auch Pierre de La Rue ist besonders in seinen Messen Josquin nahe verwandt. Loyset Compère scheint ihm an Vielseitigkeit zu gleichen, wenn auch sein überliefertes Werk viel kleiner ist. Jacob Obrecht, dessen Schaffen besonders stark in Deutschland nachgewirkt hat, läßt schon das Nachlassen von Josquins karger Strenge und wortverpflichteter Deklamation zugunsten eines oft fülligeren und weicheren, weit weniger ausgeglichenen Satzes spüren; man möchte in seinen Werken mitunter ein gewisses Helldunkel, fast eine Art »sfumato« spüren, wenn das nicht für seine Zeit zu kühn schiene. Ob der Südfranzose Genet (Carpentras) noch zu dieser oder erst zur nächsten Generation zu zählen ist, müßte noch geklärt werden; soweit Werke bekannt sind, entfernt sein Stil sich schon merklich.

Während sich das Formgefühl der Renaissance in dieser in Italien wirkenden niederländischen Zentralgruppe und deren Verschmelzung mit der italienischen Frottolen- und Laudenkunst seinen epochalen Stil geprägt und Frankreich gerade in diesem Zeitabschnitt unter der Führung niederländischer Meister wie Brumel, A. de Fevin, Josquin selbst und Mouton gestanden hat, begannen nationale Sonderleistungen in Spanien, England und Deutschland sichtbar zu werden.

In *Spanien* kündigt sich eine eigene Mehrstimmigkeit zuerst mit Frater Johannes Cornago in der zweiten Hälfte des 15. Jahrhunderts an; wie weit sie etwa schon durch die Tätigkeit der niederländischen Meister in Italien angeregt worden ist, bedarf noch genauerer Untersuchung. Sie führte unter den »reyes católicos« Ferdinand und Isabella und deren Sohn Johannes, dessen Kapellmeister Juan de Anchieta war, zu einer reichen Produktion. Eine beträchtliche Menge Quellen legt Zeugnis davon ab. Neben geistlicher Musik, die offenbar niederländisch beeinflußt ist, ragt die volkssprachige Mehrstimmigkeit, gesammelt vor allem im ›Cancionero de Palacio‹ (Ende des 15. Jahrhunderts; Madrid, Biblioteca Nacional), hervor. Komponisten wie Pedro Escobar, Francisco de Peñalosa, Juan del Encina (der zeitweise auch in Rom tätig war) sind vor allem mit dreistimmigen *Villancicos*, Nachkömmlingen des französischen Virelai, in vorwiegend homophonen Sätzen vertreten. Etwaige Beziehungen zwischen dieser spanischen Sondergattung und den italienischen Frottolen liegen noch im Dunkeln. Einer der führenden Meister jedoch sowohl auf geistlichem Gebiet wie in der weltlichen Gesellschaftsmusik des ›Cancionero de Palacio‹ ist Niederländer gewesen, Johannes Urreda (Wreede), der im Dienste des Hauses Alba gestanden hat. Unter König Ferdinand waren aber auch Ockeghem, A. Agricola und P. de La Rue gastweise schon in Spanien gewesen.

Als Karl (der spätere Kaiser Karl V.) 1516 die Regierung übernahm, brachte er seine »capilla flamenca« mit; eine spanische
Kapelle errichtete Kaiserin Isabella 1526. Die flämische Kapelle
hatte die Kirchenmusik des Hofes zu besorgen, die spanische
Kapelle diente vorwiegend der weltlichen und der Instrumentalmusik. Unter Karl V. und Philipp II. gewannen die Niederländer
und ihre Musik in Spanien den Vorrang; doch ist neben ihnen eine
ganze Reihe spanischer Namen zu verzeichnen. Werke von Josquin,
Mouton, Gombert, Richafort, Clemens non Papa und anderen
Niederländern sind zahlreich in spanischen Quellen erhalten.
Unter den Spaniern ragen Antonio de Ribera, Escribano, Pedro
Fernandez u. a. hervor, und in Cristóbal de Morales erstand
schließlich Spanien ein Meister von europäischem Rang, nun
jedoch schon auf einer Stilstufe, die mit dem häufig in Spanien
weilenden Gombert oder mit Willaert in Italien gleichzusetzen ist.
Daß er Gombert auch persönlich nahe gestanden hat, ist anzu-
nehmen. Zeitweise war er in der päpstlichen Kapelle, noch neben
dem älteren Escribano, dann neben Bartolomé Escobedo, Ordoñez,
Melchor Robledo, Francisco Soto de Langa und anderen Spaniern
tätig. Ist schon Morales ganz und gar an Josquin, Gombert,
Mouton, Richafort, Verdelot usw. gebildet, so gibt die spanische
Schule mit späteren Meistern des 16.Jahrhunderts wie Francisco
Guerrero, Andrés de Torrentes, Rodrigo und Francisco de Caba-
llos u. a. ihren Sondercharakter vollends auf und verschmilzt mit
dem niederländisch-italienischen Spätrenaissancestil der Willaert-
Gruppe, während weiterhin gleichzeitig immer wieder neue nieder-
ländische Komponisten wie z. B. Pierre de Manchicourt und
Georg de La Hêle in Spanien gewirkt haben.

Die Periode einer eigentümlichen spanischen Sonderleistung
beschränkt sich also im wesentlichen auf das ausgehende 15.Jahr-
hundert, und nur auf instrumentalem Gebiet hat Spanien mit
seinen bedeutenden Vihuelisten wie Luis Milán, Luis de Narváez,
Alonso de Mudarra, Enríquez de Valderrábano, Diego Pisador,
Miguel de Fuenllana, Esteban Daza, mit dem Violisten Diego
Ortiz, den Organisten und Klavieristen Luys Venegas de Heme-
strosa, Antonio de Cabezón u. a. einen bemerkenswerten Beitrag
zur allgemeinen Geschichte der Musik im Zeitalter der Renaissance
geliefert und ein nationales Eigenleben geführt. Doch blieb es im
wesentlichen außerhalb des großen Stromes und übte keinen merk-
lichen Einfluß auf die Gesamtentwicklung der Musik in jener Zeit
aus.

In *England* sind niederländische Musiker vom ausgehenden
15.Jahrhundert an und durch das 16.Jahrhundert hindurch nicht
nennenswert in Erscheinung getreten. Nachdem die englische
Musik mit der Dunstable-Gruppe einen kräftigen Anstoß zur
kontinentalen Entwicklung gegeben hatte, fiel sie in insulare

Absonderung zurück. Während die bildende Kunst der italienischen Renaissance Anfang des 16.Jahrhunderts in England einzudringen begann, hielt die Musik bis gegen die Mitte des Jahrhunderts an einer Tradition fest, die auf dem Festland etwa der Ockeghem-Gruppe entsprach. Die großen englischen Sammelhandschriften um 1500 weisen noch das alte Repertoire der Messen, Magnificat und Marienantiphonen auf, zu denen Prozessionsgesänge, Teile der Passion, Hymnen usw. treten. Die Isorhythmie wird im Meßzyklus noch lange bewahrt wie im weltlichen Lied eine Dufay ähnliche Behandlungsweise. Das ›Eton Choirbook‹ und manche anderen Sammlungen zeichnen sich durch ihre für festländische Verhältnisse ungewohnt starken Besetzungen aus (Eton 5–9 Stimmen). Marienantiphonen behalten den lebhaft bewegten Außenstimmensatz über einen Tenor-cantus firmus bei. Klangfülle und Dichte des Satzes im Verein mit freier phantasievoller Behandlung der Außenstimmen bleiben Kennzeichen der englischen Mehrstimmigkeit bis in die 1530er Jahre hinein, ganz im Gegensatz etwa zum Stil Josquins oder auch zum Stil Fincks.

Das Imitationsverfahren ist erst gegen die Mitte des Jahrhunderts, etwa bei John Taverner, John Redford, Sampson und Thomas Tallis langsam in die traditionelle Formenwelt der englischen Kirchenmusik eingedrungen. Bezeichnend ist, daß nur sehr wenige ausländische Musiker wie etwa der Niederländer Benedikt de Opitiis in England tätig wurden. Auch das alte *Carol* längst zum Liede mit verschiedensten geistlichen oder weltlichen Inhalten geworden, wandelt sich um diese Zeit bei Cornyshe, Fayrfax und Taverner unter dem Einfluß der französischen Chanson.

Als spezifisch englische Gattung der Instrumentalmusik kam um 1530 das *In nomine* auf, gesetzt für ein Ensemble von drei oder vier Violen, zuerst gepflegt von Cornyshe und Fayrfax; möglicherweise ist hierbei an einen Einfluß von Seiten der Instrumentalstücke Isaacs zu denken; die Gattung blieb bis tief ins 17.Jahrhundert hinein am Leben. Klaviermusik aus der Mitte des 16.Jahrhunderts, die das ›Mulliner Book‹ (London, British Museum, Ms. Add. 30513) übermittelt, besteht nur aus Intavolierungen und Bearbeitungen von vokaler Musik oder Musik für Violen.

Die Reform König Heinrichs VIII. (Suprematieakte 1534) hat mit der Schließung oder Vernichtung zahlreicher Kirchen, Klöster, Bibliotheken usw. der englischen Musikpflege einen schweren Schlag versetzt; bis zum Regierungsantritt von Königin Elisabeth (1558) blieben die Grundlagen der Musik erschüttert. Bei Meistern, die in dieser Verfallszeit und danach wirkten wie John Merbecke, Christopher Tye, Robert White, Richard Farrant, John Shepherd und Th. Tallis, blieb die Neigung zu starken Besetzungen, zur Klangfülle und Dichtigkeit des Satzes bestehen, drangen jedoch offensichtlich Anregungen von der niederländisch-italienischen Musik ein, die über die Niederlande nach England gelangten.

Neben Kirchenmusik in lateinischer Sprache wurden *Anthem*, *Service* und *Psalm* in englischer Sprache zu Hauptaufgaben der Komponisten. Schneller und offensichtlicher als die geistliche hat die weltliche Musik kontinentale Züge angenommen, wie Thomas Whythornes Lieder (1571) nach dem Vorbild der neapolitanischen Villanellen beweisen; doch ist die weltliche Liedkunst des Zeitalters in England nur durch wenige Quellen vertreten. Die Richtung mündete in den 1560er und 1570er Jahren in das *englische Madrigal* (erster Druck ›Musica transalpina‹, 1588), an der Schwelle des Barockzeitalters eine höchst eigenartige Spätrenaissanceblüte aus der intensiven Rezeption des italienischen Vorbildes in das englische Empfinden.

Die englische Musikübung des ganzen Zeitalters hat weitab von der des Kontinents gestanden und ist mit allem hohen Rang und aller Eigenart eine ganz und gar innerenglische Angelegenheit geblieben. Erst um 1600 hat die englische Musik, vor allem mit ihren Violisten und Virginalisten, wieder angefangen, für die gesamteuropäische Musik fruchtbar zu werden.

Abseits der Gesamtentwicklung blieb auch die *deutsche Musik*, trotz ihrer höchst bedeutenden Sonderentfaltung, bis sie im 16. Jahrhundert mehr und mehr unter niederländischen Einfluß geriet und zeitweise den niederländischen Musikern ganz und gar die Führung überlassen mußte. Das Festhalten an der (sicherlich von Busnois oder Ockeghem oder vom späten Dufay her übernommenen) Praxis einer vorwiegend sukzessiven Komposition über einen Tenor-cantus firmus kennzeichnet die geistliche wie die weltliche Produktion vom späten 15. Jahrhundert an bis in die 1530er Jahre hinein, und es macht keinen Unterschied, ob es sich dabei in der Kirchenmusik um lateinische oder, nach der Reformation, um deutsche Texte handelt. *Hymnus*, *Sequenz*, *Responsorium*, *Antiphon* wie *Propriumssätze* und vor allem der *weltliche Liedsatz* bevorzugen freies Rankenwerk der (oft untextierten) Außenstimmen, das sich gern selbständig und selten durch Imitationsbeziehungen gebunden um den Tenor schlingt.

Gegen und um 1500 ist die deutsche Mehrstimmigkeit mit Meistern wie Adam von Fulda, Heinrich Finck, Paul Hofhaimer, Thomas Stoltzer und Erasmus Lapicida mächtig aufgeblüht und hat weit in die osteuropäischen Länder (Polen, Böhmen, Ungarn) ausgestrahlt. Gleichzeitig fangen die Werke von niederländischen Komponisten der Josquin-Gruppe an, sich in Deutschland zu verbreiten, wobei Obrecht, A. Agricola, Compère und Josquin im Vordergrund stehen. Isaacs Tätigkeit auf deutschem Boden (in Wien, Innsbruck, Augsburg, Konstanz, vielleicht Torgau) mag zur Annäherung des deutschen Sonderstils an die zentrale niederländisch-italienische Renaissance beigetragen haben. Doch halten Komponisten wie Stoltzer, Finck und Hofhaimer zäh an der eckigen und holzschnittartigen Führung der Außenstimmen und an den traditionellen Formen fest; in diesem Sinne haben sie auf spätere Komponisten wie Ludwig Senfl, Hans und Paul Kugelmann, Johann Walter, Benedictus Ducis, Sixt Dietrich, Leonhard Päminger und zahlreiche andere tief weitergewirkt. Bei allmählich zunehmender Aufnahme niederländischer Stilmittel bleibt daher auch weiterhin der deutsche Satz eigenartig retrospektiv. Eine deutsche Spezialität scheint *die Komposition lateinischer Oden* nach Horaz oder anderen antiken oder humanistischen Dichtern gewesen zu sein, wenn freilich Ähnliches auch schon bei den italienischen Frottolisten vorkommt (vergleiche Artikel Humanismus). Die deutschen Liederbücher des 16.Jahrhunderts von Arnt von Aich, Oeglin und Schöffer (um 1510–1513) bis hin zu der großen Sammlung G. Forsters (1539–1556) bewahren, unerachtet aller mehr und mehr vordringenden niederländischen Stilelemente, vorwiegend diesen konservativen Geist, der sich ähnlich in den mehrstimmigen Liederbüchern der lutherischen Reformation (Walter, die Sammlungen von Georg Rhau, Kugelmann usw.) auswirkt.

Soweit von einer *deutschen Renaissance* die Rede sein kann, steht in ihrem Mittelpunkt L. Senfl, altersgleich etwa J. Walter, Arnold von Bruck, S. Dietrich, Wilhelm Breitengraser, Lorenz Lemlin, Balthasar Resinarius, Stephan Mahu und viele andere. Daß insbesondere ihre lateinische Kirchenmusik sich stark dem zentralen Niederländerstil annähert, hängt wohl mit der Tatsache zusammen, daß die Werke von Niederländern wie Josquin, Obrecht, Brumel, Mouton, Isaac, Gombert, Willaert, Crecquillon usw. bis hin zu Clemens non Papa durch den Nürnberger, Augsburger und Wittenberger Musikdruck seit etwa 1530 bekannt wurden (Senfl selbst hat z. B. Josquins berühmtes vierstimmiges ›Ave Maria . . . virgo serena‹ sechsstimmig bearbeitet; andererseits wurde ihm lange die Trauermotette auf Kaiser Maximilian I. zugesprochen, die aber in Wirklichkeit ein Werk Costanzo Festas und auf Maximilian nur parodiert worden ist).

Bemerkenswert aber ist, daß um eben dieselbe Zeit die deutsche Musik des 15.Jahrhunderts (Finck, Stoltzer, Hofhaimer) in Druckwerken bis in die 1550er Jahre hinein noch immer weiter überliefert wird. Bemerkenswert ist wohl auch die in Deutschland offenbar besonders umfangreiche Produktion an *Gelegenheitskompositionen* (»Epithalamia«, »Symbola« usw.). Eine jüngere Schicht deutscher Liedkomponisten wie Caspar Othmayr, Jobst vom Brandt u. a. pflegt ältere Formen neben einem neueren, schlichteren und mehr volkstümlichen Liedtypus, der wohl nicht ohne den Einfluß der französischen Chanson entstanden ist, daneben das geistliche und weltliche *Bicinium* und *Tricinium*, das auf eigentümliche Weise viel ältere Stilmomente wieder aufgreift und das sich als deutsche Sondergattung bis in das 17.Jahrhundert erhalten hat. Bei Stoltzer bereits wird deutlich, wie in seine Psalmkompositionen das niederländische Vorbild eindringt. Bei Senfl ist der Einfluß seines Meisters Isaac oft unverkennbar.

Um 1530 aber beginnt auch bereits die Invasion der niederländischen Musiker, die nun für ein halbes Jahrhundert an den deutschen Höfen die führenden Plätze einnehmen (Pieter Maessins und Jacobus Vaet in Wien, Mattheus Le Maistre in Dresden, Adrian Petit Coclico in Königsberg usw.), und mit Orlando di Lassos Übersiedlung nach München (1556) geraten die deutschen Musiker mehr und mehr in den Bann seiner übermächtigen Persönlichkeit. Seine Nachwirkung hat dann über seine unmittelbaren und mittelbaren Schüler, Deutsche wie Johannes de Cleve, Jacob Reiner, Leonhard Lechner, Johannes Eccard, Joachim a Burck, Niederländer wie Ivo de Vento und Antonius Gosswin, Italiener wie Teodoro Riccio und Antonio Scandello bis hin zu Gallus Dreßler, Leonhart Schröter, Jakob Meiland, Georg Otto, Hans Leo Haßler, Hieronymus Praetorius, Michael Praetorius, Philipp Dulichius usw. angehalten. Wie stark eine spezifisch deutsche Tradition unterhalb dieser niederländischen Überlagerung fortbestanden hat, beweisen Lassos eigene deutsche Liedsätze. Eine kaum geringere Wirkung ist gleichzeitig von der Niederländergruppe in Prag mit Philipp de Monte, Lambert de Sayve, Karel Luython, Jacob Regnart usw. ausgegangen. Gegen Ende des 16.Jahrhunderts, als in Italien die niederländische Vorherrschaft zu Ende gegangen war und sich an der Schwelle zum Barock die »prima pratica« der römischen und venezianischen Schule ausgebildet hatte, überschwemmte dann diese italienische Musik vollends die deutsche Musikübung seit den Sammelwerken von Friedrich Lindner (1585ff.), Kaspar Haßler (1598ff.) usw.

Ähnlich wie in Spanien bildet auch in Deutschland eine Eigentümlichkeit die vom Vokalmodell nicht abhängige, frei komponierte Instrumentalmusik, hier besonders für Orgel und Klavier (Leonhard Kleber, Johannes Kotter, Elias Nikolaus Ammerbach) sowie für Laute (Sebastian Ochsenkhun, Hans und Melchior Neusidler u. a.).

Im ganzen gesehen hat jedoch die deutsche Musik vom Ende des 15. bis zum Ende des 16.Jahrhunderts, allen hohen Ranges und aller Eigenart unerachtet, an der Renaissance nur rezeptiv teilgenommen; sie hat, ähnlich der Architektur des Zeitalters, deren Formen übernommen, aber ihre eigenen Strukturen unterhalb dieser Formen festgehalten. Die Renaissance im vollen Sinne drang in Deutschland erst mit den Niederländern ein, die im Lande tätig wurden, d. h. mit der Spätschicht eines selbst schon stark italianisierten Niederländertums.

Während so die Nationen ihre eigenen Richtungen verfolgten, wie sie durch das wechselnde Bedürfnis und den wechselnden Geschmack diktiert wurden, und an der zentralen Entwicklung partizipierten, ohne sie doch zu beeinflussen, hatte sich in einer jüngeren niederländischen Schicht die *zweite zentrale Renaissance-gruppe* herausgebildet, der nunmehr auch italienische Komponisten in zunehmender Zahl und Bedeutung angehörten und die selbst zunehmend stärkere italienische Züge annahm. Ihre Zentren waren die päpstliche Kapelle in Rom, S. Marco in Venedig, Städte und Kathedralen wie Florenz, Bologna, Treviso, Padua, daneben zeitweise Fürstenhöfe wie die von Ferrara, Mantua, Urbino u. a.

Seit den Glanzzeiten unter Julius II. und Leo X. hat die päpstliche Kapelle das ganze 16.Jahrhundert hindurch und weiterhin bedeutendste Musiker, vorwiegend Niederländer, Spanier, Italiener und Franzosen vereinigt. Man kann in ihr die Stätte der Amalgamierung zwischen den Nationen und der allmählichen Herausbildung jenes musikalischen Einheitsstils sehen, der dann zu den Zeiten Palestrinas zur Einschmelzung aller Unterschiede in den Stil der *römischen Schule*, zur »prima pratica« im engsten Sinne, geführt hat. Ihr gehörten zur Zeit Papst Leos X. gleichzeitig Andreas de Silva, C. Festa, E. Genet, Fr. de Peñalosa, G. van Weerbecke und zahlreiche andere Mitglieder der vier Nationen an.

In Venedig scharte sich eine für die Gesamtentwicklung vielleicht noch bedeutendere Gruppe um Adrian Willaert, der aus der Schule Josquins und Moutons kam und zu dessen eigener Schule (im engeren und weiteren Sinne) etwa G. Cavazzoni, Jakob Buus, Cipriano de Rore, Gioseffo Zarlino, Maître Jean (wohl identisch mit Giovanni Nasco), Vincenzo Ruffo, Jehan Gero, Jacquet von Mantua, Hubert Naich, schließlich auch noch Hubert Waelrant, Claude Le Jeune und A. Gabrieli zu rechnen sind. Die Willaert-Gruppe schließt zeitlich unmittelbar an die Josquin-Gruppe an und kann im engsten Sinne als die zweite niederländisch-italienische Zentralgruppe angesehen werden. Willaert war 1522 nach Italien gekommen, 1527 Kapellmeister an S. Marco in Venedig geworden und blieb in diesem Amt bis zu seinem Tode (1562). Auch in dieser Periode noch nahmen in Italien vielfach Niederländer die führenden Positionen ein, oft mit sehr wechselnden Wirkungsorten: Arcadelt in Rom und Florenz, Richafort in Rom, Dominique Phinot in Pesaro, Ghiselin Danckerts, der der päpstlichen Kapelle unter fünf Päpsten (von Paul III. bis zu Pius IV.) diente und 1551 zusammen mit Escobedo Schiedsrichter im Streit zwischen Lusitano und Vicentino war, Ph. Verdelot in Florenz und viele andere.

Während in England die Niederländer fast nicht, in Deutschland erst seit den 1530er Jahren eindrangen, setzte in Italien eine neue niederländische Schicht schon in der vierten Generation eine alte

Überlieferung fort. Gegen Ende des Jahrhunderts folgte ihr sogar noch eine weitere, kleinere Gruppe, mit ebenfalls bedeutenden Namen wie Matthias Werrecoren, Jaches de Wert, Giovanni de Macque u. a. Gleichzeitig aber schoben sich, in offensichtlichem Anschluß an die Gruppe der Frottolisten und Laudisten vom Anfang des Jahrhunderts, italienische Musiker in den Vordergrund, zunächst vorwiegend auf weltlichem Gebiet und in der Instrumentalmusik, dann aber zunehmend auch in der Kirchenmusik: C. Festa, Francesco Corteccia, Girolamo Parabosco, N. Vicentino, A. Gabrieli, Alessandro Striggio d. Ä., Luzzasco Luzzaschi, Costanzo Porta, die römische Gruppe von Animuccia bis zu Luca Marenzio, Palestrina, Giovanni Maria und Giovanni Bernardino Nanino, auf instrumentalem Gebiet etwa: G. Cavazzoni, Annibale Padovano, Parabosco, Claudio Merulo und A. Gabrieli.

Gegen Ende des Jahrhunderts wird die Zahl der tätigen Italiener unübersehbar; es ist die Generation, die den Übergang in das Barockzeitalter vollzieht. Andere Niederländer wie Gombert, Champion, Manchicourt, Crecquillon gehörten der Kapelle Kaiser Karls V. an und wirkten zeitweilig in Spanien, sonst in den Niederlanden wie auch Andreas Pevernage, Benedictus Appenzeller, Lupus Hellinck, und als bedeutendster unter den Niederländern in den Niederlanden Clemens non Papa; eine große Schar war in Deutschland tätig. Das Gesamtbild der Periode bleibt das einer fortgesetzten niederländischen Hegemonie in Europa, mindestens bis in die 1560er oder 1570er Jahre, d. h. also bis zum Ende des Zeitalters, das im engeren Sinne als »Renaissance« gelten kann.

Die repräsentative Gattung bleibt für die Musiker dieses Zeitraums noch immer die *Messe*, wenn sie auch ihre Hochblüte hinter sich hatte und Stil und Formen sich über die Josquin-Tradition hinaus nicht mehr wesentlich entwickelt haben. Willaert selbst hat sich noch recht eng an das Muster Josquins und seiner Zeitgenossen gehalten. Im allgemeinen jedoch greift ein motettenartiger, durchimitierender Stil Platz, oft noch mit, öfters ohne cantus firmus. Weltliche Tenores gingen nach den kirchenmusikalischen Beschlüssen des Tridentiner Konzils (1562/63) stark zurück. Charakteristisch ist die allgemeine Vereinheitlichung der Messe in diesem niederländisch-italienischen Bereich (im Gegensatz etwa zu Frankreich oder Deutschland): ob von Morales oder Guerrero, von Animuccia oder Palestrina, von Gombert oder Clemens non Papa, die Unterschiede, die noch etwa zwischen Josquin, La Rue und Isaac bestanden hatten, sind fortschreitend eingeebnet worden. Das gilt im besonderen Maße für die *Parodiemesse*, die jetzt gegenüber der selbständigen Messenkomposition bevorzugt wird. Von den Messen Lassos, Palestrinas, de Montes und der meisten anderen Meister besteht die große Überzahl in Parodiearbeiten auf

Motetten, Chansons, Madrigale oder Lieder eigener oder fremder Komposition. Die Blüte der originalen polyphonen Messenkomposition ging mit der Renaissance zu Ende, aber die Gattung hat eine jahrhundertelange, mehr oder minder epigonale Nachblüte »im Palestrina-Stil« hervorgerufen, und vom beginnenden 17.Jahrhundert an ist ihr eine zeitweise gefährliche Nebenbuhlerin in der *konzertierenden Messe* erstanden.

Weitaus größeres Interesse als der Messe scheinen die Komponisten der *Motette* entgegengebracht zu haben; in ihr hat sich von Willaert bis zu Palestrina der reife Spätstil der »ars perfecta« weit stärker als in der Messe ausgebildet. Halten Gombert, Clemens non Papa, Cornelius Canis, Crecquillon, Hellinck, Manchicourt und manche andere sich noch enger an die Überlieferung des Josquin-Zeitalters, so bevorzugen offenbar Festa, Danckerts, Arcadelt, Morales, Willaert selbst u. a. eher einen fundamentbetonten, stark homophon wirkenden, wenn auch polyphon aufgelockerten Satz. Willaerts Vesperpsalmen (1550) sind nur ein Glied in der Kette der Entwicklung eines Satzes mit respondierenden Chören, die schon im 15.Jahrhundert begonnen hatte, im mittleren 16.Jahrhundert Parallelen in Manchicourt, Crecquillon, Phinot u.a. fand und Ende des 16.Jahrhunderts allenthalben in Italien und Deutschland (von L. Schröter und M. Praetorius zu A. Gabrieli und Palestrina) zu einer weitverbreiteten Praxis schlichter, homophoner Mehrchörigkeit führte. Dem polyphonen oder mehr scheinpolyphonen Motettenstil aller Meister gemeinsam ist die vollkommene Parität der Stimmen, die wachsende Vorliebe für Besetzungen zu fünf, sechs, acht und mehr Stimmen (von der Achtstimmigkeit an aufwärts entweder mehrchörig oder auch obligat), die einfache Reihung der Form nach Textabschnitten, wobei durch refrainartige Wiederholungen von Gliedern eine Befestigung der Form herbeigeführt werden kann, die voll entwickelte Durchimitation über jeweils eines oder mehrere Motive, die mehr oder minder wortgezeugte Deklamation und die tonal-harmonische Fundamentierung des Satzes, die zunehmend Dur-Moll-Charakter annimmt. Was um dieselbe Zeit Glarean an Beispielen des Josquin-Zeitalters entwickelt hat, erweist sich als treffend für die eigene Umwelt. Die alten Modi treten mehr und mehr zurück. Tonale Beantwortung im Imitationsspiel der Stimmen ist keine Seltenheit mehr. Kadenzen prägen mehr oder minder Dominant-Subdominant-Tonika-Verhältnisse aus. Bei allem bleibt die Bearbeitung liturgischer Melodien in der einen oder anderen Technik, als wandernder cantus firmus, nach Quodlibet-Art, seltener in Kanons oder in langmensurierten Tenores, mit Vorliebe unter motivartiger Auflösung der Choralmelodie und Verarbeitung im Stimmengeflecht, immer möglich und üblich. Die Einführung kontrastierender, tropierender oder interpretierender Zitate in der Form ostinater Text- und

150

Melodieformeln in das sonst einheitliche Motettengefüge scheint zeitweise fast eine Mode geworden zu sein. Das Textrepertoire erweitert sich stark durch die häufige Komposition metrischer Dichtungen (geistlich und weltlich, wodurch eine ganze Literatur *weltlicher Motetten* entsteht) und durch den aufkommenden Brauch, jede beliebige Art biblischer oder liturgischer Texte zu vertonen. Erhalten bleibt die schwebende Rhythmik, oft durch intrikate Stimmenüberschneidungen verfeinert; doch setzen sich andererseits auch oft taktähnliche Bildungen durch, die vielleicht von der Seite der halbvolkstümlichen *Villoten* und *Villanellen* oder auch von der Seite der zahlreichen taktgebundenen Tänze des Zeitalters her beeinflußt sind. Die Neigung der Josquin-Zeit zu klargeschnittenen Kadenzen weicht einer Vorliebe für die Verschleierung der Gliederungen; oft ist das Geflecht der Stimmen, ebenfalls im Gegensatz zur Josquin-Zeit, so dicht, daß es kaum Pausen zuläßt. Die Zunahme des tonalen Empfindens führt zur harmonischen Bereicherung, zur Einbeziehung seltener Töne und Tonarten, zu erweitertem Gebrauch der »musica ficta« und schließlich in den 1550er Jahren zu einer mitunter extravaganten Chromatik, die (in Motette und Madrigal) von Willaert, Vicentino, Lasso u. a. experimentell, später von Rore, Orso, Marenzio und vielen anderen dann auch affekthaft genutzt wird (zahlreiche Fragen, die mit der Experimentalchromatik etwa der Art von Lassos ›Prophetiae Sibyllarum‹ oder Vicentinos Versuchen, mit der humanistisch-bildungshaften Affektenchromatik Rores und Marenzios, mit der erweiterten Anwendung der »musica ficta« und einer von E. E. Lowinsky angenommenen »secret chromatic art« [Secret Chromatic Art in the Netherlands Motet, New York 1946] zusammenhängen, sind noch strittig).

Das Konsonanz-Dissonanz-Verhältnis wird zunehmend in der Richtung auf absolute Euphonie reguliert und findet schließlich im Kontrapunkt Palestrinas jene »definitive« Norm, die durch die Jahrhunderte bis in die Gegenwart fortgeerbt worden ist und in der Geschichte der Musik als »prima pratica«, später als »stile antico«, »stile osservato« oder »stylus gravis« ihren festen Platz bekommen hat. Andere geistliche Gattungen, die sowohl von den Niederländern in Italien wie den Italienern gepflegt wurden, wie die *Passion*, der *Hymnus*, die *Litanei* usw., gehorchen eigenen Gattungsgesetzen und sind mindestens teilweise dem Stilwandel entzogen.

Der Fortgang der Motettenkomposition in das Stadium der *letzten Renaissancegeneration* (Rore, Lasso, Palestrina, Marenzio) knüpft insbesondere an Willaert an, dessen tiefgreifender Einfluß auf das spätere 16. Jahrhundert wohl überhaupt nicht hoch genug eingeschätzt werden kann. Er besteht vor allem in der intensiven Durchdringung der Erfindung und des Satzes mit dem »imitar la natura«, »imitar le parole«. Für diesen Übergang zum

Spätstadium fehlt noch viel Einzelkenntnis. Hier hat neben der allgemeinen Neigung der Musiker zur Akkordik, zum Schönklang und zur Wortverständlichkeit, neben den tridentinischen Forderungen und sonstigen äußeren Umständen das Bedürfnis nach affekthaftem und bildhaftem Ausdruck, hier hat vor allem auch die für die Spätrenaissance so überaus charakteristische gegenseitige Durchdringung der Gattungen eine große Rolle gespielt. In der venezianischen Schule Willaerts und in Lassos motettischem Werk kündigt sich schon auf vielfältige Weise das Pathos des Barock an, während Palestrina und die römische Schule sich zwar gleichzeitig größerer Zurückhaltung befleißigen und einem absoluteren Schönheitsideal huldigen, dabei jedoch nicht minder häufig die ganze schwelgerische Inbrunst hingebungsvoller Devotion spüren lassen. Die Motette hat zahlreiche Anregungen von seiten der Chanson und des Madrigals aufgenommen, wie umgekehrt diese beiden im letzten Drittel des 16.Jahrhunderts (u. a. gerade bei Lasso) vielfältig von motettischen Zügen durchdrungen sind, von dem allseitigen Einfluß nicht zu reden, den die kleineren Liedgattungen der *neapolitanischen Villanelle* u. a. ausgeübt haben.

Zur weitaus wichtigsten und folgenreichsten Errungenschaft auf dem Gebiet der weltlichen, gehobenen Gesellschaftskunst wurde eine nationale Sonderleistung Italiens, freilich in diesem Falle eine Leistung, die von Niederländern und Italienern gemeinschaftlich hervorgebracht worden ist und zeigt, in welchem Maße schon in der Willaert-Generation die Niederländer von italienischem Sprach- und Formgefühl durchdrungen waren, das *Madrigal* (mit seinen mehr liedartigen und mehr volkstümlichen oder pseudovulgären Nebengattungen wie *Villotta, Villanella, Canzona villanesca, Aria napoletana, Madrigaletto* usw.). Seine Entstehung aus der Canzona der Frottolistengruppe ist geklärt; an Druckwerken wie Anticos »Canzoni nuove‹ (1510) und Petruccis ›Musica di Messer Bernardo Pisano‹ (1520) läßt sich der Übergang deutlich ablesen. Weitere frühe Drucke belegen die Entwicklung; aus dem pseudopolyphon aufgelockerten Frottolensatz wird ein vorwiegend akkordfundamentiertes, aber leicht polyphonierendes und elegant schwebendes Gebilde, das sich aufs Engste der zugrundegelegten frei geformten Dichtung anpaßt, und mit den ›Madrigali nuovi di diversi‹ (1533; 1. Auflage 1530 als ›Madrigali di diversi libro primo‹) sind der Name und die Gattungsmerkmale zusammen mit der von nun an ständig wiederkehrenden Mischung niederländischer und italienischer Komponisten da (in diesem Falle Costanzo und Sebastiano Festa, Nasco, Verdelot u. a.).

Das Madrigal wurde in der Hoch- und Spätrenaissance nicht nur die maßgebende Gattung einer auf literarische Ansprüche gegründeten Musik für die höhere Gesellschaft, für Castigliones »orecchie esercitate« und »auditori disposti ad udire«, für Vicentinos »privati sollazzi di Signori e Principi«, in solcher Geltung nur durch die neue französische Chanson etwas eingeengt, es wurde auch zum wichtigsten Träger des neuen Pathos. Weit stärker als die Motette ist das Madrigal von seinen Anfangszeiten bei Arcadelt, Verdelot und Festa an über Willaert, Corteccia, Gero, Jachet de Berchem, Ferrabosco zu Vicentino, Rore, Jaches de Wert, Gioseffo Caimo, Nasco, Ruffo, Francesco Orso, zu Palestrinas maßvollen Jugendmadrigalen und zu Lassos großartigen Altersschöpfungen (etwa den Madrigalen für Dr. Mermann, 1587, und den ›Lagrime di S. Pietro‹, 1595), ungeachtet der etwas steifen Konvention de Montes und der Römer wie Anton und Leonard Barré, Francesco Soriano, der beiden Nanino, schließlich in der gesättigten Affektenkunst und Dramatik Rores, Marenzios, Luzzaschis, Gesualdos und Monteverdis ein unvergleichliches Feld für Fortschritte und Neuerungen aller Art gewesen, in der Notation, in der Motiverfindung und -verarbeitung, in der freien Dissonanzbehandlung wie in der Ausschöpfung einfacher diatonischer und künstlicher chromatischer Akkordik, in der Wortdeklamation, im Affektausdruck bis zur gespannten Dramatik, in der Naturnachahmung bis an die Grenze romantisierender Stimmungsmalerei.

Weit mehr als die Motette ist das Madrigal Träger humanistisch-antikisierender Tendenzen gewesen, die bei Vicentino zu dem Versuch der Nachahmung griechischer Enharmonik und bei manchen anderen Madrigalisten (wie Willaert, Rore und Marenzio) schlechthin zur Symbolisierung der Antike durch die Mittel der Chromatik geführt haben. Mit alledem hat das Madrigal mehr als jede andere Gattung den Anschluß an die dramatisierenden Tendenzen der Florentiner Camerata und Monteverdis herbeigeführt und hat sich in seiner Spätform als das ideale Versuchsfeld für die Erprobung eines der vermeintlichen Antike nachgebildeten Sologesangs angeboten; keine andere Gattung konnte so natürlich in das barocke »a voce sola« aufgehen. Dabei darf nicht verkannt werden, daß es sich in allen diesen dem Madrigal innewohnenden Tendenzen nicht (oder doch nicht vordergründig) um individuelle Anschauung und persönliche Gefühle, sondern um ein rational-deskriptives Vokabular, um »maniere« handelt, wie in der Motette, jedoch mit ungleich größerer Beweglichkeit, Eindringlichkeit und Vielseitigkeit im Madrigal. Ja, die Motette selbst wäre um vieles ärmer geblieben ohne den ständigen Inspirationsstrom, der vom Madrigal ausging. Im Madrigal hat deswegen auch der italienische Barock seine tiefste Wurzel, und nicht zuletzt deswegen sind gerade auf diesem Gebiet Italiener in so stark zunehmendem Maße beteiligt gewesen, bis mit dem Zurücktreten und Absterben der letzten niederländischen Madrigalkomponisten (wie Lasso, de Monte, Wert) sie ganz am Ende des Jahrhunderts Alleinerben der Gattung wurden. »It is clear that in the late cinquecento for every

Lassus there was a Palestrina« (G. Reese). Das Madrigal wurde vollends zum Schmelztiegel: auf keinem anderen Gebiet sind die Niederländer so durchaus italianisiert worden wie auf diesem.

Lief so das Zeitalter der Renaissance im niederländisch-italienischen Bereich ohne Bruch in den Barock aus, wurde die Hegemonie der Niederländer glatt und natürlich durch eine der Italiener abgelöst, standen Spanien, England und Deutschland rezipierend am Ufer des großen Stromes, so entwickelte sich doch zu gleicher Zeit in *Frankreich* eine eigentümliche nationale Sonderrichtung, die, auf einem einheitlichen Formgefühl beruhend, in den verschiedenen Gattungen in ähnlicher Weise zutage trat. Ihre Wirkung blieb im 16.Jahrhundert vorwiegend auf Frankreich selbst beschränkt, hat jedoch im Laufe des 17.Jahrhunderts die Entwicklung des europäischen Barock tiefgehend beeinflußt.

In Frankreich hat sich ein *Sonderzweig der Messenkomposition* herausgebildet, der zu einer bedeutend knapperen und dementsprechend homophoneren Satzbehandlung führt, als sie bei den Niederländern üblich war. Über die Vierstimmigkeit geht der Satz selten hinaus. Duos und Trios werden eingelegt. Einfachheit in Melodik und Harmonik, Schlichtheit der Rhythmus- und Gliederungsverhältnisse, Leichtverständlichkeit der Textwiedergabe durch vorwiegende Syllabik zeichnen diese Messen aus. Auch der cantus firmus, wenn überhaupt vorhanden, wird knapp behandelt, mitunter sogar seiner Melismen entkleidet. Ähnliche Züge charakterisieren die französische Motettenkomposition; sie wirkt – verglichen mit Josquin oder Willaert – oft karg, knapp, schmucklos. Frühzeitig kündigt sich eine taktartige Rhythmik an. Motive werden prägnant und nüchtern gebildet. Der Textverständlichkeit wird auch hier vieles andere geopfert. Messen und Motetten dieser Art hat eine französische Komponistengruppe geschrieben, deren älteste Angehörige noch um oder vor 1500 geboren sind (Clément Janequin, Claudin de Sermisy, Pierre Cadéac, Pierre Certon) und deren jüngste in der zweiten Hälfte des 16.Jahrhunderts, ja teilweise noch bis in das 17. hinein gewirkt haben (Claude Goudimel, Claude Le Jeune, Guillaume Costeley, Eustache Du Caurroy, Jacques Mauduit). In dieser Kirchenmusik hat sich eine spezifisch französische Stilhaltung herausgebildet, die eng mit der weltlichen Chanson zusammenhängt, in den Bestrebungen von Baïfs Académie verwandten Tendenzen begegnet ist und in der Komposition des calvinistischen Psalters ein geradezu ideales Betätigungsfeld gefunden hat (Goudimel, Le Jeune, Du Caurroy u. a.).

Wenn auch alle diese Komponisten, die seit den ersten Attaignant-Drucken hervorgetreten und dann durch den produktiven Pariser und Lyoneser Musikdruck weit verbreitet worden sind, sich gelegentlich anderer Formen bedienen, Messen mehr im niederländisch-italienischen Stil, Psalmen in freier Motettenform, mit verziertem oder simplem cantus firmus in schlichtester Vierstimmigkeit ebensogut wie in reicher polyphoner Sechsstimmigkeit geschrieben haben (bei Goudimel und Du Caurroy kommt auch Mehrchörigkeit vor), so ist doch nicht zu verkennen, daß Frankreich damit seinen eigenen Weg, abseits von dem großen niederländisch-italienischen Strom gegangen ist und sich eine eigene »französische Renaissance« gestaltet hat.

Auf weltlichem Gebiet ist die Entwicklung in Frankreich völlig parallel gelaufen. Hier ist gleich mit dem ersten Chansondruck Attaignants (1528) eine ganze Gruppe französischer Komponisten zusammen mit einer spezifisch französischen *Chansonkunst* auf den Plan getreten, die sich durch akkordlich-rhythmische Simplizität, bravouröse parlando-Deklamation, durch Knappheit und Präzision, durch Witz und Geist, nicht selten auch durch die Frivolität ihrer Texte, andererseits durch bildhaft beschreibende Anschaulichkeit von der polyphonierenden Chanson in französischer Sprache, wie sie die Niederländer gepflegt hatten, grundlegend unterscheidet (Claudin de Sermisy, P. Certon, Cl. Janequin, Cadéac, Passereau, Sandrin, Guillaume Le Heurteur u. a.). Woher diese Kunst, die man als »Pariser« Chanson (auch wenn nicht alle diese Komponisten in Paris lebten) deutlicher, als es gewöhnlich geschieht, von der fortlebenden französischen Chanson der Niederländer unterscheiden sollte, ihren Ursprung hat, ist ungeklärt. Janequin und Sermisy hatten König Franz I. mehrfach auf Staatsreisen nach Italien begleitet und mögen dort mit den italienischen Frottolisten in Beziehung getreten sein (von beiden gibt es übrigens auch einige italienische Madrigale); andererseits war eine Anzahl Italiener in den beiden französischen Hofkapellen, der »chambre« und der »écurie«, tätig. Wichtiger als diese Frage ist die Feststellung, daß diese Pariser Chanson weit über Frankreich hinaus gewirkt hat, daß Arcadelt, Willaert und Rore ebenso wie Othmayr, vom Brandt und Forster von ihr berührt worden sind, daß französische Chansons dieser Art vielfach in italienischen und deutschen Drucken verbreitet waren und daß die Gattung neben dem Madrigal, der Villanelle usw. zu der gehobenen internationalen Unterhaltungsmusik des Zeitalters gehört hat. In der instrumentalen »Canzon francese«, die an sie angeknüpft hat, ist ihre Wirkung weit über die Wende zum 17. Jahrhundert hinaus vorgedrungen. Die Pariser Chanson hat sich in Giovanni Giacomo Gastoldis ›Balletti‹ noch ebenso niedergeschlagen wie in John Dowlands ›Ayres‹, in Monteverdis ›Scherzi‹, in Jakob Regnarts ›Villanellen‹ wie in H. L. Haßlers ›Lustgarten‹. Über dem starken (und zweifellos überwiegenden) Einfluß, den die italienischen Madrigal- und Liedgattungen auf die Entstehung der barocken Liedgattungen in den verschiedenen Ländern ausgeübt haben, darf die Nachwirkung der Pariser Chanson nicht vergessen werden. Die

Wirkung der französischen Psalterkomposition auf den deutschen evangelischen Kantionalliedsatz von Lucas Osiander bis M. Praetorius und darüber hinaus bildet dazu eine Parallele.

Die höchste Bedeutung aber erlangte diese französische Chansonkunst im 16.Jahrhundert dadurch, daß auch sie (vergleichbar der Literarisierung der Frottola und ihrem Übergang in das Madrigal um 1520/30, wenngleich etwa vierzig Jahre später) in eine höhere literarisch-musikalische Stufe aufstieg. Die »Académie de la poésie et de la musique«, die der Dichter J.-A. de Baïf zusammen mit dem Musiker Thibaut de Courville 1570 gründete, richtete sich nicht nur auf die Pflege beider Künste, sondern setzte sich von vornehrein die Regulierung beider am Muster der Antike zum Ziel. Hier, ganz gegen Ende des Renaissancezeitalters, tritt in der Musik am deutlichsten jene Seite der »rinascita« zutage, die sich auf die »renascentes bonae literae« des Erasmus von Rotterdam bezog und die dann in dem Kreis der Florentiner Cameratisten wie V. Galilei, G. Mei, J. Peri und G. Caccini zur Erneuerung der Vokalmusik, zur Wiederherstellung des Sologesangs nach »antikem« Muster und letztlich zur Oper führte. Hatten die italienischen Theoretiker jedoch meist nur im allgemeinen auf eine Annäherung an die antiken Muster in Dichtung und Musik gedrängt, hatte Vicentino die Wiederbelebung der antiken genera versucht, so machte die Académie nun vollends Ernst mit der Forderung nach der Wiedererweckung der antiken Prosodie und Versformen in französischer Sprache. Teils in Übereinstimmung mit Joachim Du Bellay und Pierre de Ronsard, teils im Gegensatz zu ihnen forderte Baïf die Anwendung von Längen und Kürzen auf das Französische und die Dichtung in »vers mesurés«, die dann Komponisten wie Courville, Caietain, Le Jeune, Mauduit, später auch Du Caurroy u. a. in »musique mesurée à l'antique« setzten. Der Gedanke sprang auch auf die Psalmendichtung und -komposition über; Le Jeune, Du Caurroy und Mauduit haben auch »psaumes mesurés« komponiert. Die Chansonkomposition à l'antique hat auch niederländische Komponisten beschäftigt, und Lasso (auch hierin der größte Kosmopolit seines Zeitalters) ist zu einem ihrer geistreichsten Vertreter geworden.

Die Parallele zur deutschen Odenkomposition in der ersten Hälfte des 16.Jahrhunderts liegt nahe; doch ist diese eher als ein pädagogisches Hilfsmittel denn als selbständige Kunstgattung höheren Anspruchs zu betrachten und ist in ihrer Wirkung sehr begrenzt geblieben, während die französische »musique mesurée« auch auf das Theater und den Tanz übergegriffen und im ›Ballet comique de la Reine‹ (1581) einen handgreiflichen Niederschlag gefunden hat. Ist diese Akademiekunst in ihrer strengen Form auch zeitlich und örtlich beschränkt geblieben, so darf doch nicht übersehen werden, daß sie auf die französischen Airs und Tänze des frühen 17.Jahrhunderts, durch sie mittelbar auf das französische Theater und später auf die Oper weitergewirkt hat und daß hier die Wurzel jener »akademischen« Strömung liegt, die dann neben und trotz aller italienischen Grundhaltung so tief auf die Prägung des musikalischen Barock eingewirkt hat.

V. Die musikalische Leistung der Renaissance

Die Kultur der Renaissance ist mit Musik erfüllt und durchdrungen, wohl in viel höherem Grade als die Kultur älterer Zeitalter und sicher in nicht geringerem Grade als die der folgenden Perioden bis in das 19.Jahrhundert hinein. Musik war ein unentbehrliches Glied in der Ordnung des Lebens und übte eine unverzichtbare Funktion aus, in der höfischen Zermonie wie im Gottesdienst, im bürgerlichen Leben wie in der Schule, in der Bildungsgesellschaft der Zeit wie im Denksystem der Gelehrten. Waren im Mittelalter die Kirche und die fürstlich-ritterlichen Stände die Träger einer hochentwickelten Pflege vornehmlich einstimmiger Musik gewesen (neben der die Mehrstimmigkeit nur in sehr wenigen kirchlichen Zentren und erlesenen Bildungszirkeln eine Rolle gespielt hat), so besteht in quantitativer Hinsicht die Leistung der Renaissance, die am sichtbarsten in die Augen springt, in der außerordentlichen, ja überwältigenden Ausbreitung der *mehrstimmigen Musik*. Was im 13. und 14.Jahrhundert an mehrstimmiger Musik geschaffen und musiziert worden ist, beschränkt sich zum ganz überwiegenden Teil auf den französischen und oberitalienischen Kulturkreis, und soweit andere Länder daran teilnahmen, haben sie, wie die Quellen zeigen, eben diese Musik übernommen, allenfalls nachgeahmt.

Mit der Übergangsperiode des ausgehenden 14. und anfangenden 15.Jahrhunderts und mit dem Hervortreten der Niederländer jedoch beginnt überraschend schnell eine lebhafte Tätigkeit auf den verschiedensten Gebieten der mehrstimmigen Musik in England, den Niederlanden selbst, Burgund, Deutschland, Spanien, Portugal, in allen Teilen Italiens, erneut auch in Frankreich, dazu in den Ländern des europäischen Ostens, von Schottland bis Sizilien, von Polen bis Andalusien, kurz, in ganz Europa. Lag und verblieb der Vorrang im 15. und 16.Jahrhundert auch eindeutig bei den Niederländern, so wird doch mehr und mehr der *gesamteuropäische Charakter* ihrer Musik zu einem Merkmal, das die Renaissance im Vergleich zum Mittelalter evident auszeichnet.

Träger dieser Musikpflege waren die Höfe und die Fürsten, der Adel und die gebildeten Stände, das Bürgertum und die Städte, die Kathedralen und die Klöster. Mehrstimmige Musik setzte sich in breitesten Schichten durch, die früher davon nicht berührt worden waren, und zum ersten Male in der Musikgeschichte beginnt eine Art Bildungsbürgertum in Gestalt der Gelehrten und Literaten, der bildenden Künstler und des städtischen Patriziats, sei es mäzenatisch, sei es selbstschöpferisch, eine Rolle zu spielen. Der Musikverbrauch war außerordentlich groß, die Beteiligung der Nationen, Konfessionen, Gesellschaftsschichten, der öffentlichen und privaten Institutionen an der Musikpflege, am Neuschaffen wie am Aufführen unvergleichlich stärker als im Mittelalter, und damit vervielfachten sich die Aufgaben, die dem schaffenden und ausführenden Musiker gestellt wurden. Im Zusammenhang mit dieser Erweiterung des Wirkungsbereiches steht die gewaltige Ausdehnung des Instrumentenbaus in allen europäischen Ländern, steht der schnelle Aufschwung, den der Notendruck unmittelbar nach Petruccis Erfindung erlebt hat, und damit wiederum in Verbindung steht die bemerkenswerte Entwicklung der Musik zu einem wirtschaftlichen Faktor, der durch das Widmungswesen und durch die neuerdings beobachtete Herausbildung eines musikalischen Urheberrechtsbewußtseins (vergleiche Hansjörg Pohlmann, Die Frühgeschichte des musikalischen Urheberrechts 1400–1800, Kassel 1962) schnell für die Musiker große Bedeutung gewonnen hat. Die zunehmenden Ansprüche der Komponisten, der Mäzene und der Hörer an die Qualität der musikalischen Ausführung im Verein mit der Vervielfachung der Kapellen und sonstigen Pflegestätten haben das erstmalige Aufkommen eines Standes von Berufsmusikern aller Arten und Virtuosen zur Folge gehabt. Instrumentisten und Sänger werden zu bekannten Figuren und erlangen ihren eigenen Ruhm neben dem der Komponisten, der magistri puerorum und der höfischen Kapellmeister, die am Ende des Zeitalters als eine Sondergruppe hochbezahlter und hochgeschätzter Künstler eigener Geltung hervortreten. Damit wiederum hängt die Schichtung des Musikerberufes in die Kapellmeister, die Komponisten und Virtuosen, die Trompeter und Pauker, die festbesoldeten höfischen oder städtischen Musiker, die in Zünfte, »guilds« und »confréries« zusammengeschlossenen Musikhandwerker und das fahrende Volk der »joculatores« und »mimi« zusammen, die teils als mittelalterliches Erbstück fortgelebt, sich teils differenziert und verfeinert hat (zur Sozialgeschichte der Hofkapellen vergleiche Martin Ruhnke, Beiträge zu einer Geschichte der deutschen Hofmusikkollegien im 16.Jahrhundert, Berlin 1962). Selbstverständlich ist alles das nicht plötzlich dagewesen; mittelalterliche Reste haben sich die ganze Periode hindurch erhalten, wie umgekehrt schon Dufays persönlicher Ruhm und künstlerische Freiheit das Aufdämmern einer neuen Epoche ahnen lassen.

Weit gestreut wie die Aufgaben der Musiker waren die musikalischen Zentren selbst; neben den großen Pflegestätten wie Fürstenhöfen und Kathedralen kommen in der Renaissance in auffallendem Maße auch die kleinen und kleinsten Kirchen, Städte, Klöster, ja die Häuser des gehobenen Bürgertums zu musikalischer Geltung. Bezeichnend ist das Entstehen der zahlreichen musikalischen Akademien in Italien und in Frankreich und das Aufkommen ähnlicher Einrichtungen in anderen Ländern. Sie haben einen sehr bedeutenden Beitrag zur Sozialgeschichte der Musik geleistet, indem sie Angehörige der verschiedenen Stände und Berufe mit Musikern vereinigten und dadurch zur Entstehung eines musikalischen Kenner- und Liebhabertums geführt haben, das zu einer der stärksten bewegenden Kräfte in der europäischen Musik der folgenden Jahrhunderte geworden ist. Sie haben den Boden bereitet, auf dem sich die schöpferischen Gedanken der Dichter, Maler, Architekten, Bildhauer, Gelehrten, der Liebhaber und Mäzene mit denen der Musiker begegnen konnten und auf dem sich ein gemeinsames ästhetisches Ideal ausbildete, wie es etwa in der Frühzeit die Schriften von L. B. Alberti, später die von M. Ficino oder Leonardo da Vinci, auf musikalischer Seite etwa die von Tinctoris, Aron, Lanfranco, Vicentino, Zarlino u. a. bezeugen und wie es als Zusammenfassung der geltenden Anschauungen von einem gehobenen geistigen und gesellschaftlichen Leben Castiglione niedergelegt hat.

Diese Tendenzen haben im Renaissance-Zeitalter einen Zusammenhang zwischen den musikalischen Zentren herbeigeführt, den das Mittelalter nicht gekannt hatte. Nicht nur, daß die Musiker von einem Ort zum andern fortwährend unterwegs sind und die Musik der Niederländer verbreiten, die rasch europäische Geltung erlangt: das allgegenwärtige Wirken der niederländischen Musiker selbst, die zunehmend italienische Musik resorbierten und im 16.Jahrhundert zunehmend mit den italienischen Musikern zusammenarbeiteten, ergab allmählich eine Vereinheitlichung der europäischen Kunstmusik, die ein vollkommenes Novum war. Werke von Josquin, Obrecht, Willaert und Marenzio hat man in London wie in Krakau, in Stockholm wie in Lissabon musiziert. Alle unbestreitbar vorhandenen nationalen Besonderheiten und divergierenden Tendenzen ändern nichts daran, daß es seit dem Ende des 15.Jahrhunderts und in steigendem Maße das 16. hindurch ein europäisches Leitbild der gehobenen Kunstmusik gibt, das schließlich im Werk Lassos, Palestrinas, de Montes und A. Gabrielis eine unbestrittene Allgemeingeltung erlangt hat.

Die Herausbildung eines solchen gemeineuropäischen Ideals aus der Entwicklung von Dufays Zeiten bis zur saktionierten »ars perfecta« Glareans und schließlich der »prima pratica« der Römer ist eine grandiose Leistung der Renaissance und legt Zeugnis dafür ab, daß diese Epoche eine musikgeschichtliche Einheit bildet. Bedürfte es eines weiteren Zeugnisses dafür, daß diese Epoche mit der

Zeit um 1570 zu Ende gegangen ist, so bietet es sich mit dem Beginn des Barock von selbst an, indem eben diese Einheit von neuem in eineAnzahl divergierenderTendenzen zerfällt.AmStamm dieses einheitlichen niederländisch-italienischen Stilideals sprossen die nationalen Besonderheiten gewissermaßen als Seitenzweige. So große Unterschiede zwischen einem »psaume mesuré« von Le Jeune, einem Satz aus Lechners ›Neuen Liedern‹ von 1582, einem Madrigal Marenzios, einem Madrigal Byrds, einer Villanelle Regnarts zweifellos bestehen: kehrt einer dieser Komponisten zur Messe oder zur Motette zurück, so offenbart er, daß er die nationalen Besonderheiten als Besonderheiten behandelt, im übrigen aber dem einheitlichen europäischen Leitbild folgt. Es ist eines der dauernden Geschenke der Renaissance an die Musik Europas gewesen.

Wie diese und andere quantitative Leistungen der Renaissance für die Musik der folgenden Jahrhunderte bestimmend geblieben sind, so ist es in qualitativer Hinsicht gleichfalls eine Reihe von Errungenschaften, die höchsten geschichtlichen Rang beanspruchen können. Die absolut entscheidende unter ihnen ist wohl der Übergang von der Sukzessiv- zur Simultankomposition gewesen. Zum ersten Male in der Geschichte der Musik konzipiert der Komponist *das Kunstwerk als ein Ganzes und Einheitliches*, dessen Elemente und Formen nicht wie im Mittelalter durch ererbte Muster und Schemata vorgebildet sind, das er vielmehr selbst nach individuellem Ermessen zur Form gestalten kann. Der Vorgang hat seine Parallelen in anderen Gebieten des geistigen Schaffens. So gibt die Malerei die mittelalterliche Superposition erzählender Bildszenen auf und gelangt zur einheitlichen Konzeption und »Komposition« des Tafelbildes. So erhebt Masaccio die Zentralperspektive zu einem maßgeblichen Gestaltelement, das die Konzentration des Bildes auf einen einzigen Blickpunkt fordert. In der Architektur ist etwa Brunelleschis Rückgriff auf die primären Formen des Kubus und des Kugelsegments zu vergleichen. In der Musik weicht die sukzessive Kompositionstechnik, die von den Anfängen der Mehrstimmigkeit an bis in die Mitte des 15.Jahrhunderts geübt worden war und die noch im 14.Jahrhundert Aegidius von Murino beschrieben hat, der simultanen Konzeption und damit einer planmäßigen »Komposition«, wie man sie vorher nicht gekannt hatte. Das Vorgeformte verschwindet ebenso wie das Willkürliche und Bunte des mittelalterlichen Musikwerks, das Flickenhafte und das Schematische, und an seine Stelle tritt das von dem schaffenden Individuum so und nicht anders konzipierte, einmalige und unverwechselbare Kunstwerk. Josquins Psalmen oder seine Davidsklage sind (wie Hunderte anderer Werke zahlreicher Komponisten) beredte Zeugnisse für den Durchbruch eines individuellen künstlerischen Willens in der Musik. Es hat lange gedauert, bis die Überreste der mittelalterlichen Liedformen, die Isorhythmie, die mittelalterlichen Stimmengruppierungen, die cantus firmus-Technik, die Mensurkünste, die Kanonik oder dergleichen überwunden wurden; als Schaustück oder als gattungsbedingte Konstruktionsgrundlage hat manches davon (unter Umständen mit gewandeltem Sinn wie z. B. der Choral-cantus firmus in der protestantischen Kirchenmusik) das Zeitalter überdauert. Die entscheidende Wendung aber hat die Josquin-Generation vollzogen, wie die Zeitgenossen selbst gesehen haben, und damit hat die Renaissance der Nachwelt ihr größtes, seit nunmehr einem halben Jahrtausend längst selbstverständlich gewordenes Dauergeschenk hinterlassen: *die Freiheit der individuellen künstlerischen Gestaltung*.

Das Formbedürfnis des Zeitalters hat sich nicht in der Herausbildung feststehender Formschemata, sondern in einer unübersehbaren Fülle gänzlich freier Möglichkeiten der Formgebung niedergeschlagen. Das Kunstwerk trägt sein Gesetz in sich: ein Messensatz von Ockeghem oder La Rue, eine Motette von Josquin oder Lasso, ein Madrigal von Arcadelt oder Willaert sind in sich vollkommen ausgewogen und befinden sich in einem zarten, labilen Gleichgewicht, das durch Hinzufügen oder Wegnehmen einer Stimme (wofür es zahlreiche Beispiele gibt), durch Verlängerung oder Verkürzung sofort empfindlich gestört wird; schon die Unterlegung nicht ursprünglicher Texte kann, wie man leicht am Beispiel der von Lassos Söhnen im Druck des ›Magnum opus‹ kontrafizierten Motetten studieren kann, die Wirkung beeinträchtigen. Formschemata gibt es nur in halbvolkstümlichen Liedgattungen wie Villotten oder Villanellen, den Barformen deutscher Lieder, gewissen Reprisenformen in Motetten; aber diese Formen werden sehr locker und freizügig gehandhabt, streng wohl überhaupt nur in den vielen Tanzgattungen.

Zur Kennzeichnung des Renaissance-Zeitalters in dieser Hinsicht ist nicht unwichtig zu beobachten, daß sich mit dem Barock die Tendenz zur Herausbildung mehr oder minder fester Formschemata einstellt. Die Charaktergattungen der hohen Renaissance jedenfalls, die Motette und das Madrigal, haben sich vollste Freiheit der Formgebung gewahrt. Hieraus ist den Komponisten eine Überfülle von elementaren Gestaltungsmöglichkeiten zugewachsen, in melodischer, harmonischer, rhythmischer und klanglicher Hinsicht, zu denen es in früheren Jahrhunderten keine Analoga gibt. Entscheidend dürfte sein, daß die formale Konzeption und Komposition des Kunstwerks nicht mehr von vorgegebenen Maßverhältnissen »cantus prius facti«, Strophenschemata und dergleichen, sondern vom Klang ausgeht, wie das von Josquin ausdrücklich berichtet wird. Zum ersten Male in der Geschichte der Musik wird der Klang das »principium agens« des Schaffens, und damit hat die Renaissance späteren Zeiten ein weiteres Geschenk hinterlassen, das sich bis in die Gegenwart hinein nicht abgenutzt hat und erst durch die »Rückkehr zum Mittelalter«, die das 20.Jahrhundert mit der Unterwerfung des Komponisten unter vorgegebene Denkschemata vollzogen hat, antiquiert worden ist.

Der Klang aber, aus dem die Konzeption erwächst, ergibt sich aus der vollen und gleichmäßigen *Ausschöpfung des Tonraumes*, der äußerstenfalls der menschlichen Singstimme nach oben und unten zugänglich ist. Zum ersten Male werden nicht ausgewählte, vorbestimmte Klanglagen, sondern wird die Gesamtheit desjenigen Klangraumes genutzt, der noch heute die Mitte des musikalisch nutzbaren Umfangs bildet (praktisch etwa vier Oktaven). Innerhalb dieses Raumes herrschen Äquivalenz, Äquipollenz und Äquilibrium: eine Musik, in der jede Stimme uneingeschränkt, gleichwertig, gleichmächtig am Ganzen weben kann und jede Stimme ein der Gesamtheit des Satzes innig verwobenes Individuum bildet, verdankt die Menschheit der Renaissance. Das ist eine weitere Errungenschaft von unabsehbarer Tragweite gewesen. Dieser Klangraum ist nach innen hin nicht nur ausgenutzt, sondern vollkommen erforscht und durchschritten worden, indem die zwölf Töne der Oktave berechnet und verwendet wurden, ihr Zusammenhang im Quintenzirkel erkannt wurde; nach E. E. Lowinsky (Music in the Culture of the Renaissance, in Journal of the History of Ideas 15, 1954, S. 509–553) hat Willaert im Jahre von Magelhaens' Erdumsegelung (1519) erstmals die zwölf Stufen des Quintenzirkels »umsegelt«. Vicentino experimentierte mit Fünfteltönen und einer 31stufigen Aufteilung der Oktave.

Der Streit um die Intervall- und Skalenverhältnisse der griechischen Musik, um Intervallberechnungen und Tonsysteme hat das ganze Zeitalter hindurch angedauert. Erst Ramos de Pareja hat 1482 theoretisch die Konsonanz der Terz und der Sext anerkannt, und die Kommaschwierigkeiten, die aus einer vollen Ausschöpfung der zwölftönigen Skala resultierten, haben erst Aron (1523), Zarlino (1571) und Salinas (1577) durch die Einführung der »mitteltönigen« Temperatur überwunden.

Prinzipiell ist im Zeitalter der Renaissance der erworbene und genutzte Klangraum nach allen seinen diatonischen und chromatischen Möglichkeiten erprobt und erschöpft worden; was späteren Jahrhunderten im Bereich dieses diatonisch-chromatischen Systems zu tun übrig blieb, war die Differenzierung und Neukombination dieser Möglichkeiten, aber nicht eigentlich die Entdeckung von Neuland.

Zu den grundlegenden geschichtlichen Errungenschaften des Zeitalters gehört ferner das vollkommen neuartige Verhältnis, das die Musiker zur Sprache, zum Wort und zum Vers, zur Prosodie und zum Metrum, zum Vorstellungs- und Gefühlsinhalt ihrer

Texte fanden. Die Musiker des Mittelalters hatten keine unmittelbare Beziehung zu ihren Texten gehabt; das Verhältnis zwischen Wort und Ton war indifferent geblieben. So ziemlich jeder Musik ließen sich so ziemlich alle beliebigen Worte unterlegen, und in welcher Form der Komponist seinen Text vertonte, hing nicht von ihm, sondern von Zweck und Sitte, von Tradition und Konvention ab. Gewiß gilt auch für das *Wort-Ton-Verhältnis*, daß es lange gedauert hat, bis Konventionen und Traditionen dieser Art völlig überwunden waren. Aber schon Ockeghem, noch mehr Josquin und erst recht alle Späteren nehmen eine ganz entgegengesetzte Stellung zum Wort ein: die Musik entsteht aus dem Wort als »imitazione della parola«. Die »orazione« wird zum Quell der Musik, zur »cosa principale« der Komposition. Bleibt die Unterlegung der Textworte unter die Noten einer Stimme anfangs noch vielfach der Willkür des Ausführenden überlassen, so verengert sich doch bald der Spielraum. In zahlreichen Werken der Josquin-La Rue-Gruppe ist die Silbenverteilung nach deklamatorischen Grundsätzen schon fast eindeutig; in der Willaert-Gombert-Gruppe gibt es nur noch wenige Zweifel. 1559 hat Zarlino in seinen ›Istitutioni‹ die Gesetze der Textlegung in zehn berühmte Regeln gefaßt, und um 1570 hat Gasperus Stoquerus (Stocker) dieser Frage sogar einen eigenen Traktat gewidmet.

Aus zwei Brunnen also entspringt die Konzeption, aus dem Klang und aus dem Wort. Josquin wird von den Schriftstellern ausdrücklich bescheinigt, daß er nach dem Sinn und Akzent der Worte komponierte, und es gibt kein höheres Lob für ihn. Dem Text entnimmt der Musiker den Affekt und das Bild, und diese stellt er mit den spezifischen Mitteln der Musik, mit der »armonia« und dem »numero« dar. Damit ist auch gegenüber dem Wort eine Haltung freier und unabhängiger Entscheidung gewonnen.

Hatten im Mittelalter die traditionellen Textmuster die Komposition präformiert, ohne daß der Musiker zu ihnen in irgendein individuelles Verhältnis zu treten brauchte, so schöpft er nunmehr den (in zweifellos sehr vielen Fällen auch selbstgewählten) Text nach eigenem Ermessen aus. Damit hängt *der hohe literarische Stand* der in der Renaissance komponierten Texte zusammen. Schon Busnois und Morton haben (wie alle am burgundischen Hofe wirkenden Komponisten) Verse bedeutender Dichter vertont (Chastellain, Molinet, Christine de Pisan). Mit der italienischen Frottolistengruppe treten Namen wie Serafino d'Aquila, Galeotto del Carretto, Veronica Gambara, Luigi Pulci, Cariteo, Poliziano in Verbindung mit der Musik. In demselben Frottolistenkreis erhielt durch Pietro Bembo der Petrarchismus einen starken Auftrieb, und kein Dichter irgendeiner Nation ist im 16.Jahrhundert so viel vertont worden wie Petrarca. In eben demselben Kreis aber erwachte auch (wie fast gleichzeitig in Deutschland) das Interesse für die Komposition römischer Dichter, besonders Horaz und Vergil. Die Vergil-Komposition hat von Josquin an über Ghiselin-Verbonnet, de Orto, Mouton, La Rue, Brumel, Willaert hochbedeutende Vertreter gefunden bis hin zu Arcadelt und Rore; ihr letzter und glänzendster Repräsentant ist Lasso. Mit dem Beginn der Madrigalkomposition setzt dann eine schier endlose Reihe von höchst respektablen Dichternamen ein wie Michelangelo, Vittoria Colonna, Sannazaro, Ariost und viele andere bis hin zu Tasso, Gabriele Fiamma, Battista Guarini, Luigi Tansillo usw. In Frankreich komponierte man Marot, Baïf und Ronsard, in Deutschland Hans Sachs, Luther, Burkart Waldis und Kaspar Ulenberg.

Neben den hochliterarischen Texten läuft, schon durch Giovanni Giorgio Trissino (›Poetica‹, 1529) deutlich von ihnen unterschieden, eine Schicht halbvolkstümlicher Literatur einher, die sich in den italienischen Villotten und Villanellen, den Pariser Chansons, den deutschen »Reuter- und Jägerliedlein«, den englischen Carols und so überall mannigfach mit den literarischen Texten überschneidet und einer entsprechenden, sei es wirklich halbvolkstümlichen, sei es das Volkstümliche persiflierenden Musik die Unterlagen liefert. Übrigens ist auch auf diesem Felde wieder Lasso die späteste Prominenz gewesen.

Zu dem in den Nationalsprachen und den Dialekten ausgebreiteten Reichtum kam schließlich die große Auswahl an neulateinischer Dichtung, die für die Gelegenheitskompositionen sehr wichtig war, und kam vor allem die lateinische Prosa der Liturgie und der Bibel. In der Renaissance ist jede Beschränkung in der Wahl biblischer oder liturgischer Texte für die Komposition dahingefallen; offenbar haben die Komponisten ganz nach freiem Ermessen gewählt, dabei auch (schon seit Josquin) viele Texte, die nicht für gottesdienstliche Zwecke verwendet wurden. Bemerkenswert ist auch die Vorliebe für die Passionstexte der Evangelien wie für Passionsdichtungen, für Hiob und Jeremias, bemerkenswert auch die in der Spätrenaissance beginnende Hinneigung der Komponisten zum Hohen Liede (dem Palestrina das ganze vierte Buch seiner fünfstimmigen Motetten, 1584, gewidmet hat); doch hat diese Dichtung freilich den Gipfel ihrer Beliebtheit erst bei den Musikern des Barock erreicht.

In kaum einer Epoche der Musikgeschichte ist der *literarische Anspruch* der Musiker so hoch gewesen wie in der Renaissance. Hierin spiegelt sich nicht nur der Anspruch der Gesellschaft, der diese Musik diente, sondern auch das enge persönliche Verhältnis des Musikers zum Dichter, des Tons zum Wort, wie es die Theoretiker immer wieder gefordert haben und wie es seitdem längst zu einem der selbstverständlichen Besitztümer der abendländischen Musik geworden ist. Mit dem Beginn des Barock hat auch auf diesem Felde eine Spaltung eingesetzt: die eigentliche hohe Literatur geht eigene Wege, und von Guarini, Ottavio Rinuccini und Gabriello Chiabrera an bis hin zu Pietro Metastasio (und weit darüber hinaus) gibt es für die Zwecke der Komposition eine eigene »poesia per musica«. In der neuen Beziehung zwischen Sprache und Musik, die das Renaissance-Zeitalter errungen hat und die eng mit der gesamten humanistischen Bewegung zusammenhängt, hat die Epoche den Grund für den Ausdruck des Menschlichen in Tönen gelegt und ist damit für Jahrhunderte zum Fundament alles musikalischen Wollens und Denkens geworden.

Eine große Reihe weiterer Errungenschaften der Renaissance auf musikalischem Gebiet, obwohl gleichfalls von nicht geringer geschichtlicher Bedeutung, tritt gegen diese fundamentalen Leistungen zurück. Das gilt etwa für die allmähliche Verselbständigung der Instrumentalmusik, für die beginnende Stilisierung der Tanzmusik, für die fortschreitende Durchdringung des polyphonen Satzes mit akkordischen Elementen, für die Verdrängung der modi durch das Dur-Moll, für die langsame Ausbildung eines akzentuierten Rhythmus und eines taktmäßigen Empfindens im Gegensatz zu den rein metrischen Ordnungen des Mittelalters, die noch das 15. Jahrhundert hindurch großenteils herrschen, für die Entwicklung eines konsonanzbetonten, regelhaft geordneten »reinen Satzes« und somit einer Kontrapunktlehre, die wiederum ein Erbstück bis in das 19. Jahrhundert hinein geblieben ist. Dazu kommen aufführungspraktische Neuerungen wie der polyphone Chorgesang, sei es a capella, sei es in den verschiedensten Mischungen mit Instrumenten, die Techniken der Chorspaltung und der Mehrchörigkeit in ihrer antiphonierenden Form (die der Barock alsbald in das mehrchörige Konzert steigert), die Ausführung instrumentaler oder auch gemischt vokal-instrumentaler Musik durch Chöre gleichartiger Instrumente und eine reiche Praxis der ins Belieben des Ausführenden gestellten Kombination von Singstimmen mit Instrumenten, aus der sich am Ende des Zeitalters die Praxis des Sologesangs zur Begleitung des instrumentalen Ensembles oder des Akkordinstruments herausbildet, eine Praxis, die mit dem Beginn des Barock zur festgelegten Instrumentierung oder zur grundsätzlichen Trennung instrumentaler und vokaler, solistischer und chorischer Anteile vorschreitet.

Auf dem Gebiet der Notation hat die Renaissance das Verdienst, die älteren überkomplizierten Schriftweisen abgestoßen und die Mensuralnotenschrift zu einer letzten Vereinfachung geführt zu haben. Das Ergebnis dieses Vorganges war eine *Notenschrift*, die sich seitdem kaum geändert hat und geradenwegs in die heute übliche Form gemündet ist. Für die Notierung von Instrumentalmusik hat das Zeitalter die verschiedensten Arten von Tabulaturschriften ausgebildet (die das Mittelalter noch nicht gekannt hatte);

sie blieben großenteils noch bis weit in den Barock hinein im Gebrauch.

Auch das Notendruckwesen hat sich, mindestens grundsätzlich, im Barockzeitalter nicht geändert. Man blieb beim Stimmendruck im Typensatzverfahren, und auch die ersten Partiturdrucke, die noch das Renaissance-Zeitalter hervorgebracht hat (Lampadius 1537, Rore 1577), sind in dieser Weise hergestellt. Erst der Barock hat das Kupferstichverfahren aufgebracht. Alle solche Leistungen sind mehr oder weniger Nebenprodukte jener grundlegenden Wandlungen, in denen sich die Renaissance auch auf dem Felde der Musik als ein wahres Zeitalter der »Wiedergeburt«, wenn auch nicht der Antike, so doch des menschlichen Geistes schlechthin, offenbart.

Will man zu leichterer Übersicht und zu vereinfachter Verständigung an Hand dieser Wandlungen eine *Gliederung des Zeitalters in Phasen* versuchen, so ergeben sich kaum Schwierigkeiten, wenn man davon ausgeht, daß die wesentlichen Vorgänge in der niederländisch-italienischen Musikgeschichte des Zeitalters liegen und daß die Sonderleistungen der verschiedenen Nationen als solche gesondert zu bewerten, nicht aber mit den Fundamentalgeschehnissen zu verwirren sind.

Man wird das Zeitalter Dufays und seiner Schule als *Frührenaissance* auffassen dürfen, weil hier die ersten Wandlungen (mindestens im Spätwerk Dufays) schon vollzogen sind. Neue Gattungen, die vereinfachte Notation, das akkordliche Grundgefühl und der Vollklang, der neue Klangraum sind erworben, die innere Einheit und Gleichgewichtigkeit des Satzes, die Gleichberechtigung der Stimmen u. a. sind, mindestens in Ansätzen, nicht selten aber auch schon ausgeprägt vorhanden. Die Ockeghem-Busnois-Gruppe mit der gesamten burgundischen und französischen Musik von etwa den 1460er bis 1480er Jahren mag man als ein Zwischenstadium zwischen Früh- und Hochrenaissance ansehen, obwohl Ockeghem selbst der letzteren näher steht als der ersteren. Die häufig anzutreffende Auffassung dieser Gruppe als einer »nordischen Spätgotik« wird ihrer Leistung nicht gerecht; gotische »Überhänge« verdecken hier doch nur eine enge Beziehung zu der Entwicklung, die sich von Dufay zu Josquin vollzogen hat.

Eine *Hochrenaissance* verwirklicht sich dann (im Zeitalter der Päpste von Sixtus IV. bis zu Julius III., im Zeitalter Kaiser Maximilians I. und Karls V., König Ludwigs XII. und Franz' I., im Zeitalter der ersten Tudors und König Philipps II. und alles dessen, was an höchsten Leistungen der abendländischen Menschheit mit diesen Namen zusammenhängt) in den beiden Zentralgruppen, der ersten um Josquin-La Rue-Obrecht, der zweiten um Gombert-Willaert-Clemens non Papa. Hier sind alle die großen musikalischen Errungenschaften in vollem Umfang ans Licht getreten,

Simultankonzeption und neues Wort-Ton-Verhältnis bestimmen die Komposition, und die individuelle Freiheit der künstlerischen Gestaltung ist fessellos vollendet. Zwischen den beiden Gruppen besteht kein Rangunterschied und kein Unterschied des künstlerischen Wollens. Der Unterschied liegt eher im Technischen und im Klanglichen, in stilistischen Änderungen im einzelnen, in der stärkeren Betonung neuer Gattungen, in der intensiveren Durchsetzung des akkordlichen Grundgefühls italienischer Provenienz. Nicht umsonst haben diese beiden Zentralgruppen im Selbstverständnis des Zeitalters (siehe Abschnitt II) gleichen und höchsten Rang eingenommen.

Erkennt man diese Gliederung an, so ergibt sich als *Spätrenaissance* die Schicht derjenigen Musiker, die etwa altersgleich mit Lasso, Palestrina und de Monte sind. In ihr treten die Wirkungen der Gegenreformation, die Tendenz zu pathos-gesteigertem Affekt und devotioneller Selbstentäußerung hervor, in ihr beginnt das akkordisch-tonale Denken die echte Linearpolyphonie langsam zu verdrängen. Der Fundamentsatz bereitet sich vor, und mit dem beginnenden Antagonismus Diskant-Baß wird sich bald ein völlig neuartiges Formgefühl einstellen. Sinnliche Freude an der Farbe und vitaler Genuß der äußersten seelischen Erschütterung treten an die Stelle der maßvollen Mitte und der schwebenden Harmonie des Kunstwerks. Der Barock wirft seine Schatten voraus. Die Renaissance ist zu Ende.

FRIEDRICH BLUME
Barock

I. Die Anwendung des Wortes Barock auf die Musik

In der Musikgeschichte wird unter *Barock* vorwiegend eine Stilepoche verstanden. Sie erstreckt sich, roh gesagt, vom Ausgang
des 16. bis gegen die Mitte des 18. Jahrhunderts (die zeitliche
Begrenzung wird in Abschnitt VII genauer erörtert). Die Merkmale, die den Kunstwerken und dem Klangideal dieses Zeitalters
eigentümlich sind und die in ihrer Gesamtheit den spezifischen
Stilcharakter der Epoche bestimmen, werden »barock« genannt.
Damit ist gesagt, daß nicht alle Stileigenschaften eines jeden in
diesem Zeitraum entstandenen Musikwerkes »barock« sind oder
zu sein brauchen, die der Epoche angehörenden Schöpfungen vielmehr neben »barocken« auch andere Stilelemente enthalten können (vergleiche Abschnitt VI). Definitionsgemäß handelt es sich
also vordergründig um eine Frage des Stils. Die Frage, inwieweit
dieser (wie überhaupt jeder) Stil den Ausdruck eines allen künstlerischen Äußerungen seiner Epoche gemeinsamen künstlerischen
Willens bildet und ob ein solcher gemeinsamer künstlerischer Wille
weiterhin auf eine tiefere Schicht gemeinsamer geistiger und seelischer Verhaltensweisen der Epoche zurückgeführt werden kann,
leitet zu dem jenseits des Stils liegenden Problem, ob eine solche,
vom Stil her gewonnene Abgrenzung einer Epoche etwas über die
geistigen Grundlagen des Zeitalters auszusagen vermag (vergleiche
Abschnitt III–IV).

In weiterem Sinne wird das Wort »barock« auf die Musik ebenso
wie auf bildende Kunst und Dichtung häufig angewendet, um nicht
eine geschichtliche Epoche, sondern gewisse individuelle Eigentümlichkeiten eines Meisters oder eines Werkes zu bezeichnen, die

sich etwa durch den Eindruck des Exzentrischen oder Bizarren von ihrer Umgebung abheben, die zur Überspannung oder Überspitzung der Stilnorm ihres Zeitalters neigen oder die sich mit absichtsvoller Kopie an die Musik der Barock-Epoche anlehnen. In diesem weiteren Sinne kann man bei einem Werk wie Ockeghems ›Missa prolationum‹ von einer »barocken Gotik« in analoger Anwendung des Wortes sprechen, wie man etwa Wagners ›Tristan‹ »barocke Romantik« oder Bruckners letzte Symphonien »romantischen Barock« nennen oder den ›Rosenkavalier‹ von Richard Strauss – maliziös zugespitzt – »Jugendstil mit Barockstaffage« etikettieren könnte.

Im Wesen der Romantik – zumindest der deutschen – liegt eine tiefe Verwandtschaft mit dem Barock. Nicht von ungefähr hat Shakespeare in der Übersetzung von Schlegel und Tieck seine weiteste Verbreitung, in Mendelssohns Musik zum ›Sommernachtstraum‹ seine einprägsamste Komposition gefunden. Nicht von ungefähr ist Johann Sebastian Bach durch die Frühromantik erweckt worden. Bachs Oratorien und späte Kantaten sind in großen Teilen »romantischer Barock« und haben eben darum bei den Romantikern unreflektierten Widerhall gefunden. Jedoch liegt auf der Hand, daß jede derartige Anwendung des Wortes »Barock« mehr oder minder Sache des individuellen Empfindens und somit der Willkür ausgesetzt ist. Gegenüber dem »Romantischen« ist oft das »Holzschnittartige« in Bachs Stil als eine Art »letzte Gotik« empfunden worden. Bei aller Willkür prägt sich in solcher Wertung das an und für sich nicht unbegründete Gefühl der Verwandtschaft von spätester Gotik und spätestem Barock auf der Ebene eines überzeitlichen gemeindeutschen Kunstempfindens aus, ein Gefühl, das in der Romantik zur Bewußtheit gesteigert worden ist und damit zur Historisierungsbewegung des 19. Jahrhunderts wesentlich beigetragen hat. Willkürliche Anwendungen des Wortes Barock auf die Musik wie diese entziehen sich jedoch der Definition und fallen für die vorliegende Erörterung aus.

Die Frage liegt nahe, ob eine dritte Anwendung des Wortes »Barock«, diejenige im Sinne einer periodischen Erscheinung der Menschheitsgeschichte, für die Musik erheblich sein kann. Nach der These von E. d'Ors (Du Baroque, Paris 1935) kommt »Barock« in allen Kulturen vor (Inkas, hellenistisch, römisch, nordisch usw.; hier z. B. die »gothique flamboyante« als »gotischer Barock«) und ist das Merkmal minder entwickelter oder in der Rückentwicklung befindlicher Völker oder Zeiten gegenüber der »Klassizität« höchster Entwicklungsstufen. Eine solche Hypothese ist von der Erfahrung der europäischen Barock-Epoche abgezogen; Antithesen wie »Intellektualität« des Klassischen gegen »Vitalität« des Barocken auf die Musik anzuwenden, wäre von verführerischer Gefährlichkeit. Doch bleibt diese Auffassung für die Musik irrelevant, weil für sie nur in der abendländischen Kultur des letzten Jahrtausends genügend gesicherte Vergleichswerte zur Verfügung stehen.

Die von H. Focillon (Vie des Formes, Paris ²/1939) vertretene Ansicht, daß »Barock« eine letzte Altersstufe eines jeden Stils sei, kann aus dem gleichen Grunde für die Musik wiederum nur auf die Epoche des 17. und 18.Jahrhunderts angewendet werden. Hier trifft sie mit der allgemein gebräuchlichen, auf Wölfflin zurückgehenden Anwendung insofern zusammen, als für die historische Epoche, die Renaissance und Barock umfaßt und etwa von der Mitte des 15. bis gegen die Mitte des 18.Jahrhunderts reicht, ein starker innerer Zusammenhang des Stils zu beobachten ist und der Barock in dieser übergeordneten Epoche in gewissem Sinne als »Altersstufe der Renaissance« erscheint. Dabei aber darf keinesfalls außer acht gelassen werden, daß dieses »Altern« gleichzeitig in einer durchgreifenden »Verjüngung« besteht, indem sich in allen Künsten des Barock-Zeitalters neue Kräfte durchsetzen und die alternden Formen der Renaissance zu völlig neuen umgestalten (vergleiche Abschnitt VI).

Endlich ist für die Anwendung des Terminus »Barock« auf die Musik zu bedenken, daß diesem Wort ursprünglich nicht der Sinn eines Stilbegriffs zukommt und daß es (vergleiche Abschnitt III) im Laufe der Zeit die Bedeutung einer bestimmten seelisch-geistigen Verhaltensweise angenommen hat; im allgemeinen Sprachgebrauch aller Sprachen ist es mit dem pejorativen Beigeschmack des Außernormalen, Exzentrischen oder Übertriebenen behaftet und kann in diesem Sinne auf die verschiedensten Tätigkeiten und Äußerungen des Menschen angewendet werden.

Dies ist wohl der Grund, weshalb das Wort die Neigung bewahrt hat, sich von der wissenschaftlichen Bestimmtheit eines stilgeschichtlichen Terminus in die Zerfließlichkeit geistiger und seelischer Tendenzen zu verlieren, und weshalb seiner willkürlichen Anwendung auf die Musik keine Grenzen gesetzt sind. Im folgenden wird das Wort »Barock« ausschließlich im Sinne eines *stilgeschichtlichen Begriffs* und als *Bezeichnung für die anfangs angegebene Geschichtsepoche* angewendet.

II. Die Einführung des Wortes Barock in die Musikgeschichtsschreibung

Das Wort »Barock« im Sinne einer Stilepoche, und zwar eines einmaligen, mehr oder minder bestimmt abgrenzbaren historischen Zeitabschnittes der abendländischen Musik, hat sich erst um 1920 eingebürgert. H. Riemann (Handbuch der Musikgeschichte, Band 2, Teil 2, zuerst 1911) verwendet es noch nicht für seine Einteilung. Sein »Generalbass-Zeitalter« nimmt den Namen von einem technischen Merkmal her, das in der Hauptsache dem Barockstil zugehört, und deckt sich infolgedessen hinsichtlich seiner Grenzen annähernd mit der Stilepoche des Barock. G. Adler (Handbuch der Musikgeschichte, zuerst 1924) vermeidet gleichfalls das Wort für seine Gliederung und bezeichnet den geschichtlichen Abschnitt als »3. Stilepoche«. Hingegen gebraucht H. J. Moser (Geschichte der deutschen Musik, Band 2, zuerst 1922) eine Einteilung in »Frühbarock« und »Hochbarock«. In dem von E. Bükken herausgegebenen ›Handbuch der Musikwissenschaft‹ heißt der von R. Haas verfaßte Band, der das Zeitalter behandelt, »Musik des Barocks« (1928).

Der Einführung des Terminus als Bezeichnung einer Stilepoche in die deutsche Musikgeschichtsschreibung ist bestimmend C. Sachs vorangegangen, der seinerseits an Arbeiten von H. Wölfflin (Renaissance und Barock, zuerst 1888; Kunstgeschichtliche Grundbegriffe, zuerst 1915) und A. Riegl (Entstehung der Barockkunst in Rom, 1908) angeknüpft und die Betrachtungsweise der bildenden Künste sowie ihre Terminologie auf die Musik übertragen hat (Kunstgeschichtliche Wege, 1918; Barockmusik, 1919). Weiteres kunstgeschichtliches Schrifttum gewann im Lauf der Zeit Einfluß auf die Musikgeschichtsschreibung (W. Weisbach, Der Barock als Kunst der Gegenreformation, zuerst 1921; derselbe, Barock als Stilphänomen, in Deutsche Vierteljahrsschrift für Literaturwissenschaft und Geistesgeschichte 2, 1924; W. Pinder, Das Problem der Generation, zuerst 1926; E. Mâle, L'Art religieux après le Concil de Trente, 1932), und indirekte Einwirkung erfolgte von seiten der Literaturgeschichte, die ihrerseits wieder von der Kunstgeschichte her angeregt war (H. Cysarz, Vom Geiste des deutschen Literaturbarock, in Deutsche Vierteljahrsschrift für Literaturwissenschaft und Geistesgeschichte 1, 1923; derselbe, Deutsche Barockdichtung, zuerst 1924; J. Nadler, Literaturgeschichte der deutschen Stämme, Band 1, 1920).

Die Einführung des »Barock« im Sinne einer *empirischen Stilperiode* mit positiven eigenen Leistungen, die zwar der Renaissance eng verwandt war und aus ihr hervorging, sich von ihr aber durch eigene Lebenskräfte, eigene Sinngebung und eigene Formen unterschied, das war der Vorgang, der sich um 1920 vollzog. Voraussetzung dazu war eine Umwertung des Wortes aus seiner allgemeinen Bedeutung im vagen Sinne von geistigen Tendenzen zu einem bestimmt faßbaren Gestaltungsvorgang der geistigen Geschichte. Diese Umwertung ist es, mit der die Kunstgeschichtsschreibung vorangegangen ist. Sie bestand in zwei an und für sich selbständigen, einander jedoch entsprechenden Erkenntnissen: einmal daß – rein stilgeschichtlich gesehen – der Barock keine bloße Alters- oder Verfallserscheinung der Renaissance, sondern eine

171

selbständige Leistung höchsten Ranges gewesen, und zum anderen, daß diese Leistung auf dem Boden einer von der Renaissance wesentlich verschiedenen geistigen Verfassung gewachsen ist. Nachdem sich diese Erkenntnisse, in der Hauptsache durch C. Sachs, auch für die Geschichte der Musik als gültig erwiesen hatten, war die Voraussetzung gegeben, auf Grund derer das Wort »Barock« in der deutschen Musikgeschichtsschreibung seit etwa 1920 Bürgerrecht erwerben konnte.

Von hier aus ist »Barock« als *musikgeschichtlicher Begriff* in das amerikanische Schrifttum übergegangen (M. Bukofzer, Allegory in Baroque Music, 1939; derselbe, Music in the Baroque Era, 1948; eine Zeitschrift wurde begonnen unter dem Titel Journal of Renaissance and Baroque Music, herausgegeben von A. Carapetyan und L. Schrade, Band 1 erschien 1947). In die französische Forschung scheint der Begriff noch nicht Eingang gefunden zu haben. Die von N. Dufourcq herausgegebene Musikgeschichte (La Musique des origines à nos jours, 1946) verwendet für ihre Periodengliederung das Wort »Barock« nicht, und noch in Dufourcqs Bach-Werk (J. S. Bach, Le Maître de l'Orgue, 1948) wird es geflissentlich vermieden. Ebenso ist die englische Musikforschung mit dem Gebrauch sehr zurückhaltend. So vermeidet z. B. J. A. Westrup (Purcell, zuerst 1937) den Ausdruck, und E. H. Meyer (English Chamber Music, 1946) führt ihn nur sehr vorsichtig ein. Soweit zu übersehen, gibt es in der französischen und englischen Literatur bisher auch noch keine kritische Erörterung über die Anwendung des Begriffes auf die Musik. 1948 hat die belgische Forscherin S. Clercx (Le Baroque et la Musique) einen Vorstoß zur Untersuchung des »Barock« in der Musik unternommen. Scharfe Ablehnung hingegen erfährt die Einführung des Begriffes im Sinne einer selbstwertigen Stilepoche in der italienischen Musikgeschichtsschreibung. Hier halten A. Della Corte (Il Barocco e la Musica, 1933) und Della Corte zusammen mit G. Pannain (Storia della Musica, Band 1, 1942) im Anschluß an B. Croce (Storia dell'età barocca in Italia, 1929) an dem herabsetzenden Sinne des Wortes »Barock« fest und fassen die 1. Hälfte des 17. Jahrhunderts als die eigentliche »klassische« Musik des Renaissance-Zeitalters auf, der erst in den »Verfallserscheinungen« der 2. Jahrhunderthälfte ein »barockes« Element entgegentrete. (Wie unter einem solchen Gesichtspunkt der Begriff der »Renaissance« in der Musik und die historische Funktion des 16. Jahrhunderts sich verschieben, muß hier unerörtert bleiben.) Das »Barocke« erscheint hier im Sinne des älteren Sprachgebrauchs als Verschlechterung, wo nicht Verirrung des Geschmacks, als Mangel an schöpferischem Vermögen, ja, als Dekadenz. Die Ursache liegt zum Teil darin, daß der Begriff des »Barock« bei Della Corte allzu eng auf das Wunderbare, Verblüffende, Effektsüchtige begrenzt und, weil diese Formel auf die 1.Hälfte des 17.Jahrhunderts nicht zu passen scheint, einem anderen Zeitabschnitt zugeordnet wird. Doch ist nicht zu verkennen, daß hinter dieser interpretativen Differenz zwischen der italienischen und der deutschen Auffassung des Wortes »Barock« eine doppelte Problematik sich verbirgt: eine sprachliche, indem das Wort »Barock« in den verschiedenen Sprachen mit verschiedenen Bedeutungen und Nebenbedeutungen erfüllt ist, und eine geschichtliche, indem die Frage nach der Gleichzeitigkeit der Künste auftaucht. Das erstere Problem bedürfte einer sprachgeschichtlichen Untersuchung, das letztere soll in Abschnitt IV erörtert werden.

III. Der Sinn des Wortes Barock in der Musik

Etymologisch wird das Wort heute meist abgeleitet von »barucco« oder »barocco«, das ursprünglich »schiefrund«, etwa als Form einer Perle, bedeutet und dann den weiteren Sinn des Ungewöhnlichen, aus der normalen Form Geratenen, des Exzentrischen, Verschrobenen, Skurrilen, ja Geschmacklosen und Dekadenten annimmt. Dem entspricht der abschätzige Beigeschmack, der dem Worte auch in seiner Anwendung auf künstlerische Hervorbringungen von jeher angehaftet und den es in den romanischen Sprachen anscheinend noch nicht verloren hat. Französische, italienische und englische Wörterbücher erklären das Wort auch heute noch an erster Stelle in diesem Sinne.

Als Bezeichnung für einen Kunststil erscheint das Wort wohl zuerst in Denis Diderots ›Encyclopédie‹, 1750ff., wo in einem von Jean-Jacques Rousseau stammenden Artikel »barock« als Adjektiv für Architektur angewendet und mit dem Bizarren, Übertriebenen gleichgesetzt wird (Francesco Borromini erscheint dabei, richtig gesehen, als geschichtliche Parallelerscheinung zu Guarino Guarini). Im gleichen Sinne kommt das Wort schon 1739–1740 in den ›Lettres familières‹ des Präsidenten De Brosse vor; daß es dort den pejorativen Beigeschmack mit dem »Gotischen« teilt, beweist, daß dabei, ähnlich wie bei heutigen Vergleichen dieser Art, bereits der Sinn einer Späterscheinung alternder Stile vorschwebt. Im herabsetzenden Sinne ist das Wort dann das ganze 19.Jahrhundert hindurch für bildende Künste und Literatur verwendet worden (so u. a. Jacob Burckhardt, Cicerone), ohne jedoch spezielle Beziehungen zur Musik anzunehmen (Geschichte des Begriffs in Journal of Aesthetics and Art Criticism 5, 1946).

Erst die nach Wölfflin und Riegl gewandelte Bedeutung des Wortes im Sinne einer *positiven Kunstleistung* und eines *selbständigen Stils* führte durch C. Sachs zur Verknüpfung mit der Musik. Sie ist, wie S. Clercx wohl richtig sieht, vor allem auf dem Umwege über die Sinndeutung des »Barock« als Kunst des Jesuitismus und der Gegenreformation zustande gekommen. Denn hier fanden sich auch für die Musik unschwer die geistigen Grundlagen und seelischen Tendenzen, die sie mit den anderen Künsten gemeinsam hat. Seit Weisbach und Mâle gilt die bildende Kunst des Barock in hervorragendem Maße als Ausdruck, ja als »seelenpädagogisches Wirkungsmittel« der »ecclesia militans« und der »ecclesia triumphans«.

Seit dem Bau von Il Gesù in Rom (seit 1568), in der Malerei seit Tintoretto und El Greco beginnt ein »Pathos« der künstlerischen Grundhaltung sich fühlbar zu machen, dessen leidenschaftliche Erregtheit zu der maßvollen Besonnenheit, dem »Ethos« der Renaissance in zunehmenden Gegensatz tritt, wenn auch die Formen, in denen es sich ausdrückt, nicht neu erfunden, sondern aus denen der vorhergehenden Zeit entwickelt werden. Das klare Wirklichkeitsgefühl des Renaissance-Zeitalters weicht mehr und mehr der Neigung zur Entrückung aus der Realität des Diesseits, zur mystischen Verzückung in das Jenseitige, zum Wunderhaften, Stupenden und Übersinnlichen. Die überschaubaren Abmessungen des Renaissance-Kunstwerkes werden gesteigert in das maßlos Grandiose, übersteigert in das nur noch zu Erahnende. Das Gleichgewicht des seelischen Beharrens wird verstört in das Übermaß des Wechsels und der Bewegung, in das Heroische und Gewalttätige, in das Erotische und Lustbetonte. Die »virtù« vornehmer Zurückhaltung und Beherrschtheit wandelt sich in den Drang nach Erfüllung und Schaustellung des »affetto«. Ein erhitztes Persönlichkeitsbewußtsein, ein an Narzißmus streifender Ich-Kult, ein hemmungsloses Bedürfnis nach Preisgabe der Seele in all ihren Qualen und Entzückungen, von der selbstzerstörerischen Zerknirschung peinvollen Sündenbewußtseins bis zur ekstatischen Auflösung in die himmlische Strahlenglorie der göttlichen Gnade verlangen nach unmittelbar verständlicher Darstellung und entwickeln zu ihrer Versinnlichung grobe und feine Mittel. Die überreiche Motivskala barocker Bildkunst im Geiste des Jesuitismus reicht von der athletischen Brutalität des Henkers bis zur morbiden Körperlosigkeit seines Opfers, wie die der Dichtung von der massiven Ballung schwerer Wortklumpen bis zur subtilen Esoterik des Spiels mit preziösen Vokalklängen. Nicht anders in der Musik, die in wenigen Jahrzehnten eine ungeheure Weitung ihrer Ausdrucksfähigkeit, ihres Motiv- und Figurenschatzes, ihres technischen Apparates und ihrer Klangmittel erfährt. Der Geist, den die Namen Ignatius von Loyola und Papst Paul IV. bezeichnen, hat das maßvolle Humanitätsgefühl der Renaissance gründlich zerstört und durch die Maßlosigkeiten zelotischen Eifers, lustvoller Askese, gewaltsamer Selbstdisziplinierung und mystischer Selbstentäußerung verdrängt.

Aus diesem Geiste wandelt sich das *Lebensgefühl der Künstler*. Die unbefangene Heiterkeit eines antikisch-arkadischen Schönheitsbedürfnisses, das die Wirklichkeitsferne seiner Gegenstände durch den lebensvollen Realismus seiner Ironie und Zeitbezogenheit aufhebt, wird verdrängt durch die düstere Glut einer ekstatisch erregten Frömmigkeit, deren Inbrunst sich aus der Nichtigkeit des Irdischen gegenüber dem Ewigen nährt. Von der Darstellung der sinnlich wahrnehmbaren Welt erfolgt eine Wendung zur Deutung der Seele. Diese Deutung will schaustellen, lehren, predigen, bekehren, überreden. Rhetorik und Gebärdenkunst liefern allen Künsten das Vokabular. Illusion und Allegorie werden als Mittel zu diesem Zweck eingesetzt. Das der Musik des Abendlandes von jeher innewohnende Sinnbildhafte, ihre Eigentümlichkeit, Zeichensprache für einen hinter ihr stehenden Sinn zu sein, ihre stets geglaubte Fähigkeit, durch ihre Tonformen bestimmte Seelenreaktionen hervorrufen zu können, das alles verleiht ihr im Barock geradezu eine Vorzugsstellung unter den Künsten: nirgendwo sonst können sich alle Wirkungen auf das eine Ziel der Überredung und der Katharsis konzentrieren wie in ihr. Die Opernszene wird Illusion wie der gemalte Kuppelhimmel, durch den die Heiligen aufschweben, das Altarbild gemaltes Jesuitentheater, das Wort Geste und die musikalische Figur Redeform (Georg Philipp Harsdörffer: »Die Reimekunst ist ein Gemälde, das Gemälde eine ebenstimmende Musik und diese gleichsam eine beseelte Reimekunst«).

Es ist überraschend zu sehen, wie schnell in gleicher geschichtlicher Zeit die Künstler und die Kunstleistungen aus diesem Geiste heraus verwandelt werden. Bartolommeo Ammanati spricht 1582 sein Bedauern über die nackten Figuren aus, die er auf seinen früheren Bildern gemalt hat, und verspricht, seinen Pinsel in den Dienst der gereinigten Lehre zu stellen. Torquato Tasso unterbreitet (nach 1581) seine schon im Druck erschienene ›Gerusalemme liberata‹ der Inquisition zur Reinigung und unterwirft sich völlig ihrem Urteil. Orlando di Lasso bereut im Alter die vorgebliche Laszivität seiner früheren Werke und komponiert – nachdem er eine Wallfahrt nach Loreto unternommen hat – sich selbst im Jahre seines Todes (1594) »per mia particolare devozione« den Zyklus der bußfertigen ›Lagrime di S. Pietro‹ von Luigi Tansillo, und selbst der fromme Palestrina hält es für nötig (1584), von angeblichen Jugendsünden mit Erröten und Bekümmernis abzurücken. Bald läßt sich die Kunst ohne viel Widerstand ganz offiziell der kirchlichen Zensur unterwerfen. Eine Zeitlang scheint es, als solle die Theologie über die Kunst triumphieren und alles verbannen, was nicht dem Dogma entspreche und der Erhöhung der Kirche diene.

Das Zeitalter, das Petrarca spiritualisierte, Boccaccio moralisierte und sich in der Kontrafaktur weltlicher Lieder wie in der

Parodie weltlicher Musikwerke nicht genug tun konnte, vermochte indessen nicht, die verpönte Freude am Sinnlichen und Erotischen auszuschalten. Im Gegenteil, je mehr man dagegen eiferte, um so unverhüllter trat unter der Bemäntelung durch den pädagogisch-dogmatischen Zweck die Gier nach der körperlichen und seelischen Entblößung hervor. Wie die Malerei eine schillernde Technik in der Behandlung des Nackten, so bilden Dichtung und Musik eine glitzernde Sprache sensueller Reizbarkeit und schmerzvoll-süßer Schmiegsamkeit aus, die alle Effekte der Renaissance weit in den Schatten stellt. Auf dem Wege über das Spirituelle und das Mystische wird die ganze Skala der Affekte, die sich zwischen dem Heroischen und dem Erotischen erstreckt, erst recht zum Thema der bildenden wie der redenden Künste und gibt der Musik Gelegenheit zur Entfaltung eines bis dahin ungekannten Sinnenzaubers. Je mehr es auf starke, handgreifliche Wirkungen ankommt, um so mehr beherrscht die Kunst der Antithetik Stoff und Darstellung.

Die Technik, schlagkräftige Kontraste zu erzielen, wird im Barock ein Hauptanliegen aller Künste. Für Gian Lorenzo Berninis Heilige Teresa, nach Weisbach der »Gipfel des barocken Illusionismus«, ist bezeichnend, wie »das Mysterium mit einem Theatercoup verquickt wird«. Die bräutliche Hingabe der schmachtenden Seele an Christus im Kontrast zu dem Eros, der den goldenen Pfeil in das Herz der Verzückten stößt, die tobende Wut des Bühnenhelden im Kontrast zur Süßigkeit des Liebeszaubers, das zugleich entsetzensvolle und lustbetonte Schlachtopfer des grausigsten Martyriums, die kokett verlockende Zärtlichkeit büßender Magdalenen, der wilde Sturz des heroischen Reiters vor der aufflammenden Erscheinung des Erlösers, das sind Themen, die in ihrer antithetischen Gewaltsamkeit der Malerei, der Plastik, der Dichtung wie der Musik des Barock ganz und gar gemäß wurden und an denen sich die Fähigkeit der Musik zur Aussprache der extremsten Gegensätze und der wildesten Leidenschaften ebenso wie die der anderen Künste ausgebildet hat. Hier wird deutlich, mit welchem Recht das Wort »Barock« auf die Musik im gleichen Sinne angewendet werden konnte, wenn man einmal dazu übergegangen war, den ehemals abschätzigen Ausdruck im Sinne einer positiven Stilschöpfung anzuwenden. Berninis Heilige Teresa (Rom, 1644), die Kuppel von Borrominis S. Carlo alle Quatro Fontane in Rom (1644), das Loyola-Bild mit der Heilung der Besessenen von Peter Paul Rubens (um 1620), die mystisierenden Dichtungen Giambattista Marinos und seines Kreises (um 1620) verwirklichen den gleichen Kunstwillen wie Alessandro Grandis Monodien (zwischen 1620 und 1630) und Orazio Benevolis Festmesse für die Einweihung des Salzburger Domes (1628).

Lag im *geistlichen Bereich* mit seiner Wendung zu einer neuen

Religiosität und deren künstlerischem Ausdruck der Einschluß der Musik in den Begriff des »Barock« besonders nahe, so ist doch nicht zu übersehen, daß eine analoge Wendung sich im Gebiet der *weltlichen Stoffe* abspielte. Wie in den bildenden Künsten die »maniera grande« unterschiedslos auf alle Motive der Malerei und Plastik, auf den profanen wie auf den sakralen Bau, in der Dichtung auf die irdischen wie auf die spiritualisierten Stoffe des Dramas oder der Lyrik, so wurden in der Musik die einmal erweckten Mittel der Affektendarstellung, der Bewegung und der Farbigkeit unterschiedslos auf alle Gegenstände zur Anwendung gebracht. Nietzsches Ansicht (Geburt der Tragödie), die Oper sei das »Oppositionsdogma« vom guten Menschen gegen die kirchliche Vorstellung vom verderbten und verlorenen Menschen gewesen, ging von falschen Voraussetzungen aus. Man kann »mit Händen greifen«, wie die Landschaften und Gestalten der Oper »nichts anderes als arkadisch verschleiertes Christentum« sind (Karl Voßler, Aus der romanischen Welt, Band 1).

Der »Barock« als Stil hat sich nicht nur aus einer gewandelten religiösen Gesinnung heraus gebildet. Eher hat die insgesamt gewandelte geistige Haltung der 2.Hälfte des 16.Jahrhunderts im religiösen Fühlen und Denken zu dem geführt, was man als »Gegenreformation und Jesuitismus« zusammenfaßt, im künstlerischen zu dem Stil und den formalen und expressiven Mitteln, die »Barock« genannt werden. Nicht ist das eine die Ursache des anderen, sondern beide sind aus gleicher geistiger Verfassung erwachsen.

Die neue Religiosität und die neue Kunst konnten sich beide neben- und durcheinander so schnell entfalten, weil sie beide auf die gesteigerte seelische Bereitschaft eines *gewandelten Zeitalters* stießen. Daher erstaunt es nicht zu beobachten, daß die gleiche Erregtheit und Sensibilität, der gleiche Drang nach Ausschöpfung aller Leidenschaften und nach monumentaler, eindringlicher Wirkung sich auch da geltend macht, wo die Künste sich, frei von Zwang, an den überlieferten Stoffen der antiken Mythologie betätigen. Als Tassos ›Aminta‹ das erstemal in Ferrara aufgeführt wurde (1573), geschah dies noch in der arkadischen Szenerie der gegenständlichen Renaissancebühne; bei einer Aufführung in Florenz 1590 aber entfaltete am gleichen Stück der Theateringenieur Bontalenti schon den ganzen illusionistischen Kulissenzauber der Barockbühne. So konnten Tassos ›Gerusalemme liberata‹ wie Ludovico Ariostos ›Orlando furioso‹, an und für sich durchaus unbarocker Absicht, zur Quelle größter Teile der barocken Oper werden: es kam auf die Umwertung des Stoffes im Sinne des neuen Pathos an. Ebenso konnten Jacopo Sannazaros ›Arcadia‹ und Tassos ›Aminta‹ zu Hauptquellen der Lyrik, des Solomadrigals und aller daraus folgenden Ergebnisse werden.

177

Dabei war das Wunderbare in der älteren Schäfer- und Ritter-
dichtung ebenso beheimatet wie in der späteren.

Es ist evident, daß es nicht auf Erschließung neuer Inhalte und
Motive, sondern auf die *Neubewertung* der alten ankam. Das gilt
gleicherweise für die bildenden Künste: die Stoffe und Aufgaben
blieben die gleichen; was sich wandelte, war ihre Bewertung und
die Entwicklung neuer Kunstmittel zur Realisierung dieser Umwertung. Eben dies ist auch in der Musik der Vorgang: sie vollzieht eine Umwertung der alten Stoffe und Inhalte im Sinne des
Pathos, der Affekthaftigkeit und der Antithetik und entwickelt für
diese ihre neuen Mittel. Damit reiht sie sich völlig den geistigen
und künstlerischen Wandlungen des Zeitalters ein, und ihr neuer
Stil kann demjenigen der anderen Künste völlig an die Seite gestellt
werden. Sie trägt den Namen »Barock« mit der gleichen Berechtigung wie jene. Wie für sie läßt sich für die Musik der Sinn des Wortes definieren als ein Stil, dessen Kunstmittel dem Bedürfnis dienen,
das Pathos eines tief erregten Zeitalters in sinnfälliger Form zum
Ausdruck zu bringen, beredte Sprache der Leidenschaften zu sein,
den Geist zu lehren und zu lenken, die Seele zu erregen und zu stil-
len, das Gleichmaß selbstgewissen Ruhens im Begrenzten dem Ti-
tanensturz in die Rätselhaftigkeit des Grenzenlosen aufzuopfern.

IV. Die Gleichzeitigkeit der Künste

Mit der Einsicht, daß der musikalische Barock nicht in der mehr
oder minder fragwürdigen Übereinstimmung äußerer Stilmerkmale mit denen anderer Künste, sondern in der inneren Einheit
eines Zeitgeistes besteht, schwindet der im Schrifttum häufig auf-
getauchte, auf Nietzsche zurückgehende Zweifel an der Gleichzeitigkeit der Musik mit jenen. »Zeitgeist« wird hierbei verstanden
nicht nur im Sinne eines Wirkungsfaktors, der, an und für sich un-
erklärbar, die Menschen einer Zeit und eines Raumes in eine gemeinsame Form des Denkens, Fühlens und Sichäußerns hinein-
zwingt, sondern auch im Sinne einer bestimmten Art und Weise,
wie die Menschen eines Zeitalters sich selbst sehen und sich in
Beziehung zur physischen und metaphysischen Welt setzen. Echte
Gleichzeitigkeit wird nicht dadurch nachgewiesen, daß irgendwelche äußeren Stilmerkmale der Malerei oder der Dichtung sich
in Analogie zu denen der Musik bringen lassen. Den dekorativen
Reichtum spätbarocker Architekturen mit der Ornamentik der
Gesangskunst oder den agréments der Clavecin-Musik gleichzusetzen, bleibt ein vages Unterfangen, wenn sich nicht nachweisen
läßt, daß beide das gleiche bedeuten, einem gleichartigen Äuße-
rungsbedürfnis, einer gleichen Weise, sich selbst zu sehen, ent-

springen. Die Arpeggien von Bachs ›Chromatischer Fantasie‹ zu dem Sfumato Watteauscher Landschaften in Beziehung zu setzen, bleibt solange geistreiche Spielerei, als nicht nachgewiesen werden kann, daß eine Art pleinairistische Auflösung wirklich der Sinn von Bachs Akkordbrechungen ist. So oft solche Analogien intuitiv etwas vom Empfinden der Zeit richtig treffen mögen, so leicht können sie in Willkür ausarten und schließlich zu Behauptungen führen wie der, es gebe »keine bessere Analogie zu Berninis Hl. Teresa als Isoldes Liebestod« (F. Hartlaub, Barockmusik?, in Fragen an die Kunst, Stuttgart o. J.), wobei der weite Abstand zwischen dem bekehrenden Sinn von Berninis Plastik und dem rauschhaften Selbstgenügen von Wagners Oper völlig verkannt wird. Eine große Schwierigkeit stellt sich für den heutigen Hörer dem Verständnis barocker Musik in ihrer »Gleichzeitigkeit« zu barokker Bildkunst dadurch entgegen, daß deren Motive und Formen auch dem heutigen Auge unmißverständlich etwas von dem mitteilen, was sie aussagen wollen, während das abgestumpfte Ohr der Gegenwart die völlige Andersartigkeit der barocken Musiksprache gegenüber derjenigen der Renaissance nicht ohne historische Schulung wahrzunehmen vermag. Mit anderen Worten: Geist und Seele des Barockzeitalters sprechen aus den Kunstmitteln ihrer Bild- und Bauwerke auch heute noch vernehmlich, aus ihren Tonformen jedoch nur noch durch das Medium des stilgeschichtlichen Vergleichs. Monteverdis krasseste Modernismen sind für den heutigen Hörer nur noch leichte Nuancen gegenüber Josquins Messen oder Arcadelts Madrigalen. Das wird oft übersehen.

Es genügt auch nicht, die Analogie zwischen Musik und bildenden Künsten an Hand der vielzitierten Wölfflinschen Begriffspaare (linear–malerisch; Fläche–Tiefe; geschlossene–offene Form; Vielheit–Einheit; relative–absolute Klarheit) herzustellen, wie dies C. Sachs und nach ihm, kritisch Abstand nehmend, R. Haas getan haben. Es genügt deshalb nicht, weil diese Kategorien aus empirischen Stilformen abgeleitet sind, ohne auf deren Aussagewert zurückzugehen, und weil sie überdies nur Sachverhalte der optischen und haptischen Künste decken, für die Musik aber nur unter Zwang anwendbar sind. Vergleiche zwischen empirischen Stilformen in Musik und bildenden Künsten scheitern zudem leicht daran, daß die Unterscheidung zwischen dem, was an diesen Stilformen eigentlich »barock« und was Restbestand älterer Formen oder Ergebnis antibarocker Reaktionstsrömungen ist, oft unterlassen wird. Wie in Abschnitt I und VI ausgeführt, ist eben am barocken Kunstwerk nicht alles notwendig »barock«.

Den Nachweis echter *Gleichzeitigkeit* für Musik, Tanz und bildende Künste hat, zugleich mit einem Entwurf einer vergleichenden Kunstgeschichte, auf breiter Grundlage C. Sachs unternommen (Commonwealth of Art, 1946). »All arts unite in one consistent evolution to mirror man's diversity in space and time and the fate of his soul.« Die Künste einer Zeit sind nicht verschiedener als die Ausdrucksweisen, die Auge, Hand, Stimme und Bewegung des gleichen Körpers einem und demselben seelischen Antrieb verleihen. Lasso und Palestrina, ungeachtet aller Verschiedenheit, bedienen sich der gleichen flimmernd-unruhigen Harmonik zum Ausdruck ekstatischen Überschwangs im gleichen Zeitabschnitt, als Tintoretto und El Greco die ekstatisch verzückten Gestalten ihrer Heiligen und Märtyrer malen, Tasso und Luis de León ihre visionär gesteigerten Verse schreiben. Claudio Monteverdis ›Lamento d'Arianna‹ und nach ihm eine ganze Literatur derartiger Kompositionen, für die ›Arianna‹ das Muster geworden war, entsteht wie die Monodien Grandis, die Solomadrigale Jacopo Peris, die geistlichen Konzerte Agostino Agazzaris, die Madrigalkomödien Orazio Vecchis und Adriano Banchieris, ja, die ganze frühe Oper, zur Zeit, als Battista Guarinis ›Pastor fido‹ zum unübertroffenen Stil- und Modevorbild eines ganzen Jahrhunderts wurde, als Marino, Góngora und Lope de Vega dichteten und Caravaggios Naturalismus ähnliche Ablehnung erfuhr wie Monteverdis »seconda pratica«. Bernini, Borromini und Rubens erstreben das Äußerste an hemmungsloser Schaustellung und grandioser Maßlosigkeit, preziöser Verzärtelung und sensueller Subtilität wie zu ihrer Zeit der römische polychore Massenstil Paolo Agostinis, Antonio Maria Abbatinis, Orazio Benevolis, wie die heroisch-erotische Oper, die ›Incoronazione di Poppea‹ von Monteverdi, der ›Orfeo‹ von Luigi Rossi, der ›Giasone‹ von Francesco Cavalli, wie die Bühnendekorationen von F. Tacca, Burnacini und Juvara. Als die französische Tragödie Pierre Corneilles und Jean Racines mit ihrem regulierenden Akademismus einsetzt, findet sie ihr Gegenbild in Marin Mersennes ›Traité de l'Harmonie‹ (1636) mit seinen ersten Ansätzen zur Regulierung der musikalischen Rhetorik und Affektensprache. Einige Jahre später gelangen Marco Scacchi (1643) und Athanasius Kircher (1650) zur Systematik der musikalischen Stillehre.

Durch das ganze Zeitalter hindurch läßt sich eine solche Gleichzeitigkeit der Musik im Sinne der »Gleichsinnigkeit« mit den anderen Künsten erweisen. Sie wird Stufe für Stufe von den gleichen Antrieben wie jene geleitet und entwickelt wie sie die ihr gemäßen Ausdrucksmittel aus gleichgearteten, seelisch-geistigen Bedürfnissen heraus, bis sie am Ende mit ihrer Auflösung in den »galanten Stil« ein dem Rokoko der bildenden Künste analoges Endstadium luftig-phantastischer Dekoration (etwa bei François Couperin) erreicht oder von der naturschwärmerischen Empfindsamkeit des beginnenden Frühklassizismus (etwa bei Wilhelm Friedemann und Carl Philipp Emanuel Bach) aufgesogen wird.

Die Forschung über die vergleichende Wertung der Erscheinungen in den verschiedenen Künsten und der Musik steht noch am Anfang. Es wird noch sehr eingehender Untersuchungen bedürfen, um die bisher nur an besonders markanten Kunstwerken beobachtete Gleichsinnigkeit auch in der Tiefe der vielfach einander überschneidenden und widersprechenden Strömungen zu verifizieren. Die Sachverhalte zu einer gerechten Abwägung zu bringen, wird oft dadurch erschwert, daß eindrucksvollen Spitzenleistungen der einen Kunst zu einer Zeit und in einem Volke nicht immer gleich eindrucksvolle Leistungen in anderen zu entsprechen brauchen. Pöppelmanns Dresdener Zwinger (1711–1722), Cosmas Asams Münchener Nepomukskirche (1739), Dominikus Zimmermanns Wieskirche (1745), Johann Lukas von Hildebrandts Wiener Belvedere (1713–1716) finden in Johann Joseph Fux, Antonio Caldara und Francesco Conti (mit den Inszenierungen der beiden Galli-Bibbiena) wohl gleichgesinnte, aber kaum gleich starke und gleich eigenartige Entsprechungen.

V. Zweckmäßigkeit und Notwendigkeit des Wortes Barock für die Musikgeschichte

Ungeachtet einer tiefen Übereinstimmung der seelisch-geistigen Grundlagen, aus denen die Stilformen und Ausdrucksmittel des »Barock« genannten Zeitalters in allen Künsten erwuchsen, kann fraglich erscheinen, ob es, rein terminologisch gesehen, zweckmäßig oder notwendig ist, diese oder andere von der bildenden Kunst herübergenommene Bezeichnungen (wie etwa auch Gotik) oder auch aus der Literaturgeschichte stammende (wie etwa Romantik) als wissenschaftlich gültige Klassifikationen, d. h. mit einem bestimmt definierbaren Inhalt erfüllte Stilkategorien in die Musikgeschichte einzuführen. Gewiß ist, daß die Musik durchaus fähig wäre, aus dem Sprachschatz ihrer eigenen Terminologie heraus Wörter vorzuschlagen, die eine Stilperiode mit ausreichender Deutlichkeit bezeichnen könnten, wie es z. B. mit Erfolg durch den allgemein anerkannten Begriff »Ars nova« geschehen ist. Jedoch wird es immer schwierig sein, eine Nomenklatur für musikgeschichtliche Stile zu finden, die weit genug ist, um nicht in Bezeichnungen bloß technischen Charakters (wie in H. Riemanns Handbuch der Musikgeschichte) steckenzubleiben, und eng genug, um sich nicht in die Vieldeutigkeit allgemeiner geistiger Kategorien (wie Klassik, Renaissance) zu verlieren.

Die Tatsache, daß die heutige Musikgeschichtsschreibung die Terminologie für ihre Gliederungen vorwiegend nicht aus musikalischen Stilkriterien entwickelt, sondern aus Analogien übernommen hat, beruht nicht darauf, daß genügend scharf profilierte

musikalische Stilbegriffe fehlten, sondern darauf, daß die Musikgeschichtsschreibung als ein Spätling unter den geistesgeschichtlichen Disziplinen stets den mehr oder minder eingestandenen Versuch gemacht hat, die Musik eines Zeitalters in Beziehungen zu
anderen geistigen Äußerungsformen zu setzen. So gelangte z. B.
Riemann dazu, die Musikgeschichte des 14.Jahrhunderts als eine
Parallele zur Renaissance im Sinne J. Michelets (Histoire de la
France, Band 7, 1855) zu erklären.

In der Musikgeschichte wird jeder Terminologie, die von außen
her auf ihre Stile übernommen wird, notwendig immer etwas Viel-
deutiges anhaften, während jede aus innermusikalischen Stilkriterien gebildete zwar prägnanter sein kann, die Musik aber von der
ihr innewohnenden Beziehung zu anderen geistigen Tätigkeiten
isolieren muß. Jede zukünftige Musikgeschichtsschreibung wird
vor der Wahl stehen, entweder rein musikalische Stilkategorien
aufzustellen und mit rein musikalischen Termini zu bezeichnen,
die zwar bestimmte musikalische Sachverhalte eindeutig benennen,
aber außer Beziehung zu der geistigen Umwelt und zu dem geistigen Ursprung dieser Stile bleiben und nur dem Fachmusiker verständlich werden, oder sich zur Bezeichnung ihrer Stilepochen und
Stilformen solcher Termini zu bedienen, die gleichzeitig auch auf
andere Leistungen der geistigen Geschichte anwendbar und auch
dem Nichtmusiker zugänglich sind, dafür jedoch an einer gewissen Unschärfe leiden. Da aber letztlich jede Kategorisierung
geistiger Erscheinungen eine nachträgliche Abstraktion aus der
schwankenden Fülle des wirklichen Lebens ist, kann eine solche
Unschärfe wohl in Kauf genommen werden, wenn sie dazu ver-
hilft, die Isolierung der Musik in der Geschichte ihrer Technik zu
überwinden und sie als ein Produkt der treibenden geistigen Kräfte
ihres Zeitalters verständlich zu machen. Hieraus ergibt sich, daß
die Einführung des Begriffes »Barock« in die Musikgeschichte
zwar nicht notwendig, aber zweckmäßig ist, nachdem durch den
Vorantritt der kunstgeschichtlichen und literaturgeschichtlichen
Forschung das Wort mit dem Inhalt bestimmter Strömungen und
Kräfte der Geistesgeschichte erfüllt worden ist.

Entscheidend ist diese Frage nicht. Bedenklich wird die Anwendung übernommener Termini auf die musikalische Stilgeschichte
nur dann, wenn entweder durch die Analogie zwischen äußeren
Stilformen Beziehungen hergestellt werden, von denen nicht gesichert ist, daß sie das Wesen der Sache treffen (vergleiche Abschnitt IV), oder wenn mit der Übernahme außermusikalischer Stilbegriffe eine Gliederung eingeschleppt wird, die sich mit den Sach-
verhalten der Musik nicht deckt. Nun ist aber unbestreitbar, daß zu
dem gleichen Zeitpunkt, als die bildenden Künste und die Dichtung ihre neuen, heute barock genannten Stilformen zu entwickeln
beginnen, d. h. etwa in den zwei bis drei letzten Jahrzehnten des

16.Jahrhunderts, ein gleicher Vorgang in der Musik einsetzt: nicht im Gegensatz zu den Stilformen der Renaissance, sondern in einer dem neuen Lebensgefühl entsprechenden Umwertung und Weiterbildung dieser Stilformen besteht das Wesen des Barockstils in der Musik wie bei den übrigen Künsten. Und ebensowenig ist bestreitbar, daß bei ihnen allen zum gleichen Zeitpunkt, nämlich etwa im zweiten und dritten Jahrzehnt des 18.Jahrhunderts, teils eine Auflösung dieser Stilformen und teils ihre Überwindung zu beobachten ist. Eine gewaltsame Epochengliederung wird daher in die Musikgeschichte mit der Übernahme des Begriffes »Barock« nicht eingeführt.

VI. Stilformen und Ausdrucksmittel der barocken Musik

a. Heteronomie der Barockmusik. Die Rhetorik

Um die Entstehung des musikalischen Barockstils zu verstehen, kann man von der (in Wirklichkeit allzu vereinfachenden, aber heuristisch zweckmäßigen) Vorstellung ausgehen, daß die Klassizität der Renaissance in einer Art Beharrungszustand, einem Ruhen in Selbstgesetzlichkeit besteht und daß demgegenüber der beginnende Barock eine Störung und Disintegration dieses Zustandes bringt, indem teils die Nachbildung äußerer Vorbilder (Bewegungen, Geschehnisse, Geräusche usw.), teils der Ausdruck innerer Erregungen (seelische Zustände, Affekte) die reine Selbstgesetzlichkeit der Musik beeinträchtigen und ihr von außen her eine Anpassung ihrer Sprache an diese Inhalte aufzwingen. Da jedoch in Wirklichkeit auch im Renaissance-Zeitalter die scheinbar vollkommene Autonomie der Musik zu einem gewissen Teil durch heteronome, d. h. nicht musikalisch-selbstgesetzliche, sondern ihr von den Texten her gestellte Darstellungs- und Ausdrucksaufgaben bestimmt wird, bedingen die Ansprüche, die das Lebensgefühl des beginnenden Barock an sie heranträgt, nicht die Erfindung völlig neuer Stilformen, sondern nur die Umwertung und Weiterbildung vorhandener. Schon Josquins Psalmenkompositionen sind voll von einer heterogenen, durch die Bildvorstellungen oder den Affektgehalt der Worte erzeugten Motivik, Arcadelts und Verdelots Madrigale suchen oftmals bis in die Einzelheiten hinein den Motiven der Dichtungen nachzugehen, und Lassos Bußpsalmen galten den Zeitgenossen als Muster eindringlichen Affektausdrucks.

Nachdem die Renaissance einmal den sinngemäßen, grammatisch-syntaktisch richtigen Wortvortrag zum Grundsatz erhoben hatte (z. B. Coclico, Vanneo, Finck und viele andere), konnte es nicht ausbleiben, daß zum richtigen auch der inhaltsgemäße Vortrag kam und damit die reine Selbstgesetzlichkeit der Musik dem

Druck von innen und außen weichen mußte. Der Unterschied zwischen dem, was die Renaissance als »musica reservata« anerkannte, und dem, was der Barock als Musik der Nachahmung und der Affekte forderte, liegt nicht in einer grundsätzlichen Andersartigkeit des Verhältnisses zwischen Wort und Ton, sondern in einer Umwertung dieses Verhältnisses.

Die vollendete Gleichgewichtigkeit zwischen Text und Komposition, die sich in der Renaissance tatsächlich herausgebildet hatte (wenn sie auch von den Modernisten des Florentiner Camerata-Kreises, um 1590, heftig und fälschlich als Übergewicht der Musik verschrien wurde), verschob sich in der Richtung auf das Übergewicht des Wortes in einem solchen Grade, daß Giulio Caccini (›Nuove Musiche‹, 1602, Vorwort) die ältere Musik einen »laceramento della poesia« nennen und Monteverdi in einer Selbstverteidigung gegen Giovanni Maria Artusi (›Scherzi‹, 1607) die radikale Forderung aufstellen konnte: »L'orazione sia padrona dell'armonia e non serva«. Die heftige literarische Polemik, die zwischen den Anhängern der alten und den Vorkämpfern der neuen Richtung ausbrach, beweist, wie einschneidend die Zeitgenossen selbst die Wendung empfanden, beweist aber auch, wie bewußt der Wille zu einer dem neuen Lebensgefühl entsprechenden Stilprägung war. Daß die Theoretiker der neuen Musik sich auf Platon und auf das Muster der (damals noch unentzifferten, praktisch also gar nicht bekannten) Beispiele griechischer Musik bezogen, beweist nichts für ihre Stellung zwischen Renaissance und Barock und stempelt diese Musik nicht zu einem Ergebnis des Humanismus. Auf die Antike hat man sich seit dem frühen Christentum und dem Mittelalter zu allen Zeiten berufen.

Ein Hauptmittel für die Entwicklung eines affektiven Stils wurde die konsequente Anwendung der *Rhetorik* auf die Musik. Neu war auch sie nicht. Wie weit die Beziehungen zurückgehen, ist noch nicht untersucht; jedoch mindestens seit Pietro Aron (1520er Jahre) und Johannes Cochläus (1511) beziehen sich die Theoretiker der Renaissance auf sie, und unter »affectus exprimere« versteht auch das 16. Jahrhundert hauptsächlich die »inventio« geeigneter musikalischer Formen in Entsprechung zur Kunstrede. Aber von Giovanni Bardi, Caccini und Peri an macht die kompositorische Theorie konsequent die Forderung geltend, daß. der Aufbau des Musikstückes dem Aufbau der Rede, der verschieden angegeben wird (nach Mattheson z. B.: Exordium, Narratio, Propositio, Confutatio, Confirmatio, Peroratio), die einzelne musikalische »Figur« (modern etwa: Motiv) der Figur der Rede (zuzeiten werden weit über 100 solcher Figuren gelehrt) entsprechen müsse. Wie die Lehren von den Redeteilen und Figuren, so wurde die von der »inventio«, von den »loci topici«, von den Stilarten, der Deklamation, den »elegantiae orationis« usw. grundlegend für die Herausbildung des barocken Stils im ganzen. »Die Oper wird nunmehr nicht nur eine Schau-, sondern auch eine Rednerbühne« (A. Schmitz).

Das Pathos des neuen Affektenstils beruht also nicht auf freier und willkürlicher Expression, sondern auf der »richtigen« Anwendung von Kunstregeln (was nicht besagen will, daß sich in dem Grade der Wirkung nicht die pathetische Kraft einer Persönlichkeit ausdrücken könne). Auch Monteverdi sagt nicht, daß »la parola« oder »la poesia« Herrin der Musik sein solle, sondern »l'orazione«. Der Barock bildet auf diese Weise von allem Anfang an ein festes Vokabular aus, das lehrbar und übertragbar ist. Seine Hüter sind die großen Meister Italiens, zu denen halb Europa wallfahrtet, und dieses Vokabular ist noch ganz lebendig in Bachs ›Orgelbüchlein‹, in seinen Passionen und Kantaten.

Daß die Systematik dieser musikalischen Rhetorik nicht früher, sondern Ende des 16.Jahrhunderts aufgebaut wurde, ist bezeichnend. Gestützt auf die italienischen Theoretiker des ausgehenden 16.Jahrhunderts, hat Joachim Burmeister um 1600 in drei Traktaten eine umfassende Figurenlehre niedergelegt. Von da an wird die Lehre durch den ganzen Barock in verschiedenen Graden und Schattierungen weitergereicht bis zu Andreas Werckmeister, Johann Gottfried Walther, Johann Mattheson und Johann David Heinichen. Bezeichnend ist andererseits, daß Johann Adolph Scheibe nur noch eine nach Batteux' und Gottscheds Muster »gesiebte Figurenlehre« (Schmitz) kennt und daß die Kunst der musikalischen Rhetorik dann in der Generation der Bach-Söhne allmählich verlorengeht, die an die Stelle von überlebten Formeln der künstlerischen Rede den Erguß des natürlich fühlenden Herzens setzt. Die Kenntnis dieses Zusammenhangs ist für das Verständnis des Barock von größter Wichtigkeit. Nicht in der Intuition der freien Fantasie entlädt sich die innere Spannung, wie im Zeitalter der Klassik und Romantik, sondern in festbegrenzten, geregelten und übertragbaren Formeln.

b. Der Akademismus. Metrik und Chromatik

Es besteht daher kein so tiefgreifender Unterschied, wie es auf den ersten Blick den Anschein hat, zwischen dieser auf die Rhetorik gegründeten Praxis im (vorwiegend) italienischen Frühbarock, die sich dann bald über ganz Europa ausbreitete, und dem (vorwiegend) französischen Akademismus. Denn auch bei diesem ging es darum, in einer mehr oder minder engen Anlehnung an die antiken Schriftsteller eine Reform der Musik herbeizuführen, die eine sinngemäße Verknüpfung von Dichtung und Musik sichern, die Komposition dem Forderungen des Textes unterwerfen und die vielgepriesenen ethischen Wirkungen der griechischen Musik im zeitgenössischen Schaffen wieder verwirklichen sollte. Praktisch sollte die Wiedererweckung dieser Wirkungen durch die Wiedereinführung der antiken Tongeschlechter und der antiken Metren erreicht werden. Ethische und affektive Wirkungen aber decken sich für die Zeit; die »ἤϑη« werden mit den »affetti« identifiziert.

Ging also diese Richtung auch nicht direkt von dem gesteigerten Affektbedürfnis aus, sondern von der humanistischen Forderung auf eine Wiederbelebung der Musik im Sinne der griechischen Antike (wie man sie verstand), so führte sie doch letzten Endes zum gleichen Ergebnis. Es ist daher verständlich, daß die von Jean-Antoine de Baïf und Pierre de Ronsard (seit 1570 auch von der »Académie de la Poésie et de la Musique«) und Pontus de Tyard ausgehenden Forderungen bald in die des Florentiner Cameratakreises einmündeten (Caccini, Peri, Bardi, Mei, Doni).

Ihren wohl letzten Vertreter und Systematiker fanden sie in Marin Mersenne. Die Komponisten der »musique mesurée à l'antique« wie Courville, Fabrice Marin Caietain, Claude Le Jeune, Jacques Mauduit, unter ihnen auch Lasso, schufen mit ihren Kompositionen feste metrische Schemata, die in Frankreich über das »Ballet de cour«, in Italien über den »stile rappresentativo« und die »favola pastorale« zu Bestandteilen des musikalischen Barockstils wurden. Die Frage, ob diese Bestrebungen sich über bloße akademische Spekulationen hinaus zu tatsächlichen Einwirkungen auf den musikalischen Stil verdichtet haben, ist von D. P. Walker überzeugend im positiven Sinne beantwortet worden.

In den gleichen Zusammenhang aber gehört auch die Weitung des Tonalitätsbewußtseins durch Einbeziehung der *Chromatik*. Auch diese ist nicht etwa willkürlich dem Ausdrucksbedürfnis der Komponisten entsprossen, sondern auf dem Wege über den Teil der humanistischen Bestrebungen zustande gekommen, der sich auf eine (vorgebliche) Wiederherstellung der antiken genera richtete. Was der Ausdruck »cromatico« in den Werktiteln der Madrigalsammlungen von Cipriano de Rore, Francesco Orso, Vincenzo Ruffo, Ceretino u. a. eigentlich besagen will, ist zwar auch heute noch nicht ganz geklärt. Zweifellos ist aber, daß Chromatik (im modernen Sinne) schon bei Rore, Orso, Lasso, Marenzio usw. im italienischen Madrigal sehr verbreitet war, bevor sie in den Werken von Pomponio Nenna, Monteverdi, Carlo Gesualdo, Claudio Saracini usw. ihre Radikalisierung erfuhr, und daß sie gerade in der Frühzeit (um 1570) mit Vorliebe in Kompositionen über lateinische Texte in antiken Versmaßen auftrat (so u. a. bei Rore; ein vermutlich sehr frühes Musterbeispiel sind Lassos ›Prophetiae Sibyllarum‹). Handelt es sich hierbei auch nicht eigentlich um Versuche zur Wiederherstellung der antiken Tongeschlechter (Walker), so knüpfen solche Experimente doch mindestens an den Gedanken an und münden um 1600 in die praktische Durchführung der vollen 12stufigen chromatischen Leiter (wofür jedoch noch nicht die gleichschwebende, sondern die seit Salinas, 1577, eingeführte mitteltönige Temperatur gilt). Der Vorgang bedeutet einen radikalen Umsturz des *Tonalitätsbewußtseins* gegenüber der grundsätzlichen Diatonik der Renaissance und ihrer »pura e semplice modulazione« (Lodovico Zacconi, 1592 ff.).

Die in allen Ländern verbreiteten humanistischen Bemühungen um irgendwelche Formen eines *Wiederauflebens der Antike* in der neuen Musik haben jedenfalls speziell mit dem französischen Akademismus und der italienischen Rhetorik zusammen große Bedeutung für die Stilbildung besessen, indem sie zur Entstehung der barocken Monodie, des barocken Motivmaterials, der barocken Tonalität und damit zur Herausbildung der Elemente der gesamten barocken Musiksprache beigetragen haben. Die Forschung über die Voraussetzungen zur Entstehung des musikalischen Barockstils steht noch in den Anfängen; zahlreiche Einzelfragen sind noch zu klären. Immerhin läßt sich insoweit das Zusammenwirken von Renaissanceüberlieferung, humanistischen Erneuerungsbestrebungen und spezifisch barockem Ausdrucksbedürfnis verfolgen.

c. Retardierende Momente. Die klassizistische Unterströmung

Es ist jedoch nicht zu verkennen, daß in den akademischen Forderungen der Humanisten und im Formenerbe der Renaissance auch *retardierende Momente* stecken, die sich zum Teil weit in den Barock hinein erstreckten, ja zum Teil gerade in diesem Zeitalter zu neuem Leben erweckt wurden und dazu beitrugen, ihm das Gepräge zu geben. Da die Tendenz des Zeitalters nicht, wie fälschlich oft aufgefaßt, auf eine Selbstbefreiung des Komponisten aus den Fesseln regulierter Formen, sondern im Gegenteil auf die Prägung neuer, dem Ausdruckswillen des Zeitalters entsprechender Formen gerichtet war, konnten bis zu einem gewissen Grade ererbte Stilformen lebendig bleiben. Es ist ein Irrtum, daß mit einer neuen Stilepoche alles, was die vorhergehende auszeichnet, abgestoßen werde. Jeder Stil beginnt mit übernommenen Mitteln, die er umbildet, und selbst wenn diese Umbildung weit fortgeschritten ist, bleiben immer noch Reste der alten Formen bestehen. Man hat noch zu J.S.Bachs Zeiten in Deutschland Kirchen im gotischen Stil gebaut, und gotische Formen haben sich in der Architektur das ganze Renaissance- und Barockzeitalter hindurch erhalten. Solche »Stilüberhänge« können als treu bewahrte Erbstücke, etwa für repräsentative Zwecke, ein steriles Dasein führen (wie etwa die Erhaltung des mittelalterlichen »motets« als Staatsmotette bis gegen die Mitte des 15.Jahrhunderts, der »opera seria« als höfische Prunkdarbietung bis gegen das Ende des 18.Jahrhunderts), sie können allmählich verfallen (wie das polyphone Madrigal im zweiten Drittel des 17.Jahrhunderts, die Suite nach der Mitte des 18.Jahrhunderts), oder sie können Unter- und Gegenströmungen in der Epoche hervorrufen, die sie übernimmt (wie z. B. die Fuge

187

bei Haydn und Beethoven, der Klassizismus im 19.Jahrhundert).
Dies ist eine im Barockzeitalter sehr ausgeprägte Erscheinung, die
zu vielen Mißverständnissen Anlaß gegeben hat. Am barocken
Kunstwerk ist eben nicht alles barock oder braucht es doch nicht
zu sein (vergleiche Abschnitt I).

So bleibt das vom Humanismus her genährte Bestreben nach
akademischer Regelhaftigkeit (die immer wieder in irgendeiner
Form auf die antiken Autoren gestützt wird) durch den ganzen
Barock lebendig und tritt als eine »klassizistische« Unter- oder
Gegenströmung an den verschiedensten Stellen zutage. Giacomo
da Vignola, der Erbauer von Il Gesù in Rom, veröffentlichte 1567
einen Traktat über die »cinque ordini d'architettura« nach Vitruv,
und Andrea Palladio, der die relativ klassizistische Haltung seiner
Architekturen 1570 in einem Lehrbuch begründet, bleibt durch
den ganzen Barock hindurch neben und trotz Borromini das Vorbild der Architekten bis zu Inigo Jones, der von der Baukunst
»Regelhaftigkeit« und »Affektlosigkeit« ausdrücklich verlangt, zu
Jules Hardouin-Mansard, dem Baumeister des Pariser Invaliden-
doms (begonnen 1675), und Christopher Wren, dem Baumeister
von St. Paul's Cathedral in London (ebenfalls 1675). Mit Bronzino
erhält sich in Italien die Tradition Raffaels als klassizistische Richtung, trotz und neben Tintoretto und Veronese, im 17.Jahrhundert
mit Eustache Le Sueur in Frankreich. Nicolas Poussin und Charles
Le Brun begründen 1642 im Rom Berninis und Borrominis den
Klassizismus der französischen Malerei.

Mit dem ersten erhaltenen Beispiel des »Ballet de cour«, dem
›Ballet de la Royne‹ (1581), wird eine Tradition des Akademismus
begründet, die über das Ballet de cour in der 1. Hälfte des 17.Jahr-
hunderts hin erhalten bleibt, auf die frühe italienische Oper abfärbt
und in Frankreich selbst erst mit der italienischen Welle durch
Luigi Rossi und Jean-Baptiste Lully im Sinne des rhetorisch-
affekthaften italienischen Barock überspült wird. Dennoch behält
die französische Oper, gestützt auf diese Tradition und auf die
antikisierenden, regulierenden Tendenzen der Tragödie Corneilles
und Racines, durch das gesamte Zeitalter ihr »klassizistisches«
Sondergepräge, wenn auch in den textlichen und musikalischen
Formen, in der Motivsprache, in der Bühnentechnik, im Orchester
usw. längst der volle »Barock« zum Durchbruch gelangt ist. Es ist
bezeichnend, daß in Frankreich zwar eine »tragédie lyrique«, aber
keine »opera seria« entstehen konnte.

Gegenüber dem italienischen und deutschen Barock im Sinne
des Grandiosen und Expressiven bleibt der *französische Barock*
immer maßvoll. Das Bedürfnis nach der Begrenzung des gefährlich Grenzenlosen äußert sich in den Akademiegründungen: 1635
die der Sprache und Literatur, 1648 die der Malerei und Plastik,
1663 die der Schönen Künste, 1666 die der Wissenschaften, 1671

die der Architektur (nach Sachs, Commonwealth). Die Nachfahren des Barock wie Johann Joachim Quantz und Leopold Mozart betrachten die französische Musik als irgendwie steif, regelhaft, überaltert, sich immer gleichbleibend. Bis in die italienischen Opernreformen von Apostolo Zeno (1718 ff.) und Pietro Metastasio (1730 ff.) hinein wirkt diese klassizistisch-akademische Unterströmung nach und setzt sich in der beginnenden frühklassischen Periode fort. Bei Nicola Vicentino und Giovanni Maria Artusi, Domenico Pietro Cerone, Marin Mersenne, Athanasius Kircher und Giovanni Battista Doni ist sie fühlbar und lebt in den deutschen Schriftstellern des Mattheson-Zeitalters weiter. Sie ist eine Art Regulativ gewesen, das in der Zeit bald stärker, bald schwächer der dem Barock innewohnenden Neigung zum Übermaß entgegenwirkte und damit auf seine Stilprägung einen nicht zu unterschätzenden, ja entscheidenden Einfluß gewonnen hat. Sie ist wohl eher in diesem Sinne als im Sinne einer zeitweisen Durchbrechung der eigentlichen barocken Tendenzen aufzufassen, und es dürfte kaum zutreffend sein, daß der Barock mit einer »Primitivierung und Reklassizierung« eingesetzt habe (Sachs, Commonwealth). Letztlich handelt es sich dabei um einen Dauerbestandteil der abendländischen Kultur: in irgendeiner Form hat die Besinnung auf die klassische Antike immer wieder gewirkt, und im Barock geschah dies mit der Antinomie, daß einerseits der gewandelte Zeitgeist aus humanistischen Bestrebungen die Elemente seines spezifisch barocken Stils entwickelte, andererseits humanistische Bestrebungen als Regulativ gegen deren Überspitzung wirkten.

In allen diesen stilbildenden Vorgängen wird sichtbar, in wie hohem Grade die *Bestandteile der Überlieferung* in den Barock hinein aufgesogen wurden, wie wenig er als Abbruch und Neubeginn angesehen werden kann, mit welcher Vitalität er aber andererseits eine grundlegende Umwandlung der überlieferten Mittel und Formen in Angriff nimmt. Aus diesem Grunde kann auch kaum jemals geurteilt werden, dieses oder jenes Element der Überlieferung wirke als Reaktion oder Hemmnis auf dem Wege zum Barock. Vielmehr war die stilschöpferische Kraft dieses Zeitalters groß genug, um die ganze Überlieferung in den Strudel ihrer Bewegung hineinzuziehen, sich die vorhandenen Formen und Ausdrucksmittel dienstbar zu machen und sie zu Ausdrucksmitteln für das eigene Wollen umzuprägen. So wenig der romanische Bau des Mainzer Domes die Architekten des 18. Jahrhunderts gehindert hat, seinen Westchor zu dem machtvollen Eindruck einer überzeugend barocken Vedute umzugestalten, so wenig haben alle die Bestandteile der Überlieferung, die Humanistenforderungen auf die Wiederherstellung der antiken Metrik und Tonalität, die Gattungsschranken der Renaissance in Madrigal und Motette, die Künste des Kontrapunkts und des Kanons, die Satzkonstruktion vom

189

cantus firmus her und die mancherlei sonstigen Erbstücke aus der
Väter Hausrat die stürmische Eigenentfaltung des Barock hindern
können. Im Gegenteil, wie der Akademismus und die Bemühungen
um die Restauration der antiken Musik in den Händen der Barock-
meister zu fördernden Stilelementen wurden, so erging es auch den
sonstigen Inhalten der Überlieferung.

d. Die »bedeutende« Musik

Dies gilt insbesondere für das überaus verwickelte Gebiet der barokken *musikalischen Zeichensprache* (um hierfür einen möglichst
wenig verpflichtenden Ausdruck zu wählen). Daß Musik nicht nur
Klang und Form an sich sei, sondern darüber hinaus etwas be-
deute, einen Aussagewert besitze, ist eine Anschauung aller Völker
und Zeiten gewesen, und die Fähigkeit, diese Aussage leisten zu
können, ist ihr von den antiken Hochkulturen Asiens und Europas
an durch eine mehrtausendjährige Geschichte niemals ernstlich
bestritten worden. Eine aussagefreie, in ihrer sinnlichen Schönheit
selbstwertige Musik ist nur zuzeiten, und auch dann nur als eine
Möglichkeit, ein Extrem zugestanden worden (z. B. Aristoteles,
Zarlino, Hanslick). Davon abgesehen, gilt stets und überall, daß
Musik etwas bedeutet. Wenn im Zeitalter der Aufklärung die
Menschen mit einer gewissen Fassungslosigkeit einer Instrumentalmusik gegenüberstanden, die nur etwas »sein«, aber nichts
»bedeuten« wollte, wenn Rousseau sie verdammte und den berühmt
gewordenen Ausruf seines (von einer Sinfonie erschreckten) Zeitgenossen Granges de Fontenelle: »Sonate, que me veux-tu?« gerechtfertigt fand, wenn noch Goethe mit ihrem Verständnis Schwierigkeiten hatte und sich in Anlehnung an die »musique naturelle«
und »musique imitative« Diderots den Gegensatz einer »selbständigen«(d. h. nur seienden) und einer»bedeutenden« Musik zurecht-
legte, so beweist dies alles nur, wie lange die der gesamten abendländischen Musik von Urzeiten her zugrunde liegenden und noch
den Barock tragenden Anschauungen vom »Bedeutungswert« der
Musik lebendig blieben.

Eine nichts bedeutende (nach Goethe: selbständige) Musik ist
erst mit der Mitte des 18.Jahrhunderts, die Vorstellung einer »absoluten Musik« erst mit dem 19.Jahrhundert aufgekommen. An das
Was, das in der Musik auszudrücken sei, haben sich im Laufe von
mehr als eintausend Jahren abendländischer Musikgeschichte die
verschiedensten Ansprüche, über das Wie der Mittel, mit denen
es geschehen könne, die verschiedensten Ansichten erhoben. Infolgedessen haben sich in dieser langen Geschichte die verschiedensten »Zeichensprachen« in der Musik fast untrennbar vermischt.
Dieser gesamte Problemkreis wird heute vielfach irrtümlich unter
dem Namen »musikalische Symbolik« zusammengefaßt. In Wirklichkeit besteht er sowohl in systematischer wie in historischer

Beziehung aus einer Anzahl verschiedener Komplexe, deren Entwirrung heute noch kaum begonnen, geschweige denn erschöpft ist. Mit Hinblick auf die »Zeichensprache« der barocken Musik kann hier nur der Versuch gemacht werden, einige Fäden aus diesem Geflecht bloßzulegen.

In der »ars perfecta« der Renaissance, d. h. noch auf ihrer vollen Stilhöhe in den Generationen Josquins und Gomberts, durchdringen einander die Tendenzen zu einer reinen, in der Selbstgesetzlichkeit ihrer klanglichen und formalen Schönheit ruhenden, dem sinnlichen Genuß dienenden (»seienden«) und einer von fremden Vorstellungen und Inhalten bestimmten, der Erregung des Verstandes und des Affektes dienenden (»bedeutenden«) Musik. In dieser letzteren stecken bereits sehr verschiedene Ausdrucksmittel. Es steckt darin zweifellos ein gutes Teil mittelalterlicher *Semantik* (z. B. die Zahlen- und Solmisationsstrukturen bei Josquin, die Kanonik usw.), die aber für dieses Zeitalter noch unerforscht ist. Daß eine solche Semantik, die besonders in der Übersetzung von Inhalten vermittels Zahlensymbolen in musikalische Zeichen bestand, vorhanden gewesen sein muß, ergibt sich aus ihrem Wiederaufleben im Barock (z. B. von Kircher bis Werckmeister). Sie verbindet sich mit der Inhaltsaussage durch musikalische Figuren, die gemäß den Regeln der Rhetorik »gefunden« werden.

Eine andere Möglichkeit der Zeichengebung besteht in echten *Symbolen*, wenn man darunter solche musikalischen Zeichen versteht, die Wortinhalte »sinnbildhaft« in Tonfiguren übertragen und die nicht ohne weiteres aus der sinnlichen Wirkung der Tonfigur »verstanden« werden können, sondern »gewußt« werden müssen (z. B.: das Wort »Sonne«, lateinisch »sol«, kommt auf den Ton g = Tonsilbe *sol* zu stehen; »nox« oder »tenebrae« werden durch geschwärzte Noten – die man nicht »hören« kann – ausgedrückt; »confundere« wird durch die gleichfalls nicht hörbare, komplizierte Notierungsweise eines an und für sich einfachen Rhythmus wiedergegeben; das Pausenzeichen der Semiminima, das »suspirium«, tritt da auf, wo der Text vom »Seufzen« spricht).

Das letzte dieser Beispiele berührt sich bereits eng mit einer anderen Art dieser Zeichensprache, der *Allegorik*, wenn darunter eine Verschlüsselung von Inhalten in musikalischen Zeichen verstanden wird, die aus der sensuellen Wirkung vom Hörer ohne weiteres »verstanden« werden kann (z. B.: »Fall«, »Sturz«, aber auch »Abgrund«, »Sünde«, »Verdammnis« wird durch fallende Stimmen, im Schritt oder im Sprung, »Schlange«, aber auch »Sünde«, »Verstrickung« durch sich windende Stimmführung, »Licht« und »Dunkel«, aber auch »Himmel« und »Hölle«, »Erlösung« und »Verdammnis« wird durch den Gegensatz hoher und tiefer Lagen, »Länge«, »Mühe«, »Beschwernis« durch langgezogene Rhythmen gegen die geschwinden für »Eile«, »Fliegen«, »Beseligung« aus-

191

gedrückt; bei »stehen« pausieren die Stimmen, bei »fugere« jagen sie atemlos in enger Imitation hintereinander her; jedoch kann dieses letztere Beispiel auch eine symbolische Meinung verbergen, indem hierbei auf den Terminus »fuga« für »Kanon« angespielt wird). M. Bukofzer (Allegory in Baroque Music, in Journal of the Warburg Institute 3, 1939/40) mag im Recht sein, wenn er die Einführung dieser Allegorik in der Renaissance als das eigentliche Kennzeichen der »musica reservata« ansieht.

Neben diesen Zeichen ist auch die *Nachahmung*, die »imitatio naturae«, schon in der Renaissance bekannt, wenn darunter die unmittelbare Nachbildung von Klängen und Geräuschen (Glokkengeläut, Vogelgesang, Sturm, Bach usw.) verstanden wird. Sie war so geläufig, daß selbst Palestrina, der in der Anwendung solcher Mittel außergewöhnlich zurückhaltend war, von Vincenzo Galilei »quel grande imitatore della natura« genannt werden konnte.

Zu alledem trat endlich als bedeutungstragendes Zeichen die *Tonalität*: daß in der Verwendung der Tonarten eine ausdrückende Bedeutung lag, bezeugen die Theoretiker vielfach. Eine »bedeutende« Anwendung der Tonarten wird vom Komponisten sogar ausdrücklich verlangt, und hierauf stützen sich die humanistischen Forderungen auf die Wiederbelebung der antiken Tonarten. Diese Seite der Frage muß hier sowohl für die Renaissance wir für den Barock unerörtert bleiben, weil sie noch zu wenig geklärt ist. Mit diesen Zeichen der Renaissance war bereits alles gegeben, was der Barock an Ausdrucksmitteln gekannt hat. Auch auf diesem Gebiet hat nur eine Umwertung und Weiterentwicklung stattgefunden.

Eine *systematische Trennung* der bedeutungserfüllten Zeichengebungen wäre eine der schwierigsten Aufgaben für die Erforschung der barocken Musikgeschichte. Die verschiedenen Kategorien sind hier schon von Anfang an unlöslich verquickt. Wenn in Leonhard Lechners ›Sprüchen‹ (1606) »Gefährdung«, »Fall«, »Unbeständigkeit«, das schaukelnde Schiff, schon in seinen Liedern (1582) der »tote Mann«, die »bittere Galle« mit Figuren bedeutungsvoll ausgedrückt werden, so steckt darin ebensoviel Nachahmung wie Affektabbildung, Allegorik und zum Teil noch echte Symbolik. Das hängt nicht am religiösen Inhalt; es ist in Marenzios und Lassos weltlichen Madrigalen nicht anders. Es hängt auch nicht an der Musik; es ist in der Malerei genau so (vergleiche z. B. die für das Verständnis der ganzen Zeit höchst aufschlußreiche Deutung von Tizians Gemälde ›Spanien als Helfer der Religion‹ von R. Wittkower in Journal of the Warburg Institute 3, 1939/40). Wenn im 116. Psalm von Heinrich Schütz binnen wenigen Takten auf die Worte »Stricke des Todes hatten mich umfangen, und Angst der Höllen hatten mich troffen« in schärfster Antithetik drei

»rhetorische Figuren«, 6stimmig gesetzt, aufeinanderprallen, so stecken darin drei anschaulich greifbare, »naturnachahmende« Bilder, außerdem aber im ersten auch die Symbolik des »confundere«, die Allegorie des »Gefesseltseins« und der Affekt der »Ausweglosigkeit in Verstrickung«; im zweiten verbindet sich die »imitatio« des »Stürzens« mit der Allegorie für »Hölle« und dem Affekt des »Gerichtetseins«; im dritten schwebt dem Komponisten der Madrigalismus des schwirrenden Pfeils oder zuckenden Blitzes (italienisch synonym »saetta«) vor und erscheint die Allegorie des »Getroffenen«: wie der gefesselte Sebastian wird die Seele von der Pein der Pfeile durchbohrt, und der Affekt des »Sündenbewußtseins« entsteht. Dabei werden die Affekte nicht nur gespiegelt, sondern gleichzeitig im Hörer wiedererweckt.

Wie diese Mittel der bedeutungserfüllten Zeichen hier bewußt ganz innig ineinander verschmolzen sind, zeigt, daß es sich beim frühen Barock schon um ein Spätstadium dieser Künste handelt. Zur Bewertung ist aber festzuhalten, daß, mag die Komposition für den heutigen Hörer auch noch so sehr der persönlichen Erregung und dem »Mitleiden« des Komponisten entsprossen erscheinen, es sich doch in Wirklichkeit um Anwendung von Regeln, Vokabeln, um eine rationale Übertragung von Vorstellungsinhalten in musikalische Zeichen handelt (in diesem Falle durch die dahinterstehende Kraft der schöpferischen Persönlichkeit besonders eindrucksvoll), also um einen intellektuellen Vorgang, nicht um eine intuitive Aussprache seelischen Ergriffenseins.

Der Vergleich mit den übrigen Kompositionen des 116. Psalms in Burckhard Grossmans Sammlung von 1623 ist sehr lehrreich (vergleiche dazu die in der ganzen Sammlung steckende Zahlensemantik und die Bildallegorien des Titelblatts): alle Komponisten wählen für die einzelnen Vorstellungsinhalte ähnliche »Figuren« und geben ihrer Musik auf grundsätzlich gleichartige Weise »Bedeutung«. Diese Beobachtung läßt sich mehr oder minder auf den ganzen Barock, bis zu Bach hin, übertragen. Groß ist nicht der Komponist, der aus dem Feuer des eigenen Ingeniums die Gefühle in willkürliche musikalische Gestalt bannt, die der Inhalt der Worte in seiner Brust erweckt, sondern derjenige, dessen Kraft der Apperzeption und der Invention die der anderen Komponisten, die das gleiche, aber aus schwächerem Vermögen tun, übertrifft. Dies wird am gesamten Barock (von Lasso bis Bach) meist mißverstanden, und es leuchtet ein, daß die Wiedergeburt des Barock im 19. und 20.Jahrhundert (ähnlich wie die Wiederkehr Shakespeares, mindestens in Deutschland) ein großartiges Schauspiel schöpferischen Mißverständnisses ist.

Die Musik des gesamten Zeitalters wird getragen von dieser Erfülltheit mit »Bedeutung«, und die gleichen Mittel, in den verschiedensten Mischungs- und Betonungsverhältnissen, bleiben das

Handwerkszeug der Komponisten. Wenn Bach in der Kirchenkantate 56 (›Ich will den Kreuzstab‹) zahlreiche Hochalterationen
(♯♯) notiert, so ist dies ein Fall reiner Symbolik, denn diese Zeichen
können nicht »gehört« und somit nicht unmittelbar »verstanden«
werden; sie müssen »gelesen« und »gewußt« werden, wobei die
reine Sinnbildlichkeit dieser »Zeichengebung« (darauf hat Bukofzer aufmerksam gemacht) in diesem Falle besonders evident wird,
weil nur in der deutschen Sprache ♯= Kreuz ist, das Symbol also
aus der Musik mit einer fremdsprachigen Übersetzung gar nicht
nachvollzogen werden kann. Wenn Bach in den Kirchenkantaten 8
und 161 (›Liebster Gott, wann werd ich sterben‹ und ›Komm, du
süße Todesstunde‹) das Glockengeläut erklingen läßt, so steckt
darin ebensoviel Naturnachahmung wie Allegorik und Affekterregung, und man mag streiten, welcher Anteil der bestimmende
ist.

Der Aufbau von Bachs Kantate 106 (›Actus tragicus‹) ist in
seiner Antithetik für alten und neuen Bund, der Vereinigung der
Gegensätze unter der Choralallegorie (Unterwerfung unter Gottes
Willen) im Mittelsatz (gewissermaßen »confutatio«) und der fast
naturalistischen Nachahmung des Sterbenden, der den Erlöser
anschreit und seine Seele hörbar aushaucht (drastisch, wie auf
barocken Grabdenkmälern), ein Gemisch der verschiedensten
Bedeutungsinhalte, geschaffen aus einer urwüchsig gewaltigen
Gestaltungskraft. Aber diese Kantate ist damit nur ein Schulbeispiel spätbarocker bedeutungsvoller Zeichensprache, und es ist ein
Irrtum zu glauben, Bach habe darin seine eigenen Empfindungen
ausgedrückt: ein ganz rational gesehener Sachverhalt wird durch
eine meisterhaft gehandhabte »ars combinatoria« in überkommene
Ausdrucksformen übersetzt.

Die Schilderungen, die Johann Kuhnau in seinen ›Biblischen
Historien‹ (1700) gibt, sind zum Teil, wie er selbst sagt, reine
Nachahmung; sie streifen schon die spätere *Tonmalerei* und bilden
eine Vorstufe zur *Programmusik*. Zum Teil jedoch zielen sie »auf
eine analogiam« und stehen somit noch der Allegorie nahe. Wenn
hingegen Marin Marais in einer Sonate für Gambe und Basso
continuo eine Gallensteinoperation schildert (›Tableau de l'Opération de la Taille‹, 1717) und in Beischriften die Bedeutung der
einzelnen Noten erklärt, so kann dies kaum noch als »bedeutende«
Musik im Sinne des Barock aufgefaßt werden, sondern ist, bei
allen im einzelnen ganz barocken formalen Mitteln, ein Naturalismus, der sich mit der Unterlegung von Programmen unter die
Klavierfantasien C. Ph. E. Bachs durch H. W. von Gerstenberg
schon sehr nahe berührt. Die ›Jahreszeiten‹-Konzerte op. 8 von
Antonio Vivaldi, denen in der Form von Sonetten ein »Programm«
beigegeben ist, stehen der echten Programmusik schon sehr nahe,
indem sie, noch mit bekannten barocken »Figuren«, die Gefühle

wiedergeben, die der Stoff im Beschauer auslöst. Es ist bezeichnend, daß schon 1754 bei Charles-Henri Blainville die Frage auftauchen konnte, ob Vivaldis Konzerte das Gefühl ansprächen, und daß sie vom Gesichtspunkt einer neuen Zeit her negativ beantwortet wurde. Georg Philipp Telemanns ›Gulliver‹-Suite (aus dem ›Getreuen Musikmeister‹, 1728) hingegen bildet ein Gemisch aus uralter, nun in die Karikatur gezogener Symbolik der Notenwerte und Allegorik der Figuren.

Das lange vergessene Gebiet der Semantik ist erst durch die neuere Bach-Forschung (W. Werker, M. Jansen, besonders Fr. Smend) wieder in Angriff genommen worden. Der Beweis kann als geführt gelten, daß (abgesehen von der spezifischen »Zahlenkabbalistik«, die eine Eigenheit J. S. Bachs und seines Kreises gewesen zu sein scheint) eine von frühchristlichen und mittelalterlichen Zeiten her ererbte *Zahlensemantik* für biblische und liturgische Texte bei Bach noch oder wiederum am Leben gewesen ist, die wahrscheinlich als Unterströmung im Renaissance- und Barockzeitalter nie ganz ausgestorben war. Ihr wird in Zukunft von der Forschung nachzuspüren sein. Daß auch sie noch in dem Gewirr der »bedeutenden« Zeichengebungen des musikalischen Barockstils aufgehen konnte, ist ein Beweis mehr für die Tatsache, wie innig dieses Zeitalter mit den vorangehenden durch übergreifende Traditionen verknüpft, wie stark andererseits seine Fähigkeit zur Umwertung, Weiterbildung und Einschmelzung dieser Traditionen gewesen ist.

e. Der Kontrapunkt

Der Gesamtkomplex der bedeutungtragenden Zeichen bildet also, vom Barock her gesehen, einen Überhang aus früheren Epochen, aber einen fruchtbaren, an dem die schöpferischen Kräfte des Barock sich stilbildend erwiesen. Ähnlich steht es mit dem *Kontrapunkt*, d. h. mit dem *polyphonen Satz*. Die »ars perfecta« der Renaissance hatte ihn als Erbe übernommen, ihn aber zur vollkommenen Koordination der Stimmen, zur vollen und gleichmäßigen Ausschöpfung des Tonsystems, zu einer diatonischen Modalität, die sich dem Dur-Moll-System annähert, zum Prinzip der Durchimitation und zur Gleichgewichtigkeit zwischen Linie und Akkord durchorganisiert (wenn die ungeheure Leistung des Renaissance-Zeitalters auf diesem Felde in eine so vereinfachende Formel zusammengezogen werden darf). Der in Madrigal und Motette zur letzten Reife entwickelte polyphone Satz der Renaissance ging als Erbe auf den Barock über.

Die Auseinandersetzung mit diesem Erbe erfolgte auf vier Wegen. Der eine führte zu einer *assimilierenden Aneignung*. Die Norm des 4–6stimmigen Satzes wurde übernommen, thematisch mit dem »bedeutenden« Vokabular, harmonisch und tonal mit

Chromatik und Enharmonik, mit freiem Gebrauch von Dissonanzen, Vorhalten, Durchgängen, Querständen und dergleichen erfüllt, wobei sich das Gewicht von der linearen mehr auf die akkordische Seite verlagerte, und im formalen Aufbau völlig den Erfordernissen des Textes untergeordnet. Das Kontrastbedürfnis förderte in diesem Vorgang den Gebrauch von tonalen Rückungen, melodischen Antithesen, emphatischen Pausen, doppelten Kontrapunkten (vertauschbare Stimmen tragen gleichzeitig gegensätzliche Inhalte vor), von Tempo- und Mensurwechsel, kleineren Notenwerten, rhythmischer Belebung und Brechung; das Bedürfnis nach formaler Befestigung, nach Gruppierung und Symmetrie förderte die Entstehung von Rahmen- und Ritornellformen, von Steigerungs- und Zentralanlagen usw. Das italienische Madrigal und die lateinische Motette, in geringerem Grade das deutsche Lied und die deutsche Motette, sind die Gattungen, in denen sich der Vorgang vollzieht, der bei Lassos und Marenzios Madrigalen um 1580 deutlich anhebt, in Italien über Monteverdi zu seinem Extrem bei Gesualdo, in Deutschland über Lechner zu Schein und Schütz verläuft (in deren »Motetten«, die zum Teil eigentlich geistliche Madrigale sind, sich mit den Elementen der Lasso-Tradition und Italiens die verschiedensten sonstigen stilbildenden Elemente mischen). Durch Assimilation entsteht so eine »barocke Vokalpolyphonie«, in der das Bild des Renaissance-Erbes völlig verwandelt erscheint.

Der zweite Weg der Auseinandersetzung mit diesem Erbe war der einer *völligen Negation*. Während in Mantua Monteverdi, in Neapel Gesualdo erwiesen, daß der barocke Ausdruckswille sich sehr wohl im polyphonen Satz befriedigen ließ, erklärte die Florentiner Radikalistengruppe um Giovanni Bardi und Jacopo Corsi, an ihrer Spitze Vincenzo Galilei, dem Kontrapunkt den Krieg und verurteilte Motette und Madrigal als Erfindungen barbarischer Zeiten und ungebildeter Menschen. Den Ausgangspunkt bildete ihr doktrinärer Humanismus: die Musik sollte durchaus dem Text untergeordnet sein, keinen Eigenwert beanspruchen und durfte deshalb keinesfalls in mehreren Stimmen verschiedene Worte zur gleichen Zeit vortragen. Ideen ähnlich wie in der französischen Akademistengruppe tauchten auf, der Vortrag sollte rhythmisch-metrisch reguliert, das Wort deutlich vorgetragen werden. Dazu eignet sich allenfalls der 4stimmige homophone Satz, der, wie in der »musique mesurée«, so in der »favola pastorale« benutzt wird, besser aber, da die Griechen nur einstimmige Musik gekannt haben, der reine Solovortrag, zu dem nur die stützende Begleitung weniger Akkorde erlaubt ist. Diese Negation wurde einer der Ansätze für die Monodie, wie sie im Solomadrigal, in der »Aria«, im »stile rappresentativo« der frühen Oper erscheint.

Für die gesamte Geisteshaltung des Zeitalters ist der dritte Weg der Auseinandersetzung mit dem polyphonen Erbe nicht minder bezeichnend. Zum ersten Male beginnt eine entschiedene *Stilspaltung* zwischen bestimmten Arten geistlicher Musik und dem weltlichen Fortschritt. Keineswegs in dem Sinne, als sei die Kirchenmusik ausschließlich an den einen Stil gebunden, der andere eine weltliche Domäne geworden. Immerhin jedoch haben die letzten Sitzungen des Tridentiner Konzils (1563), die sich zwar aller direkten Einwirkung in die kompositorische Technik enthielten, die aber doch starke Instrumental-Effekte sowie alles »Weltliche und Unreine« aus der Kirchenmusik verbannt wissen wollten, die Nachwirkung gehabt, daß der neue Barockstil in seinen extremen Ergebnissen als nicht der Kirche oder mindestens nicht dem öffentlichen Gottesdienst angemessen betrachtet und daß für liturgische Zwecke der mit Palestrina als Gipfel und mit der »römischen Schule« (Giovanni Maria Nanino, Felice und Giovanni Francesco Anerio, Francesco Soriano usw.) erreichte Motetten- und Messenstil als normgebend anerkannt wurde. Der sogenannte »Palestrina-Stil« wurde als »prima pratica« dem affektiven Stil, dem Monteverdi den Namen »seconda pratica« gegeben hat, entgegengestellt, und unter diesen Bezeichnungen oder auch als »stile antico« und »stile moderno« oder »stylus gravis« und »stylus luxurians« wurde die Unterscheidung das ganze Barock-Zeitalter hindurch festgehalten, ja, sie wirkt in dem Gegensatz zwischen »strengem« und »freiem« Satz bis in die heutige Kontrapunktlehre nach. Von dem Streit Artusi-Monteverdi an haben die Kontroversen zwischen den Anhängern der beiden Stile 150 Jahre hindurch angedauert; noch die Polemik zwischen Mattheson und Heinrich Bokemeyer beruht darauf. Angefangen von der Palestrina umgebenden römischen Schule über Lodovico Viadana, Giacomo Carissimi, Giuseppe Ottavio Pitoni bis hin zu Antonio Caldara und Antonio Lotti, in Deutschland über Hans Leo Haßler und Christian Erbach zu Gutfreund, Johann Stadlmayr, Johann Heinrich Schmelzer (und dann das ganze 18.Jahrhundert hindurch), ebenso aber auch in England, Frankreich und Spanien bestand die »prima pratica« neben der »seconda pratica«. Die gleichen Meister, die den Kampf gegen den Kontrapunkt entfesselten und mit aller Schärfe führten, wie Galilei, Caccini, Monteverdi, aber ebenso noch im Spätbarock die Meister des konzertierenden Stils und der Oper wie Alessandro Scarlatti, Leonardo Leo usw. ließen es sich nicht nehmen, gleichzeitig Motetten, Messen und Madrigale im »stile antico« zu komponieren.

Das Urteil über den Wert des alten Stils schwankt den ganzen Barock hindurch. Angelo Berardi (1689) hält die Stilspaltung für den eigentlichen Gewinn und blickt verächtlich auf die Renaissance

197

herab, die keinen Unterschied der Stile gekannt und eine Motette wie ein Madrigal behandelt habe. Pietro della Valle (1640) empfindet Palestrina als historisch und museal. Unwillkürlich paßten die Meister, die den »stile alla Palestrina« fortsetzten, ihn dem sich wandelnden melodischen und harmonischen Empfinden ihrer Zeit an. Aber schon nach der Mitte des 17.Jahrhunderts entstand eine Art Palestrina-Renaissance, d. h. eine Wiederbelebung von Palestrinas eigenen Werken, von denen man nur wenige kannte, durch Ercole und Giuseppe Antonio Bernabei, dann durch Caldara und Lotti, und in der späten römischen Schule nach der Mitte des 17.Jahrhunderts kam es bei Romano Micheli, Pietro Francesco Valentini, Matteo Simonelli und vielen anderen sogar zu einem Historisierungsprozeß, einer absichtlichen Rückkehr zu Palestrinas Vorbild.

Dieser dritte Weg der Auseinandersetzung mit dem Kontrapunkt ist deswegen so überaus charakteristisch für den Barock, weil auf ihm eine ständige fruchtbare Erneuerung durch die Spannung zwischen den bewußt gehandhabten Stilen stattgefunden hat. Denn die theoretisch auseinandergehaltenen Stile durchdrangen in der Praxis einander wieder, wie es nicht anders sein konnte. Weder Lully noch Schütz oder Henry Lawes, weder Purcell noch Rameau oder J. J. Fux, Bach oder Händel sind ohne die Wiedervereinigung der Stile zu denken. Bei Fux mündet der Vorgang in den ›Gradus ad Parnassum‹ (1725), das Lehrbuch, das dem »praenestinischen Kontrapunkt« kanonische Geltung verliehen und ihn dem 18. und 19.Jahrhundert weitervererbt hat, und schon 1648 hat sich Schütz nachdrücklich auf ihn bezogen.

In einer vierten Bahn endlich floß der polyphone Satz *gleichmäßig* fort, unbefehdet und kontinuierlich, wenn auch fortlaufend Umgestaltungen unterzogen: in der Instrumentalmusik, besonders für Orgel und Klavier. Was das 16.Jahrhundert an Spielformen wie Fantasia, Canzone, Ricercar usw. überliefert hatte, erbte sich in gerader Linie fort zu Samuel Scheidt so gut wie zu Girolamo Frescobaldi, zu Jacques Champion de Chambonnières, Johann Jakob Froberger, Bernardo Pasquini, zu André Raison, Dietrich Buxtehude, Johann Pachelbel und J. S. Bach. Es ist der Zusammenhang, in dem schließlich durch Umformungen, aber ohne tiefergehende Brüche, die barocke Fuge entstanden ist. In diesem Vorgang ist auch der cantus firmus-Satz als Erbe aus dem Mittelalter und der Renaissance erhalten geblieben. Gewiß ist die Instrumentalmusik dabei fortlaufend mit den Ausdrucksmitteln und Stilformen des neuen Zeitalters erfüllt worden und haben sich aus alten zum Teil ganz neue Gattungen gebildet (aus der Canzone z. B. die Sonate), aber im Ganzen handelt es sich nur um Aneignung und Umwertung von Überliefertem.

f. Stilbewußtheit und Idiomatik

Wie Bukofzer richtig beobachtet hat, zeigt sich in allen diesen Vorgängen ein deutliches *Stilbewußtsein*. Man komponiert in bestimmten Stilen, absichtsvoll und vorbedacht. Jeder Gattung und jedem Zweck der Musik kommt ein besonderer Stil zu, und man gruppiert schon von etwa der Mitte des 17.Jahrhunderts an in drei Kategorien: »musica ecclesiastica«, »musica cubicularis« und »musica theatralis« (Kirchen-, Kammer- und Bühnenmusik), ohne jedoch bestimmte Formen oder Stile fest an die eine oder andere dieser Gattungen zu binden (eine Untersuchung der Geschichte dieser Kategorien steht noch aus). Von hier aus verstand man nicht mehr die stilistische Einheit der Renaissance. Ebensowenig verstand man, wie ein früheres Zeitalter eine Komposition »zum Singen oder Spielen auf allerlei Instrumenten« hatte bestimmen können.

Im Barock scheidet sich der vokale vom instrumentalen Stil: innerhalb des vokalen scheiden sich die einzelnen »pratiche«, innerhalb des instrumentalen die Klangcharaktere und Techniken der Instrumente. Schon Giovanni Gabrieli und Claudio Monteverdi gelangen zu festen Besetzungsvorschriften, in Deutschland Michael Praetorius, 1617, und Heinrich Schütz, 1619; d. h. sie schreiben für das einzelne Instrument so, wie es seiner Spieltechnik und seinem Klangcharakter angemessen ist, und tragen in ihren Partituren bewußt die Kontraste der Klangflächen auf. Die farbklangliche Einheit der Renaissance wird aufgelöst in jene *Koloristik*, in der schließlich der Barock das Menschenmögliche, auch in der Romantik nicht mehr Überbotene an Ausnutzung von Klangfarbe, Raumwirkung, Vokal-Instrumental-Kombination und *Idiomatik der einzelnen Klangkörper* geleistet hat.

Im Gefolge solcher Stil- und Klangbewußtheit erhält die Sologesangsstimme ihre spezifische Ausprägung als virtuoser Ornamentalgesang, beginnend mit den Verzierungsanweisungen der improvisatorischen Praxis im ausgehenden 16.Jahrhundert und endend bei der vollausgebildeten Lehre des »bel canto« und der letzten Ausnutzung der menschlichen Stimme in der Brillanz neapolitanischer Virtuosenkoloratur, von L. Zacconi (1592ff.) und G. Caccini (1601) bis zu Pier Francesco Tosi (1723) und zu Nicola Porporas ›Solfeggi‹, an denen sich die letzten großen Primadonnen und Kastraten der opera seria bildeten. In diesem Zusammenhang differenziert sich der Chorgesangsstil vom Sologesangsstil von M. Praetorius bis zu Bach.

Die idiomatische Verselbständigung der Blas- und Streichinstrumente beginnt mit G. Gabrieli, Biagio Marini, Giovanni Battista Fontana, Giovanni Battista Buonamente usw. und endigt bei den Violinkonzerten Bachs und Vivaldis, den Bläserkonzerten Bachs und Alessandro Marcellos, den schwindelnd virtuosen

Gamben-, Violoncell- und Violin-Soli von Bach, Marais und Vivaldi. Die Spezialisierung des Technischen und die Differenzierung des Idiomatischen führen zur vollen Ausbildung der Farbklanglichkeit jedes Instruments, zur Ausnutzung aller seiner technischen Möglichkeiten und zum berufsmäßigen Virtuosentum. Auch dies ist im 19. und 20.Jahrhundert nur weitergeführt und überboten, gelegentlich übertrieben, aber nicht grundsätzlich verändert oder übertroffen worden.

Mit dem Beginn des Barock löst sich die Orgel mit selbständiger Musik von dem klanglich neutralen Komplex der Renaissancemusik los. Die cantus firmus-Bearbeitungen von Marco Antonio Cavazzoni, die Praeludien und Ricercari von Jakob Buus und Claudio Merulo, die Tientos von Antonio de Cabezón, selbst die Canzoni von Andrea Gabrieli sind grundsätzlich noch neutrale Polyphonie, die, einige Spielfiguren abgerechnet, auch von einem Ensemble von Instrumenten auszuführen wäre, und vieles von dieser Praxis bleibt im 17.Jahrhundert, besonders in der englischen Consort-Music, lebendig. Aber mit Girolamo Diruta, G. Gabrieli und Frescobaldi, mit Praetorius, Sweelinck und Scheidt beginnt eine Orgelmusik, die nur auf der Orgel ihren Klangfarbenreichtum entfalten kann und oft technisch nur auf der Orgel ausführbar ist. Das Instrument selbst verläßt den einheitlichen Prinzipalklang der italienischen Renaissance-Orgel und wandelt sich, nach Ländern und Gegenden in sehr verschiedener Weise, durchaus zur Polychromie und fordert damit von der Orgelkomposition eine wohldisponierte Klangsprache, die diese Möglichkeiten nutzt. Bis zu André Raison, Nicolas de Grigny und den Couperin, zu Georg Böhm, Buxtehude und Bach erstreckt sich diese Idiomatik der Orgel und sinkt nach dem Ende des Barock-Zeitalters allmählich in das Einerlei einer grisaillenartigen Neutralität zurück.

Mit dem Beginn des Barock differenziert sich davon auch die Klaviermusik für die beiden Haupttypen, das Cembalo und das Clavichord (die Lautenmusik erlebt daneben gleichfalls noch eine hohe Blüte und eine eigene Farbsprache und Technik). Zwar laufen die Wege der Klavier- und der Orgelmusik in einigen Gebieten, so z. B. der cantus firmus- und Choralbearbeitung, der Toccaten- und Variationenkomposition noch eine gewisse Zeit parallel (noch Frobergers Toccaten lassen sich auf dem Klavier wie auf der Orgel spielen; in der Choralvariation Böhms scheidet sich klavieristische noch kaum von organistischer Behandlung), aber mit der englischen Virginalistengruppe steht schon Ende des 16.Jahrhunderts eine rein klavieristische Musik da und entfaltet ihr eigenes Idiom und ihre eigene Klangwirkung. Ein gradliniger Zusammenhang reicht von den Anfängen bis zu Domenico Zipoli, Händel, Couperin und Bach und bricht so lange nicht ab, als die barocken Klavierinstrumente noch im Gebrauch blieben: W. Fr. und C. Ph.

E. Bach setzen wie D. Scarlatti Spieltechnik und Farbklanglichkeit der barocken Klaviermusik noch in ein neues Zeitalter fort, freilich von vornherein mit neuem Ausdrucksgehalt belastet.

g. Die Verschmelzung der Stile. Das Gesamtkunstwerk

Kommt in Idiomatik und Klang der *Stilwille* des Barock von Anfang an vielleicht am auffälligsten zur Geltung, so darf doch nicht übersehen werden, daß die Spätstufe des Barock zu einer gegenseitigen Angleichung der individuellen Klangsphären und Techniken neigt. Vivaldi und Bach, aber auch schon Lully und Alessandro Scarlatti bieten viele Beispiele dafür. Der sogenannte Instrumentalismus in den Sologesangspartien Bachs ist das bekannteste Ergebnis des Vorgangs, der sich jedoch ebenso in der Instrumentalmusik findet: die Trompete konzertiert im ›2.Brandenburgischen Konzert‹ wie eine Violine, die Orgel hatte längst Violinfiguren aufgenommen, und die »agréments« der Lautenornamentik sind in dem spätbarocken französischen Clavecinstil aufgegangen.

Diese Angleichung bildet die Grundlage für die Entstehung des spätbarocken *Gesamtkunstwerkes*, worin sich alle nur erdenklichen Stil- und Klangmittel der Musik mit der Bühnenarchitektur und -malerei, der rhetorischen Wort- und Verskunst der Sprache, der Mimik und Gestik zum Totaleindruck vereinigen. Da dieses Gesamtkunstwerk am stärksten in der Oper verkörpert ist und da die Oper wiederum als Element im Gesamtkunstwerk des höfischen Lebens ihren organischen Platz hat (wie sie sich in den Rahmen des Schloß- und Theaterbaus, der Gartenarchitektur usw. einfügt), ja, in ihren eigenen Gestalten und Ideen die zeremonielle Hierarchie und den Gedankengehalt des absoluten Fürstentums verkörpert, bildet sie die letzte und hochverfeinerte Prägung eines bis ins Kleinste durchstilisierten aristokratischen Lebens, das selbst ein »Gesamtkunstwerk« war und in dem zum letzten Male in der Geschichte der europäische Geist sich eine vollkommen adäquate und die Gesamtheit des Lebens umfassende Form geschaffen hat.

Analoges hat die Kirche geleistet. Wie in der Architektur der Wieskirche, von Weingarten oder von Ottobeuren die Orgel nur einen Bestandteil des Gesamtplans bildet und sich nur als ein Glied unter anderen aus der Raumdekoration heraushebt, so geht die Prachtentfaltung der Messenkompositionen A. Scarlattis, Johann Adolf Hasses und Jan Dismas Zelenkas in dem sinnverwirrenden Prunk des gottesdienstlichen Schauspiels auf, und die musikalischen Allegorien verschweben unter blendendem Clarinklang mit den gemalten Heiligen und Engeln in der Lichtkaskade der Kuppelglorie. Auch dies ist letztbarockes Gesamtkunstwerk und letzte Entfaltung eines einheitlichen Lebensgefühls, zusammengehalten durch die Einheit eines vollkommen verschmolzenen Stils.

201

h. Die Satztechnik. Der Baß und die Akkordik. Von der Modalität zur Tonalität. Konsonanz und Dissonanz

Die Kräfte, die mit dem beginnenden Barock nach neuen Klang- und Stilmitteln für ihr neues Lebensgefühl und Aussagebedürfnis drängten, haben die Menge der ererbten Stilmittel in den letzten Jahrzehnten des 16.Jahrhunderts rasch resorbiert und umgewandelt. Die Umbildung der Rhetorik und der bedeutungtragenden Zeichen im Sinne des Barock war um 1600 schon erfolgt. Die Herausbildung der neuen Affektensprache in Melodik und Motivik ist mit G. Gabrieli und Cl. Monteverdi mindestens in ein erstes abschließendes Stadium eingetreten. Ihre Verschmelzung mit dem Kontrapunkt ist ebenfalls um 1600 abgeschlossen. Die neue Klang- und Farbkunst mit der vokalen und instrumentalen Idiomatik ist in schnellem Zuge bis in die 1620er und 1630er Jahre hinein entstanden.

In diesen Zusammenhängen sind zwei dauernde Grundtatsachen der barocken Satztechnik bereits um 1600 fest ausgebildet. Die eine ist, daß die koordinierte Stimmengleichheit des Renaissance-Zeitalters sich zu einer Polarität gewandelt hat, indem auf die Außenstimmen (Oberstimme und Baß) das Hauptgewicht fällt und diese in eine Art Spannungsverhältnis zueinander getreten sind, während die Mittelstimmen zu Füllstimmen geworden sind. Die andere besteht darin, daß der in der »ars perfecta« erreichte Gleichgewichtszustand zwischen Linearität und Akkordik sich zugunsten der letzteren verschoben hat. Die Außenstimmen bilden das Gerüst des Satzes, in der Monodie wie im vielchörigen Konzert, und der Akkord ist zum selbständigen Baustein geworden. Akkordfolgen erscheinen nicht mehr als sekundäres Ergebnis von linearen Stimmbewegungen, sondern die Stimmen schreiten fort, um Akkorde zu bilden. Die harmonisch-tonale Wirkung steht selbst in kontrapunktischen Sätzen wie Madrigalen und Motetten im Vordergrund (soweit sie nicht der »prima pratica« angehören).

Die seit der italienischen Lauden- und Frottolenkunst des ausgehenden 15.Jahrhunderts bewußt gebrauchte und bei Josquin kunstvoll gegen die Polyphonie kontrastierte *Homophonie* ist erst mit dem Barock zum dominierenden Satzmittel geworden, ohne daß ihre Akkordfolgen jedoch schon auf einem modernen Tonalitätsbewußtsein beruhen. Der Akkord wird an und für sich oder in seinen Verbindungen zur ausdrückenden Wirkung erhoben, ist aber noch nicht Glied einer funktionalen Kette. Mit dieser Übergewichtigkeit der Außenstimmen und der Emanzipation des Akkords fiel der Schwerpunkt des Satzes von selbst in den Baß, der im Barock-Zeitalter zur »Fundament«-Stimme wurde. Die bedeutungslosen Mittelstimmen durch Ziffern auszudrücken, anstatt sie voll auszuschreiben, war nur eine technische Vereinfachung.

Als Folge einer längst geübten Zusammenziehung der Unterstimmen eines Satzes im Sinne der Begleitung eines Akkord-Instrumentes oder eines Chores solcher Instrumente zu einer oder mehreren Oberstimmen entstand im Ausgang des 16.Jahrhunderts der *Generalbaß*. Fundamentbässe, die zunächst nur den jeweils tiefsten Stimmen eines mehrstimmigen Satzes folgten (»basso seguente«), aus polyphonen Sätzen auszuziehen, war mindestens seit etwa 1580 üblich; gedruckte Stimmen der Art kamen in den 1590er Jahren in den Handel.

Die ersten echten Generalbässe finden sich bei den italienischen Meistern um 1600. Caccini gebraucht den Ausdruck »basso continuo«. Von ihm, J. Peri, L. Viadana, B. Strozzi, Agostino Agazzari, Adriano Banchieri, Francesco Bianciardi u. a., in Deutschland von M. Praetorius, Gregor Aichinger, Johann Staden und Christoph Demantius erschienen in den ersten 20 Jahren des 17.Jahrhunderts Anweisungen für die Ausführung des Basso continuo.

Die Generalbaßlehre blieb ein Hauptstück der gesamten barokken Musiklehre bis hin zu Francesco Gasparini, Friedrich Erhard Niedt, J. Mattheson und J. D. Heinichen, d. h. bis um 1740. Damit war sie jedoch noch keineswegs erschöpft; sie ist in der 2. Hälfte des 18. und im 19.Jahrhundert fortgesetzt und allmählich zur heutigen Harmonielehre umgebildet worden. Der Generalbaß selbst blieb der »basso fondamentale« und damit der kraftvolle Träger aller barocken Musik, einerlei ob mehr solistisch-konzertanten oder mehr polyphonen Charakters. Die Verschmelzung von Fundamentpraxis und Kontrapunkt wurde dann im Spätbarock zur Grundlage für die Fugentechnik Bachs und Händels.

Durch den gesamten Barockstil hindurch gilt, daß das Gebäude der Oberstimme sich *über* dem Basso continuo erhebt, d. h. von ihm getragen wird und in einem gewissen Gegensatz zu ihm steht. Kommt es auch mit der Wiederaufnahme des Kontrapunktes im Spätbarock (vergleiche Abschnitt VI a) zu einer erneuerten echten Polyphonie und zu einer dichten linearen Verflochtenheit des Satzes, so bleibt doch immer der Baß Träger der Ordnung und wird im Spätbarock Träger der formalen Gliederung in dem Maße, als diese sich nach funktional-harmonischen Beziehungen ausbildet. Einerlei also, ob der Satz stärker akkordisch oder polyphon gerichtet ist, immer bleibt das Spannungsverhältnis der Oberstimme zum Baß bestehen. Hierin liegt auch der Unterschied dieser barocken »Continuo-Homophonie« (Bukofzer) gegenüber der Homophonie des beginnenden klassischen Zeitalters. Für die letztere gilt grundsätzlich, daß die Melodik unabhängig von jeder Begleitung ist, selbst ohne sie existieren kann, für den Barock, daß Melodiestimme und Baß organisch und unlöslich miteinander verkettet sind.

203

Daß dem als Fundament im barocken Satz zur tragenden Stütze erhobenen Baß im Laufe der Zeit die verschiedenartigsten Aufgaben zufielen, war eine Folge der allgemeinen Verlagerung in den Gewichtsverhältnissen, wenn auch diese verschiedenen Praktiken ihren Ursprung zum Teil in vorbarocker Zeit haben.

Die Ausbildung der *Ostinato-Praxis* als Grundlage der instrumentalen Variation (»Ground«, »Chaconne«, »Passacaglia«, »Passamezzo«), der solistischen oder chorischen Strophenvariation (Opern-Aria, italienische Kantate, Ballett-Finali der französischen Oper), der freikonzertierenden Melodiebildung (langsame Sätze des Solo-Konzerts), schließlich in seinen freieren quasi-ostinaten Formen als Grundlage jeder Art von Satzbildung (z. B. bei Bach) ist ein Ergebnis der barocken Baß-Behandlung; die »stehenden« und »gehenden« Bässe (Haas), die Ausbildung rhythmischer, konstanter Formen von Bässen als Grundlage ganzer Satzkonstruktionen, die Baß-Kanonik usw., dies alles zeigt die wirklich »fundamentale« Bedeutung des Basses in aller barocken Musik. Je mehr das Akkordgefühl anwuchs und die Komponisten »vom Baß her« komponierten, um so stärker wurde die Ausprägung bestimmter, wiederkehrender Akkordformen und Akkordreihen, um so stärker auch das Bedürfnis nach der Zentrierung der akkordlichen Zusammenhänge.

Die Ausbildung bestimmter, als solcher bewußt fixierter Akkordformen (Dreiklänge und Septakkorde mit ihren Umkehrungen usw.) ist überhaupt ein Ergebnis des Barock. Die Ketten von Sext- und Septakkorden, die im Spätbarock, die gehäuften Sequenzenbildungen, die im gesamten Barock regelmäßig vorkommen, gehören zu den festen Stilelementen des barocken Satzes.

Das für die gesamte Musikgeschichte entscheidende Ergebnis aus diesen Zusammenhängen ist die Entstehung der modernen *Tonalität* aus der alten *Modalität*. Für das Renaissance-Zeitalter galt noch die Gleichberechtigung aller modi, d. h. der kirchentonalen Ausschnitte aus der diatonischen Skala, wenn auch im Laufe des 16.Jahrhunderts eine zunehmende Neigung zum Dur und zum Moll bemerkbar wird. Der frühe Barock setzt die bewußt isolierten konsonanten Akkordbildungen noch modal nebeneinander. Die vorher fest geregelten Beziehungen der Dissonanzbildungen zu ihnen zerschlägt er, indem er die Dissonanz (als rhetorisch-affektives oder nachahmendes Mittel) mehr oder minder frei gebraucht. Was an Kühnheit in der freien Einführung und freien Auflösung von Dissonanzen, aber auch in ihrer klangfarblichen Anwendung als beharrende Wirkung von Monteverdi, Saracini, Gesualdo geleistet worden ist, bedeutet eine radikale Wendung im Konsonanz- und Tonalitätsbewußtsein gegenüber der Renaissance.

Im Verlaufe des Barock ist dieses Extrem zugunsten eines Gleichmaßes zwischen *Dissonanz* und *Konsonanz* wieder aufgegeben worden. Auf der Stufe des Spätbarock jedoch, etwa von Corelli und Lully an, bildet sich die Modalität zur Tonalität um, d. h. aus der prinzipiellen Reihung von Akkorden wird eine Gruppierung um feste Zentren: Tonika, Subdominante und Dominante (dies die Reihenfolge ihrer Wichtigkeit in barocker Musik) werden die Mittelpunkte dieser Gruppen, und diese Zentren treten zueinander in die funktionale Beziehung der modernen Dur-Moll-Tonalität. In der Phase Rameau, Händel, Telemann, Couperin, Scarlatti usw. ist die moderne Funktionalität der Dur-Moll-Tonalität praktisch voll entwickelt. Es war nur eine nachträgliche Bestätigung dieser Tatsache, wenn Rameau in seinem ›Traité de l'harmonie‹ (1722) das ganze System anstatt von den Skalen von den Akkorden und ihren Umkehrungen her aufzubauen versuchte und dabei die tonalen Zusammenhänge zwischen ihnen geradezu ignorierte.

War mit dem Ausgang der Renaissance der Gleichgewichtszustand zwischen *Linearität* und *Akkordik* zugunsten der letzteren verlassen worden, so schuf der Barock in seinem Endstadium das Ergebnis der funktional zentrierten, auf dem Akkord aufgebauten Tonalität und für den polyphonen Satz die Unterordnung der Linearität unter sie. Auf dieser neuen tonalen Grundlage konnte Bach noch einmal chromatisch-enharmonische und dissonante Kühnheiten wagen, die an die Anfänge des Barock erinnern; auf dieser Grundlage aber konnte er auch den Stil seines »romantischen Barock« entwickeln, der ihm die Bahn ins 19. Jahrhundert geöffnet hat.

Auch auf diesem Gebiet hat die klassisch-romantische Epoche den Barock wohl vielfach überboten und übertrieben, aber grundsätzlich nicht übertroffen oder überwunden. Nur der Gebrauch, den dieses Zeitalter von der neuerrungenen Tonalität machte, war ein anderer, diese selbst aber ist bis zu Strauss und Reger unverändert geblieben. Da aber Tonalitätsverhältnisse die eine Voraussetzung für das Verstehen von Musik sind, ist es begreiflich, daß die Wiedererstehung des Barock im Zeitalter der Romantik von seinem in Bach verkörperten Endstadium her erfolgte. Hiermit hängt es auch zusammen, daß in der heutigen Musikpflege unter »Barock« ganz vorwiegend »Spätbarock« verstanden wird, während seine früheren Stadien mehr oder minder als »fremdklingend« empfunden werden.

i. Vom tactus zum Takt. Tempo und Rhythmus

Wie Satztechnik, Akkordik und Tonalität, so entwickelte sich aus den allgemeinen Stilelementen des Barock der *moderne Takt* als ein geschichtliches Dauerergebnis. Die Kunstmusik der Renaissance war in ihrem Zeitablauf geregelt durch den »tactus«, d. h. einen

Grundwert, zu dem alle übrigen Notenwerte in bestimmten proportionalen Verhältnissen standen. Dieser tactus war eine reine Schlageinheit, die den Zusammenklang der Stimmen regelte, trat aber nicht als regelmäßige Folge von schweren und leichten Zeiten, überhaupt nicht als ein Akzentsystem hervor. Da überdies die Notenwerte der Stimmen des polyphonen Satzes einander überschneiden und nur an beabsichtigten Zäsuren zu gemeinsamer Kadenz zusammentreten, bietet der Satz der »ars perfecta« dem heutigen Ohr keine rhythmische Orientierung, ja, er setzt sogar der Taktstrichziehung in moderner Partitur unüberwindliche Hindernisse entgegen. Das heißt, die Renaissance hat keinen »Takt« im Sinne der mechanisch pulsierenden Wiederkehr von rhythmischen Einheiten gekannt, oder vielmehr: sie hat ihn bewußt vermieden; denn im Tanz und in einfachen Liedbildungen wie Frottolen, Lauden, Villotten, Villanellen, Chansons usw. liegt oft genug ein echter Takt zutage.

Wenn mit dem Beginn des Barock der moderne Takt in die Kunstmusik einzieht, so bedeutet dies also, wie bei so vielen Stilelementen des Barock, eine Umwertung: was früher Eigentümlichkeit niederer Musikgattungen war, steigt in die Kunstmusik auf (ein Vorgang, der sich übrigens in gewissem Sinne beim Beginn der Frühklassik wiederholt). Mit der Neigung zu rhythmisch-taktlicher Verfestigung, d. h. zur mechanischen Wiederkehr von Schwer-Leicht-Gruppierungen, trafen die Bemühungen der Humanisten (vergleiche Abschnitt VIb) zusammen, die metrischen Schemata der antiken Dichtung in der Musik zur Geltung zu bringen, und im streng homorhythmischen Vortrag solcher metrischen Verse in der »musique mesurée à l'antique« traten von selbst Maßeinheiten zutage, die gleichfalls zum Takt strebten; ihre Nachwirkung in rhythmischer Beziehung ist im frühen Florentiner Rezitativ deutlich zu spüren. Nicht nur im italienischen »balletto« Giovanni Croces und Ignazio Donatis, auch in den »ayres« von John Dowland, den »airs de cour« von Pierre Guédron und Antoine Boësset wie selbstverständlich in allen Balletten und Tänzen, in den Liedern von H. L. Haßlers ›Lustgarten‹, in der Virginalmusik von Giles Farnaby, John Bull und Orlando Gibbons wie in den Suiten von Johann Hermann Scheins ›Banchetto‹, überall ist eine der modernen taktmäßigen Ordnung mindestens sehr nahekommende mechanisch pulsierende Ordnung schon um 1600 vorhanden. Ihr fügt sich auch die Polyphonie ein: die Madrigale von Monteverdi und Schütz lassen sich bereits taktmäßig notieren, was noch bei Marenzio Schwierigkeiten macht, bei Lasso kaum möglich ist.

Jedoch darf »Takt« im Sinne regelmäßiger Schwerpunktfolgen weder mit der unveränderlich starren Folge von Taktschemata ($^3/_4$, $^4/_4$, $^6/_8$) noch mit rhythmischer Starrheit gleichgesetzt werden. Zwar notieren schon die Florentiner Monodisten mit taktstrichähnlichen Gliederungszeichen. Aber noch bis zu Carissimi, zu Schützens späten ›Symphoniae sacrae‹ und zu Adam Kriegers Liedern erstreckt sich die Praxis, die »Taktstriche« verschieblich zu halten und mit ihnen mehr zusammengehörige Tongruppen als starre Schemata zu begrenzen. Lully fängt in seinen Rezitativen das strikt beobachtete Versmetrum in wechselnde Taktvorschriften ($^4/_4$, $^3/_2$, $^2/_2$ usw.) ein und zeigt damit die Neigung zur weiteren Verfestigung in Taktschemata an. Mit der französischen Oper und dem französischen Ballett (Ouverture), mit dem italienischen Concerto grosso und Concerto solo ist dann in der Spätstufe des Barock – analog zur Tonalität und Funktionalität – der feststehende Takt im modernen Sinne entwickelt worden.

An *rhythmischer Freiheit* ist wohl kaum eine Zeit der Musikgeschichte so weit in das Rhapsodische und das Rubato vorgestoßen wie der Frühbarock. Monteverdi gebraucht das »senza battuta« und verlegt den Rhythmus vorwiegend in den freien, affekthaften Vortrag des Sängers, der den »stile recitativo« unter Grimassen, Gesten, Schreien und Seufzen vorzutragen hatte, und der Vortrag eines Violinsolos von Marini oder einer Toccata von Frescobaldi, eines der frühen Solomadrigale Peris oder Saracinis ist, auch abgesehen von den zahlreichen notierten Kontrasten und Abwechslungen des Rhythmus, äußerst frei zu denken.

Erst im Verlauf des Barock erfolgte eine Verfestigung auch im Rhythmischen, indem der Komponist dem einzelnen Satz ein bestimmtes rhythmisches Motiv zugrunde legte, wie es etwa in den Opernarien Pier Francesco Cavallis oder Pietro Antonio Cestis, Lullys oder John Blows, in den Suiten von Chambonnières und Froberger zu beobachten ist. Und erst der Spätbarock entwickelte jene Motorik, die innerhalb eines Satzes die einmal zugrunde gelegte rhythmische Bewegung unablässig (nötigenfalls mit eingelegten Kontrastabschnitten oder, im polyphonen Satz, mit simultan kontrastierenden, aber ebenfalls durchlaufenden Bewegungsformen der verschiedenen Stimmen) wiederkehren und durch ihre unbarmherzige Einprägsamkeit den Hörer überwältigen ließ. Bach, Händel und viele andere bieten Beispiele auf Schritt und Tritt.

Was in rhythmischer und taktlicher Beziehung vom Barock geschaffen worden ist, behielt dauernde Wirkung, wenn auch der Gebrauch, den Klassik und Romantik davon machten, zeitweise grundverschieden war. Ein wesentlich neues Element der Zeitgliederung in der Musik haben die späteren Jahrhunderte nicht geschaffen. Nur die Anwendung der extremen Tempi unterscheidet sie wesentlich vom Barock, der das »tempo giusto«, eine gewisse temperierte Mitte, nach beiden Seiten nicht erheblich – oder doch nur in ganz gehobenen Momenten (vergleiche bei Bach das »mente cordis sui« im ›Magnificat‹ und den Anfang des letzten Satzes

»Friede über Israel« in der Kantate 34) – zu überschreiten pflegt. Die scharfen Tempokontraste der neapolitanischen Buffo-Oper führen bereits aus dem Barock hinaus.

k. Formgefühl und Formen

Die Tatsache, daß die *Namen musikalischer Gattungen* die Zeiten überdauert haben, darf nicht darüber täuschen, daß sich unter gleichen oder ähnlichen Namen nicht nur ganz verschiedene Gattungen, sondern auch ganz verschiedene Formen verbergen. »Motetten« gibt es vom 13. bis zum 20. Jahrhundert, und das Wort deckt weit auseinanderliegende Gattungen, Formen, Inhalte und Stile. Das »Madrigal« des 14. Jahrhunderts hat mit dem des 16. Jahrhunderts fast nichts zu tun, und dieses wandelt sich im 17. und 18. Jahrhundert weiter zu neuen Formen. Instrumentalgattungen wie »Fantasie« und »Capriccio« bedeuten im 16. Jahrhundert etwas völlig anderes als im 19. Jahrhundert. So darf das Auftreten bekannter Gattungsnamen im Barock nicht dazu verleiten, unter ihnen bestimmte Formschemata zu suchen. Selbst solche Namen, die erst im Barock auftauchen und für ihn charakteristisch sind, bedeuten nicht bestimmte Formschemata. »Aria« ist ein Sologesangstück, aber welcher Form, das hängt von der Stilphase, der Nation und dem Zusammenhang ab, worin sie auftritt. Worte wie »Sinfonia« oder »Sonata« werden den ganzen Barock hindurch in ganz verschiedener Anwendung gebraucht. »Partita« kann so gut eine Suite wie eine Variationenreihe oder auch eine freie Satzfolge bedeuten. Im klassisch-romantischen Zeitalter werden »Sonate«, »Symphonie«, »Sonatensatz«, »Rondo«, »Scherzo« usw. mit bestimmten formalen und zyklischen Schemata verbunden; selbst die »Fuge«, ein rein barockes Produkt, wird im 19. Jahrhundert in ein Schema gepreßt (Czerny).

Der Barock kennt feste Formschemata nicht, oder doch nur in seinem Endstadium, und verwendet feste Bezeichnungen nur für gewisse feststehende Typen wie vor allem Tänze. Unter »Pavane«, »Gaillarde«, »Allemande«, »Courante« usw. bis hin zum »Menuett«, »Passepied«, »Loure« und dergleichen versteht man immer annähernd die gleiche »Tanzform«. Doch sind diese nicht eigentlich »Formen« (die »Form« besteht, abgesehen von den ältesten Tänzen wie Pavane usw., meist aus zwei analogen Abschnitten), sondern mehr Bewegungstypen.

Unter Bezeichnungen wie »recitativo«, »concertato«, »arioso« sind Stile der Komposition oder des Vortrages zu verstehen, und Bezeichnungen wie »Sonata«, »Canzona«, »Cantata«, »Toccata«, »Motetto«, »Ricercar«, »Opera«, »Missa« usw. bedeuten Gattungen, aber keine Formen, wenn man darunter feste Formschemata versteht.

Der einheitliche Stil der Renaissance hatte terminologische

Unterscheidungen von Stilen nicht nötig, und die Gattungen bezogen ihre Namen vom Inhalt oder vom Zweck der Musik. Die Stildifferenzierung und die Stilbewußtheit des Barock bedingten terminologische Unterscheidungen der Stile, aber die Gattungsbezeichnungen bezogen sich weiterhin nur auf Inhalt und Zweck und kündigten allenfalls ein allgemeines Ordnungsprinzip an. Ein festes Formschema meinten sie nicht. Solche Schemata entstanden erst in der letzten Phase.

Das *Formgefühl* der Renaissance hatte sich auf den ebenmäßigen Ablauf von aneinandergereihten, gleich oder ähnlich gearteten Abschnitten gerichtet; Kontrast und Wiederkehr wurden gebraucht, waren aber nicht notwendig, nicht konstitutiv und nicht formbestimmend. Das Formgefühl des Barock richtete sich anfangs auf möglichst große Buntheit, auf Abwechslung, Kontrastreichtum, rhapsodische Freiheit und wandelte sich allmählich in der Richtung auf die Herausbildung festerer formaler Einheiten, logischer Durchdringung, inneren Zusammenschlusses und endete bei der Fixierung stabiler Formschemata.

Vier Grundzüge lassen sich unterscheiden. Die eine Richtung hängt mit der Erhaltung der »prima pratica« zusammen (vergleiche Abschnitt VI e) und äußert sich darin, daß in polyphonen Sätzen (vokal oder instrumental) die *lockere Aneinanderreihung gleichartiger Abschnitte* aus der Renaissance gewahrt bleibt, wenn dabei auch zwei neue Tendenzen auftreten: die eine zur stärkeren Kontrastierung der Abschnitte, eventuell zu ihrem Zusammenschluß durch Refrains, Coden oder Rahmenbildungen, die andere zur thematischen Vereinheitlichung. Charakteristisch für den vokalen Zweig sind z. B. die Motetten der ›Geistlichen Chormusik‹ von Schütz: bewußt dem »praenestinischen Kontrapunkt« folgend, nehmen sie dennoch vom affektiven Madrigal her starke Kontrastwirkungen zwischen den einzelnen Abschnitten, vom Konzert her Rahmenformen und Coden an; ähnlich ist es noch bei den Motetten Bachs. Auf der instrumentalen Seite ist bezeichnend, daß das Ricercar bei G. Gabrieli wie bei Frescobaldi und Bach die Reihung von Abschnitten festhält, seien sie über verschiedene Themen oder (Variations-Ricercari) über mehrere Variationen eines Themas oder schließlich über ein einziges Thema gearbeitet (der Vorgang endet mit der Gleichsetzung von Ricercar und Fuge). In Motette und Fuge hat diese Richtung Dauergeltung auch für spätere Zeiten behalten.

Diesem konservativen Zug des barocken Formgefühls steht extrem gegenüber die *Neigung zur völlig freien, rhapsodischen oder improvisatorischen Form.* Auf vokalem Gebiet findet sie ihren Niederschlag zuerst im Solomadrigal und dem »stile rappresentativo« der Florentiner; sie bleibt weiterhin bestehen in allen den verschiedenen Arten von Rezitativ und Arioso bis zum Ende des Barock

und hat sich von dort in die spätere Zeit fortgesetzt. Auch die orna-
mentale Improvisation gehört hierhin. Ihr instrumentales Gegenstück sind die Toccata, auch wenn sie sich mit ricercar- bzw. fugen-
artigen Gebilden vermischt, die Praeambeln, Praeludien und sonstigen freien Vorspielformen, die freilich in der Spätzeit (bei Bach)
oft ein fugiertes oder kanonisches Gepräge annehmen, und endlich
die (im modernen Sinne) fantasieartigen Stücke für Tasteninstrumente, die unmittelbar in die freie Klavierfantasie C. Ph. E. Bachs
oder Mozarts übergehen.

Eine dritte Richtung nimmt das Formgefühl des Barock an, die
auf Reihenbildungen ausgeht, d. h. auf *Reihung in sich geschlossener Teile*, verwandt, aber nicht identisch mit der Reihung von
Abschnitten in polyphonen Kompositionen. Besonders charakteristisch dafür ist auf vokalem Gebiet die »Cantata«, die von ihrem
ersten Auftreten (bei Alessandro Grandi, Francesco Turini und
Giovanni Rovetta, um 1620) an bis zu den Kammerkantaten Händels und den Kirchenkantaten Bachs im wesentlichen den Charakter der Reihung geschlossener Sätze behielt, wenn sie sich auch
gelegentlich (vom Konzert her) mit Rahmen- und Symmetrieformen durchsetzt hat. Gleiches gilt für die Oper und das Oratorium,
die im ganzen von Monteverdi und Carissimi an bis zu Bach und
Händel immer Reihenformen geblieben sind, auch wenn sich gelegentlich in ihnen architektonische Zusammenschlüsse von Teilen
zu Gruppen finden. Im instrumentalen Bereich entsprechen ihnen
die Suite, die Variation und die Canzone.

Die *Suite* (»Partita«) ist, unerachtet des oft zu beobachtenden
Schematismus der Tanzfolgen, immer eine lose Reihe von stilisier-
ten Tanzsätzen geblieben, auch wenn an ihre Spitze eine »Sinfonia«,
ein »Praeludium« oder eine »Ouverture« trat. Noch François Couperins ›Ordres‹ beweisen, daß die unschematische Folge freier und
tanzhafter Sätze auf einheitlicher Tonartbasis dem innewohnenden
Formgefühl entsprach und zyklischer Zusammenschluß nicht im
Sinne der Gattung lag.

Die *Variation* ist in einem so starken Maße den verschiedensten
Gattungen der barocken Musik inhärent, daß sie geradezu *die*
Form des Barock genannt werden könnte. Als basso ostinato-Va-
riation beherrscht sie zeitweise die Solokantate, die Oper und das
Ballett, als Ground, Chaconne und Passacaglia die Klavier- und
Orgelmusik bis hin zur Solomusik der Streichinstrumente, als freie
variative Anknüpfung an ein Grundmotiv wirkt sie in der Varia-
tionensuite seit J. H. Schein und Paul Peuerl und als figurative
Oberstimmenvariation wird sie von den englischen Virginalisten
und Sweelinck an bis zu Händels ›Grobschmied-Variationen‹ und
Bachs ›Goldberg-Variationen‹ hin in überreichlichem Maße
gepflegt. Auch sie durchsetzt sich mit Elementen polyphoner
oder konzertanter Herkunft, aber sie bleibt Reihenform, auch

wenn Bach am Ende das Thema in der Urform wiedererscheinen läßt.

Die *Canzone*, die sich seit Frescobaldi von der Anlehnung an vokale Modelle gelöst hat, besteht anfangs in einer bunten Reihung von kontrastierenden Abschnitten (»Flicken-Kanzone« nach Riemann), vergrößert allmählich die Dimensionen ihrer Abschnitte und gelangt zu abgeschlossenen, in ihrer Zahl nicht begrenzten Teilen, die sich mit dem Spätbarock allmählich in der Richtung auf die Kammersonate, also zu einer suitenartigen Reihung von beliebig vielen Sätzen, oder auch auf die Kirchensonate und damit mehr zu einer steten Gruppierung von meist vier Sätzen entwickeln.

Ein vierter Zug endlich ist gleichfalls von vornherein im barocken Formgefühl angelegt, der auf die *Herausbildung von Gruppenformen* zielt. Er hängt mit dem »stile concertato« eng zusammen. Da im konzertierenden Stile das »Gegeneinander«, der Kontrast das Urelement ist (im Gegensatz zu dem »Nach- und Nebeneinander« des polyphonen Stils), entfaltete sich von vornherein beim kleinbesetzten Konzert Viadanas, Banchieris, Scheins und bis hin zu dem Ende der geistlichen Solokantate bei Schütz und Buxtehude die Neigung, Anfang und Ende als selbständige, aufeinander bezogene Teile zu behandeln (Rahmenformen) oder einen etwa wiederkehrenden Textteil (»Halleluja« oder dergleichen) auszugliedern und als pfeilerartig hervortretendes Glied zu wiederholen (Ritornellformen) oder derartige Bildungen mit der Anlage architektonisch planvoller, um eine zentrale Achse gelagerter Strukturen zu verbinden (Symmetrieformen). Zwischen die tragenden Risalite werden leichtere Zwischenglieder ebenso planvoll eingruppiert, und die Mittelgruppe kann wie das Eosander-Portal des Berliner Schlosses oder die Kuppel der Dresdener Frauenkirche das Ganze krönen.

Was im kleinbesetzten Vokalkonzert möglich war, konnte noch wirkungsvoller mit den massierten Mitteln des vielchörigen Konzertstils geschehen und geschah von G. Gabrieli an über Antonio Maria Abbatini und Orazio Benevoli hin zu den Chorgruppierungen in Carissimis Oratorien, zu Lullys und Charpentiers Orchester-Motetten, zu Purcells und Händels Anthems und schließlich zu Bachs ›Magnificat‹ und ›h-Moll-Messe‹.

Gruppenformen haben sich im Laufe des Barock gelegentlich in Kantate, Oper und Oratorium gebildet und haben schließlich im Instrumentalkonzert des Spätbarock von Arcangelo Corelli, Giuseppe Torelli und Vivaldi an zu Bach und Händel eine Art letztes Konzentrat dieser Richtung im barocken Formgefühl geschaffen.

Was im Spätbarock an feststehenden Formschemata entwickelt worden ist, beruht notwendigerweise auf der vierten Richtung des barocken Formgefühls (da die übrigen drei dem Schematismus ihrer Natur nach widerstrebten) und ist in dem Vorgang der Stilverschmelzung (Abschnitt VI g) dadurch entstanden, daß das Bedürfnis zur Gruppenbildung auch die an und für sich entgegenstehenden Richtungen verdrängt oder durchdrungen hat. Eine Voraussetzung für die Ausbildung der feststehenden Gruppenformen war die Ausbildung der Tonalität und des Taktes (Abschnitt VI h und i). Kontrastierende Ton- und Taktarten waren erforderlich, um mehrere Sätze gleichgewichtig zu einer Gruppenbildung zu verklammern, kontrastierende Tonarten, um dem Einzelsatz den Charakter der architektonischen Einheit zu geben.

Prototypen sind das spätbarocke *Instrumentalkonzert* und die spätbarocke Da capo-Arie, die einander nahe genug stehen, um in Einzelfällen (J. S. Bach, Violinkonzert E-Dur) ineinander aufgehen zu können. Die – in der Regel viermalige – Wiederkehr des Ritornells auf verschiedenen Tonartebenen im Konzertsatz, zwischen denen auf entsprechenden Tonarten die Soloepisoden eingeschoben werden (thematisch abweichend oder einheitlich), die analoge Anlage des dritten, jedoch in Takt und Rhythmus kontrastierenden Satzes ergeben eine Pfeilerkonstruktion in doppelter Ordnung: die Ecksätze bilden die Eckrisalite des ganzen Konzerts, zwischen denen die leichte Eleganz oder leidenschaftliche Improvisation des Mittelsatzes eingehängt wird; die Ritornelle in den Ecksätzen bilden die Pfeiler, zwischen denen die Girlanden-Ornamentik der Soli sich erstreckt. Vollkommenste Symmetrie ist erreicht, und das Schema wurzelt so tief, daß Vivaldi es trotz des Programmes in seinen »Stagioni« aufrechterhält. Das Konzert war das letzte, ausgeprägteste Formschema des Barock und wurde zum Urbild für das spätere Rondo wie für den Sonatensatz.

Die *Da capo-Arie*, ausgehend von der zwischen einfachster vierzeiliger Liedstrophe, variativen Liedstrophen und mehrteiliger Komposition schwankenden Behandlung von Caccini bis zu Caldara, Franceso Conti, Agostino Steffani und Pietro Torri, wurde seit A. Scarlatti in der neapolitanischen Gruppe von Francesco Durante, Francesco Feo, Leonardo Leo usw. zu dem festen Schema ausgebildet, als das sie sich (neben zweiteiligen Formen) bei allen Meistern des Spätbarock findet. Ein Hauptteil, bestehend aus Ritornell und Gesangsteil, oft doppelläufig mit Tonartumkehrung angelegt, wurde als dritter Teil wiederholt, der Mittelteil (auf ähnlichen oder kontrastierenden Motiven beruhend) wurde in Tonart und Klangmitteln, oft auch in der Taktart dagegen abgesetzt, so daß wieder eine symmetrische Gruppe entstand, die als Schema weit über den Barock hinaus bestehen blieb, freilich zu allen Zeiten zahlreichen Abwandlungen im einzelnen offenstand.

An weiteren, mehr oder minder feststehenden Formschemata entwickelte der Spätbarock *die zweisätzigen Ordnungen* von Rezitativ und Arie sowie von Praeludium (Toccata usw.) und Fuge, das zwei- oder dreisätzige Schema der Französischen Ouverture und das viersätzige der Kirchensonate.

Nachdem der frühbarocke hochpathetische Stil des Rezitativs sich zum Sprechgesang für erzählende, dramatische oder verbindende Texte vereinfacht, die schlichte Liedaria sich zum gewichtigen lyrischen Singstück im bel canto-Stil umgebildet hatte (bei L. Rossi, Carissimi usw.), wurde die Verbindung *Rezitativ – Arie* zum Formschema, dessen Bedeutung um so größer wurde, je mehr sich Oper, Oratorium und Kantate im Spätbarock aller anderen Bestandteile entledigten.

Die zweiteilige Form von *Praeludium* oder anderen freien Stükken und *Fuge* ist als feststehende Ordnung im Spätbarock aus der Verbindung der Toccata mit fantasie- oder ricercarartigen Teilen hervorgegangen. Sie hat sich ebenso wie die Form Rezitativ – Arie über die Zeiten hinweg erhalten.

Die *Französische Ouverture* hat sich zwischen 1640 und 1660 aus den vielteiligen Sinfonien, wie sie als Einleitungen zu den Ballets de cour gebraucht wurden, entwickelt; zweiteilige Form tritt seit 1640, der »rythme saccadé« der späteren Ouverture zuerst 1651 (›Les fêtes de Bacchus‹), die erste Verbindung von langsamer Einleitung und fugato-Satz 1658 (Lully, ›Alcidiane‹) auf, und die erste voll ausgewachsene Französische Ouverture schrieb Lully 1660 zur Pariser Aufführung von Pier Francesco Cavallis ›Serse‹, noch zweiteilig. Die spätbarocken Fortsetzer fügten ihr die Wiederholung des Anfangsteils (oder einen ähnlich gearteten Grave-Satz) als Abschluß an, und als Formschema dieser Art hat die Ouverture den gesamten Spätbarock als die gewichtige, höfisch-zeremonielle Orchesterform beherrscht und mit ihren Nachwirkungen weit überdauert.

Die repräsentative Form des »stylus ecclesiasticus« (neben der Ouverture für den »stylus theatralis« und dem Konzert für den »stylus cubicularis«) wurde die *Sonata da chiesa*. Sie entwickelte sich aus der vielgliedrigen Reihenform der Kanzone durch Reduktion der Zahl ihrer Abschnitte und erweiternde Stabilisierung der Abschnitte zu geschlossenen Sätzen (bei Pietro Andrea Ziani und Giovanni Legrenzi noch meist fünf, seit Corelli, nach 1680, vier), die das regelmäßige Schema langsam-schnell (fugiert)-langsam-schnell (fugiert oder tanzartig) annahmen. Ob als Solo-, Trio- oder Quartett-Sonate besetzt, hat die Kirchensonate dieses Schema festgehalten, während die Kammersonate eine feststehende Form nicht ausgebildet hat.

Alle anderen sogenannten »Formen« des Barock sind entweder Stile (wie das Rezitativ) oder Kettenbildungen (wie die Fuge) oder lockere Reihenordnungen (wie die Suite), aber keine Schemata.

Zyklische Formen großen Ausmaßes hat der Barock nicht oder doch nur in Ausnahmefällen in seinem Endstadium geschaffen. Oper und Oratorium gehen über Reihenbildung in der Regel nicht hinaus, wenn auch in Bachs Passionen wie in Händels Opern einzelne Abschnitte sich zu musikalisch geschlossenen Szenenkomplexen zusammenschließen, in denen durch tonale und thematische Beziehungen Formgruppen hergestellt werden. Weder tonale noch strukturelle noch thematische Einheit wird über Opernakte oder Oratorienteile hin erstrebt. Große Tonartenarchitekturen kommen in Händels späten Oratorien vor, die aber nicht mehr mit barocken Maßstäben gemessen werden können. Bachs ›Hohe Messe‹ (in formaler Hinsicht als Torso aufgefaßt) und ›Magnificat‹ bilden offenbar Ausnahmen (es wäre zu untersuchen, inwieweit es dazu analoge Fälle gibt). Für Bachs ›Musikalisches Opfer‹ und ›Die Kunst der Fuge‹ ist noch durchaus strittig, ob sie mehr als nur eine Reihung beabsichtigten. Auch die ›Goldberg-Variationen‹ bilden keine zyklische Gesamtform, und im 3. Teil der ›Klavierübung‹ wie in den Tonartenfolgen seiner ›Inventionen und Sinfonien‹, des ›Wohltemperierten Klaviers‹, in den analogen Werken von Johann Kuhnau, Johann Caspar Ferdinand Fischer, Georg Andreas Sorge, Bernhard Christian Weber usw. herrschen wohl von außen gegebene Ordnungsprinzipien, aber keine zu zyklischer Formbildung drängenden Kräfte.

VII. Grenzen und Gliederungen des musikalischen Barock

Die *Einheit* einer jeden stilgeschichtlichen Epoche ist relativ. Eine jede übernimmt ein umfangreiches Erbe an Stilformen, Ausdrucksmitteln, Gattungen, Zwecken und Techniken, das sie »fertig« vorfindet. Sie bewahrt das eine Stück aus diesem Erbe treu und pflegt es als verehrungswürdiges Altertum. Ein anderes läßt sie allmählich verfallen. Noch andere bildet sie in ihrem Sinne um. Entsprechend vererbt eine absterbende Epoche an die nächste, was sie geschaffen hat, und überläßt dem veränderten Geist eines neuen Zeitalters, was er aus dem Erbe machen wird. Die Einheit einer Stilepoche mit dieser relativierenden Einschränkung versehen, darf (durch Abschnitt VI) als erwiesen gelten, daß der Barock eine stilistisch einheitliche Epoche der Musikgeschichte gewesen ist. Ihr Gleichtakt mit den übrigen Leistungen des abendländischen Geistes in gleicher geschichtlicher Zeit wurde bereits vorher (Abschnitt IV) gezeigt. Daß sich mit dem Wort »Barock« eine Stilepoche der Musikgeschichte in Analogie zu den übrigen geistigen Leistungen des Zeitalters decken läßt (Abschnitt III–V), dürfte damit evident geworden sein. Notwendig ist, den historischen Verlauf des musikgeschichtlichen Barock genauer zu begrenzen und zu gliedern.

Um den *Beginn des Barock* richtig anzusetzen, ist die Beobachtung über die *Umwertungen* des Erbes aus der Renaissance von Wichtigkeit. Nicht da beginnt eine geistige Epoche, wo sie erste abgeschlossene Ergebnisse ihres Stils vorlegt, sondern da, wo die Umwertung den ursprünglichen Sinn des überlieferten Gutes grundlegend verändert. Daß Humanistenforderungen, polyphones Madrigal, »prima pratica«, Symbolismus und andere der Erbstücke im 17.Jahrhundert noch leben, bedeutet nicht, daß sich in diesen Formen noch der Geist der Renaissance ausspreche. Die »prima pratica« ist pietätvoll bewahrtes Altertum geworden. Der Symbolismus ist in die barocke Ausdrucksweise als eine ihrer möglichen Sprachen aufgegangen. Der Akademismus läuft als Unterströmung, regulierend und beschwichtigend, weiter. Sie haben ihren ursprünglichen Sinn verändert. So wenig wie aus ihrem Vorhandensein ein Weiterleben der Renaissance gefolgert werden darf, so wenig darf geurteilt werden, der Barock daure im Zeitalter Haydns und Mozarts noch an, weil man noch das Cembalo benutzt, weil man noch (oder wieder) Fugen schreibt, weil das Instrumentalkonzert eine Wiedererstehung feiert und die opera seria noch immer das Glanzstück des höfischen Lebens ist. Die irrige Bewertung solcher Stilüberhänge einerseits, die irrige Auffassung andererseits, eine Geschichtsepoche beginne da, wo sie fertige Ergebnisse vorlegt, haben zu den in der Literatur herrschenden Unstimmigkeiten hinsichtlich der Begrenzung des Barock geführt. Ebenso irrig ist es, wenn man von einer Epoche vollkommene stilistische Einheit erwartet und die geschichtliche Einheit als solche überhaupt in Frage stellt, weil sie diese Forderung nicht erfüllt. Der menschliche Geist hat zu keiner Zeit Uniform getragen.

Die in der Musikgeschichtsschreibung üblich gewordene Gliederung läßt den Barock mit 1600 beginnen, weil zu diesem Zeitpunkt die ersten stilistischen und technischen Ergebnisse vorliegen (Generalbaß, Monodie, Oper, Konzert usw.); am Ende des Zeitalters zwingt sie Händel und Telemann, ja selbst Hasse und Graun noch in das Prokrustesbett eines vermeintlichen »Barock« und verkennt, daß die ersteren beiden sich (und mit sich ihr Zeitalter) vom Barock weg verwandeln, die letzteren beiden mit dem Barock nur noch Stilüberhänge gemein haben. Richtiger scheint, den Beginn der Epoche da anzusetzen, wo das neue Formgefühl und Ausdrucksbedürfnis sich die alten Formen und Mittel entscheidend anverwandelt, ihr Ende da, wo ein aufsteigendes neues Zeitalter die Formenwelt und Ausdruckssprache des Barock entscheidend umwertet oder ganz abstößt.

Der laute Chor der Florentiner Reformer hat seine Forderungen auf Unterordnung der Musik, auf Heteronomie und Gestaltung vom Wort her zu einer Zeit erhoben, als die Praxis längst mit ihrer Verwirklichung Ernst gemacht hatte. Im *italienischen Madrigal*

215

hatte sich schon um 1570 (Rore, Nasco, Ruffo, Lasso), bei noch strikt festgehaltenem polyphonem Satz, das Gewicht merklich nach der Seite der Akkordbetonung verschoben. Tonal-harmonische Effekte und die Bildung der musikalischen »Figuren« (Motive) vom Wort her überwogen bei weitem das Interesse an dem längst selbstverständlich gewordenen, vollkommen schönen Satz als solchem. Die Ergebnisse des Vorgangs liegen dann bereits in der Schicht Marenzio, Gesualdo, Monteverdi (1580er–1590er Jahre) fertig vor: Akkordik ist (bei weiter festgehaltener äußerer Polyphonie) an die Stelle von Linearität, freier Dissonanzgebrauch an die Stelle der »prima pratica«-Vorschriften getreten, die Erfindung durch und durch rhetorisch, die Anlage von Kontrasten in Klang und Bewegung bestimmt; taktlich-metrische Ordnung hat sich an die Stelle ebenmäßigen Flusses geschoben. Was folgte, war nur eine konsequente Weiterentwicklung: das konzertierende und solistische Madrigal.

Es ist selbstverständlich, daß die Grenzen locker bleiben. Bei Lasso, der 1555 in einem Vorwort zwischen verschiedenen Kompositionsarten unterscheidet, gibt es schon um diese Zeit ausgesprochen barocke, noch 1587 (Meermann-Madrigale) mindestens im Formalen renaissancehafte Züge, während doch gerade in dem letzteren Werk die innere Spannung und der Bekenntnisdrang auf einen hohen Grad leidenschaftlicher Erhitzung gestiegen sind. Wie er selbst seine Wandlung sieht, sagt er in der Widmung der letzten Motettensammlung (1593) in seinem Gleichnis vom jungen und alten Weinstock.

Bei anderen Meistern wie etwa de Monte bleibt auch im Madrigal eine gewisse Gelassenheit, ein renaissancehaftes Gleichgewichtsgefühl länger wirksam. Was für das Madrigal, gilt für die *Motette und andere Gattungen*. Lasso macht in seinen Motetten und deutschen Liedern um 1570 eine ähnliche Wandlung wie in den Madrigalen durch. Palestrinas Messen wird man, schon vom 2. Buch an (1567; gewidmet Philipp II. von Spanien; enthält u. a. die Marcellus-Messe), seine Motetten mindestens vom 4. Buch an (1584; gewidmet Papst Gregor XIII.; die Hoheliedmotetten) gewiß nicht als Zeugnisse erhabener Affektlosigkeit oder gelassenen Gleichmaßes werten dürfen: unter der Decke schöner Proportionen und ebenmäßigen Flusses kommt in ihnen eine Erregtheit, eine Unruhe flimmernder Farbigkeit zum Vorschein, die sich mit El Greco und Tintoretto vergleichen lassen. Jacobus de Kerle war schon 1562 (›Preces‹) mit einem Werk vorangegangen, das nicht nur in der aus Rom datierten Widmung an das Kardinalskollegium und seinem Zweck für die Gottesdienste des Tridentiner Konzils, sondern auch in seinem Stil den Geist des Reformkatholizismus widerspiegelt, im gleichen Jahre, als in der päpstlichen Kapelle die ersten Kastratensänger auftraten.

Wie die Technik des *begleiteten Sologesangs* im Zusammenhang mit pastoralen und mythologischen *Bühnenstücken* im Verlauf des 16.Jahrhunderts entstanden ist, hat R. Haas gezeigt; in den Florentiner Intermedien von 1589 (herausgegeben von Malvezzi 1591) war sie fertig ausgebildet und brauchte von dort in die ersten »Opern« (Peri, ›Dafne‹, 1597?; Caccini und Peri, ›Euridice‹, 1600) ebenso wie in die Solomadrigale Luzzaschis (1601) und Caccinis (1602) nur übernommen zu werden.

Das Pariser ›Ballet comique de la Royne‹ (1581) hat, bei aller formalen Beschränkung und Zurückhaltung, das Muster für die gesamte Gattung des »ballet de cour« bis tief ins 17.Jahrhundert gesetzt. Für die »musique mesurée« liegen die maßgeblichen Zeugnisse bei Mauduit, Le Jeune usw. von 1570 an vor. Daß Frankreich nicht bloß im Akademismus hängen blieb, beweisen die allegorischen Monodien von Pierre Bonnet (1600), die den Mantuaner und Florentiner Schöpfungen völlig zur Seite gehen (›Dialogue sur la mort d'une demoiselle ou le dessus chante seul représentant la demoiselle et les parties respondent en représentant Charon‹ u. a.).

Die Technik des *Konzertierens* mit verschiedenen Chören in kontrastierenden Besetzungen ist um 1590 bereits so weit ausgebildet, daß das Wort »Concerto« auf Titelblättern erscheinen kann (A. und G. Gabrieli, 1587; Malvezzi, 1591). Mit Banchieri (1595) und Viadana (1602) ist der Stil des chorischen wie des solistischen geistlichen Konzerts ausgebildet. In der Instrumentalmusik verläuft die Grenze infolge ihrer besonderen Stilverhältnisse (Abschnitt VI e) weniger deutlich; doch ist ihre Verselbständigung gegenüber dem vokalen Modell mit G. Gabrieli schon abgeschlossen. Für Italien kann jedenfalls mit Sicherheit der Zeitpunkt der Umwertung und Aneignung des Erbes auf etwa 1570–1580 festgelegt und dieses Jahrzehnt als die Frühgrenze des Barock angesetzt werden, die freilich nicht einheitlich für alle Länder gilt.

Die englischen Madrigalisten des ausgehenden 16.Jahrhunderts wird man kaum als »barock« im engeren Sinne ansprechen können. Aber John Dowland, persönlich verwickelt in die Konfessionskämpfe seiner Zeit und, obwohl Katholik, zum Jesuitenhasser geworden, nimmt auf seiner Deutschlandreise bei Heinrich Julius von Braunschweig und Moritz von Hessen, in Italien bei Croce und Marenzio eine charakteristisch barocke Haltung an (auch in seinem Briefstil) und eröffnet mit seinen Liedern und Instrumentalwerken um 1600 einen ausgesprochen *englischen Barock*. Seine Zeitgenossen John Bull, Orlando Gibbons, Thomas Tomkins usw. repräsentieren die Klaviermusik schon in einem Stadium, das nicht Anfang, sondern Abschluß ist und vorbildlich für große Teile der kontinentalen Klaviermusik des gesamten Barock werden konnte.

In Sweelinck durchdringen (besonders in seinem Vokalwerk) noch »prima pratica« und »seconda pratica« einander (ähnlich wie bei Haßler), während sein Orgel- und Klavierwerk Stil und Formen des Barock vollkommen entwickelt. In *Deutschland* wächst aus dem lange bewahrten und durch den ganzen Barock gepflegten »stile antico« der italienischen Motetten des 16.Jahrhunderts, aus chorischem und solistischem Konzert, Monodie, affekthaftem Madrigal nur langsam, dann aber um so ausgeprägter ein vollendeter Barockstil zusammen. Die mehrchörigen Konzerte von M. Praetorius (zwischen 1605 und 1619) und Schütz (bis und nach 1619) lassen den Vorgang so deutlich verfolgen, wie es im kleinen Konzert, im Lied und in der Kammersuite bei Schein, in der Orgelmusik von Praetorius bis Scheidt möglich ist. Auch dies sind fertige Ergebnisse. Der Beginn barocken Form- und Ausdrucksbedürfnisses liegt viel früher, wie Lechners Werke von 1575 an, Johannes Eccards Kompositionen etwas später beweisen.

Ähnlich langsam trat anfangs des 17.Jahrhunderts die barocke Wendung in der *spanischen und portugiesischen* Orgelmusik (Pedro Heredia, Francisco Correa de Arauxo, Manuel Rodrigues Coelho) ein. Daß alle diese europäischen Länder Italien nicht vorangingen, sondern nachfolgten, ergab sich aus der Wandlung der nationalen Struktur am Beginn des Barock (vergleiche Abschnitt VIII) von selbst. Man wird für sie alle die Frühgrenze dementsprechend zwischen 1570 und 1600 anzusetzen haben.

Der *Abschluß* einer Stilepoche ist in jedem Fall schwieriger zu bestimmen als der Anfang, weil die Überhänge sehr verschieden lange wirksam bleiben, diese Nachwirkung aber nicht dazu verleiten darf, den Stil der absterbenden Epoche als noch dominierend anzusehen. Entscheidend ist, was die nachfolgende Epoche aus ihm macht und ihm entgegenzusetzen hat.

Der eine entscheidende Gegenstoß gegen den Barock erfolgte in *Italien* auf dem Gebiet des Intermezzo und der komischen Oper von etwa 1730 an, und auch die vollentwickelte opera seria der gleichen und folgenden Zeit ist keine Frucht barocken Geistes mehr, sondern ein klassizistisch vereinfachtes, aber mit barocken Stilmitteln und Formen noch eine Zeitlang arbeitendes Gebilde, dessen verschiedene Erhaltungs-, Verfalls- und Umformungsstadien zwischen 1740 und 1790 eine der stärksten Stilbrücken zwischen dem Barock und der Frühklassik (neben der konzertierenden Messe) bilden. Ähnlich überbrückte in *Frankreich* die ernste Oper der Gruppe um Jean-Philippe Rameau und André Cardinal Destouches noch eine Zeitlang die Stilwendung, während in Vaudeville-Komödie, Singspiel und im Tanzdrama von Jean Georges Noverre längst völlig neue Ideen sich durchgesetzt hatten. Die *deutsche* barocke Oper starb in den 1730er Jahren ab. Auf dem Gebiet der Klaviermusik wurde der Barock in Italien von den

1740er Jahren an mit Domenico Scarlatti, Domenico Alberti, Giovanni Maria Rutini, Baldassare Galuppi usw., in Norddeutschland schon von den 1730er Jahren an mit W. Fr. und C. Ph. E. Bach, in Österreich mit Georg Christoph Wagenseil u. a. entthront.

Der zweite entscheidende Gegenstoß ging von der Gruppe der *österreichischen*, *böhmischen* (Mannheimer) und *norddeutschen* Sinfoniker und Kammermusik-Komponisten, z. T. auch von der italienischen Gruppe um Giovanni Battista Pergolesi und Giovanni Battista Sammartini aus und führte von der Mitte der 1740er Jahre an zur Vorherrschaft der neuen Sinfonie und der verwandten Gattungen (Sonate, Divertimento, Streichquartett usw.) über die ererbten und keineswegs abgestorbenen barocken Restgattungen der Fuge, der Suite, des Konzerts usw.

Um 1750 war auch die nationale und soziale Struktur der europäischen Musik grundlegend gewandelt. Aller Stilüberhänge und Vermischungen ungeachtet, wird man urteilen können, daß mit der Zeit um 1740 die Stilepoche des Barock in der Musikgeschichte aller europäischen Länder, wenn nicht abgeklungen, so doch überwunden ist. Telemanns und Händels späte Kantaten und Oratorien sind wie Carl Heinrich Grauns ›Tod Jesu‹ und Johann Adolf Hasses ›Pellegrini‹ absolut unbarock im Wesen, wenn sie sich auch, wie die opera seria, noch barocker Stilmittel bedienen. Bach ist in seinem Spätwerk über die Frage »barock oder nicht barock?« hoch hinausgewachsen. Gerade in seinem engsten Umkreise hatte sich ein großer Teil der entscheidenden Wandlungen zum neuen Zeitalter hin abgespielt, und er selbst war seit Johann Adolph Scheibes Angriff von 1737 in die künstlerische Auseinandersetzung, seit den Schulstreitigkeiten der 1730er Jahre in die allgemeine geistige und soziale Umschichtung hineingezogen worden.

Gegenüber der höchsten Sublimierung und Verwicklung des barocken Stils hat seit etwa 1740 ein neuer Primitivismus allenthalben Platz gegriffen. Inwieweit das Nachleben des Barock eine Art »musikalisches Rokoko« gebildet hat, ist eine Frage, deren Erörterung in diesem Artikel nicht möglich ist.

Innerhalb der angegebenen Zeitgrenzen zerfällt die barocke Stilepoche in drei Phasen, deren Grenzen wiederum in den verschiedenen Ländern ungleich sind, die sich jedoch überall mehr oder minder deutlich unterscheiden lassen. In *Italien* weichen um 1630 der Stil überhitzter Deklamatorik und Affekthaftigkeit, der Kampf gegen den Kontrapunkt, das kleingliedrige Flickenwesen, die Sprödigkeit bloßer Oberstimmen- und Baßbetonung, die Experimente mit Dissonanz und Chromatik der Neigung zur Ausbildung eines kantableren Geangsstils (wobei Rezitativ und Arie sich endgültig scheiden), einer Gleichgewichtigkeit zwischen Wort

219

und Ton wie zwischen instrumentaler und vokaler Musik, einer reicheren Satztechnik, die dem Kontrapunkt erneut Geltung einräumt, einer Dehnung und Verselbständigung der kleinen Glieder zu größeren Teilen, einer zunehmenden tonalen, rhythmischen und metrischen Vereinheitlichung der Teile. Mit der Venezianischen Oper, dem Oratorium und der Solokantate L. Rossis und Carissimis erwuchs der bel canto-Stil, der in der Bologneser Schule von Maurizio Cazzati, Giovanni Battista Vitali, Giovanni Legrenzi usw. auch auf die Streichermusik übergegriffen hat und in der Klaviermusik Bernardo Pasquinis eine Parallele fand.

Aus diesem Stadium ist um 1680 eine dritte Phase des italienischen Barock erwachsen, die sich durch die Überwindung der Vielteiligkeit zugunsten einer Kleinzahl abgeschlossener Sätze in allen Gattungen vokaler und instrumentaler Musik auszeichnet. Im einzelnen Satz herrscht gefestigte, moderne Dur-Moll-Tonalität; die Funktionalität bildet sich im Laufe der Phase von 1680 bis 1740 völlig aus. Ebenso sind der motorische Rhythmus und der moderne Takt voll erwachsen.

Mit dem Concerto grosso und Concerto solo ist seit Corelli, Torelli und Vivaldi das eine der endgültigen instrumentalen Formschemata neben der Kirchensonate als zweitem geprägt worden, deren letzte Form gleichfalls auf Corelli zurückgeht. Mit Giovanni Maria Casini, Azzolino Bernardino Della Ciaja, A. Scarlatti und D. Zipoli kommen auch in der Klavier- und Orgelmusik die Spätgattungen des Barock, Partita, Fuge, Variationsreihe, zur Geltung. Analog wird in der Oper und in der Kammerkantate die Da capo-Arie zu ihrem letztbarocken Schema ausgebildet. Mit A. Stradella, A. Scarlatti, Giovanni Battista und Antonio Bononcini, Giacomo Antonio Perti, Attilio Ariosti, Agostino Steffani, Antonio Lotti, Pietro Torri, Carlo Francesco und Antonio Pollarolo, A. Caldara und Fr. Conti erreicht die barocke seria-Oper ihr abschließendes Stadium vor der klassizistischen Reform Metastasios und Hasses.

Die drei Leitphasen der italienischen Musikgeschichte erscheinen in den anderen Ländern etwas verschoben. In *England* ist seit den »masques« von Henry Lawes und Matthew Locke von den 1650er Jahren an eine Durchdringung von englischem »ayre« und italienischem bel canto-Stil eingetreten und ist mit John Blows ›Venus and Adonis‹ (1682) der volle Anschluß an den spätbarokken Kantaten- bzw. Operntypus Italiens, jedoch mit sehr englischer Betonung, gefunden worden, ohne daß jedoch in England die stilistischen Möglichkeiten der früheren Phasen auch nur annähernd in ähnlicher Breite wie in Italien ausgeschöpft worden wären.

Die stilistische Entwicklung der Kirchenmusik hat durch das Commonwealth eine Unterbrechung erlitten. Doch hatte sie schon vorher neben dem »full anthem«, dessen Stil man etwa als das Analogon zur italienischen »prima pratica« ansehen kann und das

durch das ganze 17. und 18.Jahrhundert weitergelebt hat, auch das
»verse anthem« entwickelt, das an die italienische Sologesangs-
und Generalbaß-Praxis anknüpfte.

Nach der Restauration 1660 wurde die italienische Stilentwicklung schnell nachgeholt (Blow, Humfrey, Locke) und mit Purcell
auch auf diesem Gebiet der volle Anschluß an die spätbarocke
Phase ebenso wie in der Solokantate und Oper erreicht; Purcell
nimmt für England eine Stellung ein, die der A. Scarlattis in Italien
entspricht.

Die Klavier- und Orgelmusik scheint nach ihren führenden Leistungen vom Anfang des 17.Jahrhunderts zunächst in den Schatten getreten zu sein; auch auf diesem Gebiet wurde mit Purcell die
Stilstufe der französischen Clavecin- und Orgelmusik des Spätbarock erreicht (eine Orgeltoccata von ihm geriet versehentlich
unter die Werke Bachs, Bach-Ausgabe XLII).

In der Kammermusik hat sich das »consort« sehr lange selbständig erhalten, indem es nur langsam eigentlich barocke Elemente in Stil und Klang aufnahm; sogar die Viola als Hauptinstru-
ment hielt sich viel länger als in anderen Ländern. Um 1600 hatten
die englischen Violisten der Gruppe Dowland, William Brade usw.
ähnlich anregend, ja maßgebend auf die kontinentale Praxis gewirkt wie die Virginalisten. Später wurde das Consort eine innerenglische Angelegenheit. Mit Lawes, John Jenkins, Christopher
Simpson, Christopher Gibbons, Charles Coleman, John Hilton
d. J., Locke usw. erfolgte nach 1650 eine rasche Aufnahme des
italienischen Kammermusikstils, bis auch hierin Purcell den defi-
nitiven Spätbarockstil übernahm.

In England spiegeln sich die drei Leitphasen also insofern wider,
als bis etwa 1680 der Barock nur langsam und gegen Widerstände
in die heimische Praxis rezipiert, in der letzten Phase jedoch die
Angleichung in vollem Maße vollzogen worden ist.

Auch in *Frankreich* bildete eine nationale Überlieferung, verstärkt durch humanistisch-akademistische Neigungen, einen gewissen Widerstand gegen den italienischen Barock. Mersenne
(1636) spricht den Gegensatz klar aus (vergleiche Abschnitt VI b).
Das »ballet de cour« mit seinen »airs« und »récits«, wobei nicht
nur die »musique«, sondern sogar das »ballet« mitunter »mesuré«
wurde, blieb in der ersten Phase der italienischen Affekthaftigkeit
und Rhetorik, aber auch dem wiederauflebenden Kontrapunkt
sowie aller freien Dissonanz und Chromatik abgeneigt. Erst als
unter Ludwig XIV. durch Mazarin bzw. Colbert unter Mitwir-
kung der Familie der Fürsten Barberini die italienische Oper mit
Francesco Paolo Sacratis ›Finta pazza‹ (1645), Cavallis ›Egisto‹
(1646) und L. Rossis ›Orfeo‹ (1647) ihren Einzug am Pariser Hofe
hielt und durch die Inszenierungen des »Zauberers« G. Torelli
Entzücken erregte, als man in italienische Opern Ballette einlegte

221

und Ludwigs XIV. Hochzeit mit Cavallis ›Ercole amante‹ als Festoper (1662) und zahlreichen eingelegten Balletten Lullys beging, brach, gespeist aus italienischen Quellen, ein national-französischer Barock plötzlich durch, der sogleich in Lullys Opern, Balletten, Kirchen- und Instrumentalmusiken seine volle Höhe erreichte und von da an in »tragédie lyrique«, Ballett, »ballet comique« und »comédie-ballet« im wesentlichen unverändert bis zu Rameau weitergetragen wurde.

Selbständig aber entwickelte Frankreich aus der Lautenmusik (Denis Gaultier) seit Chambonnières (um (1650) einen Clavecin-Stil, der von den älteren Couperins, Jean-Henri d'Anglebert, Nicolas Le Bègue usw. beginnend zu François Couperin, Charles Dieupart, Louis Marchand usw. weiterentwickelt wurde. Weniger mit seiner Oper, sehr stark aber mit der aus Oper und Ballett hervorgegangenen *Ouverture* (Orchestersuite), mit seiner Orchesterpraxis und mit seiner Clavecinmusik hat Frankreich das Bild des europäischen Spätbarock geprägt, in dem italienischer und französischer Stil seit 1680 z. T. immer dichter verschmolzen, z. T. aber auch nebeneinander hergelaufen sind (vergleiche Abschnitt VIII).

Ähnlich wie in England ist auch in Frankreich die Frühphase des italienischen Barock nur zurückhaltend aufgenommen worden und eine Verschmelzung französischen und italienischen Stils erst in der mittleren Phase erfolgt. Der Spätbarock mit seinen europäisch übergreifenden Tendenzen sondert sich auch in der französischen Musik als selbständige Phase, teils betont national-französischer Art, teils in Vereinigung mit dem italienischen Spätbarock ab.

In *Deutschland* hat die Rezeption des Barockstils sehr früh begonnen. Wurzeln auch Haßler, Aichinger, Praetorius noch durchaus in der Überlieferung der »prima pratica«, bzw. des deutschen Liedsatzes der Reformationszeit, so greifen doch schon Haßler die neue Technik des italienischen »balletto«, Aichinger und Praetorius das Solo- und Chorkonzert in vollem Umfange auf; mit Lechner und Eccard sind ihnen ältere Meister sogar schon vorangegangen, und Lassos Spätwerk ist nicht nur in Deutschland entstanden, sondern hat auch hier seine größte Verbreitung erfahren. Mit Schein, Scheidt und dem jungen Schütz ist dann die Frühphase des italienischen Barock völlig rezipiert und mit der deutschen Tradition verschmolzen worden.

Die langsame Aufnahme des Sologesangs, insbesondere des Rezitativs, hängt damit zusammen, daß die Voraussetzungen für eine höfische Opern- und Kammermusik zunächst nicht gegeben waren. Die mittleren Werke Schützens (die 3 Teile ›Symphoniae sacrae‹ und die ›Sieben Worte‹ mehr als die ›Kleinen geistlichen Konzerte‹) zeigen, wie sich der Stil der zweiten Leitphase auch hier durchsetzt, freilich immer unter starker Betonung der nationalen

Elemente wie in England und Frankreich. Mit dem Sololied Heinrich Alberts und Adam Kriegers, der Klaviermusik Frobergers, Wolfgang Ebners und Johann Kaspar Kerlls, der Lautenmusik Esaias Reusners d. J., der Instrumentalsuite Johann Rosenmüllers und Dietrich Beckers, dem Orgelchoral und der freien Orgelkomposition von Franz Tunder, Johann Adam Reincken, Heinrich Scheidemann, Matthias Weckmann, Buxtehude, Johann Pachelbel, dem kleinen und großen Vokalkonzert der Schütz-Gruppe bis zu Rosenmüller, Johann Vierdanck, Thomas Selle, Weckmann, Christoph Bernhard, Buxtehude, mit der Kammerkanzone und -sonate von Vierdanck bis Johann Heinrich Schmelzer und Heinrich Ignaz Franz Biber ist in Deutschland eine überreiche Fülle von Musik hervorgebracht worden, die als mittlere Phase des Barock der italienischen Stilentwicklung analog verlaufen ist.

In der Spätphase kommt es dann in Deutschland seit Meistern wie Friedrich Wilhelm Zachow, Kuhnau und Johann Philipp Krieger zu jener Zusammenfassung und Verschmelzung des gesamteuropäischen Musikbarock, die durch die Namen Telemann, Händel und Bach umfassend bezeichnet wird und in der etwas jüngeren Schicht von Gregor Joseph Werner und Quantz an bis zu Christoph Nichelmann und Leopold Mozart ein merkwürdiges Nachleben in der Lehre vom »vermischten Geschmack« geführt hat. Die drei Phasen des Barock lassen sich in Deutschland deutlich trennen und etwa mit den gleichen Grenzlinien wie in Italien: um 1630 und 1680 gliedern.

Als zweckmäßigste Bezeichnung der drei Leitphasen dürften sich für die deutsche Terminologie »Frühbarock«, »Hochbarock« und »Spätbarock« empfehlen (an Stelle von Mosers »Früh-«, »Mittel-« und »Hochbarock« oder Schenks »Früh-«, »Mittel-« und »Spätbarock«); S. Clercx schlägt für die französische Sprache »Baroque primitif«, »Plein Baroque« und »Baroque tardif« vor; M. Bukofzer verwendet »Early Baroque«, »Middle Baroque« und »Late Baroque«.

VIII. Nation und Gesellschaft in der Musik des Barock

Der Barock ist das *Zeitalter der italienischen Vorherrschaft* in der Musik gewesen. Der Aufstieg Italiens zu dieser geschichtlichen Mission ist plötzlich, im Laufe einer Generation erfolgt. In der Renaissance war ganz Europa eine musikalische Provinz der Niederlande gewesen. Niederländische Musiker, Musizierformen, Gattungen und Techniken haben der Zeit von etwa 1430 bis um 1570 bis 1580 das Gepräge gegeben. Selbst die nationalen Musikgattungen der verschiedenen Völker, die französische Chanson, das italienische Madrigal, das deutsche Lied, das spanische Villancico, sie

223

alle sind im Gewande des niederländischen Stils in die Sphäre der Kunstmusik eingetreten, nachdem sie vorher unterhalb dieser sozialen Sphäre ein mehr oder minder verborgenes volksmusikalisches Dasein geführt hatten; ja, sie blieben auch nach ihrem Durchbruch in die Kunstmusik zu einem beträchtlichen Teil in den Händen niederländischer Meister und wurden durch sie entwickelt. Arcadelt, Verdelot, Willaert, Rore, Lasso, Vento, Le Maistre und viele andere legen dafür Zeugnis ab. Die wenigen Italiener dazwischen blieben entweder – wie Bartolomeo Tromboncino, Marco Cara u. a. ihres Kreises – auf Kleingattungen beschränkt, oder sie bildeten – wie Costanzo Festa und Domenico Ferrabosco – Ausnahmen, indem sie im niederländischen Stilgewande unter Niederländern ähnlich als Gäste erschienen, wie diese unter den italienischen Kleinmeistern der Laude und Frottola aufgetreten waren. Noch bis in die Generation Lassos hinein (geboren vermutlich 1532) ist die europäische Dominanz niederländisch gewesen.

Mit eben dieser und der folgenden Altersschicht aber sind in Italien die Meister ans Licht getreten, die den Barock entwickelt und ihn – unter den Einschränkungen, die in Abschnitt VII gezeigt wurden – in ganz Europa durchgesetzt haben. Francesco Portinaro, Vincenzo Ruffo, Giovanni Nasco, Marco Antonio Ingegneri wurden die italienischen Träger des Madrigals, während in der Gattung zur gleichen Zeit die Führung noch bei Lasso, de Monte, de Wert u. a. lag. In der folgenden Schicht hat sich mit Marenzio, G. Gabrieli, Gesualdo, Monteverdi, C. Porta, Banchieri das Italienertum als musikalische Vormacht Europas durchgesetzt. Für M. Praetorius sind diese Meister zusammen mit Palestrina die unbestrittenen Autoritäten, wie es für Morley die gleichen zusammen mit Orazio Tigrini, Baldissera Donato, Felice Anerio usw. gewesen sind. Gleichzeitig rückt Palestrina bereits in die legendäre Rolle eines »Retters der Kirchenmusik« (durch Adriano Banchieri) und in die geschichtliche Funktion des delphischen Orakels für den Kontrakpunkt (durch Artusi u. a.) und hat sie (durch Giovanni Andrea Bontempi, Marco Scacchi, Angelo Berardi und Johann Joseph Fux) bis an das Ende des Zeitalters behalten. Die römische Schule mit Palestrina, Anerio, Nanino, Soriano usw. sowie die venezianische mit A. Gabrieli, Zarlino, Vicentino usw. haben dem europäischen Barock das Modell der »prima pratica« geliefert und damit auf Italien den ephemeren Ruhm gezogen, Träger der »ars perfecta« gewesen zu sein, der seiner wirklichen Rolle im Zeitalter der Renaissance nicht entspricht. Monodie, Konzert und Oper sind von allem Anfang an als italienische Kunst betrachtet worden und haben das Vorbild für alle Länder gegeben.

So stark auch die nationalen Überlieferungen und Sondergewohnheiten waren, die sich in der frühbarocken Phase der wachsenden Übermacht Italiens entgegenstellten, sie konnten nicht verhindern, daß der barocke Stil, die barocke Technik und die barocken Formen Italiens sich durchsetzten, selbst da, wo ihre Voraussetzungen, das barocke Lebensgefühl und Ausdrucksbedürfnis, noch nicht oder doch nur in Ansätzen vorhanden waren. Die Tatsache, daß es in der deutschen (und vielleicht auch in der englischen und französischen) Musik am Anfang des 17.Jahrhunderts Barockstil und Barockformen ohne eigentlich barocken Geist gegeben hat (Praetorius ist in seinen frühen Werken ein Musterbeispiel), zeugt für die Wirkungskraft dieser italienischen Musik; die Frage bedarf der Untersuchung.

Mit voranschreitender Zeit hat sich die italienische Hegemonie befestigt. Aber es darf nicht übersehen werden, daß mit der zunehmenden Rezeption dieses Stils in die Musik der anderen Nationen deren nationale Sonderart sich um so nachdrücklicher entfaltet hat. Im bel canto-Zeitalter dominierten italienische Oper, Kammerkantate, Oratorium, Violinmusik, Kammerkanzone usw. allenthalben und gingen intensive Durchdringungen mit den nationalen Beständen ein.

Gleichzeitig mit ihrer Musik drangen die *italienischen Musiker* vor. Während in der frühbarocken Phase Italiener außerhalb Italiens nur an wenigen Plätzen (am kaiserlichen Hof unter Rudolf II., Matthias und Ferdinand II., an den habsburgischen Nebenhöfen, den süddeutschen Residenzen) in führende Stellungen gelangt sind, wurde Europa von etwa 1630 an mit italienischen Musikern überschwemmt. In Wien ist von Giovanni Valentini (1619) an bis zu Caldara, Conti und Ziani, aber auch weit darüber hinaus die Reihe der italienischen Kapellmeister und Komponisten, der Kastraten und Primadonnen, der Virtuosen und Impresari nicht abgerissen. In München dominierten seit den Bernabei, in Dresden seit Bontempi, Marco Gioseppo Peranda und Vincenzo Albrici Italiener; der letztere konnte sogar zeitweilig Thomasorganist in Leipzig werden. In Paris gastierten unter dem italienischen Kardinal Mazarin L. Rossi, Sacrati und Cavalli und errichtete der Italiener Lully ein national-französisches Musikmonopol. Spanien und England haben dem persönlichen Vordringen der Italiener am längsten, bis zum Beginn des 18.Jahrhunderts, hartnäckigen Widerstand geleistet. Immerhin sind Bartolomeo Albrici, Giovanni Battista Draghi, der Kastrat Siface u. a. kürzere oder längere Zeit in London tätig gewesen. In Warschau wirkten Marco Scacchi und Tarquinio Merula, in Hannover Agostino Steffani, in Berlin Attilio Ariosti, Giovanni Battista und Antonio Bononcini, in Düsseldorf Biagio Marini, in Kopenhagen Fontana. A. Scarlatti war zeitweilig Kapellmeister der Königin Christine von Schweden in Rom, und seit Nicola Matteis und Pietro Reggio (Ende des 17.Jahrhunderts) hatte sich die Kenntnis italienischer Musik in England weit verbreitet. Francesco Gasparinis erste Opern wurden in London 1711/12 gegeben. Wo eine fürstliche Hochzeit oder ein politischer Akt zu feiern, ein Theater zu eröffnen war, selbst in Orten, die damals wenig für Musik bedeuteten, zog man mindestens italienische Kompositionen heran, wenn nicht die Komponisten selbst (so wurde z. B. das Amsterdamer Theater 1680 mit einer Oper von Ziani eröffnet).

Den Hintergrund dieses Aufstiegs bildet die Konzentration der weltlichen Macht in den Händen der absoluten Fürsten, der geistlichen im Papst- und Kardinalswesen der gegenreformatorischen Kirche. Macht bedarf der Repräsentation. *Repräsentative Musik* entfaltete in vorher nie gekanntem Maße der italienische Barock. Sie wurde Bedürfnis der Höfe, des Adels und der Kurie. Ob bei Johann Georg I. von Sachsen, bei Ludwig XIV. von Frankreich, bei Papst Gregor XIII. oder bei kleineren und kleinsten Potentaten und Herren: immer geht es um die fürstliche Repräsentation. Ähnlich projiziert die katholische Kirche ihre Machtstellung nach außen durch musikalischen wie durch baulichen, bildkünstlerischen, kunsthandwerklichen oder zeremoniellen Aufwand. Kein Zeitalter hat auch nur annähernd so prächtige Insignien, Fürstenmäntel, Paramente, Monstranzen, Baldachine, Perücken und Musikwerke hervorgebracht wie der Barock.

Die gewaltige Entfaltung der konzertierenden geistlichen und weltlichen Musik war nur möglich auf dem Boden der Höfe oder der kirchlichen Zentralen, sowohl aus finanziellen Gründen wie deshalb, weil nur hier ihr Sinn zur Geltung kommen konnte. Denn ihr Sinn selbst lag in der Schaustellung. Deshalb fühlten sich die Musiker des Zeitalters auf der absoluten Höhe der zum höchsten Gipfel ihrer Leistungsfähigkeit gestiegenen Musik. Schon Lasso hat 1593 die bezeichnende Frage gestellt, ob die Musik dieser Zeit den Gipfel der Vollendung erreicht habe oder im Begriff stehe, einen neuen Frühling zu erleben. Praetorius und Schein betrachteten die vielchörige Musik als unüberbietbar und als Abbild der himmlischen Chöre. Von hier aus muß es verstanden werden, wenn Bach in seinem Memorial von 1730 die abgesunkene bürgerliche Musikpflege Leipzigs dem Glanz des Dresdener Hoforchesters gegenüberstellt.

Den Mittelpunkt höfischer Repräsentation im Zeitalter des Barock bildet die *Oper*, kirchlicher Selbstdarstellung das *Hochamt*. Wie der barocke Palast um die Darstellung des absoluten Monarchen, so formt die barocke Kuppelkirche das angemessene Gehäuse um die Darstellung der göttlichen Majestät und ihrer irdischen Platzhalter. Die lutherische Kirche folgte in einiger Entfernung; A. Schering hat die Prachtentfaltung des lutherischen Gottesdienstes im Leipzig Bachs als ein letztes Aufflammen des protestantischen Willens zur Selbstbehauptung geschildert.

Da eine starre hierarchische Ordnung im Barockzeitalter in strenger Abstufung von den höchsten Persönlichkeiten und Zentralplätzen bis hinunter zum kleinsten Adeligen und Landschloß strikt durchgebildet wurde, Rang- und Etikettefragen keine Äußerlichkeiten des Lebens, sondern ernst zu nehmende Fragen der Einordnung in Stand und Gesellschaft bedeuteten, und da gleichzeitig die bürgerlichen Ordnungen, Nachklänge des versunkenen Mittelalters, dahinter immer mehr an Gewicht verloren, ist verständlich, daß die Musiker je länger, je mehr in höfische Stellung drängten.

Der italienische Barock hat die Prunkformen der Musik hervorgebracht, die dem Repräsentationsbedürfnis von Hof und Kirche auf den Leib geschrieben waren. Beide verschmolzen so innig, daß der Barock schlechthin das Zeitalter höfischer Kunst und aristokratischer Musikpflege geworden ist und daß aristokratischer Geist dieser Musik seinen Stempel aufgedrückt hat.

Die Musiker selbst aber fühlten sich, je länger, um so mehr nur in der Luft der Höfe an ihrem Platze. Monteverdi stand im Dienst der Herzöge von Mantua und der Dogen von Venedig. Lully war der Kapellmeister Ludwigs XIV. Die Fürsten Barberini waren die Träger der römischen und die Förderer der französischen Oper. Schütz drängte in Dresden und Kopenhagen nach den fürstlichen Kapellmeister-Titeln wie ein Jahrhundert später Bach von Leipzig aus.

Die Oper wurde zur kaum verhüllten Allegorie des absoluten Fürstentums, dem sie diente. Fast jeder Musikdruck wurde einem Patron, Mäzen, geistlichen oder weltlichen Herrn gewidmet. In ihrem Auftrage wurden Opern, Kantaten, Instrumentalkonzerte und jede Art weltlicher, im Auftrage der geistlichen Fürsten jede Art kirchlicher Musik komponiert. Bachs ›Brandenburgische Konzerte‹ wären so wenig wie Cestis ›Pomo d'oro‹, Lullys Ballette so wenig wie Benevolis Salzburger Festmesse ohne solchen Auftrag entstanden. Wenn im Renaissance-Zeitalter die bürgerlich-patrizische Musikpflege der Träger des musikalischen Schaffens gewesen ist (auch die Höfe dieses Zeitalters trugen ein patrizisches Gepräge, und der Fürst war der Erste unter seinen Ständen), so verschob sich im Barock das Gewicht ganz stark nach der Seite der höfisch-aristokratischen und geistlich-fürstlichen Musikpflege (wobei die Person des Herrschers oder Würdenträgers in den Mittelpunkt trat).

Damit hängt die *Spezialisierung des Musikerstandes* zusammen. Die Renaissance hatte nicht mehr wie das Mittelalter »musicus« und »cantor« geschieden (wenigstens in der Praxis nicht mehr). Der Musiker war Komponist, Kapellmeister, Sänger, Instrumentist in einer Person, und der Komponist bewältigte grundsätzlich alle Gattungen der Musik. Im Barock haben sich allmählich Produktion und Reproduktion geschieden. Je höher sich das Koloraturwesen des Gesangs, die Brillanz des Instrumentalspiels entwickelten, um so stärker wurde das Bedürfnis nach dem virtuosen Berufssänger und -spieler. Das Kastraten- und Primadonnenwesen von Vittoria Archilei bis zu Farinelli und das reisende instrumentale Virtuosentum von Carlo Farina bis Vivaldi sind aus diesem Bedürfnis erwachsen. Von zahlreichen Komponisten des Barock ist nicht mehr bekannt, daß sie als Ausführende aufgetreten wären (Monteverdi, Schütz), abgesehen von ihrer Tätigkeit als Kapellmeister und »maestri al cembalo«. Andere waren gleichzeitig Virtuosen wie Lully (als Sänger und Tänzer), Corelli (als Geiger), Bach (als Organist und Cembalist). Die Opernaufführung lag in den Händen entweder von Hoforchestern und hochbezahlten Virtuosen oder von kommerziellen Unternehmern, die ihrerseits Fachkräfte beschäftigten, oder von eigens dafür gebildeten reisenden Operntruppen.

Die Komponisten selbst spezialisierten sich häufig auf bestimmte Gebiete. Schon bei Palestrina ist die fast ausschließliche Beschränkung auf die Kirchenmusik bezeichnend, während Lasso alle Gebiete weltlicher und geistlicher Musik gepflegt hat, wobei freilich die liturgische Kirchenmusik an die Peripherie rückte. Lully ist fast ausschließlich Opern- und Ballettkomponist gewesen, ähnlich Cavalli, Cesti und viele andere; Corelli und Vivaldi haben sich vorwiegend auf die Kammermusik konzentriert. Bach und Händel haben noch einmal das Ganze umfaßt.

Im Hoforchester brauchte jeder Musiker, wie Bach schreibt, »nur ein einziges Instrument zu excolieren«, so daß er »was Treffliches und Excellentes« leisten konnte; vom bürgerlichen Musiker wurde verlangt, er solle bei schlechter Besoldung »allerhand Arten von Musik, sie komme aus Italien oder Frankreich, England oder Polen sofort ex tempore musizieren«, überdies sein eigener Komponist, Aufführender, Kopist, Lehrer usw. sein.

Als Ergebnis des Barockzeitalters trat in die Geschichte der *Berufsmusiker* ein, der nichts als Musiker war, kein Universitätsstudium benötigte, in einem bestimmten Musikfach spezialisiert war und seinen Dienst in strenger Bindung an Amt und Auftrag als höfischer, städtischer oder kirchlicher Beamter ausübte oder der als reisender Virtuose oder Unternehmer seine Existenz aus dem Repräsentationsbedürfnis der führenden Gesellschaftsschichten deckte. Das beginnende klassische Zeitalter übernahm diese soziale Voraussetzung und wandelte sie schnell zum modernen *freien Künstlertum*.

Dem Aufstieg des höfisch-aristokratischen Musikwesens entsprach das Absinken des altbürgerlich-kirchlichen und das langsame Anwachsen eines emanzipierten Neubürgertums, das auf der

Grundlage eines beträchtlichen, im Zeichen des Merkantilismus erwachsenen Wohlstandes sich an die höfische Musikpflege anlehnte, sich allmählich verselbständigte und am Ende des Barock in führenden Städten Europas (Venedig, Neapel, Wien, Paris, Leipzig, Hamburg, London usw.) so gefestigt war, daß es mit dem beginnenden klassischen Zeitalter das Erbe der höfischen Musikkultur des Barock antreten konnte. Das gegenseitige Verhältnis der drei im Barockzeitalter musiktragenden Schichten ist noch nicht hinlänglich untersucht und kann nur etwa folgendermaßen skizziert werden.

In Italien sind die Gegensätze wenig ausgeprägt, da das absolute Fürstentum bei der politischen Ohnmacht des Landes nicht zu voller Entfaltung gelangte und der Bürgerstand nicht so in Bedeutungslosigkeit versank wie etwa in Frankreich, vielmehr im Verein mit der Nobilität frühzeitig ein kommerzielles öffentliches Musikwesen begründete. In den vielen geistlichen und weltlichen Zentren Italiens (Rom, Neapel, Bologna, Florenz, Venedig u. a.) hat eine gleichmäßig blühende und stilistisch wie sozial vorwiegend einheitliche Musikpflege in Opernheatern, Kirchen und Akademien geherrscht; die letzteren trugen zum Teil mehr den Charakter geschlossener adlig-bürgerlicher Gesellschaften, zum Teil öffentlicher Konzerte.

In Frankreich ist der Akzent mit Ludwig XIII. und Ludwig XIV. fast ausschließlich auf die höfische Musik gefallen, in so starkem Maße, daß die Musikgeschichte eine bürgerliche Musikpflege Frankreichs im Barock so gut wie gar nicht kennt.

In England scheinen auf der Grundlage fester nationaler Traditionen aristokratische und großbürgerliche Musikpflege einheitlich geblieben zu sein; erst mit dem Haus Hannover ist wohl in England Anfang des 18. Jahrhunderts eine gesonderte höfische Musikpflege im Gegensatz zur Tradition durch die Übernahme der italienischen Oper entstanden.

In Deutschland stießen die Gegensätze heftig aufeinander. Die katholischen wie protestantischen weltlichen und geistlichen Fürstenhöfe, Wien, Salzburg, München, Stuttgart, Mainz, Köln, Münster, Fulda, Dresden als protestantische Residenz im 17. wie als katholische im 18. Jahrhundert, Kassel, Braunschweig-Wolfenbüttel, Berlin unter Friedrich I. und Sophie Charlotte, Hannover, Celle, bis herunter zu den kleinen weltlichen Hofhaltungen in Sachsen und Thüringen, zu Anhalt-Köthen und zu den böhmischen Adelshöfen entfalteten nach italienischem, später nach französischem Muster allen Glanz, dessen der Barock mächtig war. Gegenüber standen die Städte, besonders des lutherischen Deutschland, in denen sich die absinkende Kultur der bürgerlich-kirchlichen Musik noch bis in das Zeitalter Bachs behauptete. Daneben aber erwuchs, mindestens in der spätbarocken Phase, im aufsteigenden Neubürgertum eine wohlhabende Bildungsschicht, die mit dem Beginn des öffentlichen Konzertwesens in Deutschland, der Übernahme der opera seria und opera buffa in die Öffentlichkeit, mit der Entstehung des neuen Liedes und Singspiels nach 1740 das Erbe des Barock in ähnlicher Weise antrat, wie es in Frankreich mit der Vaudeville-Komödie, mit den Anfängen der opéra comique und mit den Concerts spirituels geschah. Auch von der musikalischen Soziologie her gesehen, setzt die Zeit um 1740 eine deutliche Grenze; das höfische Zeitalter wird vom bürgerlichen, das barocke vom klassischen abgelöst.

Der Siegeslauf der italienischen Musik im Barock aber erweckte und bestärkte die *nationalen Kräfte*. Die italienische Oper hat in Paris die national-französische Gattung der tragédie lyrique, die italienische Instrumentalmusik die französische Orchesterpraxis hervorgerufen. Von etwa 1670 an haben beide, obwohl auf italienischem Vorgang beruhend und ohne ihn nicht denkbar, den feststehenden Charakter eines französischen musikalischen Barockstils erhalten. Sein Unterschied gegenüber dem italienischen erklärt sich daraus, daß die beharrenden Kräfte des französischen Akademismus in Musik, Tanz und Dichtung sich in den Formen Italiens zur Geltung gebracht haben; indirekt und direkt sind Racine und Molière an der französischen Oper und am französischen Ballett ebenso beteiligt wie die Italiener Cavalli und Lully. Von der gleichen Zeit an entwickelte Frankreich aus der heimischen Tradition seiner Lautenmusik den spezifischen Typus seiner Clavecinmusik. So bildete sich ein Gesamtkomplex spätbarocker französischer Musik heraus, der für ganz Europa ein entscheidendes Gewicht neben dem italienischen ausgeübt hat.

Die nationale Selbständigkeit der englischen Musik im Zeitalter Elisabeths I. auf dem Gebiet des Violenensembles und des Virginals wurde durch die konfessionelle Emigration auf den Kontinent verbreitet. Über Sweelinck wurde die englische Klaviermusik zu Scheidt getragen und blieb in Norddeutschland bis zu Buxtehude und Bach wirksam. Von Wien bis Gottorf, von Berlin bis Stuttgart beherrschten Anfang des 17. Jahrhunderts englische Instrumentalisten das Feld in solchem Grade, daß die italienische Instrumentalmusik nur langsam eindrang. Englische Schauspielertruppen führten in den 1620er Jahren am Kasseler und am Dresdener Hofe Shakespeare auf. Johann Georg I. verpflichtete in Dresden noch 1629 John Price und zwei andere Engländer zur instrumentalen Kammermusik im englischen, französischen und italienischen Stil.

Von 1670 an drangen durch Johann Caspar Horn, Johann Sigismund Kusser u. a. französische Oper und Ouverture, durch direkte Einfuhr die französische Klaviermusik in Deutschland vor. Aber schon vom ausgehenden 16. Jahrhundert an war die italienische Musik in alle Gattungen, Aufgaben und Pflegestätten der deutschen Musik zunehmend eingesickert. Die Kataloge von Dresden, Kassel, Lüneburg beweisen es. Die Lindnerschen Sammelwerke und die folgenden deutschen Sammlungen von K. Hassler, E. Bodenschatz, S. Schadaeus usw. hatten in überreichlichem Maße die italienische »prima pratica« nach Deutschland getragen, und seit H. L. Hassler, Schütz, K. Kittel und vielen anderen studierten zahlreiche deutsche Musiker an der Quelle. Um 1630 bestand die Galerie von Musikerportraits, die die Dresdener Hofkapelle besaß, aus den beiden Gabrieli, de Monte, Rore, Lasso, Willaert, Striggio, Monteverdi, Croce, Merulo, Orologio, Sweelinck und einem gewissen Klein als einzigem Deutschen.

Die Gefahr, daß die deutsche Überlieferung des Reformationszeitalters den eindringenden Kräften fremder Musik erlag, drohte. Sie verstärkte sich mit der Prachtentfaltung der Höfe im Spätbarock, die zunehmend italienische, zum Teil französische Musiker nach Deutschland zogen. Infolgedessen wurde in Deutschland das 17. Jahrhundert zu einem Kampfzeitalter, als solches von Praetorius bis zu Quantz fortlaufend erkannt. Daß sich dennoch auch hier das nationale Element befestigte und in den italienischen, später z. T. in den französischen Formen ein deutscher Barock durchsetzte, ist das Ergebnis eines großartigen Rezeptionsvorgangs in dessen Mitte die ehrfurchtgebietende Gestalt von Heinrich Schütz gestanden hat, auch von den Zeitgenossen in der Funktion eines weisen Richters anerkannt. So italienisch sich die deutsche Musik des Hochbarock auch oft gebärdet: kein ›Kleines Konzert‹ Schützens, keine Sonate Rosenmüllers, kein Lied Kriegers und keine Klaviersuite Frobergers wären in Italien möglich. Sie reden im italienischen Gewande unverkennbar deutsch. Und so französisch oder italienisch die deutsche Musik des Spätbarock oft erscheint: man braucht nicht bis in die Höhen Bachs oder Händels zu greifen, jede Klavierfantasie Telemanns, jede Kantate Kuhnaus und jede Arie Reinhard Keisers redet unmißverständlich deutsch, in welchem Stil sie auch geschrieben sei. Wie Campra, Destouches und Couperin überzeugend französisch, Blow und Purcell überzeugend englisch, so hat Bach überzeugend deutsch geschrieben.

Der geschichtliche Vorgang der Auseinandersetzung zwischen Italien und den anderen europäischen Nationen läßt sich auf die Formel bringen: vom Anfang bis zum Ende des Barock sind Geist und Stil, Normen und Formen in der Grundlage italienisch; in Widerstand, Aneignung und Rezeption haben die anderen Nationen sich auf der Grundlage ihrer Überlieferung damit auseinandergesetzt und den »Barock« in voller Tiefe und Breite weitergedacht; aus dieser Auseinandersetzung ist ihnen eine nationale barocke Musik erwachsen. In der Spätphase des Barock herrscht in Europa ein wahrhaftes »Konzert« der *Nationalstile*, sowohl im Sinne eines »Miteinander-Konzertierens« wie im Sinne eines »Ineinander-Verschmelzens«. Der zwar zeitweilig umstrittene, im letzten Grunde aber anerkannte Dirigent dieses »europäischen Konzerts« ist noch immer Italien gewesen.

Die italienische Dominanz war am Ende des Barock durch die Verselbständigung der Nationalmusiken, insbesondere Frankreichs und Deutschlands (die englische tritt für Gesamteuropa kaum in Erscheinung), umkämpft. Daß sie jedoch immer noch existierte, geht aus ihrem Nachleben hervor. Seit 1730 fingen die italienischen Operntruppen an, sich über die deutschen Städte, seit 1750 über Paris zu ergießen, seit 1710 regierten sie in London. Aber die Operntypen, die sie nun mitbrachten, waren nicht mehr barock, sondern teils von einer klassizistisch einschränkenden und aufklärerisch-nüchternen (Metastasios opera seria), teils von einer populär-naturalistischen (die neapolitanische opera buffa) Beschaffenheit, die in Frankreich auf das Naturevangelium Rousseaus und ein in der Emanzipation begriffenes Bürgertum, in Deutschland auf die vollzogene Abwendung vom musikalischen Barock stieß. Die Reformvorgänge in der opera seria von Jommelli bis Gluck, die Verschmelzung der opera buffa mit Singspiel, Vaudeville-Komödie, opéra comique, ballad opera führten schnell zu den nationalen, bürgerlichen, antibarocken Operngattungen. Die italienische Klavier- und Kammermusik wurde schnell von der Woge der böhmischen, österreichischen und norddeutschen neuen Instrumentalmusik überspült. Nur in der höfischen Sphäre konnten sich opera seria und italienisches Oratorium noch ein halbes Jahrhundert halten, längst unterhöhlt durch die bürgerliche Musikkultur aller Länder und den Durchbruch der deutschen Sinfonik, die in einem Zuge von Stamitz bis Haydn zur europäischen Vormacht aufstieg.

Die Geltung der italienischen Musiker in der zweiten Hälfte des 18.Jahrhunderts ist ein nationaler, die Geltung ihrer höfischen Musik ein sozialer »Überhang« gewesen, analog dem »Stilüberhang«, den sie getragen haben. Wenn seit jener Zeit in der geschichtlichen Erinnerung des 19.Jahrhunderts (bei Nicolai, Lortzing, Mendelssohn wie auch bei Goethe) Italien noch im Lichte der großen Musiknation erschienen ist und Europa noch im 19.Jahrhundert in Italien *das* Musikland suchte, so war dies lediglich ein Nachklang des großen italienischen Zeitalters in der Musik des Barock. Der Barock selbst aber war um 1740 zu Ende. Mit ihm erlosch die Vorherrschaft Italiens in der Geschichte der europäischen Musik.

FRIEDRICH BLUME
Klassik

I. Der Begriff des Klassischen in seiner allgemeinen Bedeutung

Die Wörter *Klassik* und *Klassizismus* (»klassisch«, »klassizistisch«) werden auf die Musik häufig, aber meist in sehr unbestimmtem und häufig in wechselndem Sinne angewendet. Eine Stilperiode oder ein bestimmter Stil ist darunter ursprünglich überhaupt nicht zu verstehen. Vielmehr werden unter dem »Klassischen« Erscheinungen zusammengefaßt, die in den verschiedensten Abläufen und Phasen der Geschichte wiederkehren können. Als »klassisch« gilt nach deutschem Sprachgebrauch ein musikalisches Kunstwerk, dem es gelingt, die in seinem geschichtlichen Zusammenhang wirkenden Ausdrucks- und Formkräfte zu überzeugender Aussage und dauernder Gestalt zu steigern und zusammenzufassen. In diesem Sinne ist z. B. Franz Schubert häufig als der »Klassiker des deutschen Liedes«, und mit Recht, bezeichnet worden; der Ausdruck steht hier nur in scheinbarem Gegensatz zu der Tatsache, daß man Schubert als »Romantiker« in die Geschichte einzuordnen pflegt: mag immerhin seine Gesamthaltung eher der romantischen als der klassischen Phase seiner Geschichtsepoche zuzuordnen sein, für das deutsche Klavierlied hat er in vielen seiner Kompositionen (z. B. dem ›Heideröslein‹) die »klassische« Prägung gefunden. »Klassisch« auf der Ebene eines einzelnen Kunstwerks, einer Gattung oder dergleichen kann also sehr wohl etwas ganz anderes bedeuten als »klassisch« im Sinne einer Stilperiode. Die verschiedenen Ansätze zum deutschen Klavierlied, die im 18. Jahrhundert herangereift waren, hat Schubert in sich vereinigt, zur Reife gebracht, und es ist ihm für viele Texte gelungen, musikalisch adäquate Prägungen zu finden, deren Ausdruck und Form unübertrefflich erschienen sind und dauernd weitergewirkt haben.

Das *Überzeugende*, das *Mustergültige* und das *Dauernde* sind unerläßliche Ingredienzien des »Klassischen«. Mit ähnlichem Recht ist etwa Palestrina seit Jahrhunderten als »Klassiker der Kirchenmusik« (und nicht nur der katholischen) betrachtet worden. In seinen stärksten Kompositionen ist es ihm gelungen, den linearpolyphonen Stil der »ars perfecta«, wie er im 16.Jahrhundert in den verschiedenartigsten Prägungen vorgebildet war, mit dem gegen Ende des Jahrhunderts immer stärker aufbrechenden Gefühl für Dreiklangsharmonik zu verknüpfen und überdies noch der Forderung nach Textangemessenheit und Textverständlichkeit dabei in einer Weise Rechnung zu tragen, wie sie nicht oft erreicht worden war. Damit hat Palestrina überzeugende Gestalten geschaffen, die über die Jahrhunderte als mustergültig anerkannt worden sind, die nach Ausdruck und Form als unübertrefflich galten und deren Dauerwirkung sich noch in der Zeit der kirchenmusikalischen Restauration im sogenannten Cäcilianismus als unerschöpflich erwiesen hat. »Klassische« wie »romantische« Schriftsteller von Johann Gottfried Herder bis Otto Nicolai und weit darüber hinaus haben Palestrinas Musik als Modell »wahrer Kirchenmusik« schlechthin betrachtet und in ihm einen »Klassiker« erblickt.

Übrigens liegt der Fall ähnlich wie bei Schubert: von der Stilgeschichte her gesehen, wird man Palestrina mindestens hart an die Grenze des Barock rücken, wenn nicht dem Barock zuzählen; auch hier ist der Gegensatz zum »Klassischen« nur ein scheinbarer, weil dieses sich auf das einzelne Werk bzw. die Gattung, aber nicht auf den Stil in seiner geschichtlichen Entwicklungsphase bezieht. Erteilt man Palestrina das Prädikat des »Klassischen« zu, so schwingt in dem Wort fast schon etwas vom »Klassizistischen« mit: von der Vorstellung, daß die Kämpfe überwunden sind, eine Reife eingetreten ist, daß ehemals vorhandene Gegensätze zum Ausgleich gelangt sind, daß in ewiger Schönheit und Harmonie alle Dunkelheiten aufgelichtet sind, also eine ähnlich »klassizistische« Vorstellung, wie sie das spätere 19.Jahrhundert von Mozart gehabt hat. Ob die zugrunde liegende Geschichtsvorstellung richtig ist, d. h. der geschichtlichen Kritik standhält oder nicht, ist dabei unerheblich. Denn der Gebrauch des Wortes »klassisch« in diesem Sinne bezeichnet einen Wertmaßstab, nicht eine Kategorie des Stils und seiner Geschichte. Daher darf einem solchen Gebrauch des Wortes die Berechtigung keineswegs abgesprochen werden; man muß sich nur bewußt bleiben, daß man etwas anderes meint, als wenn man es im Sinne einer geschichtlichen Stilkategorie anwendet.

Wenn demgegenüber gelegentlich auch Johann Sebastian Bach als »Klassiker« der evangelischen Kirchenmusik bezeichnet wird, so kommt darin zum Ausdruck, daß Bach in seinen geistlichen Vokalwerken oder seinen Orgelchorälen die vielfältigen, vor und in seiner Zeit wirkenden Kräfte und Richtungen der evangelischen Kirchenmusik, ihre Gattungen, Formen und Stilarten zusammengefaßt und mit den neuitalienischen, dramatisierenden Richtungen seiner Zeit verschmolzen, das Ganze aber auf den festen Boden der evangelischen Liturgie und des lutherischen Gottesdienstgedankens gestellt und damit eine unübertreffbare Leistung erzielt habe. Daß seine künstlerischen Gestalten freilich nur bedingt als »mustergültig« gegolten haben und zunächst durch andere verdrängt worden sind, unterscheidet dieses Beispiel von den vorher gebrauchten. Andererseits hat Bachs Musik dann wiederum im Zeitalter der Romantik eine unübersehbare Wirkung gezeitigt, also Dauer ausgeübt, und sie bestätigt damit die Vorstellung des »Klassischen«.

In einem so allgemein gefaßten Sinne kann man etwa Luca Marenzio als Klassiker des italienischen Madrigals, Josquin Desprez als Klassiker der niederländischen Messe ansehen. Dem letzteren glaubte A. W. Ambros »Goldreinheit«, »Schlackenlosigkeit«, »reinste Schönheit« ausdrücklich bescheinigen zu können, und mit der Erkenntnis, daß Josquins Musik ebenso durch die Beschäftigung des Verstandes wie durch den »Anhauch« eines unerklärlichen »Zaubers« wirkte, daß ihre Stimmführung gleichzeitig »lebensvoll« und »maßvoll« sei, daß sie einen »geklärten, reinen Idealstil« verkörpere, hat Ambros seine eigene klassizistische Anschauungsweise zum Ausdruck gebracht, ohne doch den Begriff »klassisch« geradezu auf Josquin anzuwenden.

So wenig einem solchen Gebrauch des Wortes die Berechtigung abgesprochen werden kann, so gewiß ist, daß eine so allgemein gehaltene Anwendung des Begriffs schließlich zu seiner Entleerung führt. Sehr leicht flacht sich das Wort bei einer solchen Anwendung ab und bedeutet dann nicht viel mehr als *Höhepunkt* einer Gattung oder eines Ausdrucksbereichs. Was dem Höhepunkt vorausgeht, rückt dann in die Beleuchtung des Vorläuferhaften, des Suchens und Tastens, und notwendigerweise erscheint von einer solchen Sicht aus das, was dem Höhepunkt folgt, als »barocke« Übersteigerung oder als »klassizistische« Verflachung (so z. B. Charles Lalo, Esquisses d'une esthétique musicale, 1908).

Von hier aus ist nur ein Schritt zum *Heroenkult*; die Musikgeschichte erscheint nicht als das unabsehbar vielfältige Geflecht lebendiger Kräfte, die fortdauernd einander überlagern, verdrängen, ergänzen und befeuern, nicht als Kette einander bedingender Ausdrucksformen, sondern als Folge von Aufstiegen, Höhepunkten und Niedergängen, auf deren jeweiliger Spitze dann ein Meister oder mehrere stehen und denen gegenüber alle anderen nur Wegbereiter oder Epigonen sind. Allzu leicht erscheint einem solchen Geschichtsbilde dann Ludwig van Beethoven als »Klassiker«, nicht weil er die ihm aus dem 18.Jahrhundert zuströmenden Kräfte in der Gewalt seiner Persönlichkeit zusammengeschmiedet und zu überzeugenden Gestalten von dauernder Geltung geformt hat, sondern weil er »auf den Schultern Haydns und Mozarts« stehe, weil er vollendet habe, was andere vor ihm nur erstrebt haben, und erscheinen dann die Meister der Romantik als barockisierende Übertreiber oder als epigonale Nachläufer.

Es ist offenbar, daß ein solches Bild auf unzulässigen Vereinfachungen beruht und weder dem Heros noch den ihn umgebenden Komponisten gerecht wird. Daß Beethoven in gewisser Hinsicht ein Höhepunkt ist, wird niemand bestreiten, aber daß er auch ganz anders als die ihn umgebenden Komponisten ist, daß sowohl seine Vorgänger wie seine Nachfolger Persönlichkeiten eigener Art sind, wird dabei unterdrückt; der Begriff des »Klassischen« wird ausgehöhlt. In jeder sich entfaltenden Periode der Geschichte sind sowohl die Kräfte, die zu einem solchen Höhepunkt führen, wie auch diejenigen, die zur »barockisierenden« Übertreibung oder zur »klassizistischen« Einebnung drängen, von Anfang an mitenthalten. Wenn ein berufener Geist die vorandrängenden, retardierenden und einander vielfältig kreuzenden Tendenzen seiner Zeit in sich zu vereinigen und zu überzeugender und dauernder Wirkung zu bringen vermag, so entsteht eine höchst persönlich geprägte Leistung, die aber nicht in jedem Falle den Anspruch erheben kann, als »klassisch« zu gelten. Diesem Irrtum ist z. B. Adelmo Damerini erlegen, der (Classicismo e Romanticismo nella musica, Florenz 1942) gelegentlich Bachs ›Matthäuspassion‹ und Verdis ›Falstaff‹ in einem Atemzug als Muster höchster Klassik preist.

In seiner allgemeinen Anwendung bleibt dem Wort »klassisch« am wahrscheinlichsten eine brauchbare Bedeutung erhalten, wenn man es auf eine bestimmte Gattung bezieht (siehe die Beispiele Schubert und Palestrina). In diesem Sinne war Beethoven ein »Klassiker« der Sinfonie, der Klaviersonate und des Streichquartetts, ohne daß damit ein Urteil über seine Stellung in der Geschichte der Stile gesprochen wäre. Die Unterscheidung zwischen dem Klassischen als überzeugender und dauernder Lösung des Gestaltungsproblems in einem Kunstwerk oder einer Gattung einerseits, dem Klassischen als stilgeschichtlichem Begriff andererseits läßt den bis in die Gegenwart immer wieder von neuem aufflammenden Streit, ob Beethoven ein »Klassiker« oder ein »Romantiker« gewesen sei, als nichtig erscheinen: er war beides, je nach dem Sinne, den man dem Wort beilegt.

Als *Begriff der Stilgeschichte* gewinnt das Wort »Klassik« erst dann einen präzisen und umfassenden Sinn, wenn ihm nicht Aufstieg oder Niedergang, nicht Klassizismus oder Barock, nicht Vorläuferschaft oder Epigonentum, sondern etwas wesenhaft Gleichgeartetes gegenübergestellt wird, mit anderen Worten: wenn die *eine* grundlegende Gestaltvorstellung eines Zeitalters sich in zwei einander durchdringende und bedingende, gleichzeitig aber auseinanderstrebende und einander widersprechende Richtungen spaltet. Das ist der Fall in der Epoche, die man im engeren musikgeschichtlichen Sinne die klassisch-romantische nennt.

II. Klassik und Romantik

In der Musikgeschichtsschreibung des 19.Jahrhunderts hat das Wort »Klassik« die Bedeutung einer *Stilperiode* angenommen, deren Beginn für Deutschland etwa in der Altersschicht von Johann Joachim Quantz und Johann Adolf Hasse, spätestens mit den Söhnen Bachs und ihren Zeitgenossen, für Italien bei Domenico Scarlatti und seinen Nachfolgern anzusetzen ist, deren Ende aber nicht fest begrenzt werden kann, weil sich »Klassik« in der Einheit mit »Romantik« und im Widerspruch zu ihr durch das ganze 19.Jahrhundert und bis weit in das 20.Jahrhundert erstreckt, ja, in der »Neoklassik« der Zeit um 1950 noch eine scheinbare Nachblüte erlebt hat.

Wann und wo das Wort »Klassik« in den musikgeschichtlichen Sprachschatz eingegangen ist, läßt sich nicht genau angeben. Die *Bedeutung*, die man ihm heute beilegt, hat es jedenfalls erst durch den Antagonismus zwischen mehr »klassisch« und mehr »romantisch« gerichteten Musikern und Schriftstellern erhalten (wobei sowohl das eine wie das andere Wort immer sehr relative Bedeutung besitzen). Erst als aus dem Überhandnehmen der romantischen Musik und aus der Opposition gegen sie (zu der sich viele bedeutende Musiker des 19.Jahrhunderts bekannten) das Bedürfnis nach einem Namen für das erwuchs, was man als schönheitliche Norm und als Bollwerk gegen eine fortwährend gesteigerte Überhitzung der musikalischen Mittel, als übertriebene Individualisierung empfand, erst da wurde es üblich, von einer »klassischen« Schönheit gegenüber solchen vermeintlichen »Auswüchsen« zu sprechen.

Während für die Literatur und die Dichtung schon Schiller den Ausdruck »klassisch« gebraucht und Goethe ihn als Gegensatz zum »Romantischen« gehandhabt hat, ist in der Musik das Wort »romantisch« augenscheinlich früher gebraucht worden als »klassisch«. Bezeichnenderweise enthält z. B. schon Heinrich Christoph Kochs ›Handwörterbuch‹ (1807) einen kleinen Artikel ›Romantisch‹, während das Schlagwort ›Klassisch‹ noch fehlt; in seinem ›Lexikon‹ (1802) sucht man jedoch auch das Schlagwort ›Romantisch‹ noch vergebens. Um diese Zeit scheint das Wort im Deutschen zum musikalischen Terminus geworden zu sein. Nach Damerini (Classicismo e Romanticismo, S. 11) soll es für die Musik erstmals in André-Ernest-Modeste Grétrys ›Mémoires ou Essays‹ (1789) angewendet worden sein und gebraucht es Condorcet in ›La chronique de Paris‹ (1. April 1793), um die Musik Etienne-Nicolas Méhuls zu charakterisieren.

Sind schon für die Dichtung die vielen Versuche, das *Wesen* des »Klassischen« zu definieren, zahlreichen Mißverständnissen und Unklarheiten unterworfen, so ist das für die Musik in noch höherem Grade der Fall. Es gibt nur Annäherungsdefinitionen und kann wohl auch nur solche geben, weil jede Definition das »Klassische« in seiner Relation zum »Romantischen« berücksichtigen muß, diese beiden Stilbegriffe aber im Grunde Eines und nur zwei verschiedene Brechungen der einen Gestaltvorstellung sind. Es gibt keine »klassische« Stilepoche der Musikgeschichte, sondern nur eine »klassisch-romantische«, innerhalb derer mit »klassisch« bestimmte Erscheinungsformen, allenfalls Phasen bezeichnet werden können. »Klassischer Stil bedeutet das vollkommene Ineinanderschmelzen des Individuell-Gegensätzlichen zu schönheitlicher Gestalt. Der Begriff der Vollkommenheit, der in diesem Vorgang zum Ausdruck gelangt, bedingt restlose Selbständigkeit, autonomes Aufsichgestelltsein des schöpferischen Geistes. Ohne diese innere Unabhängigkeit und Selbstverantwortlichkeit des schaffenden Künstlers ist eine klassische Kunst nicht zu denken« (Rudolf Gerber in Die Sammlung 4, Göttingen 1949, S. 656).

Im Klassischen heben sich die Antinomien des Individuellen und der geschichtlichen Strömungen durch die Kraft der schöpferischen Persönlichkeit in der überzeugenden (man darf hinzufügen: und einmaligen) Gestalt des Kunstwerks auf. Das *Kunstwerk im klassischen Sinne* ist ein Ganzes und ein Gesamtmenschliches; es steht um so höher, je mehr die Idee der Humanität es durchleuchtet. »Jeder individuelle Mensch ist gerade um so viel weniger Mensch, als er individuell ist; jede Empfindungsweise ist gerade um so viel weniger notwendig und rein menschlich, als sie einem bestimmten Subjekt eigentümlich ist. Nur in der Wegwerfung des Zufälligen und in dem reinen Ausdruck des Notwendigen liegt der große Stil« – womit hier soviel wie »klassischer Stil« gemeint ist (Schiller, ›Über Matthissons Gedichte‹).

Die Antinomie von Notwendigkeit und Freiheit wird im klassischen Kunstwerk durch die Analogie von innerer Empfindung und äußerer Form überhöht und überwunden. Aus der Empfindung bildet sich immer neu die Form als deren idealer Ausdruck. »Nun besteht aber der ganze Effekt der Musik . . . darin, die innersten Bewegungen des Gemüts durch analogische äußere zu begleiten und zu versinnlichen. Da nun jene inneren Bewegungen (als menschliche Natur) nach strengen Gesetzen der Notwendigkeit vor sich gehen, so geht diese Notwendigkeit und Bestimmtheit auch auf die äußeren Bewegungen, wodurch sie ausgedrückt werden, über; und auf diese Art wird es begreiflich, wie vermittels jenes symbolischen Akts die gemeinen Naturphänomene des Schalls . . .

von der ästhetischen Würde der Menschennatur partizipieren können . . . In der schönen Haltung eines musikalischen Stücks malt sich die schönere einer sittlich gestimmten Seele« (Schiller, ›Über Matthissons Gedichte‹).

Ein entscheidender Gedanke dieses Begriffs vom klassischen Kunstwerk liegt darin, daß der Musiker nur die Form schafft und dadurch »das Gemüt zu einer gewissen Empfindungsart und zur Aufnahme gewisser Ideen« stimmt, einen Inhalt zu dieser Form zu finden aber »der Einbildungskraft des Zuhörers« überläßt. Damit wird aus dem »Klassischen« bereits jede Musik ausgeschlossen, die es unternimmt, das Empfinden des Zuhörers in einer allzu bestimmten, allzu individuellen Weise zu lenken, seiner eigenen Phantasie und seinem Mitvollzug eine allzu bestimmte Richtung zu geben und seine Autonomie als Mitgestalter anzutasten. Gleichzeitig damit wird auch jede Musik ausgeschlossen, die entweder von außen gegebenen Zwecken dient oder es darauf anlegt, bestimmte Inhalte unmittelbar durch Nachahmung und Schilderung zum Ausdruck zu bringen. Die Nachahmung der Natur oder der Affekte, die von der Ästhetik des Barock und noch des Aufklärungszeitalters als Hauptgegenstand der Musik aufgefaßt worden war, wird gänzlich verworfen (H. Goldschmidt, Die Musikästhetik des 18.Jahrhunderts, Zürich-Leipzig 1915, und W. Serauky, Die musikalische Nachahmungsästhetik im Zeitraum von 1600 bis 1800, Halle 1930, haben eingehend gezeigt, wie die Auffassung von der Nachahmung als Hauptgegenstand der Musik in der Zeit von etwa Charles Batteux bis Herder zunehmend von der sich langsam herausbildenden idealistischen Musikauffassung verdrängt worden ist).

Autonom soll der Komponist aus eigenem Erleben gestalten, autonom soll aber auch der Hörer mitvollziehen. Die musikalische Form soll zum Symbol sublimieren, was den Künstler bewegt hat und was er hat aussagen wollen; das Symbol zu deuten, ist das eigene und unverzichtbare Recht des Hörers. Schon aus diesem Grunde geht jeder Versuch, klassischer Musik bestimmte Inhalte verpflichtend unterzulegen (wie es etwa Arnold Schering für Beethoven unternommen hat), von romantischen und nicht von klassischen Gesichtspunkten aus. Die Romantiker erst haben der Musik die Bestimmtheit ihrer Inhalte zugesprochen und den Hörer zur Passivität verurteilt. Für die klassische Anschauung ist gerade die *Gleichgewichtigkeit* der Funktionen des Künstlers und des Hörers charakteristisch.

Ein solches Gleichgewicht wird im Falle der Vokalmusik auch für das *Verhältnis zwischen Komponist und Dichter* gefordert. Auch hier gilt, daß der Musiker nur eine symbolische Form zu schaffen hat, die dem dichterischen Substrat genau angemessen ist, sich aber weder dem Gedicht unterordnen, noch das Gedicht durch allzu bestimmte Interpretation vergewaltigen darf. In diesem Sinne verlangt Goethe eine »Symbolik fürs Ohr«. »Nur eins will ich erwähnen, daß Sie auf eine sehr bedeutende Weise von demjenigen Gebrauch gemacht, wofür ich keinen Namen habe, das man aber Nachahmung, Malerei und ich weiß nicht sonst wie nennt, und das bei anderen sehr fehlerhaft wird und ungehörig ausartet. Es ist eine Symbolik fürs Ohr, wodurch der Gegenstand, insofern er in Bewegung oder nicht in Bewegung ist, weder nachgeahmt noch gemalt, sondern in der Imagination auf eine ganz eigene und unbegreifliche Weise hervorgebracht wird, indem das Bezeichnete mit dem Bezeichnenden in fast gar keinem Verhältnisse zu stehen scheint« (Goethe an Carl Friedrich Zelter, 6. März 1810). »Die reinste und höchste Malerei in der Musik ist die, welche du auch ausübst; es kommt darauf an, den Hörer in die Stimmung zu versetzen, welche das Gedicht angibt; in der Einbildungskraft bilden sich alsdann die Gestalten nach Anlaß des Textes, sie weiß nicht, wie sie dazu kommt« (Goethe an Zelter, 2. Mai 1820). Schillers »Wegwerfung des Zufälligen« und »schöner Ausdruck des Notwendigen«, der Verzicht auf das allzu Individuelle, decken sich mit Goethes Tadel der Nachahmung oder Malerei; beide erkennen, daß der Komponist durch den »symbolischen Akt«, mit dem er in seiner Form eine »Analogie« zu den menschlichen Empfindungen schafft, auf »unbegreifliche Weise« Gemütsbewegungen und Vorstellungen hervorruft; Joseph Haydns Vorspiele in seiner ›Schöpfung‹ werden dabei einmal ausdrücklich als Muster genannt.

Wird solcherart das Leben der Seele zur musikalischen Form gestaltet, so kann es nicht auf die Wiedergabe des einzelnen, sondern nur darauf ankommen, daß das Ganze dieser Empfindungswelt erfaßt und zur *ganzheitlichen Form* gestaltet werde. »Aus Innerstem heraus gefühlte Einheit der Musik mit den Worten oder einem vorgestellten Charakter . . ., also Musik, die erst mit einem anderen ein ›umfassendes‹ Ganzes bildet, . . . ist nach Zelters und Goethes Anschauung Musik« (P. Mies in Zeitschrift für Musikwissenschaft 13, 1930/31, S. 437). »Er (Zelter) trifft den Charakter eines solchen in gleichen Strophen wiederkehrenden Ganzen trefflich, sodaß es in jedem einzelnen Teile wieder gefühlt wird, da wo andere durch ein sogenanntes Durchkomponieren den Eindruck des Ganzen durch vordringende Einzelheiten zerstören« (Goethe an Wilhelm von Humboldt, 14. März 1803).

Von der »Verwerflichkeit« des Durchkomponierens, wodurch der »allgemeine« Charakter aufgehoben und »eine falsche Teilnahme am Einzelnen gefordert« werde, sprechen auch Goethes Tages- und Jahreshefte (1801). Auf diese Weise entsteht das, was Schiller den »großen Stil« nennt. Das Wort »klassisch« wird nicht auf die Musik angewendet; es ist erst allmählich, im Zusammenhang mit dem literarischen Streit um »Klassik« und »Romantik«

auch auf die Musik übergegangen. Infolgedessen kommt es hier auch noch nicht zu einer Unterscheidung des »Klassischen« und des »Romantischen« in der Musik. Die Musik, die von solchen Anschauungen her erstrebt wird, verkörpert menschliche Regungen und Vorstellungen, idealisiert sie und steigert sie zu allgemeiner Gültigkeit hinauf. Sie erfaßt den ganzen Menschen und muß deshalb in sich ein vollkommenes Ganzes bilden. So wird ein musikalisches Kunstwerk entstehen, das auf »unbegreifliche« Weise vollkommen wahr, überzeugend und allgemeingültig ist, dessen Inhalt sich aber nicht in die Sprache übersetzen läßt und insofern dunkel bleibt. »Musik erregt eine Folge inniger Empfindungen, wahr, aber nicht deutlich, nicht anschauend, nur äußerst dunkel. Du warest, Jüngling, in ihrem dunklen Hörsaale: sie klagte, sie seufzte, sie stürmte, sie jauchzte; du fühltest das alles, du fühltest mit jeder Saite mit. Aber worüber wars, daß sie, und du mit ihr, klagtest, seufztest, jauchztest, stürmtest? Kein Schatte von Anschauung. Alles regte sich nur im dunkelsten Abgrund deiner Seele, wie ein lebender Wind die Tiefe des Ozeans erregt« (Johann Gottfried Herder, Werke, Band 4, S. 161 f.).

Damit erfolgte die entschiedene Absage an den Rationalismus und die Enzyklopädisten, die von der Musik die »Nachahmung« und den »Realaffekt« verlangt hatten: die Welt der Musik ist eine Scheinwelt und wahr, nicht, indem sie Wahrnehmbares, Anschaubares und Empfindbares in Töne übersetzt, sondern indem sie das Wahrgenommene, das Angeschaute und das Empfundene zu einer völlig eigenen, dunklen, aber höchst eindringlichen und allen verständlichen Sprache der Wahrheit, eben jener Symbolsprache »fürs Ohr« hinaufsublimiert. *Wahrheit und Ganzheit* sind auch Herders ausdrückliche Forderungen an die Musik. Ganzheit bedeutet, »daß keine Schicht des menschlichen Wesens ausfällt oder verkümmert: das Unbewußte, Sinnlich-Annehmbare, Leiblich-Motorische und Schwingend-Energische wie das Herzlich-Gemütvolle und Vernünftig-Geistige« (W. Wiora, Herders Ideen zur Geschichte der Musik, in Im Geiste Herders. Gesammelte Aufsätze, Kitzingen 1953, S. 79). Wahrheit bedeutet, daß die symbolische Form nicht aus der gangbaren Münze herkömmlicher Formeln, sondern aus dem echten Gold des Erlebnisses ständig neu geprägt werde.

Um in dieser Weise völlig souverän gestalten zu können, bedarf der Musiker der *Losbindung von Aufgaben und Zwecken*, die seinem Schaffen von außen her gesetzt werden. Vielleicht ist es einer der entscheidendsten Schritte von aller älteren Musikanschauung zur klassischen, daß die Musik von allen Pflichten des Nachahmens, des Ausdrückens, des Darstellens, des Dienens, ja selbst des Unterhaltens entbunden und ganz und gar auf sich selbst gestellt wird. Zum ersten Male in der Geschichte taucht in diesem Zusammen-

241

hang der Gedanke auf, daß Musik wie überhaupt Kunst gar keinen »Zweck« habe, sondern um ihrer selbst willen da sei. Im Gegensatz zu aller vernunfthaften und moralischen Zwecksetzung des Aufklärungszeitalters hatte »Moses Mendelssohn ausgesprochen, daß der Endzweck aller Kunst die Schönheit sei, und (Karl Philipp) Moritz: ›die Kunst ist um ihrer selbst willen da‹ « (nach H. Goldschmidt, Die Musikästhetik des 18.Jahrhunderts, 1915, S. 173).

An der Schwelle der Klassik begegnet damit in erster Andeutung der Gedanke des *l'art pour l'art*, der die Musik von da an bis zur Gegenwart ständig begleitet hat. Oscar Wildes »All art is quite useless« besagt nichts anderes, als was die Ästhetiker des ausgehenden 18.Jahrhunderts ausgesprochen haben. Wenn aber für die Musik jede äußere und innere Bindung an Zwecke und Nutzen fortfiel, sollte sie damit zum reinen esoterischen Klangspiel werden? Zum bloßen Arabesken- und Rankenwerk, zum reinen Formenmuster? Weit entfernt davon, wird ihr im klassischen Zeitalter ein höherer, nur ihr selbst eigener und nur mit ihren Mitteln erreichbarer Auftrag zugesprochen: als »ernster Selbstzweck« wird ihr die Verkörperung reinster Menschlichkeit gesetzt. Schon bei Herder wurzelt der Gedanke, daß Musik die höchste aller Künste sei, weil sie allein die Fähigkeit besitze, frei von allen Schlacken der sinnlichen Welt den Menschen über sich selbst hinaus in die Region des reinen Geistes zu erheben, ein Gedanke, der auch bei Goethe anklingt und der dann von den romantischen Schriftstellern bis zum Taumel des Enthusiasmus zahllose Male abgewandelt worden ist. Von hier aus wird nun die Musik des Spätbarock vielfach als bloßes Gaukelspiel raffinierter Technik aufgefaßt; zur Einfachheit, Wahrheit und Schlichtheit wird sie seit Johann Adolph Scheibe von Christoph Nichelmann, Johann Georg Sulzer, Johann Abraham Peter Schulz bis hin zu Christoph Willibald Glucks bekannten Forderungen immer wieder aufgerufen. »Was sie in Sprüngen vermöge, wissen wir gnugsam; längst und zu lange hat sie ihre Kunst gaukelnd gezeigt; welche neue Welt ernster Zwecke liegt vor ihr« (Herder).

Eine »neue« Welt »ernster« Zwecke. Nie vorher und wohl selten nachher ist ihr die *sittliche Selbstdarstellung und Selbstveredlung des Menschen* in so eindringlichen Worten als Leitbild vorgestellt worden. Zum ersten Male wird der Musik die Autonomie bescheinigt, die sie von der »Nachahmung der Natur«, von der »Belustigung des Witzes und Verstandes« ebenso wie von der Rolle der »ancilla theologiae« befreit, und wird sie als selbstgesetzliche sittliche Macht anerkannt. »Was alle die Großmeister dieser ›klassischen‹ Epoche miteinander gemeinsam haben, ist der Wille, aus souveräner menschlicher Schöpferkraft und einem betont diesseitigen Lebensgefühl heraus den Stoff zu vergeistigen, Pathos und Logos zu vermählen, aus singulär menschlichem Erleben das Allgemein-Menschliche, das Rein-Menschliche in schöner Vollkommenheit zu formen, wie überhaupt die schöpferischen Kräfte der autonomen Persönlichkeit, die sich selbst in Freiheit die Gesetze diktiert, zu höchster Vollkommenheit zu steigern« (R. Gerber in Die Sammlung 4, 1949, S. 662). Deshalb muß alles Extravagante, Unmäßige fallen, wirkt der Überschwang (etwa Beethovens und Spontinis) abstoßend (so auf Zelter) und wird die Konzentration der musikalischen Aussage auf Ganzheit und Allgemeingültigkeit unter Anwendung der einfachsten möglichen Mittel zur unabdingbaren Forderung. Wo das Dunkle sich ins Grenzenlose verliert, das Übermaß der Mittel das Gleichgewicht der Aussage zu stören droht, da beginnt das Romantische, nun als Gegensatz zum Klassischen verstanden, im Kunstwerk überhandzunehmen. »Höchste gesteigerte Technik und Mechanik« führen nach Goethes Ansicht die Komponisten dazu, daß »ihre Arbeiten keine Musik mehr« bleiben; »sie gehen über das Niveau der menschlichen Empfindungen hinaus, und man kann solchen Sachen aus eigenem Geist und Herzen nichts mehr unterlegen« (zu Johann Peter Eckermann, 12. Januar 1827). Der viel mißverstandene Satz will nicht besagen, Goethe habe von instrumentaler Musik verlangt, sie solle ein anschaubares Programm bieten. Er enthält vielmehr in nuce die ganze Spaltung zwischen klassischer und romantischer Musikanschauung: wo die Musik sich so gesteigerter Mittel bedient, daß sie despotisch den Hörer in ihren Bann reißt und ihn der Mittätigkeit seiner eigenen Einbildungskraft beraubt, da hört sie auf, »Musik«, zu sein, d. h. sie überschreitet die Grenze des im klassischen Sinne Zulässigen. Zwar den terminologischen Unterschied wollte Goethe, mindestens für die Dichtung, nicht anerkennen: »Was will all der Lärm über klassisch und romantisch! Es kommt darauf an, daß ein Werk durch und durch tüchtig sei, und es wird wohl auch klassisch sein« (zu Eckermann, 17. Oktober 1828). Aber daß »der Begriff von klassischer und romantischer Poesie jetzt über die ganze Welt geht und so viel Streit und Spaltungen verursacht«, daß dieser Streit ursprünglich durch seinen eigenen Gegensatz zu Schiller hervorgerufen worden war (zu Eckermann, 21. März 1830), ja daß er selbst im ›Faust‹ die zwei »Dichtungsformen« des Klassischen und des Romantischen hatte »entschieden hervortreten« lassen (zu Eckermann, 16. Dezember 1829), darüber war sich auch Goethe klar.

In ähnlicher Weise wie in der Dichtung sind auch in der Musik das Klassische und das Romantische miteinander und ineinander verwoben, ohne daß es zwischen beiden eine genauere Trennung geben könnte. In den Schriften von Wilhelm Heinse, Wilhelm Heinrich Wackenroder und Ludwig Tieck (d. h. von den 1780er Jahren an) ist schon zu beobachten, daß die Aufgabe der Musik wohl in der autonomen Selbstdarstellung des Menschen gesehen, daß ihr mehr und mehr aber der Charakter selbstherrlicher Dämonie zugeschoben wird, die den Hörer zur passiven Hingabe nötigt. Das »höchste Muster zusammenhängender Ordnung« (Herder) ist sie den Romantikern nicht, viel eher »schöner poetischer Taumel«, eine Kunst, die »alle Kräfte unseres Wesens um so allgemeiner in Aufruhr setzt, je dunkler und geheimnisvoller ihre Sprache ist«, eine Kunst »über dem Menschen«, die »menschliche Gefühle auf übermenschliche Art schildert«, eine neue Religion, die den Menschen aus dem irdischen Schmerz »errettet«, ihn mit »tausendfachen Strahlen in ... glänzende Wolken« einwickelt und ihn hinaufhebt »in die alte Umarmung des allliebenden Himmels« (Wackenroder, ›Berglinger‹).

Hier distanzierte sich Goethe deutlich von Wackenroder (›Annalen‹, 1802); hier trennt sich das Klassische vom Romantischen. Wo freilich die Trennungslinie in der empirischen Musik verläuft, das ist eine kaum zu beantwortende Frage. Mehr noch: es gibt im Grunde keine Grenze. Denn jene idealistische Anschauung vom Wesen der Musik ist beiden Richtungen gemeinsam: die Selbstzwecklichkeit und Selbstgesetzlichkeit der Musik sind von Herder bis Pfitzner so wenig jemals in Zweifel gezogen worden wie ihre Humanität und Würde. Nur die Gewichte werden verschieden verteilt. Die Entscheidung hängt wohl im Kern von jener Symbolkraft der Form und jenem autonomen Mitvollzug des Hörers ab: eine Musik, deren Gehalt sich in der Kraft einer eigenständigen Symbolform niederschlägt und die den Hörer zum selbständigen Mitvollzug auffordert, wird als mehr klassisch, eine Musik, deren Formkraft schwächer ist, die dafür aber dem Hörer die Dämonie ihrer Reizkräfte aufzwingt, wird als mehr romantisch empfunden. »Auf weite Distanz gesehen, ist die klassisch-romantische Epoche der deutschen Musik eine Einheit, da in ihr der autonome Mensch im Mittelpunkt steht und die spezifisch menschlichen Gefühlswerte den alleinigen Sinn und Inhalt der musikalischen Äußerung bilden. ... In dem Dualismus von Gesetz und Freiheit, Geistigem und Sinnlichem, Ganzheitlichem und Einzelnem, den der Klassiker, wie verschieden auch immer, in einem Gleichgewicht auszusöhnen vermochte, gewinnt nun das jeweils Zweite die Oberhand, so daß nicht mehr das Allgemein-Menschliche, sondern das Singulär-Menschliche das Ziel ist« (R. Gerber in MGG, Band 3, Artikel ›Deutschland‹ E. ›Klassik und Romantik‹, Spalte 324/25).

III. Die Wendung zur klassischen Epoche

Die Anfänge dessen, was die Musikgeschichtsschreibung als Klassik bezeichnet, reichen zurück bis vor die Mitte des 18. Jahrhunderts, bis in die Generation Johann Sebastian Bachs. Der *Beginn* der klassisch-romantischen Stilperiode ist durch den entschiedenen *Willen zur Vereinfachung* aller Formen und Stilmittel, durch den bewußten Bruch mit den hochgesteigerten kompositorischen Techniken des ausgehenden Barock gekennzeichnet. Es ist eine bewußte Primitivisierung, wie sie die Musikgeschichte sonst kaum je erlebt hat. Was J. A. Scheibe in seiner Kritik an Bach getadelt hatte, das »Künstliche« und »Verworrene«, das die »natürliche Schönheit« verdunkle, das ist den fortschrittlichen Musikern schon der Generation Bachs (wie Georg Philipp Telemann, Christoph Graupner, Johann David Heinichen, aber auch Georg Friedrich Händel) als veraltet erschienen, und was man suchte, war die Unmittelbarkeit gefühlshaften Ausdrucks durch möglichst schlichte Mittel. J. S. Bach, Händel und D. Scarlatti sind 1685 geboren; Telemann war vier, Graupner und Heinichen waren zwei Jahre älter. Antonio Caldara und Giovanni Battista Bononcini, beide 1670 geboren, gehören einer noch weiter zurückliegenden Altersschicht an; Reinhard Keiser war elf, François Couperin sogar siebzehn Jahre älter als Bach. Schon in dieser Generation haben sich die Geister getrennt, unter dem Vorgang Italiens, teilweise auch Frankreichs. Die einen blieben vorzugsweise den überlieferten Anschauungen und der Denkweise des Barock verbunden, die anderen vollzogen (am deutlichsten wohl Telemann in seiner Spätzeit) schon entschieden die Wendung. Versuchte man, die Vorgeschichte der musikalischen Klassik noch weiter zurück zu verfolgen, so würde sie sich vermutlich in nationale Sonderrichtungen aufspalten; Untersuchungen darüber fehlen noch. In der folgenden Altersschicht von Johann Joachim Quantz, Johann Adolf Hasse, Carl Heinrich Graun, Giovanni Battista Sammartini, Giuseppe Tartini, Giovanni Benedetto Platti, noch mehr dann in der Generation der Bach-Söhne, der u. a. Domenico Alberti, Giovanni Battista Pergolesi, Baldassare Galuppi, Johann Stamitz, Georg Christoph Wagenseil angehören, ist dann allen Musikern, unbeschadet ihrer künstlerischen und nationalen Herkunft, gemeinsam das Bemühen um eine Musik, die »schön, rührend, nachdrücklich und erhaben« (Scheibe) sein soll.

Mit dieser Forderung tritt die *Melodie* als tragendes und grundlegendes Element in den Vordergrund; die Melodielehre wird seit Scheibe und Nichelmann ein Hauptanliegen der Musiker, bis – bezeichnenderweise – Anfang des 19. Jahrhunderts die Harmonielehre zum primären und grundlegenden Lehrgegenstand wird (H. Chr. Koch). Zum ersten Male in der Geschichte entscheidet nicht mehr das Miteinander der mehr oder minder gleichberechtigten Stimmen im Verband des Satzes, sondern die unbeschränkte Souveränität der Melodie, die von einem ganz einfachen Unterbau (der nicht obligat ist und auch wegfallen kann) »begleitet« und nicht durch obligate, kontrapunktische oder konzertierende Stimmen überschattet wird, über die Schönheit des Musikwerks. Bezeichnend ist, daß von Haydn noch aus seinem Alter der Ausspruch berichtet wird: »Willst du wissen, ob eine Melodie wirklich schön ist, singe sie ohne Begleitung«. Darin liegt eine Absage größten Ausmaßes. Was in allen musikgeschichtlichen Epochen und Stilphasen erbaut und ungeachtet allen Wandels bis dahin als fundamental betrachtet worden war, was J. S. Bach in dem »esoterischen Handwerk« seiner späten »Kunstbücher« noch einmal in letzter Konzentration und Verfeinerung niedergelegt hatte, gerade das wurde nun mit Entschiedenheit verworfen.

Es war wirklich eine epochale Wendung von größter Tragweite. Die Absage ist nicht mit jenem Kampf zu vergleichen, den um 1600 einige revolutionäre Florentiner Altertumsschwärmer dem Kontrapunkt angesagt hatten. Dort handelte es sich nur um das Experiment, einen neuen Stil neben einen bereits entwickelten, eine »seconda pratica« neben eine »prima pratica« zu setzen, die in ihrer Weiterexistenz nicht in Frage gestellt wurde (vergleiche Artikel Barock, Abschnitt VI e). Hier aber ging es um einen vollständigen Bruch und um eine (vermeintlich) dauernde Verwerfung aller alten Gattungen, Formen und Stilmittel, um die Entthronung der Vernunft zugunsten des Herzens und um die Errichtung eines musikalischen Märchenreichs schlichter und herzlicher Schönheit.

Daß man damit einen revolutionären Schritt von größter Tragweite tat, dessen war man sich bewußt. Das Gefühl, an einer großen Wende zu stehen, war allverbreitet; von der »großen Katastrophe der Musik« sprach Johann Samuel Petri (›Anleitung‹, ²/1782). Je nach persönlicher Einstellung die Musiker die »leichte Melodienmacherei« (Friedrich Wilhelm Marpurg) oder verströmten Tränen über die schmachtende Empfindung eines »hinschmelzenden Portamento« (Christian Friedrich David Schubart). Weiterblickende Geister aber erkannten, daß mit dieser neuen Melodienkunst allein der Musik nicht geholfen werden konnte. Das Gefühl, daß man im Begriffe stand, eines großen Erbes verlustig zu gehen, ohne daß man selbst recht wußte, was man dafür einzusetzen hätte, verbreitete einen Schleier des Unmuts, und von dem »optimistischen Enthusiasmus«, mit dem das barocke Zeitalter begonnen hatte, war am Beginn des empfindsamen nicht die Rede. Zwar zertrümmerten unruhige Köpfe mit Lust den »Schwulst« der Vergangenheit, aber von dem naiven Glauben an eine fortdauernde Weiterentwicklung der Musik zu immer größeren Höhen war man weit entfernt. Am Anfang der

Klassik steht eher eine gewisse zage Resignation, das Gefühl eigener sentimentaler Nichtigkeit vor der verfallenden Größe einer machtvollen Vergangenheit. Im *Epen- und Balladengesang* eines grauen Altertums und in der naturhaften Unmittelbarkeit des *Volksliedes* glaubte man die Quellen der Gesundheit aller älteren Musik zu erkennen, und seit Thomas Percy mit seinen ›Reliques of Ancient English Poetry‹ (1765) und James Macpherson mit seinen ›Ossian‹-Dichtungen (seit 1760) die Blicke auf die Schönheit angeblich alter Volkslied-Dichtung gelenkt hatten, wurde der Verfall des Volksliedes oft als die Ursache des Niedergangs angesehen. »Man wohnt auf den Ruinen: was sollen jetzt die Heroidensänger und kleinen Comödienschreiber und Liederchenmacher sagen?«; »Die Reste der alten Volksdenkart rollen mit beschleunigtem letztem Sturze in den Abgrund der Vergangenheit hinab«; man begnügt sich mit »componierten Trivialitäten der gemeinsten Art«; »mit dem echten Volksgesang« wird »der Grund aller Poesie . . . ermordet« (Herder).

Nicht an der »leichten Melodienmacherei«, nur am »echten Volksgesang« kann die verfallende Musik des Abendlandes gesunden. Die Musiker können den Weg finden, um aus diesem Born eine Erneuerung herzuleiten. Gluck in seiner »Volkseinfalt« hat das vermocht, und das Ergebnis ist, daß »die meisten Arien in seiner Oper ›Orpheus‹ so plan und simpel sind als die Engelländischen Balladen« (Herder). Man wird sich besinnen müssen, auf welchen Wegen in Zukunft noch eine Musik möglich sein wird, die weder tändelt, noch langweilt, noch unterhält, noch dient, sondern jenes hohe Ziel erreichen kann, den Menschen über sich selbst hinaus zu erheben, jene vollkommene Menschlichkeit und Würde, die allen großen Geistern vorschwebt. Herder hat erkannt, daß fortan der Musiker die Wahl zwischen drei Wegen haben wird: einem gedankenlosen Weitergaukeln in längst hohl gewordenen Künsteleien, in »inhalt- und wesenlosen Amusements« oder der Rückkehr zum Vergangenen, also einer bewußt historisierenden Wiederbelebung weit zurückliegender Muster, oder aber der Wiedergeburt aus dem Geiste echter Volksmusik.

So dachte nicht nur Herder; bei Schiller (Rezension über Gottfried August Bürgers Gedichte), bei Goethe (Rezension über ›Des Knaben Wunderhorn‹) kehrt wie später bei Robert Schumann, Robert Franz und zahlreichen anderen dieselbe Auffassung wieder; sie kommt im romantischen Zeitalter gelegentlich immer wieder an die Oberfläche (allem Artismus zum Trotz); sie hat schließlich in der deutschen musikalischen Jugendbewegung der 1920er Jahre noch eine späte Wiedererstehung erlebt.

Die drei Wege, die Herder sah, haben in der Tat den ganzen Gang des klassisch-romantischen Zeitalters bestimmt: das *Weitermachen* und »Weitergaukeln« (wenn Herder es auch »gedankenlos«

fand) in den Formen des Spätbarock, der *Historizismus*, der in die Tiefe der Geschichte zurückgreift und von dort her immer wieder Muster für das eigene Schaffen bereitstellt, und, als die fruchtbarste und die eigentlich schöpferische Möglichkeit, die *Selbsterneuerung* des Schaffens aus der Volksmusik. Alle drei Gedanken stehen am Beginn der Klassik vorbereitet da und haben die klassisch-romantische Periode bis zur Gegenwart begleitet. Will man sie als die tragenden Ideen des klassisch-romantischen Musikwesens ansehen, so wäre daraus zu schließen, daß auch in der Mitte des 20. Jahrhunderts diese Epoche der Musikgeschichte noch nicht zum Abschluß gelangt sei. Das »Weitermachen« hat immerhin dazu geführt, daß die Gattungen der Kirchenmusik, die Messe, die Motette, die Kirchenkantate, die Choralbearbeitung in ihren verschiedenen Formen, daß das Oratorium und die Oper und viele andere Arten von Musik aus dem Barock herübergerettet und in den neuen Stil umgeschmolzen wurden; der anfangs verachtete Kontrapunkt und die Fuge wurden bewahrt und konnten erneut zu Tragpfeilern auch des klassisch-romantischen Stils werden. Der Historizismus hat von A. Fr. J. Thibauts Palestrina-Kult an die Wiederbelebung alter und älterster Musik und im Zusammenhang damit die gesamte historische Musikforschung zur Folge gehabt; von da aus sind unübersehbar viele Anregungen auf die Komponisten des 19. und des 20. Jahrhunderts ausgegangen, und das Ende dieses Historizismus im Schaffen der neuesten Zeit ist noch nicht abzusehen. Daß aber die Musiker des klassisch-romantischen Zeitalters sich instinktiv und ohne theoretische Reflexionen am Volkslied genährt haben, ist vielleicht als die größte Wendung und als der eigentliche Glücksfall anzusehen (wenn auch hierbei der Begriff Volkslied im weitesten Sinne, vom mittelalterlichen Choral bis zur Opernariette verstanden werden muß): von hier aus strömte frisches Blut in das abendländische Musikschaffen, und in der Verschmelzung des Volkstümlichen mit der höchsten Kunst der Komposition liegt gewiß die überzeugendste und dauerndste Leistung des klassisch-romantischen Zeitalters der Musikgeschichte.

IV. Die Nationen, der »Vermischte Geschmack« und die »Universalsprache«

Es ist einigermaßen überraschend, daß mit dem Beginn der klassischen Epoche nicht sogleich (wie es etwa am Beginn des Renaissance-Zeitalters mit den niederländischen, am Beginn des Barock mit den italienischen Musikern der Fall gewesen war) eine *neue Nation* maßgebend in den Vordergrund getreten ist, die Wendung zum Klassischen vielmehr zunächst noch von italienischen und italienisch geschulten Musikern vollzogen worden ist. Die opera seria hat mit Komponisten wie Attilio Ariosti, G. B. Bononcini, G. Fr. Händel, A. Caldara, J. A. Hasse, C. H. Graun usw. schon weitgehend das heranwachsende neue Stilgefühl vorbereitet; noch mehr war das mit den Intermezzi und opere buffe von Giovanni Battista Pergolesi, Leonardo Vinci u. a. der Fall, und das italienische Oratorium hat vollends bereits stark frühklassische Züge angenommen. Es steht außer Zweifel, daß italienische Oper, Oratorium, Solokantate und verwandte Gattungen, aber auch instrumentale wie die orchestrale Opern-Sinfonia dem Stilwandel die Bahn geebnet haben.

Für andere Gattungen der Instrumentalmusik liegt der Vorgang ähnlich. Unabhängig voneinander haben *italienische, französische und deutsche Musiker* die Wendung zum neuen Stil vollzogen. In der J. Haydn vorausgehenden Altersschicht ist es jedoch zu einem überaus raschen und erfolgreichen Vordringen der neuen deutschen Instrumentalmusik und ihrer Gattungen, ja zu einer deutschen Hegemonie und damit einer tiefgreifenden Änderung in der nationalen Struktur der europäischen Musik gekommen. Das italienische Zeitalter des Barock wurde durch das deutsche Zeitalter der Klassik und Romantik abgelöst. Setzt man den Beginn der Epoche mit etwa 1740, mit dem Vordringen der böhmischen Musiker in die musikalischen Hauptplätze verschiedener Länder, mit der Herausbildung der frühen Wiener Schule um G. Chr. Wagenseil und der norddeutschen um Carl Philipp Emanuel Bach an, so wird deutlich, daß die deutsche Musik, mindestens die instrumentale, darüber hinaus jedoch auch manche vokalen Leistungen bis hin zur Oper eine Weltgeltung errungen haben wie nie zuvor, eine Weltgeltung, die das 19. Jahrhundert hindurch angehalten hat und erst seit etwa 1910 allmählich zurückgegangen ist.

Damit wird die Bedeutung der italienischen Komponisten nicht eingeschränkt; im Gegenteil, daß auch im Erlöschen der italienischen Hegemonie ihre Kraft noch groß genug war, um den Übergang zum Neuen vorzubereiten, stellt ihrer schöpferischen Fähigkeit ein bemerkenswertes Zeugnis aus. Die Tatsache, daß für die Entstehung der klassischen Klaviersonate, der Sinfonie, des Streichquartetts usw. Meister wie G. B. Sammartini, N. Jommelli, D. Scarlatti, D. Alberti, B. Galuppi, G. B. Platti, G. Tartini, später G. B. Pergolesi die Ausgangsbasis geschaffen haben (auf die in Frankreich etwa Jean-Marie Leclair, Louis-Gabriel Guillemain, Jean-Joseph Cassanéa de Mondonville und Jean-Pierre Guignon zurückgehen), ist ebenso unbestreitbar wie die andere, daß die Gattungen der klassischen Instrumentalmusik nicht aus *einer* Schule und an *einem* Ort erwachsen sind, sondern sich allmählich aus den verschiedenen, unter- und nebeneinander herlaufenden Strömungen entwickelt haben. H. Riemann hat die Mannheimer Schule, G. Adler die Wiener, F. Torrefranca die italienische zu einseitig als Quelle angesehen.

Joseph Haydn läßt sich keiner Schule zurechnen, und die Größe seiner Leistung besteht nicht zuletzt in seiner selbstherrlichen Autonomie. Italien in erster, Frankreich in zweiter Linie haben auch weiterhin durch die ganze klassische Periode hindurch fortdauernd Anregungen und Muster geliefert: Gluck ist ohne die französische Oper so wenig denkbar wie Beethovens ›Fidelio‹; Mozart bietet das vollendetste Beispiel einer fortwährenden Aneignung von häufig wechselnden Mustern aus beiden Ländern wie aus den verschiedenen deutschen Schulen. Die italienischen Opernkomponisten haben, von Alessandro Scarlatti an bis zu Domenico Cimarosa und Giovanni Paisiello, zu Gaetano Donizetti und Vincenzo Bellini, die europäischen Bühnen weit mehr als die deutschen Komponisten versorgt, und mit Gioacchino Rossini hat im klassischen Zeitalter noch einmal einer ihrer faszinierendsten Meister eine geradezu unbegrenzte Herrschaft über die Theater ganz Europas ausgeübt, ähnlich wie Giuseppe Verdi in der romantischen Phase.

Aber das historische Gesamtbild wird dadurch nicht verändert: das klassisch-romantische Zeitalter ist das große (vielleicht das erste große?) Zeitalter der Instrumentalmusik gewesen; in diesem Felde haben von der Mitte des 18. bis zum Anfang des 20. Jahrhunderts die deutschen Komponisten und ausübenden Musiker eine unbestreitbare Vorrangstellung an allen europäischen Musikstätten innegehabt und haben als Lehrer, Virtuosen, Kapellmeister, Regisseure und Komponisten einen hervorragenden Anteil an der Weltmusikpflege genommen. Im modernen Stardirigententum sind noch letzte Nachwirkungen davon zu spüren. Haydns Sinfonien und Oratorien gehören zu den ältesten Meisterwerken europäischer Musik, die schon um 1800 in Amerika aufgeführt worden sind. Von Haydn bis zu Beethoven (für die klassische Ära im engeren Sinne), darüber hinaus durch die ganze romantische Phase bis zu Richard Strauss hat sich das Bild, trotz der zunehmenden Verselbständigung und internationalen Wirkung anderer Nationen, im wesentlichen nicht verändert.

Von Johann Nikolaus Forkel bis zu Hugo Riemann, Hermann Abert, Arnold Schering u. a. hat die deutsche Musikforschung an der Spitze gelegen. Deutsche Musikbildungsstätten sind im 19. Jahrhundert weltführend gewesen und allenthalben nachgeahmt worden. Es ist also nicht unberechtigt, im klassischen und darüber hinaus im klassisch-romantischen Zeitalter eine *Epoche der deutschen Musik* zu erblicken, mindestens in dem Sinne, daß die deutschen Musiker einen maßgeblichen, zeitweise den entscheidenden Beitrag zur Musikpflege, zum Musikschaffen und zur Musikbildung der Welt geleistet haben. Paris, London, Petersburg, zeitweise Rom, Mailand, Preßburg, Prag, Brüssel, Amsterdam und viele andere Musikstätten des näheren und weiteren Auslandes sind zeitweilig Domänen der deutschen Musiker gewesen. Hieran waren böhmische Musiker anfangs in erheblichem Umfang beteiligt; zwischen ihrem deutschen und ihrem tschechischen Anteil ist vorerst nicht zu scheiden.

Paris war ein Zentrum deutscher Musik. Hier konnte zeitweilig Baron Friedrich Melchior von Grimm eine maßgebende Rolle als Schiedsrichter und Berichterstatter spielen; hier erlebte Gluck die heftigsten Kämpfe und die größten Triumphe; hier erkannte 1770 Nicolas-Etienne Framéry (›Réflexions sur la musique moderne‹) die maßgebende Rolle der deutschen Instrumentalmusik ausdrücklich an. In Paris hat schon 1744 Franz Xaver Richter ein Druckprivileg erhalten. 1751 wurde zum ersten Male eine Sinfonie von Johann Stamitz im Concert Spirituel aufgeführt; Stamitz selbst war dort seit 1748 als Virtuose aufgetreten. Die Sinfonie als die Charaktergattung der deutschen Instrumentalmusik erhielt hier den Namen »Sinfonie d'Allemagne«, die für ihr Kolorit bezeichnenden Hörner erscheinen als »cors allemands«. Der Verleger Bayard gab eine Sammlung von Sinfonien unter dem Titel ›La Melodia Germanica‹ heraus. In Paris wie auch in Amsterdam, Brüssel, London usw. erschienen große Mengen deutscher Instrumentalmusik im Druck.

Das musikalische Verlagswesen in Deutschland und im Ausland erlebte mit dem Vordringen dieser Musik einen ungeahnten Aufschwung. Nachmals bedeutende Firmen wie Artaria in Wien, André in Offenbach, Schott in Mainz, Pleyel in Paris, Clementi in London, Bossler in Speyer, Hummel in Amsterdam und zahlreiche kurzlebigere wie Mollo in Wien, Imbault, Sieber, Boyer & Le Menu in Paris, Nägeli in Zürich, Birchall, Forster, Longman & Broderip in London, nicht zuletzt Simrock in Bonn, Hoffmeister (Bureau de Musique, später C. F. Peters) und Breitkopf & Härtel in Leipzig sind auf diesem Boden groß geworden.

Wie in allen Epochen der Musikgeschichte sind im späteren Verlauf andere Völker mit ihren Eigenleistungen stärker vorgedrungen. Doch ist das in der klassischen Phase (im engeren Sinne) noch nicht der Fall gewesen; erst im letzten Drittel des 19. Jahrhunderts sind die Russen, Polen, Böhmen (nunmehr nationaltschechisch betont), Ungarn, seit der Mitte des Jahrhunderts die skandinavischen Völker mit charakteristischen Beiträgen hervorgetreten. Frankreich lieferte seit dem Impressionismus besonders wirkungsvolle Leistungen. In der klassischen Phase selbst ist das Bild im wesentlichen unverändert geblieben.

Mit wie geringem Selbstvertrauen die deutschen Musiker ursprünglich an ihre historische Aufgabe herangetreten sind, beweist am besten die seltsame Lehre vom »Vermischten Geschmack«, wie sie vor allem durch Quantz, in Varianten auch durch Leopold Mozart, C. Ph. E. Bach u. a. vertreten worden ist. Nach Quantz (›Versuch einer Anweisung die Flöte traversiere zu spielen‹, 1752) haben sich zwei Völker »in neuerer Zeit um die Ausbesserung des musikalischen Geschmackes verdient gemacht«, die Italiener und die Franzosen. Zwischen italienischem, französischem und deutschem Musikstil unterscheiden alle Schriftsteller der Zeit nachdrücklich. Noch Herder hat daran festgehalten, und selbst bei Goethe findet sich eine ähnliche Unterscheidung. An der italienischen Musik werden ihre Ausdruckskraft, ihre Sinnlichkeit, ihr singender, zärtlicher Charakter, ihr Einfallsreichtum, an der französischen die Lebhaftigkeit insbesondere des Rhythmus, ihre Gefälligkeit und Eingänglichkeit gelobt, dafür freilich ihre Trockenheit und ihr Schematismus getadelt. Die Deutschen haben seit jeher die Vorzüge der soliden Satzkunst und der instrumentalen Virtuosität vererbt; »vom guten Geschmack aber und von schönen Melodien findet man, außer einigen alten Kirchengesängen, wenig Merkmale. . . . Sie suchen, mehr künstlich als begreiflich und gefällig, mehr für das Gesicht als für das Gehör zu setzen«. Dagegen erkennt Quantz den Deutschen die besondere Fähigkeit zu, die Geschmacksrichtungen anderer Völker, »welche sie nur wollen, anzunehmen«; sie »wissen sich das Gute von allen Arten der ausländischen Musik zu Nutzen zu machen«. Den Deutschen wird deshalb eine Vermischung der Stilarten als das Rezept empfohlen, um zu einer Musik zu gelangen, die »von vielen Völkern angenommen und für gut erkannt wird«. Quantz zögert nicht, einen solchen »vermischten Geschmack« als den »jetzigen deutschen« zu bezeichnen.

Das entsprach weitverbreiteten Ansichten. Schon Telemann hatte sich gerühmt, in jedem Stil komponieren zu können. Mozart berichtet aus Mannheim, er könne »so ziemlich alle Arten und Stile von Kompositionen annehmen und nachahmen« (7. Februar 1778). Jedoch zeigt diese merkwürdige Tendenz nur, wie die deutschen Musiker sich selbst und ihre Tradition sahen und wie sie ihr eigenes, traditionswidriges Tun zu rechtfertigen suchten. Was sie taten, war (nach einer kurzen Übergangsperiode) alles andere als eine Stilverschmelzung. Vielmehr schufen sie aus eigener, spezifisch deutscher Veranlagung heraus grundlegend Neues, soviel darin auch von den Stilüberlieferungen anderer Völker aufgegangen sein mag, und steigerten dieses Neue auf den Gipfel völlig unerhörter musikalischer Aussage.

Das klassische Zeitalter selbst steckte sich die Ziele wesentlich höher, als Quantz und seine Zeitgenossen es geahnt hatten. Die Musiker erkannten sehr bald, daß nicht die Ausprägung eines neuen Nationalstils neben vorhandenen oder die Aneignung fremder Nationalstile der Sinn ihres Strebens sein konnte, daß es vielmehr darauf ankam, etwas jenseits der Nationalstile, etwas über ihnen Stehendes und Allgemeingültiges zu schaffen, eine *Universalsprache* der Musik, an der unterschiedslos alle Völker, aber auch alle Stände teilhaben konnten, eine Sprache der Menschheit.

Der *Humanitätsgedanke* ist in der deutschen Musik gleichzeitig mit den gleichgerichteten Gedanken in der deutschen Dichtung aufgestanden. Gluck hat erklärt, er wolle »eine kraftvolle, zum Herzen sprechende« Musik schreiben, die »allen Menschen zusagen« und »die lächerlichen Unterschiede der Nationalmusiken aufheben« solle (Brief an den Mercure de France, Februar 1773). Michel Paul Guy de Chabanon pries den späten Stil Glucks als »la langue universelle de notre continent« (›De la musique‹, 1785). Für Herder ist Musik schlechthin »eine Kunst der Menschheit«; sie humanisiert das Menschengeschlecht. Das ist auch die Meinung, die noch hinter Haydns bekanntem Wort steht: »Meine Sprache versteht man in der ganzen Welt«. Es ist die Geisteshaltung der Musik, die schließlich in der Komposition von Schillers Ode ›An die Freude‹ in Beethovens 9. Sinfonie kulminiert. Doch ist nicht zu übersehen, daß bei Beethoven schon seit dem ›Heiligenstädter Testament‹ diese Haltung in ständigem Zwiespalt zu jener anderen steht, die in der Musik vorwiegend den Ausdruck des individuellen Selbst, die Aussprache des persönlichsten Inneren, das Ventil für den Druck der unerträglichen seelischen Qualen und Zwiespalte erblickt, also einer ausgesprochen romantischen Bewertung der Musik. Man kann (jedoch nur für Beethoven selbst) die Periode vom ›Heiligenstädter Testament‹ (6. Oktober 1802) bis zum Abschluß der 9. Sinfonie (1824) als eine Zeit ansehen, in der sich klassische und romantische Musikanschauung in ständigem Widerstreit begegnet sind.

Das Bemühen um die Universalsprache macht die merkwürdige Erscheinung verständlich, daß neben aller Steigerung der musikalischen Technik und der Kunstmittel, die von den Anfängen bei Sammartini, Platti, Wagenseil und Stamitz zur letzten Höhe Beethovens geführt hat, immer eine Tendenz zum Einfachen, Gemeinverständlichen und Volksartigen einhergelaufen ist. Sie tritt nicht in jedem Werk und nicht bei jedem Komponisten zutage, wird sogar zeitweilig ganz verlassen (wie etwa in Beethovens letzten Streichquartetten), bricht aber unverhohlen allerorten wieder durch. Sie verursacht die Aufnahme zahlreicher Volkslied-Melodien und volkstümlicher Elemente, die Anlehnung an Tanz, Lied und Marsch, die absichtliche Vorspiegelung des Volkstümlichen (den »Schein des Bekannten« in den ›Liedern im Volkston‹ von J. A. P. Schulz, 1782 ff.), die häufigen Zitate von deutschen oder fremden Volksliedern, die Anleihen bei Volksmelodien für Variationszwecke (wie so oft bei Haydn und Beethoven). Sie bringt schließlich in den besonderen Glücksfällen der Geschichte eine

Musik hervor, der es gelingt, gleichzeitig in höchstem Grade volkstümlich und in höchstem Maße vollendete Kunst zu sein (Mozarts ›Zauberflöte‹, Haydns ›Schöpfung‹ und ›Jahreszeiten‹). Das Ziel der menschheitsumfassenden, die Unterschiede von Stand und Bildung auslöschenden Universalsprache ist, wenn jemals in der Musikgeschichte, so auf dem Höhepunkt der Klassik zwischen Glucks ›Orfeo‹ (1762) und Schuberts ›Schöner Müllerin‹ (1823) sehr oft erreicht, wenn auch keineswegs immer erstrebt und gerade in den Höchstleistungen am reinsten verwirklicht worden.

Dieses Bestreben unterscheidet das klassische Zeitalter grundlegend vom Barock, dem die Volksmusik noch nichts gegolten hatte, aber auch von manchen späteren Richtungen der Romantik (dem Neudeutschtum und dem Impressionismus), denen sie vielfach nichts mehr galt. Goethes Gedanke, das in seinen Tagen wiederbelebte Volkslied könne, wenn es »seine Bestimmung erfüllt« habe, »neue bedeutende Melodien hervorzulocken«, nun wieder verlorengehen (Rezension über ›Des Knaben Wunderhorn‹), hat sich auf eine andere und viel fruchtbarere Art und Weise, als sie ihm vorschwebte, in den höchsten Leistungen der Wiener Klassiker erfüllt.

V. Der klassische Stil und die Phasen der Klassik

Um die Ausprägung eines ihren Vorstellungen angemessenen *Stils* haben die Komponisten des klassischen Zeitalters schwer gerungen. Die Entstehungsgeschichte dieses Stils läßt sich in zwei Phasen einteilen, eine frühklassische, die von den Anfängen bis in die 1770er Jahre reicht und den sogenannten »galanten« mit dem »empfindsamen« Stil umfaßt, und eine hochklassische, in der die Stilmittel und Formen in den Grundzügen feststanden (sozusagen die Grammatik und Syntax der Universalsprache entwickelt waren) und die Komponisten in der Lage waren, in einer voll ausgebildeten Sprache Ideen, die ihrer freien Phantasie entsprangen, nach persönlichem Vermögen zu gestalten.

Die Elementarformen des Stils sind alle in der frühklassischen Phase ausgebildet worden; stilgeschichtlich gesehen, brachte die hochklassische dazu nur deren Weiterentwicklung in den individuellen Sprachgestalten der einzelnen Meister. Die hochklassische Phase geht in der Musikgeschichtsschreibung gewöhnlich unter der Bezeichnung *Wiener Klassik*, aus zwei Gründen: weil ihre Hauptvertreter in Wien (oder Österreich) gewirkt haben und weil in den klassischen Stil ein spezifisch wienerisches (oder österreichisches) Element übergegangen ist. Der Wiener Stil ist von Haydn bis Brahms und darüber hinaus eine der Hauptgrundlagen der deutschen Musiksprache geblieben.

Der *galante Stil* wird häufig als eine Art Nachspiel zum Barock betrachtet und dem Rokoko der bildenden Künste gleichgesetzt. Die Parallele liegt nahe, weil in den dekorativen Künsten und der Malerei des Rokoko eine ähnlich verspielte Grazie, ein ähnliches »sfumato«, eine ähnlich schmachtende Zärtlichkeit, aber auch eine ähnliche Ironie und Melancholie anzutreffen sind wie in mancher musikalischen Komposition des galanten Stils, besonders seiner *empfindsamen Phase*. Aber abgesehen davon, daß sie sich aus chronologischen Gründen kaum aufrechterhalten läßt, wird hierbei übersehen, daß die Formen des Rokoko in den bildenden Künsten unmittelbar aus den Spätformen des Barock hervorgegangen sind, während in der Musik der galante Stil jenseits der Kluft steht, die das jüngere Zeitalter von dem älteren trennt: die absichtsvolle Beschränkung der Mittel, die preziöse Schlichtheit und der Vorrang der nur beiläufig begleiteten einstimmigen Melodie lassen erkennen, daß im galanten Stil weit eher ein klassisches als ein barockes Grundgefühl waltet. Das Rokoko der bildenden Künste ist von deren klassischem Stil zwar auch nicht gerade durch einen Abgrund getrennt, sondern hat oft »klassizistische« Züge aufgenommen, aber der galante Stil der Musik geht über sein »empfindsames Stadium« geradenwegs in eine Art Sturm und Drang-Zwischenspiel und von da in die hochklassische Phase über. Anders ausgedrückt: der empfindsame Stil, der Sturm und Drang und der hochklassische Stil in der Musik lassen sich gegenüber dem galanten Stil keinesfalls als Gegensätze definieren; aber der »Klassizismus« der bildenden Künste *ist* gegenüber dem Rokoko ein Gegensatz. Zudem sprechen die zeitgenössischen Titelstiche zu Opernlibretti und Musikdrucken wie auch die Musikerporträts eine deutliche Sprache; sie sind weit eher von der nüchternen Klarheit klassischen Formenaufbaus als von barocker Erregung bestimmt. Man wird daher gut tun, den galanten Stil als Frühstadium dem klassischen Zeitalter einzugliedern. Eine grundsätzliche Differenzierung zwischen ihm, dem empfindsamen Stil und dem Sturm und Drang vorzunehmen, ist nicht möglich. Was man in der Regel als »empfindsam« bezeichnet, ist nur die Mehrbetonung der sentimental-ausdruckshaften Elemente im galanten Stil, und der Sturm und Drang ist darüber hinaus eine kurzdauernde Bewegung, die aus der sentimental-idyllischen Verspieltheit in die Sphäre der großen Leidenschaften übergeht, bevor im hochklassischen Stadium das alles sich zum Ausdruck des Gesamtmenschlichen läutert.

a. Rhythmus, Metrum, Tempo

Vielleicht das evidenteste Zeugnis des Stilwandels liegt in der *Neuartigkeit der rhythmisch-metrischen Verhältnisse* in der frühklassischen Musik. Auch hier gibt es Übergänge, auch hier ist eine Grenze oft schwer zu ziehen: Rameau, D. Scarlatti und Händel zeigen das eine Mal noch barockisierende, das andere Mal mehr klassische Züge in ihrer Rhythmik und Metrik. Aber sehr früh schon beginnt zum Grundgesetz zu werden, was dann das ganze klassisch-romantische Zeitalter beherrscht hat: das periodische Metrum und die differenzierte Rhythmik. Grob gesprochen, kennt der Spätbarock keine regelmäßig wiederkehrenden periodischen Bildungen. In allen anspruchsvollen Formen und Gattungen wie Fugen, Ricercari, aber auch Sonatensätzen, Arien, Chören usw. werden sie geradezu bewußt vermieden. Am ehesten finden sie sich naturgemäß in Tänzen und tanzartigen Gattungen, aber selbst da neigen die Komponisten dazu, das Regelmaß zu verschleiern, die Perioden durch melodische Fortbildungen zu erweitern, Kadenzen unregelmäßig zu setzen oder zu umgehen und so das Gefühl einer simplen Links-Rechts- oder Leicht-Schwer-Ordnung nicht aufkommen zu lassen. Jede Analyse Bachscher oder Händelscher Suiten- und Konzertsätze bestätigt das; wo an wirklich getanzten Tanz zu denken ist (etwa beim Bühnenballett), tritt selbstverständlich die periodische Simplizität stärker hervor.

Ein wesentliches Mittel für den spätbarocken Komponisten, um das periodische Gerüst (soweit es überhaupt vorhanden ist) zu verschleiern, bildet der *Rhythmus*, der in der Norm einheitlich durch ein Stück durchläuft, soweit für den Hörer gewissermaßen die Orientierung erschwert und das Gefühl gleichmäßig wiederkehrender Abmessungen und Schwerpunkte nicht aufkommen läßt. Ganz anders die frühklassische Komposition, die geradezu den Volkstanz und das Volkslied zum Muster nimmt und (im Grundsatz) die unverhüllte Eindeutigkeit einer gleichmäßigen achttaktigen Periodizität anstrebt. Bezeichnend hierfür ist die Wandlung des barocken Menuetts zum klassischen: Takt und Metrum bleiben (auch das barocke Menuett neigt stark zu schlichter und betonter Periodizität), aber was im klassischen Zeitalter den Namen Menuett führt, sind häufig Volkstänze wie Ländler, Zwiefache und dergleichen, bei Schubert mitunter fast Walzer, bis schließlich (schon von Haydn an) fortdauernd mehr und mehr Charakterstücke ohne spezifisch tanzhafte Züge daraus werden. In zahlreichen Kompositionen schon der frühklassischen Phase (Liedern, Klavierstücken, Kammermusiksätzen, aber auch Opernarien, Chören usw.), gleichgültig ob man zu Platti oder Rameau, zu Wagenseil oder zu Hasse greift, findet sich die Simplizität dieser Konstruktion zum Gesetz erhoben. Bei Stamitz und seinen Landsleuten geht es oft auf fast ermüdende und primitive Weise zu. Die Periode wird in der Regel in vier- und zweitaktige Motive unterteilt, und nicht selten wird die Unterteilung so unverhüllt durchgeführt, daß hierdurch der Eindruck des Zerhackten, Kleingliedrigen, des Gestückelten und Geflickten entstehen kann, in Haydns und noch Mozarts frühesten Werken nicht anders als bei Kleinmeistern wie Joseph Schuster, Johann Samuel Schröter usw. Die achttaktige Periode als Grundgesetz hat dann in der hochklassischen Phase H. Chr. Koch ausdrücklich festgelegt (›Versuch einer Anleitung‹, 1782–1793).

Selbstverständlich blieb es nicht bei dieser primitiven Struktur. In der Hochklassik ist die *Periodenbildung* verwickelter geworden. Haydn und besonders Mozart schreiben oft mit höchster Delikatesse und feinstem Empfinden für Maßverhältnisse Perioden, die scheinbar achttaktig, in Wirklichkeit aber oft recht unregelmäßig gebaut sind, und lassen innerhalb eines Satzes die Periodenstrukturen wechseln; in diesem Wechsel zwischen verschiedenartig gebauten Perioden und in der Feinheit der inneren Spannungen, die solche irregulär gebauten Perioden zu scheinbarer Regelmäßigkeit ausbalancieren, liegt ein gut Teil der energisch-belebten Wirkungen, die ihre Werke (besonders der Spätzeit) ausstrahlen. Hierin liegt nicht zuletzt auch ein gut Teil des Unterschieds zwischen den großen Meistern und ihren kleineren Zeitgenossen, denen dieses Feingefühl für Spannung und Gleichgewicht innerhalb der Periode als Zelle der Komposition abging. Karl Ditters von Dittersdorf, Johann Ludwig Dussek u. a. haben oft genug die achttaktige Periode zu Tode gehetzt. Beethovens Periodizität (die H. Riemann in seinen Analysen zu klären gesucht hat) ist oft sehr unregelmäßig, willkürlich, sogar mehrdeutig. Bei ihm macht sich schon ein gewisses Bestreben geltend, die Klassizität einer klaren und leicht nachvollziehbaren Periodenstruktur durch Fragmentation und Korrosion zu verdecken (z. B. Streichquartett cis-Moll op. 131, Satz 5); hierzu bedient er sich bereits wieder des seit dem Spätbarock verpönten durchlaufenden Rhythmus, der die Orientierung erschwert (z. B. Streichquartett Es-Dur op. 127, Finale Allegro commodo).

Gerade Beethoven hat sich, viel stärker als seine jüngeren Zeitgenossen und Nachfolger, gegen die Klammer der regulären Periodizität gewehrt. Daß er diese Struktur häufig durchbrochen hat, ist sicher eine der Ursachen, die seine Werke (besonders der Spätzeit) für Zeitgenossen und Nachfahren so schwer verständlich gemacht haben. Er hat damit auch einen Grundsatz des Klassischen durchbrochen: das Kunstwerk dem Hörer zum Mitvollzug nahezubringen. Andererseits sind gerade die sogenannten Romantiker wieder viel häufiger zur Simplizität der Periode zurückgekehrt: Weber, Schubert, Marschner und viele andere, auch Schumann und Brahms, Wagner nicht ausgenommen, haben sich nicht gescheut, der achttaktigen Periode zu huldigen; Bruckner hat in seinen handschriftlichen Partituren vielfach die Strukturziffern am Rande vermerkt.

War mit der achttaktigen Periode ein fundamentales Bauprinzip (dessen Herkunft aus der Tanz-, Lied- und Marschmusik keinem Zweifel unterliegt) und damit ein Stilmittel gefunden, das den

Weg zur Universalsprache bahnte, so konnte demgegenüber der Rhythmus in unendlichen Abstufungen differenziert werden, ohne die Verständlichkeit zu gefährden. Der Rhythmus wurde zum Träger der Ausdrucksverfeinerung im klassischen Zeitalter. Im Gegensatz zu der einheitlichen (motorischen) Rhythmik des Spätbarock herrscht bei den Frühklassikern eine allenthalben zu bemerkende Neigung zu gebrochenen, wenn auch im einzelnen stereotypen Rhythmen. Punktierungen, lombardische Rhythmen, Synkopierungen, rezitativartige Rubati, zarteste Übergänge und oft nuancenreichste Differenzierungen (etwa bei W. Fr. und C. Ph. E. Bach) sind neben derber Tanz- und Marschrhythmik zu beobachten; gewisse Arten des Wechsels zwischen Duolen und Triolen und triolierte Kadenzen wurden geradezu Mode.

Hatte das spätbarocke Zeitalter die Beteiligung aller Oberstimmen am durchlaufenden Gleichmaß des Rhythmus oder die Zuteilung eines eigenen durchlaufenden Rhythmus an jede Oberstimme über gleichmäßig schreitenden oder rhythmisch ostinaten Bässen geliebt, so beschränken sich jetzt die Bässe häufig auf stereotype, mehr oder minder gesichtslose, Takt und Bewegungsform markierende Funktionen, während die melodieführende Oberstimme sich durch eine variable, oft nervöse, reizhafte, stark differenzierte Rhythmik auszeichnet. Ist eine zweite melodieführende Oberstimme vorhanden, so tritt sie im frühklassischen Stadium oft entschieden hinter die erste zurück (so etwa in der Triosonate, im Gegensatz zur »klassischen«, d. h. in diesem Falle barocken Triosonate). Die italienischen Komponisten neigen zu einer vitalen, oft schmissigen, die französischen mehr zu einer abgezirkelten und stereotypen Rhythmik; böhmische und österreichische Musiker lieben tanzartig beschwingte, federnde, schlendernde, »gemütliche« oder auch sentimentale Bewegungen. Allen ist an einer energisch-bewegten, kraftvollen oder gefühlshaft nuancierten, in jedem Falle aber stark differenzierten Rhythmik gelegen.

Mit der Hochklassik gelangte diese Behandlungsweise in dem Maße zu einer höchsten Verfeinerung, als die Selbständigkeit der Stimmen im Satz mit der Herausbildung des »durchbrochenen« Stils zugenommen hatte. Im Trio-, Quartett- oder Quintettsatz instrumentaler Art, im Ensemblesatz der Oper oder der Messe kommt es bei Haydn, Mozart und Beethoven zu einem subtilen Miteinander mehr oder minder gleichartiger, abweichender oder auch kontrastierender Rhythmen, dessen hohe Kultur in der späteren Romantik nicht übertroffen, oft nicht einmal erreicht worden ist. Dabei verliert der Rhythmus in der Hochklassik seine Überreiztheit und Überbeweglichkeit, wird »natürlicher«, erdhafter; Haydn seit den 1780er Jahren und Mozart in seinen Spätwerken erreichen oft eine Schlichtheit auch in der Bewegung (wie in der Melodik), die der Frühklassik so wenig wie ihren eigenen

Anfängen gegeben war. Nicht nur melodisch, auch rhythmisch
wird die Verwandtschaft mit der Volksmusik in dieser Zeit am
deutlichsten, und das nicht nur in den Liedern und Arietten der
›Zauberflöte‹ und der ›Jahreszeiten‹, sondern auch in Sinfonien
und Streichquartetten. Beethovens Rhythmik wirkt demgegenüber
am Anfang mitunter teils plump, teils virtuos überspitzt, später
oft aufgeregt und (vom klassischen Gesichtspunkt her gesehen)
ungezügelt. Auch darin sind die frühen Romantiker wieder zu einfacheren Verhältnissen zurückgekehrt, während die späteren wieder mehr an Beethovens leidenschaftlich aufgewühlte Rhythmik
anknüpfen. Bezeichnend ist aber, daß wirklich neuartige rhythmische Gebilde der Romantik erst wieder in der Zeit zugeflossen sind,
als die russische, böhmische, ungarische und skandinavische Na-
tionalmusik einsetzte.

Der Rhythmus ist in der Hochklassik ein Element der Komposition geworden, das den verfeinerten Ausdruck erst ermöglichte.
In ihm prägt sich oft die Originalität der Erfindung so charakteristisch aus, daß ein rhythmisches Motiv schlechterdings unwieder-
holbar werden kann. Kein Komponist hätte es gewagt, etwa das
rhythmische Hauptmotiv des 1. Satzes von Beethovens 5. Sinfonie
wiederzuverwenden; es wäre einem Plagiat gleichgekommen. Damit ist aber auch der Weg zu einer Individualisierung beschritten
worden, die im Grunde dem Wesen der Klassik zuwiderlief. Die
Komponisten der romantischen Phase haben oft durch die Prägung origineller rhythmischer Motive einem Werk den Charakter
des Einmaligen und Unwiederholbaren gegeben; manche (wie
Brahms und Bruckner) haben eine Art rhythmischen Personalstil
entwickelt.

In der Musik des Spätbarock sind ausdrückliche *Tempoangaben*
noch selten gewesen. Da die Gattungen und Formen typisiert waren, verstanden sich die Tempi von selbst. Wo Tempoangaben erscheinen, bezeichnen sie oft Abweichungen von der Norm, ungewöhnlich langsame oder schnelle Tempi, Tempowechsel im Satz
und dergleichen. Mit der Frühklassik wurde die Tempoangabe zur
Regel. Die Skala der bis zur Gegenwart üblichen Bezeichnungen
vom Largo und Adagio bis zum Presto kam schnell in Übung.
Herrschen in der frühklassischen Phase noch die mäßigen Tempi
vor (Allegro, Andante, Allegretto), so werden in der Hochklassik
häufig (keineswegs immer) stark kontrastierende, ja extreme Tempi
bevorzugt. Das Moderato vieler Anfangssätze Haydns, das Adagio
vieler seiner langsamen Sätze stehen im Gegensatz zu den häufigen
Presti seiner Finalsätze. Beethoven insbesondere nutzt gern extreme Kontraste aus (z. B. 9. Sinfonie); die Überhitzung führt
bei ihm zum »ritmo di tre battute«, der Takt verliert seinen Eigenwert und sinkt zum Bestandteil größerer rhythmisch-metrischer
Gebilde herab.

Auch das Tempo dient nun zur Charakterisierung und Individualisierung. Lassen spätbarocke Sätze eine beträchtliche Schwankungsbreite der Tempowahl zu, ohne daß dadurch ihr Charakter gefährdet würde, so wird schon die frühklassische Sonate oder Sinfonie empfindlicher gegen »vergriffene« Tempi. Haydnsche Sätze können durch falsche Tempowahl geradezu verzerrt werden, Beethoven zwingt durch sehr genaue Tempoangaben (oft durch Metronomisierung) dem Ausführenden ein absolutes Tempo auf. Am diffizilsten sind Mozarts Spätwerke (obwohl gerade er sich mehr der mittleren als der extremen Tempi bedient und sie oft nicht exakt bezeichnet): der geringste Fehler in der Tempowahl kann einen Satz unerträglich entstellen. Es ist nicht von ungefähr, wenn man in der Wahl des »richtigen« Tempos eine der heikelsten und wichtigsten Aufgaben des heutigen Dirigenten erblickt.

Geschwindigkeit, Bewegungsform und Struktur bilden mit der melodisch-harmonischen Erfindung eine unzerstörbare Einheit. In dieser Einheit liegt das Einmalige, Unwiederholbare, das Zwingende und Hinreißende des Ausdrucks begründet, den der Komponist seinem Werk mitgegeben hat. In dieser Einheit aber liegt auch der ständige Zwang zum Individuellen und Originellen. Mit anderen Worten: die Klassik ist ständig auf dem Wege zur Romantik.

b. Harmonik und Tonalität

Im spätbarocken Zeitalter war der Umkreis der 24 möglichen Dur- und Moll-Tonarten voll erschlossen worden, mindestens für die Tasteninstrumente; den Streichinstrumenten standen sie ohnehin offen, und nur soweit Blasinstrumente gebraucht wurden, war es erforderlich, sich nach deren technischen Möglichkeiten zu richten. Dennoch sind die Komponisten selten über die Tonarten bis A-Dur (fis-Moll) und Es-Dur (c-Moll) hinausgegangen. Erstaunlicherweise aber haben sich die Komponisten der Frühklassik in der *Tonartenwahl* dieselbe oder noch engere Beschränkung auferlegt; niemals in der Geschichte der Musik sind so viele Stücke in D-, F-, G- und B-Dur geschrieben worden. Da das nicht nur für die Orchestermusik, sondern auch für Klavier- und Kammermusik wie für das Lied zu beobachten ist, muß die Ursache nicht in der Spieltechnik des Instruments, sondern in dem bewußten Willen zur Simplizität gesucht werden; die Einfachheit der Tonart gehörte wohl ebenso zur volksnahen Universalsprache wie die des Metrums und der Strukturen.

Auffallend ist gegenüber dem Barock die sehr starke Bevorzugung des Dur. Von den Anfängen bis hin zum Ende Mozarts und Haydns (bei Haydn von einer Periode um 1770 abgesehen) sind Mollstücke Ausnahmen und bleibt das Moll selteneren Ausdrucksbereichen vorbehalten. Auch das ist auf die Neigung zum Schlichten und Leichtverständlichen, aber auch auf die Neigung zum Heiteren und Gemütvollen zurückzuführen, die insbesondere dem frühklassischen Stadium eigen ist.

Im Übergang zur Hochklassik erweiterte sich der Tonartenkreis bedeutend. Haydn ist hierin mit seinen mittleren Sinfonien (39, 44 bis 46, 49, 52; 1768–1772), auch mit einigen Klaviersonaten und Streichquartetten bahnbrechend gewesen; Tonarten wie Fis-Dur oder H-Dur bereiteten technisch auch für das Orchester keine Schwierigkeiten (Hörner in *Fis* und *H* notiert).

Während die Komponisten der Frühklassik sich auch innerhalb des Satzes größte Zurückhaltung in der *Modulation* auferlegten (Durchführungen wie die von Johann Schobert bilden schon Ausnahmen), erweiterte sich insbesondere bei Haydn, weit mehr noch bei Mozart das modulatorische Potential schnell zum Äußerstmöglichen. Die Technik der chromatischen und enharmonischen Modulation wurde bis zu Beethoven hin in allen Verästelungen ausgenutzt. Mozarts Spätwerke (letzte Sinfonien, Streichquartette, Streichquintette) leisten das Äußerste an Kühnheit der Tonartenverknüpfung. Davor ist der junge Beethoven zunächst weit zurückgeschreckt; erst in seinen späteren Werken wird wieder reichster Gebrauch von der Modulation gemacht.

Auch in harmonischer Hinsicht hat die Frühklassik mit einer entschiedenen Abwendung von der hochentwickelten Vielfalt des Spätbarock eingesetzt. Die Komposition ruht, zumal bei den italienischen Komponisten, aber auch bei den Böhmen und Süddeutschen, in der Hauptsache auf den Grundfunktionen der *Tonika*, der *Dominante* und der *Subdominante*. Jean-Philippe Rameaus zahlreiche Schriften (darunter ›Traité de l'harmonie‹, 1722, und ›Démonstration du principe de l'harmonie‹, 1750) spiegeln aufs Deutlichste das neuerwachte Harmoniegefühl und seine Beschränkungen; in der Anwendung der harmonischen Mittel sind die Komponisten der Frühklassik sehr zurückhaltend gewesen. Von Bachs gewaltigem harmonischen Reichtum stechen die Kompositionen aller Richtungen und Schulen von etwa 1740 bis 1760 gewaltig ab. Von hier aus wird verständlich, warum Bach diesem Zeitalter so fern stand, von den Romantikern aber als unmittelbar überzeugend empfunden wurde: seine kühne, dissonanzreiche, chromatisch-enharmonische Harmonik stand dem eigenen Bedürfnis dieser Generation viel näher, und eben deswegen hat diese Generation auch kein Verhältnis mehr zu den Komponisten des frühklassischen Zeitalters gehabt. Den Zeitgenossen Scheibes, Hasses, Grauns usw. ist Bachs Harmonik schwülstig, überladen, dick, gekünstelt erschienen; den Zeitgenossen Beethovens, Schuberts, Webers (von den Späteren zu schweigen) mußte die Musik von Graun, Wagenseil, Stamitz usw. leer und armselig erscheinen.

Das *harmonische Bewußtsein und Empfinden* bestimmt zu allen

Zeiten weitgehend das Geschmacksurteil. Rameaus System baut auf den drei Grundfunktionen auf und erhebt zum ersten Male auch theoretisch die Harmonie zum Fundament aller Komposition. Die harmonischen Bauelemente sind die Dreiklänge. Der Dur- und der Moll-Dreiklang sind Gegensätze, denen bestimmte Ausdrucksgehalte innewohnen. Einfache Tonarten entsprechen einfachen Empfindungen, die höheren, die darum selten angewendet werden und mit denen der Komponist sparsam umgehen muß, den selteneren; sie sollen für erregte, dramatische, schmerzliche oder sonst besonders gefühlsbetonte Ausdrucksbereiche benutzt werden. Von hier aus hat sich eine von der barocken Affektentonalität abweichende Neubewertung der Tonarten vollzogen; auf ihr beruhen etwa die Tonartencharakteristiken bei Christian Friedrich Daniel Schubart und E. T. A. Hoffmann.

Chromatik wird sowohl in der harmonischen wie in der melodischen Anwendung ein Mittel zum Ausdruck gleitender Gefühlswandlungen. Die authentische Kadenz bildet das Hauptmittel der Gliederung; die plagale Kadenz, der Trugschluß u. a. erhalten die Bedeutung von ausdrucksabhängigen Nebengliederungen. Dem entspricht ganz und gar die Praxis der Frühklassik mit ihrem sparsamen Gebrauch der höheren Tonarten, der Nebenkadenzen, der Chromatik und der Modulation in entferntere Tonarten. Bei den norddeutschen Musikern, insbesondere bei W. Fr. und C. Ph. E. Bach haben sich kompliziertere harmonische Verhältnisse noch aus der vorhergehenden Epoche erhalten; sie sind dann wohl von dem letzteren aus über Haydn in die Hochklassik zurückgeflossen.

Mit der Hochklassik hat sich dann, ihrem differenzierten Ausdrucksbedürfnis entsprechend, auch die *Harmonik* wieder stärker differenziert. Auch hierin unterschieden sich die großen Meister von ihren kleineren Zeitgenossen. Während etwa Dittersdorf, Franz Anton Rösler (Rosetti), Jgnaz Joseph Pleyel u. a. mit Vorliebe an einer einfachen harmonischen Behandlung in Grundfunktionen mit gelegentlichen Modulationen festhalten, wendet Haydn in späteren Jahren nicht selten harmonische Steigerungen und Verwicklungen in Gestalt unerwarteter Modulationen und harmonischer Kontraste an; die vielberedeten »Überraschungen« seiner Finali beruhen oft im plötzlichen Ausweichen in ganz unerwartete Tonarten (daß sie, wie z. B. im Finale der Sinfonie 100, durch einen »Trick«, ein scheinbares Sich-Verirren in eine »falsche« Tonart, herbeigeführt werden, bewirkte bei den Zeitgenossen den Effekt des Scherzhaften oder Witzigen, der dann Haydn manchen Tadel zugezogen hat.)

Mozart unterscheidet sich von ihm (in seinen späteren Werken) wesentlich durch den viel größeren Reichtum an chromatischen und dissonanten Wirkungen, die Vorliebe für seltene Tonarten und unerwartete Modulationen, vor allem dadurch, daß sein Tonartenwechsel immer eine tiefe Veränderung der Ausdruckssphäre mit sich bringt (so z. B. die Modulation nach Des-Dur im Andante des Streichquartetts KV 387, die es-Moll-E-Dur-Modulation im Adagio des Streichquintetts KV 516, die Modulation von As-Dur nach h-Moll im Andante der Sinfonie KV 543). Dazu treten die zahlreichen plötzlichen Ausweichungen und Rückungen harmonischer Art, die »Eintrübungen« bei Mozart (z. B. im Andante der Sinfonie KV 543 die rasche Verschattung des As-Dur zu as-Moll), die seinen Spätwerken vielfach den »romantischen« Zauber des Ungreifbaren, Sehnsüchtigen, des Nächtigen oder Entrückten verleihen und ein Hauptmittel seiner Ausdrucksdifferenzierung bilden.

Beethoven ist in seiner Frühzeit viel einfacher, geradliniger und wirkt daher oft monumentaler, »erhabener«, aber auch gröber (vergleiche seine Wendung nach Des-Dur in dem C-Dur-Largo seiner Klaviersonate op. 7, 1796/97, mit der gleichen Wendung im Andante von Mozarts Streichquartett KV 387, 1782; was bei Mozart als schattenhafte Entrückung und geheimnisvoller Fernenklang verstanden wird, wirkt bei Beethoven infolge der vorhergehenden Modulation nach As-Dur eher als Milderung des tiefen Ernstes, der den Satz beherrscht). Das gilt auch für die berühmte Des-Dur-Wendung im Adagio der 9. Sinfonie. Sonst ist die Harmonik in Beethovens Spätwerk oft sehr zerrissen und abrupt; rasche Tonartenwechsel, oft nur kurze, aber heftig wirkende Ausweichungen, werden mit gehäuften chromatisch-enharmonischen Wirkungen verknüpft (z. B. im Adagio der Klaviersonate B-Dur op. 106, 1817/18), schroffe Gegensätze werden titanisch aufeinandergetürmt (z. B. Streichquartett a-Moll op. 132, 3. Satz, ›Dankgesang‹).

Sowohl Mozarts wie Beethovens Harmonik haben den romantischen Komponisten weit vorgearbeitet; Schubert hat in dieser Hinsicht eher an Mozart, Berlioz deutlich an Beethoven angeknüpft. Mit Mozarts und Beethovens Harmonik war aber im Grunde das Feld auch bereits erschöpft: was die deutschen Romantiker hinzubrachten, bestand nur in der häufigeren Ausnutzung der bei Mozart und Beethoven noch seltenen Modulationen und Tonartenfigurationen. Auch auf diesem Gebiet haben erst die nationalbetonten außerdeutschen Komponisten der Spätromantik wie Antonín Dvořák und Bedřich Smetana, Edvard Grieg und Niels Gade, Modest Mussorgsky und Peter Tschaikowsky wirklich »neue« harmonische Wirkungen hinzugebracht.

Von der harmonisch-tonalen Simplizität der frühen Klassik an ist eine ständig zunehmende Verfeinerung und Ausnutzung aller Möglichkeiten der funktionalen, diatonisch-chromatisch-enharmonischen Harmonik im Dur-Moll-System zu beobachten, die sich bis zu Claude Debussy, Richard Strauss und Max Reger hin fortgesetzt, in der spätromantischen Phase mehr und mehr die Reizmittel der unbeschränkten Alteration und der unbeschränkten enharmonischen Verwechslung ausgenutzt, sich schließlich zur Polytonalität geweitet hat, immer aber innerhalb der Grenzen dieses Systems geblieben ist (einen besonders charakteristischen Fall von Polytonalität, die noch ganz aus dem tonalen System erwachsen ist, siehe bei R. Strauss, ›Der Rosenkavalier‹, Ende des 3. Aktes). Das Wort »Tonalität« wird deshalb im heutigen Gebrauch meist stillschweigend mit dieser vollausgenutzten funktionalen Dur-Moll-Tonalität gleichgesetzt, der einerseits die »Modalität«, andererseits die nicht funktionalen neueren Systeme (wie Vierteltonsystem, 18stufiges System, Zwölftonsystem usw.) gegenübertreten. Im Festhalten an dieser Tonalität erweist sich die klassisch-romantische Epoche gegenüber Vorgängern und Nachfolgern als unbestreitbare geschichtliche Einheit.

Wie verschieden das *harmonisch-tonale Grundgefühl* des klassischen Zeitalters von dem der vorhergehenden Zeit gewesen ist, geht aus der grundlegend verschiedenen strukturellen Verwendung der Tonarten hervor. Der Spätbarock hatte für die Anordnung der Sätze innerhalb des zyklischen Werks und für die Anordnung der Teile innerhalb des Einzelsatzes zwei verschiedene Möglichkeiten gekannt. Entweder wurden die Sätze eines zyklischen Werkes in einheitlicher Tonart angeordnet (wobei die Variante die Haupttonart vertreten konnte), so in der Suite oder der Variation, meist in der Kammersonate, oder aber die Sätze eines zyklischen Werkes konnten eine Art Kadenzformel durch die nächstbenachbarten Tonarten durchlaufen (etwa: Tonika-Tonikaparallele-Subdominante-Subdominantparallele-Dominante-Tonika oder dergleichen), wie es etwa in Bachs Kirchenkantaten die Regel ist. Nur die neueren italienischen Gattungen wie das Instrumentalkonzert und die Sonata da chiesa machen davon schon häufiger Ausnahmen. In großen Zyklen (Opernakten, Oratorienteilen) herrscht in der Regel kein einheitliches strukturelles Schema, vielleicht nicht einmal ein Plan; die Tonarten werden eher einzeln nach ihrem Affektenwert eingesetzt (Bachs ›Matthäuspassion‹ und ›h-Moll-Messe‹ sind tonal nicht geschlossen; J. A. Hasses ›Arminio‹ läßt in den einzelnen Akten und im ganzen eine »planvolle Tonartenarchitektur« nicht erkennen).

Hingegen wird im klassischen Zeitalter von Anfang an der Strukturwert der Tonarten im Zyklus deutlich. Regelmäßig treten in sonatenartigen Werken die langsamen Sätze in funktionalen Gegensatz zu den übrigen; mitunter wird das Trio des Menuetts in verwandter Tonart, oft auch nur in der Variante gebracht. Variationszyklen halten bis zum frühen Beethoven noch an der Einheit der Tonart fest, nehmen dann aber (etwa seit seinem op. 34, 1802) mitunter regellose tonale Buntheit an.

Halten sich in der Frühklassik die tonartlichen Verhältnisse zwischen den Sätzen noch meist im Kreise der nächsten Verwandten, so gibt es doch schon beim späten Haydn erstaunliche Kontraste (z. B. die Streichquartette op. 76, Nr. 5 mit D-Dur-fis-Moll-d-Moll-D-Dur, op. 76, Nr. 6 mit Es-Dur-h-Moll-H-Dur-Es-Dur, op. 77, Nr. 1 mit G-Dur-Es-Dur-G-Dur und op. 77, Nr. 2 mit F-Dur-Des-Dur-D-Dur-F-Dur sowie die Klaviersonate Hoboken XVI: 52 mit Es-Dur-E-Dur-Es-Dur). Bei Beethoven begegnen ähnlich weitgespannte Gegensätze häufig; Mozart ist in der tonartlichen Satzanordnung zurückhaltender und hält sich bis in seine Spätzeit hinein stets an die Nächstverwandten. Muzio Clementi legt seiner berühmten Klaviersonate h-Moll op. 40, Nr. 2 in allen Sätzen dieselbe Tonart zugrunde; Johann Ludwig Dussek hat bei der Tonartenwahl seiner Klaviersonate Es-Dur op. 44 (›The Farewell‹) offenbar das Muster Beethovens vorgeschwebt. Bei Schubert wird – zumal in seinen Spätwerken – deutlich, wie die schillernde Farbigkeit bei der Tonartenanordnung im Zyklus die Tonart als Strukturwert verdrängt (Streichquintett C-Dur D 956, das sogenannte op. 163, 1. Satz C-Dur, 2. Satz E-Dur-f-Moll-E-Dur, 3. Satz C-Dur-b-Moll mit h-Moll-Schluß-C-Dur, 4. Satz C-Dur).

Ob jedoch nah oder weit verwandte Tonarten, gemeinsam ist den Komponisten des klassisch-romantischen Zeitalters, daß sie die Satzbeziehungen durch *Tonartenkontraste* zu beleben und zu spannen suchen. Der Kontrast bindet die Sätze aneinander, die Spannungen verstärken das Gefühl der Einheit. Tonartliche Kontraste zwischen den Sätzen kehren bisweilen innerhalb eines Satzes wieder (z. B. Haydns Streichquartett op. 77, Nr. 1, 2.–3. Satz) und tragen durch Erinnerung zum Gefühl des Zusammenhangs bei.

Eine ähnliche Schichtung oder Kontrastierung von Tonarten charakterisiert den klassisch-romantischen Stil innerhalb des einzelnen Satzes. Im Spätbarock hatte innerhalb des Satzes die Einheit der Tonart gegolten; sie wird durch Modulationen und streckenweise Einschaltung benachbarter Tonarten nicht beeinträchtigt, sondern betont. In der Frühklassik ändert sich dieses Verhältnis im Zusammenhang mit der melodisch-thematischen Struktur. Der spätbarocke Satz beruht auf der grundsätzlichen Einheit des Themas, die durch kontrapunktisch auftretende Nebenthemen oder durch episodische Kontraste, wie sie etwa im Instrumentalkonzert die Regel sind, nicht aufgehoben, sondern verstärkt wird. Der frühklassische Stil beginnt gleich anfangs damit, die frühere Themeneinheit in eine Themenbuntheit oder mindestens -mehrheit aufzulösen. Schon von D. Scarlatti und Platti an, zunehmend bei Sammartini und Pergolesi läßt sich das Auftreten mehrerer voneinander unabhängiger oder gar miteinander kontrastierender melodischer Einheiten, die mehr oder minder »thematischen« Charakter haben, im klassischen Satz beobachten. Sie werden gern in verschiedenen, aber meist nahe mit der Grundtonart verwandten tonalen »Ebenen« gebracht.

Mit der Mehrschichtigkeit melodischer Erlebnisse innerhalb des Satzes verbinden sich deren spezifische rhythmische, harmonische, dynamische, später auch (und nicht nur im Orchestersatz) koloristische Eigenschaften und stellen damit dem barocken »stile d'une teneur« den charakteristischen klassisch-romantischen Stil entgegen, der im einzelnen Satz die Gegensätze verschiedener Ausdruckssphären vereinigt und sie in gegensätzlichen tonalen Komplexen symbolisiert. In dem Kontrast solcher tonaler Flächen und dem endlichen Ausgleich der Gegensätze beruht zu einem nicht unerheblichen Teil die Energiewirkung des klassisch-romantischen Satzes, und von der Spannweite des tonalen Gefüges hängt zu einem großen Teil die Spannung ab, die im Hörer hervorgerufen wird. Höchst differenzierte Rhythmik über grundsätzlich gleichartig verlaufender periodischer Struktur in gegensätzlichen Tonalbezirken: das ist bezeichnend für den gesamten Stil des Zeitalters.

Von einer regelmäßigen Anwendung oder gar einer Normierung dieser Tonartverhältnisse innerhalb des Satzes kann im frühklassischen Zeitalter noch nicht die Rede sein. Erst in der Hochklassik kommt es zu einem einigermaßen geregelten Gebrauch, etwa der Tonika-Dominant- (in Moll: Tonika-Tonikaparallele-) Beziehung zwischen den beiden Hauptthemen des Sonatensatzes; doch kann diese Tonika-Dominant- bzw. Tonika-Tonikaparallele-Gruppierung auch, wie sehr oft bei Haydn, ohne ein zweites melodisches Thema erscheinen, so daß zwei Tonart-Ebenen für die Verarbeitung *eines* Themas verwendet werden und dadurch der Effekt eines scheinbaren zweiten Themas erzielt wird. Ähnliche Tonartenkontrastierungen sind im Rondosatz gebräuchlich und schon bei C. Ph. E. Bach anzutreffen. Der Regel nach erscheint viermal das Thema in der Tonika; dazwischen stehen die 1. und 3. Episode in derselben oder einer verwandten Tonart, die Mittelepisode entweder ebenfalls in nahe verwandter oder in stärker kontrastierender Tonart (Schulbeispiele sind Johann Christian Bachs 4händige Klaviersonate C-Dur op. 15, Nr. 6 und Beethovens Klaviersonate c-Moll op. 13, für Abweichungen etwa Beethovens Klaviersonate Es-Dur op. 7). Wichtig ist nicht die Regel, sondern die Originalität des Einfalls, worin sich Tonarten- und Themenwechsel mit Bewegungs- und Ausdruckskontrasten verknüpfen. Langsame Sätze in Sinfonien, Konzerten, Streichquartetten, Sonaten usw. zeigen oft ähnliche Schichtungen der Tonarten (Schulbeispiel ist etwa Mozarts Klavierkonzert c-Moll KV 491 mit dem langsamen Satz Es-Dur-c-Moll-Es-Dur-As-Dur-Es-Dur, wobei die tonal abweichenden Episoden auch thematisch selbständig sind und als bläserbestimmte Klanggruppen von den streicherbetimmten, die in der Grundtonart stehen, abstechen). Die reichen Möglichkeiten solcher Tonartenkontraste innerhalb des Satzes hat Beethoven in seinen Spätwerken aufs äußerste genutzt (z. B. Streichquartett f-Moll op. 95, Allegro assai vivace; Streichquartett Es-Dur op. 127, Adagio).

Hier beginnt freilich der *Strukturwert des Tonartenwechsels* im Satz mit dem *Koloritwert* zu verschmelzen: nicht immer mehr dienen beim späten Beethoven Kontraste der Klangflächen jener Verknüpfung von konstruktiven und ausdruckshaften Zwecken, wie es bei Haydn, Mozart und bei ihm selbst in seinen früheren Werken der Fall ist, sondern die Tonarten wechseln aus dem Bedürfnis nach gesteigerter Farbigkeit, die gleichzeitig gesteigerten Ausdruck bringt, ohne Bauglieder gegeneinander abzusetzen. Hieran hat wiederum die spätere Romantik angeknüpft, die (so mit Vorliebe in der Linie von Wagner zu R. Strauss) im bunten Spiel der Tonarten weniger den konstruktiven als den koloristischen Effekt gesucht hat, während die frühen Romantiker (Schubert, Weber, die Kleinmeister) sich weit eher an die konstruktive, freilich zur selben Zeit höchst ausdrucksgesteigerte Verwendung des Tonartenwechsels zu halten scheint.

Auch mit dieser Freiheit des Tonartengebrauchs im Zyklus und im Satz steht die klassisch-romantische Epoche als geschichtliche Stileinheit allen früheren gegenüber. So weit auch in dieser Beziehung der Abstand von Stamitz zu Bruckner sein mag: im Grunde lebt in ihnen dasselbe Gefühl für Tonalität, und die Art, wie sie diese Elemente verwenden, ist im Vergleich mit allen früheren Geschichtsepochen grundsätzlich dieselbe. Damit aber hebt sich das klassische Zeitalter vom Barock ebenso scharf wie von der neuesten Zeit ab, die das Gefühl für Tonalität und Harmonik im klassischen Sinne verloren zu haben scheint.

c. *Motiv, Thema und thematische Arbeit*

Ungeachtet aller hohen Wichtigkeit und Selbständigkeit, die Metrum und Rhythmus, Harmonik und Tonalität im klassisch-romantischen Kunstwerk eignen, und ungeachtet noch so dichter Integration dieser Elemente lebt die klassisch-romantische Musik von der *Melodie* als ihrem subtilsten und vitalsten Element. Im »Einfall« sind die Elemente von allem Anfang an integriert (der Komponist erfindet nicht eine Melodie, die er nachher rhythmisiert und harmonisiert); aber der feinste Ausdruckswert und die höchste Originalität liegen in der Melodie. Hierin unterscheidet sich die Epoche von allen früheren noch deutlicher als in den Elementen metrisch-rhythmischer und harmonisch-tonaler Art: nie in der Geschichte hat die Melodie eine so dominierende Rolle gespielt, und nie ist die Originalität der melodischen Erfindung in solchem Grade als Wertstempel angesehen worden. Von Nichelmann bis R. Strauss zieht sich die Reihe der Zeugnisse über die Kunst der melodischen Erfindung. Mögen Periodizität, Harmonik und Tonartenordnung die Bauelemente des klassischen Musikgebäudes sein, die Melodik verleiht ihm das Gepräge, den Charakter, das Gesicht. Die Melodie ist die Seele der klassischen Musik.

Die grundlegenden Unterschiede zwischen der klassisch-romantischen und der älteren Melodik liegen auf der Hand. Alle ältere Melodik bedient sich entweder eines »cantus prius factus«, sei er choraler oder liedartiger Natur, oder gewisser Formeln, »Figuren«, die mehr oder minder konventionellen Charakter tragen, die allgemeingebräuchlich waren und in der handwerklichen Kompositionslehre seit alters weitergeerbt wurden. Noch die Musik des 17. Jahrhunderts für Tasteninstrumente beruht ganz vorwiegend darauf. Nichts vielleicht unterscheidet eine Klavier-Toccata Johann Jacob Frobergers so grundlegend von einer Klavier-Fantasie Mozarts als die konventionelle Gebundenheit der melodischen Erfindung auf der einen, die inspirative Freiheit auf der anderen Seite. Dazwischen gibt es selbstverständlich zahlreiche Übergangsstufen; auch die Freiheit der melodischen Erfindung ist den Musikern des klassischen Zeitalters nicht als Göttergeschenk zugefallen, sondern ist allmählich erarbeitet worden. Schon die Zeit J. S. Bachs ist eine solche Übergangsstufe. Die italienische Oper hat der melodischen Verselbständigung die Bahn bereitet, und wenn auch die Gesangspartien Hasses oder Grauns, selbst Pergolesis oder Jommellis noch sehr im Typischen verhaftet sind, es regt sich in ihnen der Wille, der melodischen Erfindung ein individuelles Gepräge zu geben. Bach und Händel selbst sind grandiose Melodieerfinder gewesen und haben u. a. auch aus diesem Grunde das romantische Zeitalter so stark angesprochen; im Vergleich mit ihnen fallen etwa Telemann, Heinichen u. a. als melodische Erfinder weit zurück.

Wie im einzelnen die Entwicklung zur klassischen Melodik verlaufen ist, bedarf noch der Untersuchung. Gewiß ist, daß einerseits die italienische Opernmelodik, andererseits das Bedürfnis nach Schlichtheit und die Einwirkung der Volksmusik dabei im Spiele gewesen sind. Zu derselben Zeit, als die sogenannte »Zweite Berliner Liederschule« mit Nachdruck die Beziehung zum Volkslied vertrat, verfocht Johann Adam Hiller in Leipzig die italienische Arienmelodik als schönheitliches Muster. Der Widerspruch ist nur ein scheinbarer: das Bemühen um eine individuell-ausdruckshafte, charakteristische, originelle und dabei leicht eingängliche und mitvollziehbare melodische Universalsprache steht im Hintergrund.

Für die frühklassische Melodik ist eine oft noch *stereotype Sprache* (dieselben Wendungen kehren sehr häufig bei verschiedenen Komponisten wieder) charakteristisch. Es dauert lange, bis sie sich individualisiert. Ausnahmen bilden etwa W. Fr. und C. Ph. E. Bach, deren ausgesprochen herbe und ernste, oft düstere und reizbar erregte Melodik von den tändelnden Weisen italienischer oder süddeutscher Komponisten absticht. Der Ausdruckscharakter im Sinne des Einmaligen, der augenblicklichen Stimmung Entquellenden erscheint hier viel selbständiger und origineller als etwa bei den österreichischen Komponisten oder auch bei den sogenannten »Mannheimern«, deren Melodik nach anfänglicher Originalität doch schnell ins Konventionelle abgesunken ist und die mit ihrem »vermanierierten Mannheimer goût« (L. Mozart) durchaus nicht überall Freunde fand. Im »redenden Prinzip« C. Ph. E. Bachs und den »tons parlants« französischer Schriftsteller sind wohl noch gewisse Nachwirkungen der rhetorischen Figurenlehre zu erblicken, doch überwiegt der Eindruck einer augenblicksgeborenen, empfindsam überquellenden und oft sehr persönlich wirkenden Melodieerfindung.

Bezeichnend für die Melodik im frühklassischen Zeitalter, besonders für die instrumentale, aber auch für die vokale, soweit sie nicht italienisch geprägt ist (z. B. Johann Friedrich Gräfes ›Oden‹, 1737 ff., Telemanns Lieder, 1733, 1741; auch noch bei Johann Valentin Görner, 1742 ff., und Christian Gottfried Krause, seit 1753), ist ihre *Kleingliedrigkeit* und *Kurzatmigkeit*. Statt der langen Atemzüge der italienischen Opernmelodik werden Melodien intendiert, die getreu dem metrischen Bau der achttaktigen Periode folgen, dabei in kleinste Glieder zerfallen und den einheitlichen Schwung vermissen lassen. Nicht daß sie so gegliedert sind, sondern daß sie sich in der Kleingliedrigkeit erschöpfen, ist für sie bezeichnend. Das »galante« Thema beschränkt sich häufig auf diese Idyllik des engsten Gärtchens. Telemanns ›Methodische Sonaten‹ (1728 und 1732) zehren noch vom spätbarocken melodischen Erbe; seine ›Fantasien‹ für eine Flöte solo (um 1730) und für eine Violine solo (1735) bilden in melodischer Hinsicht ein seltsames Gemisch von alt und neu, bedingt wohl durch ihre unbegleitete Einstimmigkeit, und repräsentieren vielleicht die kräftigste Seite seiner melodischen Erfindungsgabe. Ähnlich steht es mit seinen Duosonaten ohne Basso continuo op. 2 (1727), während die sechs Sonaten für zwei Querflöten (Telemann, Musikalische Werke, Band 7, Kassel 1955, Folge 2) schon alle Merkmale des frühklassisch-galanten Stils aufweisen. Ähnliche Übergangsstufen zeigt Telemanns ›Harmonischer Gottesdienst‹ (1725/26).

Quantz ist ein besonders charakteristischer Vertreter dieser Art Melodik. In Hillers Singspielen der 1760er Jahre lösen kleingliedrige Galanterie, idyllische Volkslied-Imitation und italienische Arie einander ab. Auch bei Georg Christoph Wagenseil, Franz Asplmayr und Mathias Georg Monn fällt diese Kleingliedrigkeit auf;

bei den Böhmen um Stamitz ist sie häufig durch den stürmischen Schwung der Erfindung nur oberflächlich verdeckt. Noch weit bis in Haydns und selbst in Mozarts Frühwerke hinein beherrscht diese »galante« Melodik das Feld; doch ist zu beobachten, daß in der »empfindsamen« Phase (etwa bei Anton Filtz, Ernst Eichner, Franz Beck, Johann Christian Bach, Luigi Boccherini, besonders aber bei Johann Schobert, Johann Gottfried Eckard, Johann Friedrich Edelmann usw.; auf vokalem Gebiet etwa bei Anton Schweitzer und Ignaz Jakob Holzbauer) die Kurzatmigkeit überwunden wird und einer zwar eher lied- als arienhaften, aber großzügigeren Melodik weicht, der ein bedeutend stärkerer Ausdrucksgehalt innewohnt. Man kann für die Vokalmusik vielleicht (sehr summarisch) annehmen, daß etwa in der Linie Florian Leopold Gassmann–Georg Antonin Benda–Johann Christoph Friedrich Bach–Johann Abraham Peter Schulz–Christian Gottlob Neefe eine gegenseitige Anpassung »galanter« Kleinmelodik, volksliedartiger Idyllik und italianisierender Arienhaftigkeit zustande gekommen ist. Im deutschen Lied jedenfalls ist mit J. A. P. Schulz, Johann Friedrich Reichardt, Carl Friedrich Zelter und Johann Rudolf Zumsteeg das melodische Zwischenstadium überwunden. Die neue Art *expressiver und individueller Melodik*, die bei ihnen hervortritt, zeigt das hochklassische Stadium der Melodiegeschichte gleichzeitig mit Haydns und Mozarts Werken um 1770 bis 1780 an.

Inzwischen war auf instrumentalem Gebiet die galante Melodik durch das »singende Allegro« der Italiener und J. Chr. Bachs wie durch die kantable Manier der langsamen Sätze aller Meister überwunden worden. Der melodische Stil als solcher ist in der Instrumentalmusik um 1770 kein Problem mehr gewesen; zum Problem wurde die *melodische Konstruktion*. Je mehr die Erfindung auf Eigenart und Ausdruckskraft zielte, je origineller sie zu werden suchte, um so mehr kam es auf die möglichst charakteristische Prägung der kleinsten Einheit, des »Motivs«, an. Hierin scheidet sich die Klassik höchst bestimmt vom Spätbarock: dort ist das Motiv Gemeingut, hier ist es äußerst individuell, dort ist es im wesentlichen unveränderlich, hier ist es ein entwicklungsfähiger Keim, der in nuce den Ausdrucksgehalt eines Satzes enthält. Im Rahmen der Strukturperiode treten mehrere charakteristische Motive zusammen und bilden ein »Thema«. Es kommt darauf an, daß die gestaltende Kraft stark genug ist, die selbständigen und eigenwilligen Kräfte der Motive zu einer energiegeladenen Einheit zusammenzuschließen; nur eine solche »Ganzheit« wirkt als Thema. Verfeinerte Rhythmik, beweglichere Harmonik und Tonalität, oft im Verein mit Kolorit und Dynamik geben den Komponisten der Hochklassik die Mittel in die Hand, eine solche Einheit des Verschiedenen und Divergierenden herzustellen. Erst das klassische Zeitalter hat ein »Thema« in diesem Sinne gekannt.

Man kann barocke »Themen« in Motive zerlegen, aber sie ergeben in ihrer Synthese nicht die spannungsreiche Ganzheit des Verschiedenen oder Gegensätzlichen in der Einheit der Strukturperiode wie im klassischen Zeitalter. Auch darin gibt es selbstverständlich Übergänge.

Entsprechend der Struktur der metrischen Periode und ihrer Untergliederungen bilden melodische Strukturen von acht Takten, die in zwei Vierer, vier Zweier oder acht Einer oder in wechselnde Taktgruppen untergegliedert werden, die (selbstverständlich nie schematisch gehandhabte, sondern äußerst variable) Norm. Die kleinsten melodischen Einheiten, die gleichzeitig rhythmische Einheiten sind, also die Motive, können in der mannigfachsten Weise gereiht oder kontrastiert werden. Ein Schulbeispiel für schlichte Motivreihung ohne wesentliche harmonische, rhythmische, dynamische oder koloristische Kontraste ist Mozarts Klaviersonate A-Dur KV 331 (300 i) mit dem Schema:

$$a, a, a, b = 4 \text{ Takte} + a, a, a, b' = 4 \text{ Takte}, \text{ für}$$

einen etwas komplexeren Bau mit rhythmischen, dynamischen und koloristischen Kontrasten Mozarts Violinsonate Es-Dur KV 481 mit dem Schema:

$$\underset{a\ a\ b}{1\ 1\ 4} = 6 \text{ Takte} + \underset{a\ a\ b}{1\ 1\ 4} = 6 \text{ Takte} + \underset{a\ a\ a\ a}{1\ 1\ 1\ 1} = 4 \text{ Takte}.$$

Das ergibt eine 16taktige Periode, die nicht aus $2 \cdot 8$, sondern aus $2 \cdot 6 + 4$ Takten besteht und deren melodischer Gehalt sich nur auf zwei Grundmotive beschränkt.

Das *Motiv* ist die kleinste selbständige energetische Einheit im klassischen Formenbau; Metrum, Rhythmus, Harmonie, Kolorit, Dynamik und Artikulation sind mit der Melodie als übergeordnetem Element in ihm integriert. Das *Thema* ist eine in sich mehr oder minder ausgewogene Einheit solcher Motive in der Periode. Oft wohnt dem klassischen Thema der Charakter des »geschlossenen« inne (so den beiden obigen Mozart-Beispielen): die Motive ergänzen einander im diastematischen Auf und Ab, in der funktionalen Harmoniefolge, in Rhythmik, Dynamik usw. derart, daß die Periode einen abgeschlossenen Satz ergibt.

Doch ist Geschlossenheit kein unabdingbares Merkmal des klassischen Themas. Bei Haydn gibt es sehr viele Themen, die »offen« bleiben, d. h. deren Motive einander in diastematischer, harmonischer oder sonstiger Beziehung nicht zum Eindruck des abgeschlossenen Satzes ergänzen und das Bedürfnis nach Fortbildung hinterlassen (z. B. die Themen der ersten Sätze der Streichquartette c-Moll op. 17, Nr. 4, C-Dur op. 20, Nr. 2, g-Moll op. 20, Nr. 3 mit siebentaktigen Perioden, f-Moll op. 20, Nr. 5 usw.). Mozart neigt mehr zu Themen, die in sich zwar vielgliedrig und kontrastreich, aber geschlossen sind. Bei Beethoven gibt es alle Möglichkeiten.

Sonatensatzthemen sind bei allen Meistern komplizierter als Themen von langsamen Sätzen oder Rondi. Die *innere Ausgewogenheit* kommt vielfach durch Wiederholungs- und Analogiebildungen zustande; Motive werden entweder unmittelbar hintereinander oder in korrespondierenden Anordnungen wiederholt (so bei den obigen Mozart-Beispielen), wodurch gleichzeitig große Sparsamkeit im melodischen Material erzielt wird. Ebenso können Motive kontrastiert werden: a b b a, a b a c und zahllose Varianten dieser Art sind möglich, so daß Kontraste auf engstem Raum entstehen und das Thema mit spürbarer innerer Spannung laden. Korrespondierende Motivgruppen können durch entsprechende Harmonisierung in das Verhältnis Aufstellung–Beantwortung treten (wie rein melodisch schon in den mittelalterlichen ouvert-clos-Schlüssen). Die Variationsbreite der Möglichkeiten ist praktisch unendlich, doch bleibt das Prinzip immer gewahrt.

In der Regel hält sich das Thema im Rahmen einer einfachen oder erweiterten Periode (zur Erweiterung dienen wiederum Wiederholungs- und Analogiebildungen) und beschränkt sich auf *einen* einheitlichen melodischen Vorgang mit den darin integrierten anderen Elementarvorgängen. Die Neigung geht im klassischen Zeitalter nicht dahin, die Periode zu sprengen, sondern sie bis an die Grenze dessen zu weiten und zu spannen, was noch als einheitlicher Vorgang verstanden werden kann. Das geschieht bei Mozart in seinen Spätwerken (siehe die ersten Themen im Streichquartett F-Dur KV 590, in den Streichquintetten C-Dur KV 515 und Es-Dur KV 614), während etwa Schubert in späteren Werken, ganz im Gegensatz dazu, bereits mit komplexen Themen arbeitet, d. h. mit Themen, die aus mehreren thematischen Gruppen bestehen, in denen mehrere periodische Vorgänge zu einem komplexen, in mehreren Erlebnisstufen ablaufenden Vorgang zusammentreten (vergleiche die ersten Themen im Streichquintett C-Dur D 956, im Streichquartett G-Dur D 887 und in der 8. Sinfonie h-Moll, der ›Unvollendeten‹); hier liegt bereits das romantische komplexe Thema in voller Ausbildung vor, wie es später Bruckner mit großer Meisterschaft weitergebildet hat; doch ist in der Romantik das komplexe Thema nicht zur Regel geworden.

Beethoven bildet in seinen frühen und mittleren Werken meist streng periodische und einheitliche Themen, in der Struktur oft sogar überraschend einfach, neigt aber später zu aphoristisch abgekürzten Themenbildungen, die zuweilen nur aus einem oder zwei Motiven bestehen und ihre Kraft ohne eigentliche thematische Begrenzung unmittelbar in den Satz ausströmen (z. B. die ersten Themen im Streichquartett f-Moll op. 95 und in der 9. Sinfonie). Bei keinem anderen Komponisten herrscht eine so vollkommene Selbstherrlichkeit in der Themenbildung wie bei ihm. Viel eher noch entsprechen komplexe Themen in der Art Schuberts »klassischen« Maßstäben als die elementare Willkür, mit der Beethoven seine Ideen ungestüm ankündigt und entfaltet. Gerade der Beethovensche Themenaphorismus aber hat in der späteren Romantik, so bei Berlioz, Wagner und in der »neudeutschen« Richtung bis zu R. Strauss, viele Nachfolger gefunden.

Eine unentbehrliche Eigenschaft des klassisch-romantischen Themas besteht darin, daß es fähig sein muß, die *mannigfachsten Veränderungen* zu erleiden. Im barocken Werk ändern Motiv und Thema im wesentlichen nicht ihre Gestalt und nicht ihren Gehalt. Im klassischen Werk ist gerade das entscheidend: das einzelne Motiv wie das motivstrukturierte Thema müssen so beschaffen sein, daß sie weitestgehenden Abwandlungen unterworfen werden können, dabei aber erkennbar bleiben. Hierin liegt im Kern das ganze Prinzip der *thematischen Arbeit* beschlossen. Das Motiv muß in wesentlichen Eigenschaften seiner Gestalt unzerstört bleiben, wenn es in die verschiedensten Tonarten versetzt, mit anderen beliebig kombiniert, umgefärbt, umartikuliert, umrhythmisiert oder, bei gleichbleibendem Rhythmus, ummelodisiert, umharmonisiert, wenn es umgekehrt, verlängert, verkürzt wird, und es muß sich zu solchen Verwandlungen eignen. Das Grundmotiv des ersten Satzes von Beethovens 5. Sinfonie bleibt in allen Stadien und Umformungen erkennbar. Es ist so beschaffen, daß es alle diese Umgestaltungen aus der ihm innewohnenden Energie spontan herauszutreiben scheint: das Motiv selbst »arbeitet«, nicht der Komponist mit ihm; ein fundamentaler Unterschied gegen alle barocke Technik.

Auch das Thema muß nach allen Richtungen wandelbar sein. Es muß überdies die Eigenschaft haben, sich in seine Motivbestandteile spalten zu lassen, so daß diese im Satz als partes pro toto wirken und die Existenz des Themas allenthalben vorspiegeln können, auch wo es in Wirklichkeit nur durch seine Splitter vertreten wird. Der Grad, in dem solche Zerspaltung und Wiedervereinigung tatsächlich angewendet oder erstrebt werden, ist von Werk zu Werk verschieden; aber dem Grundsatz nach ist dies das Prinzip der klassischen Arbeitsweise. Es wird am weitesten getrieben im Sonatensatz; von hier aus ergreift es sehr häufig das Rondofinale, das mit Sonatensatzelementen und somit auch mit thematischer Arbeit durchsetzt wird; es kann Strecken des langsamen Satzes ergreifen und kann sonst auf die verschiedensten Satztypen übertragen werden. Im Sonatensatz braucht sich die thematische Arbeit nicht auf das Hauptthema zu beschränken; auch die Nebenthemen können einbezogen werden. Tatsächlich kann thematische Arbeit in jedem instrumentalen und sogar vokalen Satz jedweden Typs angewendet werden.

Das Ziel aller thematischen Arbeit ist, den Ausdrucksgehalt des

Themenmaterials zu entfalten, zu verwandeln und zu erschöpfen. Das geschieht oft bei knappster Substanz; ganze Sätze Haydns und Beethovens leben von ein paar wenigen Motiven, während Mozart es liebt, einen größeren melodischen Reichtum auszubreiten. Anhäufung verschiedenartiger melodischer Einfälle ist eher noch ein Kriterium frühklassischer als hochklassischer Satzanlage; insofern stehen Mozarts frühe Instrumentalwerke dem frühklassischen Stil noch relativ nahe; zu einer sparsamen, erschöpfenden thematischen Arbeit ist Mozart in der Hauptsache erst unter Haydns Einfluß, etwa seit seinem Streichquartett d-Moll KV 173 (1773) gelangt. Nicht auf das »multa«, auf das »multum« kommt es im hochklassischen Stil an. Aus wenigem, aber spaltbarem und entwicklungsfähigem Material das Mögliche an Ausdruckswandlung herauszuholen, ist die immer wieder von neuem lockende und immer wieder auf neue, originelle Weise gelöste Aufgabe der thematischen Arbeit im klassisch-romantischen Zeitalter.

Mittel hierzu sind *Fortspinnung, Entwicklung* und *Kombination*. Das Arbeitsmaterial wird »fortgesponnen«, indem es ausdrucksveränderte, ähnliche, aber substantiell verschiedene Gestalten nach sich zieht, Kontrastthemen herausfordert, überbrückende Zwischenglieder hervorbringt und so eine Kette von zwar logisch zusammenhängenden, aber nicht substanzgleichen Perioden entfaltet, deren eine sich unmerklich aus der anderen »herauszuspinnen« scheint. Das Arbeitsmaterial wird »entwickelt«, indem es bei gleichbleibender Substanz wesenhaft verändert, in allen erdenklichen Elementardimensionen verwandelt und dabei mit ständig wechselndem und gleitendem Ausdrucksgehalt erfüllt wird, bis es alle in ihm steckenden Möglichkeiten hergegeben hat. Das Arbeitsmaterial wird »kombiniert«, indem die vorhandenen Motive miteinander verwickelt, verschachtelt, kontrapunktiert und dialogisiert werden, indem die Stellung der Themen im Satz vertauscht wird und so neue, überraschende Kombinationen von an und für sich bekanntem Material erzielt werden (letzteres eine Vorzugstechnik in Mozarts Konzerten), indem (nicht selten bei Haydn) neue Themen als Kontrapunkte zu schon vorhandenen eingeführt werden oder etwa im langsamen Satz ein Gesangsthema einen Gegengesang als dialogisierende Stimme hervorruft (sehr oft bei Schubert). Unnötig zu sagen, daß die Scheidung zwischen Fortspinnung, Entwicklung und Kombination ein theoretischer Versuch ist, Kategorien der thematischen Arbeit auseinanderzuhalten, die in der Praxis vielfach ineinander übergreifen und in unzähligen Nuancen miteinander verschmelzen.

Was allen Möglichkeiten thematischer Arbeit zugrunde liegt,ist das im klassischen Zeitalter ganz neu hervortretende Bedürfnis, den Ausdruck einer Musik fortlaufend zu wandeln und in ständigen Übergängen und Kontrasten lebendig umzubilden, einerlei, ob das mit substanzgleicher oder substanzwechselnder thematischer Arbeit geschieht. Die Musik des Barock ahmte Affektentypen nach, die Musik der Klassik spiegelt *die in steter Wandlung begriffene Menschenseele.* Die Substanzverwandlung ist nichts als die Form, die der Komponist für die gleitenden seelischen Regungen findet, für Erschütterung und Leidenschaft, für Verträumtheit und Verspieltheit, für Erhebungen und Verschattungen, für Willenskraft und Leidenstiefe. Insofern werden thematische Erfindung und Arbeit zum Spiegel der eigenen Seele des Komponisten. Zum ersten Male in der Musikgeschichte spricht die *Persönlichkeit des schaffenden Künstlers* ihr eigenes Inneres aus, nicht in dem Sinne, als würde ein zufälliges Erlebnis geschildert, aber in dem Sinne, daß die persönliche Art, wie er die Welt erlebt, sich ein Ausdruckssymbol schafft. Das geschieht in einer Sprache, für die es keine Worte gibt, die aber als Universalsprache, und solange sie dies wirklich ist, von allen verstanden werden kann. Der Künstler wird damit zum Protagonisten, der Menschliches aus eigenem Erleben heraus gestaltet. »Klassisch« ist das, solange der Komponist diese Universalsprache redet, das Erlebnis in die Sphäre des Allgemein-Menschlichen erhebt und dem Hörer den freien Mitvollzug erlaubt. Die Romantiker haben, schon von Wackenroder und Novalis an, den Künstler in den Rang des Sehers, des Künders und Priesters hinaufgehoben und ihn zum Sprachrohr des Göttlichen gemacht. Darin kommt die Erfahrung zum Ausdruck, daß es schaffende Musiker gibt, die mit ihren Werken den Hörer unwiderstehlich in ihren Bann ziehen, die Übermenschliches aussagen, die damit die Musik in einen Tempel höheren Lebens, entrückt der Sphäre der Sterblichen, erheben. Werden dazu gesteigerte Reizmittel angewendet, die den Hörer unter die Tyrannis dieses künstlerischen Willens und seiner Aussage zwingen, tritt an die Stelle freien Mitvollzugs die demütige Anbetung, an die Stelle einer Musik reinster und vollster Menschlichkeit eine Musik, die selbst Religion sein will und einen Abstand zwischen ihrer gottähnlichen Einsamkeit und der erbärmlichen Gewöhnlichkeit des Menschen schafft, dann ist die Grenze zum »Romantischen« überschritten. In jedem Falle aber ist diese thematische Erfindung und Arbeit, die den Kern allen Komponierens im klassisch-romantischen Zeitalter ausmacht, persönlichster Ausdruck des Künstlers und seiner inneren Welt im Kunstwerk, wie ihn keine vorhergehende Zeit gekannt hat: »das Komponieren ist ein Arbeiten des Geistes in geistfähigem Material« (Eduard Hanslick).

d. Gattungen und Formen
Neue Gattungen und Formen, wie sie mit der italienischen Monodie, der Oper, dem Orgelchoral u. a. den Beginn des Barock bezeichnen, sind am Anfang des klassischen Zeitalters nicht oder

kaum hervorgetreten. Einige ältere sterben ab, am raschesten vielleicht die Orchester-Ouvertüre französischen Musters (die sich nur in England bis spät in die zweite Hälfte des 18.Jahrhunderts erhalten hat) sowie die Suite und Kammersonate für die verschiedensten Instrumente, die um 1740 als erloschen gelten können. Die Neuerungen im Tanzrepertoire ergeben sich vom Gebrauchstanz her: Allemanden, Couranten, Sarabanden, Giguen, Rigaudons, Loures und dergleichen kommen im Gesellschafts- wie im Bühnentanz aus der Mode; Gavotten, Polonaisen, Menuette, längst im Barockzeitalter eingebürgert, bleiben im Gebrauch und unterliegen z. T. allmählichen Wandlungen.

Deutlich ist die Tendenz der beginnenden klassischen Epoche, den *Tanz* aus der höheren Kunstmusik gänzlich oder doch fast ganz auszuschließen: W. Fr. und C. Ph. E. Bach haben ihn aus ihren Sonaten verbannt, und bei allen übrigen Musikern ist in der Kunstsphäre nur das Menuett übriggeblieben, das nun statt des barocken »Menuetto II« regelmäßig mit einem Trio versehen wird (der Name stammt aus der bevorzugten französischen Besetzung für solche Episoden, die in der Ouvertüre und im Ballett vorzugsweise aus zwei Oboen und einem Fagott bestanden hatte, und ist im klassischen Zeitalter einfach auf den Zwischensatz zum Menuett als solchen übergegangen). Das Menuett selbst wandelt sich entweder in der Richtung auf volkstümliche Tanztypen (vergleiche Abschnitt IV) oder zum Scherzo (ursprünglich als »scherzend« zu verstehen, dann, vor allem bei Beethoven, mehr und mehr als Name für einen extrem bewegten und dämonisch aufgewühlten Satz an Stelle des Menuetts gebraucht), das schon in Haydns Streichquartetten op. 33 (komponiert 1778–1781) seinen festen Platz hat.

Das schließt nicht aus, daß die Musiker Gesellschaftstänze komponieren (die meisten von ihnen haben es in großem Umfang getan), aber sie bleiben Gesellschaftstänze, und erst mit der Romantik beginnt eine neue Stilisierung (Beethoven, Schubert, Weber usw.), die dann die jüngeren Tänze wie Ländler, Walzer, Ecossaise u. a. erneut in die Kunstmusik eingeführt hat. Das Menuett kann sich aber auch in der Richtung auf das lyrische Charakterstück hin wandeln, und hinter manchem romantischen Titel wie ›Impromptu‹, ›Ekloge‹, ›Nocturne‹, ›Moment musical‹ usw. (Schubert, Václav Jan Tomášek, Jan Hugo Voříšek, John Field usw.) wird noch der altvertraute Umriß des Menuetts sichtbar. Vollends haben Haydn und Mozart in ihren Sinfonien, Streichquartetten usw. oft das Menuett zu einem höchstverfeinerten Kammermusikstück sui generis erhoben.

Unter den Instrumental-Gattungen hat sich der *Variationszyklus* des Barock weitererhalten. Insbesondere die Klavier-Variation ist durch die ganze klassisch-romantische Epoche hindurch ein beliebter Gegenstand, zunächst mehr der bürgerlichen und höfischen Unterhaltungsmusik, später mehr des Virtuosenkonzerts geblieben. Auch das Prinzip wurde geradenwegs aus dem Barock übernommen: die Einheit der Tonart mit gelegentlicher Variante, die Stereotypie im metrischen und harmonischen Bau und die ornamental figurierende Behandlung der Melodiestimme; die barocke Ostinato-Variation verschwand. Die alten Züge einer Improvisationskunst sind damit dem Variationszyklus erhalten geblieben, und tatsächlich haben ja alle Meister des klassischen Zeitalters noch häufig öffentlich und privat im Variieren am Klavier ihre Fertigkeit gezeigt. Es ist kein allzu weiter Weg von Frobergers ›Mayerin-Variationen‹ zu Mozarts Variationen über ›Lison dormait‹. Einzigartige Leistungen wie Bachs ›Goldberg-Variationen‹ haben (worüber sich schon Forkel 1802 verwundert hat) keine Nachahmung gefunden; erst Beethoven hat mit seinen Charaktervariationen einen Weg zu freierer Behandlung der Klavier-Variation eingeschlagen, und erst die Romantiker (z. B. Schumann und Brahms) haben, bewußt und eindeutig, an Bachs einzigartiges Spätwerk angeknüpft.

Doch ist daneben die Entwicklung der Variation auch andere Wege gegangen, vor allem damit, daß der Variationszyklus als Satz in ein größeres zyklisches Werk eingebaut wurde. In den Sinfonien, Sonaten, Trios, Streichquartetten usw. von Haydn, Mozart und Beethoven kehrt der Variationen-Satz als beliebter Bestandteil häufig wieder. Hier ist es dann zu echten Weiterbildungen und Verfeinerungen über das alte Improvisationsmodell hinaus gekommen, wie etwa in Mozarts Klaviertrio G-Dur KV 564, in Haydns ›Kaiserliedvariationen‹ im Streichquartett C-Dur op. 76, Nr. 3, in den überirdischen Variationen in Mozarts Streichquartett A-Dur KV 464, schließlich in Beethovens ›Eroica‹-Variationen in der 3. Sinfonie und für Klavier in op. 35. Den so gearteten Variationen ist gemeinsam, daß sie zwar den Rahmen der figurativen Variation über gleichbleibendem metrisch-harmonischem Gerüst beibehalten, daß sie aber das Thema charakteristisch verwandeln, ihm jeweils einen völlig veränderten Ausdruckswert aufprägen (siehe besonders Mozart KV 464) und somit eine Art »thematischer Arbeit« in Variationsform leisten.

Daneben ist (schon von Beethoven, Weber und Schubert an) die Variation auch mehr und mehr zum Gegenstand brillanter, virtuoser Schaustellung geworden. Beethovens späte Variationen-Werke (in op. 109–111, die Variationen c-Moll von 1806, die ›Diabelli-Variationen‹ op. 120) verbinden in höchst souveräner Weise Züge der Charaktervariation mit gesteigerten Virtuosenansprüchen.

Auch die barocke *Triosonate* hat sich noch, wenigstens bis in die Frühklassik hinein, allenthalben erhalten, bei den italienischen

Komponisten wie bei den englischen (Thomas Augustine Arne, William Boyce, Maximilian Humble), bei den Deutschen und Franzosen. Bei den Italienern, besonders aber in der norddeutschen Schule von Quantz bis zu Graun und C. Ph. E. Bach ist sie noch reichlich gepflegt worden; mit der Satzfolge langsam-langsam-schnell hat sie in der norddeutschen Schule sogar noch eine Sonderform gebildet. Franzosen wie Jean-Marie Leclair, Louis-Gabriel Guillemain, Louis Aubert, ja noch François-Joseph Gossec haben sehr lange an der Trio- (oder sogar der Quadro-)Sonate festgehalten, deren Satzbild und deren melodisch-harmonische Formen sich allmählich in den klassischen Stil hineinverwandelt haben. Um 1770–1780 jedoch ist die alte Gattung allenthalben von der Klaviersonate mit ad libitum-Instrumenten (Violine, Flöte) verdrängt worden, aus der dann die neuere Sonate für Klavier und ein obligates Instrument hervorgegangen ist. Die Triosonate gehört nicht zu den unmittelbaren Ahnen der klassischen Violinsonate; diese ist vielmehr aus der neuen Klaviersonate mit einem begleitenden Melodie-Instrument hervorgewachsen.

In ähnlicher Weise ist das barocke *Concerto grosso* noch eine Zeitlang im frühklassischen Zeitalter weitergetragen worden. Händels 12 Concerti grossi op. 6 (1739; als op. 7 1740 erstmals gedruckt), Francesco Saverio Geminianis Concerti grossi (die bis mindestens 1746 reichen), Charles Avisons Concerti grossi (sogar bis 1766) bewahren noch die barocke Technik und Form, sind aber schon Spätlinge ihrer Gattung. »England war eines der wenigen Länder, in denen das echte Concerto grosso die Invasion der Mannheimer Sinfonik überlebt hat; noch lange nach 1760 schrieben die Komponisten in England sowohl Concerti grossi des barocken Typus als auch galante Sinfonie concertanti« (Charles L. Cudworth in MGG, Artikel ›England‹ E). Im allgemeinen kann auf dem Kontinent die Gattung um 1750 als erloschen gelten. Ob sie als unmittelbarer Vorläufer der klassischen *Sinfonia concertante* anzusehen ist oder ob diese mehr aus der neuen Orchestersinfonie durch den Gebrauch, Solopartien für verschiedene Instrumente einzulegen, entstanden ist, ist noch nicht erschöpfend geklärt. Ignaz Jakob Holzbauers hierher gehörige Werke (um 1760) und Haydns Sinfonien ›Le matin‹, ›Le midi‹ und ›Le soir‹ (1761) haben jedenfalls nichts mehr vom alten Concerto grosso an sich und sind echte konzertante Sinfonien. Die Gattung, die bei den jüngeren Mannheimer Komponisten und bei J. Chr. Bach besonders reich gepflegt worden ist, hat dann in Mozarts Gruppenkonzerten (KV 297 b [KV⁶: Anh. C 14.01], KV 299 [297 c], KV 364 [320 d], dazu Fragmente) und seinen Serenaden ihre volle Blüte entfaltet, hat aber später (Beethoven, op. 56; Spohr, op. 48, 88, 131; Schumann, op. 86; Brahms, op. 102) nur noch vereinzelte Nachfolge gefunden.

Dagegen ist das *Solokonzert* aus dem späten Barock ohne Unterbrechung in das klassische Zeitalter übernommen und in den klassischen Stil weiterentwickelt worden. Das Konzert für Violine solo (seltener für ein anderes Melodie-Instrument) ist von Antonio Vivaldi, Alessandro Marcello, Francesco Maria Veracini, Carlo Tessarini, Pietro Antonio Locatelli und Giuseppe Tartini an geradenwegs in das Violinkonzert der Mannheimer, der norddeutschen und der süddeutschen Meister wie der Franzosen übergegangen. Jean-Marie Leclair, Simon Le Duc und Pierre Gaviniès haben zu seiner Fortentwicklung im Stilistischen wie im Geigerischen ebenso beigetragen wie Gaetano Pugnani, Antonio Lolli, Giovanni Mane Giornovicchi, (Jarnowick) und Giovanni Battista Viotti oder in Deutschland Ernst Eichner, Karl Joseph Toeschi, Franz Benda, Carl Stamitz, Ignaz Fränzl, Christian Cannabich, Johann Friedrich Eck und viele andere.

Seit J. S. Bach das Cembalo zum konzertierenden Instrument erhoben hatte, ist auch die Reihe der Klavierkonzerte nicht abgerissen. W. Fr., C. Ph. E. und J. Chr. Bach, C. H. Graun, Johan Joachim Agrell, Georg Antonin Benda, Ernst Wilhelm Wolf, Karl Friedrich Abel und zahllose andere Meister sind mit großen Mengen von Konzerten beteiligt. Das Orgelkonzert ist seit Händel und Charles Avison nicht auf dem Festland, wohl aber in England weitergepflegt worden (Thomas Augustine Arne, John Stanley, Thomas Sanders Dupuis, William Felton, Philip Hayes, James Hook, Charles und Samuel Wesley, William Crotch usw.). In der Wiener Schule ist das Klavierkonzert nach wenig charakteristischen Anfängen bei Georg Christoph Wagenseil, Leopold Hoffmann, Franz Xaver Duschek und Joseph Haydn schnell zur Höhe Mozarts hinaufentwickelt worden. Mozarts Klavierkonzerte gehören, weit überlegen allen anderen Komponisten seiner Zeit und weit über seine eigenen Violinkonzerte hinaus, zu den überragendsten Ergebnissen der Wiener klassischen Instrumentalmusik überhaupt; er hat eine große Reihe gleichaltriger oder jüngerer Nachfolger in Dittersdorf, Jan Baptist Wanhal (Vaňhal), Leopold Anton Kozeluch, Johann Ludwig Dussek, Luigi Boccherini, Adalbert Gyrowetz u. a. gefunden, von denen keiner auch nur annähernd an seine Konzerte heranreichen konnte. Mit Beethoven hat das Klavierkonzert für das klassische Zeitalter einen gewissen Abschluß erhalten, und seine Konzerte haben dann wieder für die romantischen Komponisten vielfach die Muster abgegeben.

Die dreisätzige Grundanlage ist seit dem Barock unverändert geblieben; unverändert blieb auch das Prinzip. Der erste Satz wird in thematisch reiche Eckritornelle eingeschlossen, die ganz oder in Stücken im Laufe des Satzes noch mehrmals auftauchen, und der Solist erhält in der Regel dazwischen drei große Soli, bei denen das Orchester mehr oder minder mit thematischer Arbeit beteiligt wird; diese Grundlage wird im klassischen Zeitalter mit der Mehrthemigkeit des Sinfoniesatzes durchsetzt, so daß bei Mozart bis zu fünf Themen im ersten Satz des Konzerts vorkommen; nicht selten setzt der Solist mit eigenen Themen ein, die dann auf das Orchester übernommen werden können, und es ergibt sich reiche Gelegenheit zu kombinatorischer Arbeit. Der langsame Satz wird, oft bei verminderter Orchesterbesetzung, in einfacher oder mehrteiliger Liedform gebracht; Mozart insbesondere entfaltet hierbei oft die bestrickendsten Klangreize aus dem Zusammenspiel von Klavier, Streichern und Bläsern. Das Finale bildet ein mehr oder weniger freier Rondosatz, der beliebig mit variations- oder sonatenartigen Zügen durchsetzt sein kann. Auch die Besetzung und die Einzelformen des Klavierkonzerts haben lange das barocke Muster aufrechterhalten; es hat bis zu Mozart gedauert, ehe eine stärkere Bläserbesetzung im Konzert üblich wurde und bis die Formen der Sinfonie das Konzert durchdrangen. Dann freilich wurde das Konzert vielfach (wie in Mozarts und Beethovens Klavierkonzerten) annähernd eine Sinfonie mit einem konzertierenden Soloinstrument und ist es in der Romantik vielfach geblieben.

Die klassische Grundform schlechthin wurde der *Sonatensatz*, der sich stets mit anderen Sätzen (in der Sonate meist mit einem langsamen, liedartigen Satz und einem Rondo- oder Variationen-Finale; in der Sinfonie außerdem mit dem Menuett oder Scherzo) zum Zyklus verbindet. Die dreisätzige Form steht seit den Sinfonien A. Scarlattis und seit den Klaviersonaten Plattis, Sammartinis, Galuppis usw. fest; die viersätzige ist seit Stamitz in der Mannheimer, seit Wagenseil, Mathias Georg Monn, Mathaeus Schlöger, Joseph Starzer usw. in der Wiener Gruppe in Aufnahme gekommen, während die Italiener und die Norddeutschen noch lange an der dreisätzigen Anlage festgehalten haben. Zweisätzigkeit kommt nicht selten bei italienischen Komponisten, aber auch in Mozarts Violinsonaten, bei Haydn und sonst vor; will man D. Scarlattis ›Esercizi‹ als »Sonaten« ansehen, so gelangt man bis zur Einsätzigkeit hinunter. Für die Klaviersonate und die Sonate für Klavier mit anderen Instrumenten ist erst seit Beethoven der viersätzige Zyklus zur Norm geworden. In der Sinfonie hat sich bei den Deutschen (außer der norddeutschen Schule) die Viersätzigkeit schnell durchgesetzt; den Unterschied zwischen italienischer und deutscher Norm zeigen einige der für Italien komponierten Sinfonien Mozarts, die ursprünglich dreisätzig waren und zu denen er für Salzburger Gebrauch die Menuette nachkomponiert hat (z. B. KV 95 [73 n], KV 96 [111 b]); eine ganze Anzahl Sinfonien Mozarts aus diesen Jahren ist übrigens nur dreisätzig überliefert. Andererseits ist das Streichquartett, entsprechend seiner Entstehung teils aus der italienischen Streicher-Sinfonia, teils aus dem Wiener Divertimento, in den Anfängen teils dreisätzig, teils fünfsätzig; Haydns sogenannte op. 1 und 2 (um 1755 bis 1760?; Hoboken

III: 1–12), die ja noch »Cassationen« oder »Divertimenti« heißen, haben zwei Menuette, und erst von Haydns sogenanntem op. 3 an (1760–1765?; Hoboken III: 13–18; die Echtheit dieser Serie ist fraglich) ist die Viersätzigkeit eine fast unverbrüchliche Regel geworden.

Als feststehende kammermusikalische Sondergattung für vier Solospieler ist das Streichquartett nur langsam aus der mehrfach besetzten Sinfonia a quattro der Italiener von Tartini, Sammartini, Fr. X. Richter u. a. her zu Haydn, Boccherini, den beiden jüngeren Carl und Anton Stamitz usw. herausgewachsen. Bei anderen Gattungen wie dem Klaviertrio hat die Satzfolge lange geschwankt und erst seit Beethoven die viersätzige Norm angenommen.

Hängen alle diese Gattungen fester oder lockerer mit spätbarokken Erbstücken zusammen, so sind dagegen als wirklich neue Gattungen im klassischen Zeitalter *Divertimento*, *Cassation* und *Serenade* hervorgetreten. Die Bezeichnungen selbst sind älterer Herkunft, haben aber erst bei den frühen Wiener Komponisten wie Mathias Georg Monn, Joseph Starzer, Augustin Holler, Franz Asplmayr, Wenzel Pichl, bei den Mannheimern wie Ignaz Jakob Holzbauer, Franz Beck, Fr. X. Richter, Stamitz usw. die Bedeutung einer oft fünf-, oft auch vielsätzigen Folge verschiedenartigster Sätze angenommen, deren Repertoire vom echten Marsch und vom variierten Lied bis zum Solokonzertsatz, zum Sinfoniesatz und zum Rondo reicht. Die ungeheure Menge solcher Unterhaltungsmusiken, die in der zweiten Hälfte des 18. Jahrhunderts von allen erdenklichen Komponisten geschrieben worden ist, bedarf noch der eingehenden Untersuchung. Diese Gattungen haben bei Mozart ihre einfallsreichste und feinste Ausbildung erfahren; um 1800 sind sie dann schnell abgesunken und außer Gebrauch gekommen. Ihre Bedeutung für die Entstehung und Entwicklung des Wiener Stils ist wahrscheinlich gar nicht hoch genug anzuschlagen; mit ihren volkstümlichen Elementen und ihrer oft bewiesenen Vorliebe für Bläser (die Cassationen und Serenaden sind vorwiegend als Freiluftmusiken zu verstehen) haben sie zum melodisch-rhythmischen Stil und zum Kolorit Haydns und Mozarts offenbar wesentliche Beiträge geliefert. Ihre Besetzung reicht vom vollen Orchester zu großen Bläserensembles (Mozarts Serenaden für dreizehn und acht Instrumente KV 361 [370a], KV 375 und KV 388 [384a]) bis hinunter zu Trio-Besetzungen (Mozarts KV 439b; Haydns Baryton-Trios [Hoboken XI]) und bis zum Klaviersolo (Wagenseil, Giuseppe Antonio Paganelli, Dittersdorf usw.). Hier hat sich im instrumentalen Bereich ein unmittelbarer Zugang von der Volksmusik zur Kunstmusik eröffnet und ist eine Gattung entstanden, die in ihren höchsten Ergebnissen auf ihre Weise eine selbständige und neuartige »Universalsprache« redet.

Die *Sonatenform* selbst (d. h. die Form des Sonatensatzes, einerlei ob in Sinfonie, Streichquartett, Klaviersonate oder wo immer) hat sich langsam aus barocken Ansätzen heraus entwickelt. Sie ist weder in Wien noch in Berlin noch in Mannheim noch in Mailand noch sonstwo »erfunden« worden. Ihr Umriß geht zurück auf die italienische Sinfonia und Sonata, wie sie schon seit etwa 1720 entwickelt war: der Satz ist dreiteilig angelegt und besteht aus einem themenaufstellenden Teil (Exposition), einem Mittelteil, dessen Charakter und Aufgabe anfangs noch sehr schwankend bleibt, und einem Abschlußteil (Reprise), der die Exposition, vollständig oder gekürzt, wieder aufnimmt. Wiederholungszeichen schließen im frühklassischen Sonatensatz in der Regel einerseits die Exposition, andererseits den Mittelteil zusammen mit der Reprise ein; diese letztere Wiederholung findet sich noch lange bei Haydn und Mozart und ist erst allmählich aufgegeben worden.

Was von Anfang an als Merkmal des Sonatensatzes betrachtet werden kann, ist die Behandlung der Tonarten. In der Exposition wechselt die Tonart mindestens einmal (Tonika – Dominante, in Moll Tonika – Tonikaparallele oder sonst zu einer nahe verwandten Tonart), und zwar nicht in der Weise, daß vorübergehend moduliert, sondern dem abgeschlossenen Teil ein neues thematisches Satzglied mit betont kontrastierender Tonalität entgegengestellt wird. Auch mehrfacher Tonartwechsel kann vorkommen, ist aber selten. Der Mittelteil beginnt in der Abschlußtonart der Exposition oder auch in kontrastierender Tonart und bewegt sich durch Modulationen hindurch, in der Regel bis zum Abschluß in der Dominante. Die Reprise vereinheitlicht die Tonarten der Exposition auf die Tonika. Das ist feststehende Norm seit frühklassischer Zeit.

Dagegen ist die Zweithemigkeit des klassischen Sonatensatzes, die häufig als fundamental angesehen wird, nie vor Beethoven zur allgemein anerkannten Regel geworden. Haydns erste Sinfonie- und Streichquartett-Sätze sind zum allergrößten Teil einthemig gehalten, und eher tritt zu diesem Hauptthema ein die Exposition und die Reprise abschließendes Epilogthema als ein echter »Seitensatz«, d. h. ein dem Hauptthema als gleichwertig gegenübertretendes, substantiell neuartiges Kontrastthema. Mozart in seiner Frühzeit dagegen liebt die Mehrthemigkeit; erst in seiner späteren Zeit besteht die Exposition meist aus Haupt- und Seitensatz, denen sich ein Epilogthema, mitunter auch noch ein Zwischenthema zwischen Haupt- und Seitensatz gesellen. Bei den meisten Komponisten werden die Themen und Satzglieder durch Übergangsgebilde der verschiedensten Art verbunden; doch kann es bei Haydn vorkommen, daß das Hauptthema ganz oder fast ganz unbeschränkt den Satz beherrscht. Erst beim frühen Beethoven ist die thematische Anlage mit zwei Hauptthemen und Epilog zur feststehenden Norm geworden. Bei den frühklassischen Komponisten dagegen schwankt die Anlage noch beträchtlich; Zweithemigkeit kommt schon bei Francesco Bartolomeo Conti, Francesco Maria Veracini, Giovanni Benedetto Platti, Pergolesi, in C. Ph. E. Bachs frühen Sonaten, bei Stamitz, Monn u. a. gelegentlich, aber nicht als Regel vor; ebensooft aber kann Mehrthemigkeit auftreten, ja, oft kommt es gar nicht zu einer Festlegung auf fest abgrenzbare Themen, sondern der Satz besteht aus einem lustigen oder stürmischen Gewimmel aller möglichen Themenfetzen, wie z. B. oft bei den Mannheimer Sinfonikern. Die Zweithemenanlage ist aus dem allem nur langsam herausgewachsen.

Ähnlich schwankend ist lange Zeit der Gebrauch des Mittelteils gewesen. Von einer »Durchführung« im Sinne thematischer Arbeit kann in der Frühklassik meist noch nicht gesprochen werden. Stattdessen wird der Mittelteil entweder mit neuem melodischen Material (so noch oft beim frühen Mozart), mit freien Modulationen und Sequenzbildungen (so bei Schobert und C. Ph. E. Bach) und dergleichen bestritten. Der Vater der thematischen Arbeit im Sinne einer konsequenten Themenentwicklung und damit auch der Durchführung ist zweifellos Joseph Haydn. In seinen Streichquartetten vom Anfang an bis zum sogenannten op. 333 (1778 bis 1781; Hoboken III: 37–42) läßt sich der Weg klar verfolgen; doch setzt die thematische Entwicklung bei Haydn oft schon gleich hinter dem Thema an und überspinnt den ganzen Satz, so daß die »Durchführung« nicht mehr als speziell themendurchführender Teil, sondern nur als der Höhepunkt der thematischen Satzarbeit erscheint. In Haydns Sinfonien schwankt der Gebrauch, den er von dem Mittelteil macht, hat aber von den 1770er Jahren an ebenfalls zur beharrlichen thematischen Arbeit, zur Durchführung und damit zur Vollendung des klassischen Sonatensatzes für Orchester geführt. In Haydns Klaviersonaten dagegen wechselt die Technik häufig. Die kleineren Meister wie Dittersdorf, Wanhal u. a. haben ebenfalls sehr wechselnden Gebrauch von dem Mittelteil gemacht. Mozart ist erst seit der intensiveren Berührung mit Haydn in Sinfonie, Konzert und Streichquartett zur eigentlichen Durchführung gelangt, die er dann oft auf eine eigene, harmonisch und koloristisch sehr reiche Weise behandelt. Auch für den Gebrauch des Mittelteils im Sinne thematischer Durchführung hat erst Beethoven die Norm gesetzt, die er freilich selbst schon von seinen Klaviersonaten op. 27 an häufig wieder zerstört oder durchbrochen hat.

Als abschließendes Glied tritt zur Dreiteiligkeit des Sonatensatzes seit Haydns Streichquartett c-Moll op. 17, Nr. 4 (1771) und seinen mittleren Sinfonien häufig, wenn auch nicht regelmäßig, die Coda, die den Satz mehr oder minder thematisch ausschwingen läßt. Andere Zusätze wie die langsame Einleitung, die Haydn in den Sinfonien seiner Spätzeit häufig gebraucht, sind im klassischen

Zeitalter Ausnahmen geblieben und erst in der späteren Romantik häufig angewendet worden.

Der klassische Sonatensatz dieser Anlage ist zum Grundstock der klassischen und romantischen Instrumentalgattungen geworden. Der vier- (seltener drei-)sätzige Zyklus mit dem Sonatensatz an der Spitze hat die Klassik und Romantik überdauert und bildet noch heute die Grundlage vieler Kompositionen aller Besetzungen. Im klassischen Zeitalter liegt dieser Zyklus der Sinfonie, dem Streichquartett, der Sonate für Klavier allein oder für Klavier mit anderen Instrumenten, dem Klaviertrio, in beschränktem Sinne auch dem Konzert zugrunde. Nur selten wird der Sonatensatz als Eingangssatz durch eine Variationenreihe oder einen freigeformten Satz (wie in manchen Klaviersonaten Beethovens) ersetzt. Die Herausbildung eines engeren zyklischen Zusammenhangs zwischen den Sätzen (etwa durch thematische oder tonale Verwandtschaft, durch Rückbeziehungen oder Zitate, durch engere gehaltliche Verknüpfung) ist von Haydns mittleren Sinfonien und Streichquartetten an zu beobachten, hat sich aber nur langsam allgemeiner durchgesetzt. Mozart hat noch vielfach bereits vorhandene oder angefangene Sätze nachträglich durch andere ersetzt; der zyklische Zusammenhang im engeren Sinne wird erst in seinen spätesten Werken eindeutig.

Eine durchlaufende Idee, wie sie etwa Beethovens Sinfonien von der fünften an greifbar zugrunde liegt, ist erst mit der beginnenden Romantik Allgemeingut geworden und hat dann im romantischen Zeitalter oft Anlagen »per aspera ad astra« hervorgebracht: im Sonatensatz kommt es zum Kampf zwischen entgegengesetzten Ideen, die in Kontrastmotiven und -themen ausgedrückt werden, der langsame Satz vertieft den Gehalt ins Tragische oder erhebt ihn ins Hymnische, das Scherzo bricht mit gespenstiger Dämonie dazwischen, und das Finale, im klassischen Zeitalter fast immer »lieto fine« oder doch mindestens versöhnlicher Ausklang, erhält die ganz neue Aufgabe, alles Vorangegangene zusammenzufassen und zur triumphalen Apotheose zu steigern. Beethovens 5. und 9. Sinfonie sind darin die Muster gewesen; sie waren noch Ausnahmefälle. In der Romantik wurde dann dieses Programm häufig zugrunde gelegt.

Als steigernde Technik tritt zum Sonatensatz oder zum Finale seit Haydns Streichquartetten op. 20 (1772) nicht selten die wiederaufgenommene Fuge, die bis zu Beethovens Spätwerken ein oft angewendetes Mittel zur Verdichtung und Konzentration des Satzes und des Zyklus geblieben ist. In reiner Form erscheint sie selten, meist (wie in Beethovens Klaviersonate B-Dur op. 106) als »Fuga con alcune licenze« oder (wie in Mozarts Streichquartett G-Dur KV 387 oder Sinfonie C-Dur KV 551) auf die mannigfachste Art mit Sonatensatzelementen verquickt. Nicht als strenge, in sich geschlossene mehrfache Durchführung eines beharrenden Themas, sondern als Glied in der Kette thematischer Entwicklungen, also nur als ein besonders geprägter Fall kombinatorischer Arbeit interessiert die Fuge in diesem Zusammenhang. Daher erscheinen auch selten oder nie ganz ausgeführte Fugen, sondern meist nur Fugenexpositionen, Fugati oder einzelne Fugendurchführungen. Der Kontrapunkt, der sonst in der thematischen Arbeit gern als »durchbrochener Satz« (wechselweises Erscheinen thematischer Gebilde in den verschiedenen Stimmen) oder als »Dialog« erscheint, kann nunmehr, nachdem die Scheu vor dem barocken Muster überwunden ist, auch als strengere Form der sonstigen thematischen Arbeit benutzt werden.

Steht am Anfang eines Zyklus ein Sonatensatz, so bezeichnet man oft verallgemeinernd den ganzen Zyklus als *Sonate*. Dieser Terminus, der schon seit dem 16.Jahrhundert für die verschiedensten Zwecke gebraucht worden war, hat sich seit dem frühklassischen Zeitalter für die Klaviersonate, die Sonate für Klavier mit Instrumenten ad libitum oder mit einem oder auch zwei obligaten Instrumenten fest eingebürgert. Größer besetzte Kompositionen mit Sonatenkopfsatz heißen je nach Besetzung *Streichquartett*, *Streichquintett*, *Blasquintett*, *Klavierquartett* oder *-quintett* (mit Streichern, Bläsern oder dergleichen). Ist der Zyklus für das Orchester bestimmt, so wird er *Sinfonie* genannt und damit der alte italienische Ausdruck Sinfonia in einem neuen Sinne wieder aufgenommen.

Es sind diese *zyklischen Instrumentalgattungen*, mit denen die Musik der Klassik, darunter insbesondere die deutsche, Weltgeltung erlangt hat. Die Abkunft der Orchestersinfonie und der Sonate aus den verschiedenen Quellen der italienischen, süd- und norddeutschen und der böhmischen Musik (Mannheim) wurde bereits in Abschnitt IV erörtert. In diesen zyklischen Gattungen kulminieren auf instrumentalem Gebiet der Wiener Stil und die Leistung der Wiener Hochklassik. Sie sind im instrumentalen Bereich die »klassischen« Lösungen der neuen Ausdrucksprobleme und damit die dauernden und überzeugenden Ergebnisse der klassischen Meister geblieben. Ihre Namen und ihre Grundformen haben sich bis weit in das 20.Jahrhundert hinein erhalten. Sie bilden bis heute noch immer, allen Wandlungen der Musik zum Trotz, die Normen der Komposition bei vielen Komponisten.

Viel enger noch als im instrumentalen ist im *vokalen Bereich* der Anschluß der Klassik an den späten Barock geblieben. Es ist eine verbreitete, aber irrige Vorstellung, die Klassik sei »das Zeitalter der Instrumentalmusik« gewesen; das war in Wirklichkeit erst die romantische Ära. Der absolute Vorrang der Instrumentalmusik über die vokale datiert erst seit Beethoven. Das Schaffen aller Komponisten von den frühklassischen Italienern an bis zu Beethoven zeigt eindeutig eine ziemlich gleichmäßige Verteilung vokaler und instrumentaler Produktion; je nach Veranlagung und Berufsstellung hat der eine Komponist mehr instrumentale, der andere mehr vokale Musik geschrieben, und oft wechselt bei einem und demselben Komponisten (z. B. bei Dittersdorf) der Vorrang mit der jeweiligen Tätigkeit. Noch in Haydns und Mozarts Gesamtschaffen sind die Gewichte gleichmäßig verteilt. Die Zeugnisse der Zeitgenossen aber, von Herder und Chabanon bis zu Goethe und Jean Paul erweisen eindeutig, daß die Nichtmusiker sich nur schwer an die neu errungene Bedeutung und Autonomie der Instrumentalmusik gewöhnt haben und noch lange in der vokalen die ihnen zugänglichere und sie ästhetisch mehr befriedigende Gattung erblickt haben. Bezeichnend ist, daß hingegen mit Wackenroder, Tieck, Novalis und E. T. A. Hoffmann die Instrumentalmusik plötzlich in den Vordergrund getreten ist: die Art Musik, die es dem Komponisten am meisten erlaubte, sich selbst auszusprechen, als Künder und Priester vor eine Gemeinde zu treten und den Hörer in das erhabene Reich ihrer göttlichen Prophetie oder in den Rausch ihrer dämonischen Zaubergewalt zu entrücken.

Am wenigsten haben sich die *kirchenmusikalischen Gattungen* verändert. Von den konzertierenden Messen von Caldara und J. J. Fux führt ein ununterbrochener Weg zu Georg Reutter d. Ä. und d. J., Franz Ignaz Anton Tuma, Joseph und Michael Haydn und W. A. Mozart, und nur langsam haben sich die neue Melodik und Rhythmik, die neue thematische Instrumenten-Anwendung und Sinfonik und andere Züge des klassischen Stils in die Messe eingeführt. Mozarts fragmentarische Messe c-Moll KV 427 (417a; 1782/83) ist ein Beispiel für die erfolgte oder im Gang befindliche Stileinschmelzung. J. Haydns späte Hochämter (1796–1802) sind zwar in ihrer stilistischen Haltung durchaus »klassisch«, haben aber diese Klassizität ohne jeden Bruch mit der Vergangenheit erreicht.

Selbst die kompositorische Technik im einzelnen ist konservativ geblieben: an bestimmten Stellen der Messe (z. B. ›Christe‹, ›Benedictus‹) erscheinen traditionsgemäß mit Vorliebe Solosätze, an anderen (z. B. Schlüsse des ›Gloria‹ und des ›Credo‹) Chorfugen; das Orchester wird durch ganze Satzteile hindurch mit gleichartigen Figuren und Bewegungsformen beschäftigt und übernimmt nur selten obligate oder gar sinfonische Aufgaben. Im Hintergrund dieser Beharrung steht, daß diese Kirchenmusik noch als liturgische Funktion oder wenigstens als gottesdienstliches Ornament empfunden wird. Erst als sie beginnt, sich davon zu lösen und selbst romantische »Menschheitsreligion« zu werden, wie es sich in Beethovens Messe C-Dur op. 86 (1807) andeutet und sich in seiner ›Missa solemnis‹ op. 123 (1819–1823) vollendet, da gibt sie die alten Bindungen und Techniken zugunsten selbständiger Interpretation des Meßtextes durch den Komponisten mit allen Mitteln des klassischen Stils auf. Es ist bezeichnend, daß Schuberts Messen, ja noch Bruckners frühe Kirchenwerke viel »klassischer« sind als Beethovens ›Missa solemnis‹.

Ähnlich wie mit der Messe steht es mit allen kleineren kirchenmusikalischen Gattungen wie Vespern, Litaneien und dergleichen. Neben der konzertierenden Kirchenmusik bleibt die a cappella-Polyphonie palestrinensischer Herkunft bestehen (insofern lebt die barocke Stilspaltung weiter). Sie hat in Michael Haydn einen Meister gefunden, der ihre Technik in Sprache und Klangwelt der Klassik übersetzt hat und dessen Kompositionen das ganze 19.Jahrhundert hindurch im Gebrauch geblieben sind.

Auf diesen Gebieten ist also die barocke Überlieferung unter stilistischer Veränderung glatt in Klassik und Romantik überführt worden. Auf protestantischer Seite erhalten die Bach-Schüler und -Nachfolger wie Gottfried August Homilius, Johann Friedrich Doles d. Ä. und viele andere die Tradition der Kirchenkantate am Leben, die jedoch mehr und mehr zu epigonalem Klassizismus verflacht und trotz aller Bemühungen der Kirchenmusiker infolge des Rückgangs der kirchenmusikalischen Verhältnisse um die Jahrhundertwende allmählich zum Erliegen kommt. Hier hat erst die erwachende Bach-Bewegung zu einem Prozeß historisierender Neubelebung geführt, während gleichzeitig durch Carl von Winterfeld der Historizismus mit der Wiederbelebung älterer Meister in der evangelischen Kirchenmusik Platz griff.

Auch die *opera seria* ist aus dem Spätbarock glatt in das klassische Zeitalter überführt worden. Sie hat sich erstaunlich lange als höfische Fest- und Prunkoper erhalten; Mozarts ›Titus‹ (1791) ist ein spätes Beispiel, das sehr aufschlußreich zeigt, wie bei gleichgebliebenem Libretto (Bearbeitung nach Metastasio) und formaler Anlage der musikalische Stil sich vollkommen der klassischen Ausdrucksweise angepaßt hat. In Deutschland hat sich die spezifisch deutsche Form der Barockoper in Hamburg, Braunschweig usw. bis um 1730 erhalten. Dann folgte der Einbruch der sogenannten »neapolitanischen« Oper mit den wandernden italienischen Operntruppen. Die Opernpflege in den Städten blieb bis in die 1780er Jahre unregelmäßig, und nur an den Höfen erhielten sich einigermaßen ständige Operntheater. In Frankreich blieb für die ernste Oper bis zu Rameau hin der Typus der Lullyschen tragédie lyrique neben dem Bühnenballett bestimmend.

Für die opera seria war schon seit Metastasio (seit 1723: ›Didone abbandonata‹), ja in gewissem Sinne schon seit Apostolo Zeno (erste Texte um 1700) der Geist der Frühklassik in das Libretto eingezogen. An die Stelle der sinnverwirrenden Vielfalt und Buntheit der barocken Handlung, Szenerie, Sprache und Charakteristik ist die nüchterne Strenge einer aufgeklärten

Tugendhaftigkeit und eines stoizistischen Heroismus getreten. Seit den Opernkompositionen Händels, Bononcinis, Vincis, Leos, Pergolesis, Hasses, Grauns und vieler anderer ist ein unübersehbarer Strom »neapolitanischer« opere serie bis zu J. Chr. Bach, Porpora u. a. über Europa hingegangen, die sich musikalisch durch den Vorrang des virtuosen Solistentums und ihre koloraturenreiche Brillanz auszeichnen. Aus diesem Strom hebt sich die Gruppe der sogenannten »Reform-Neapolitaner« um Niccolò Jommelli, Tommaso Traetta, Gian Francesco Majo u. a. heraus. In ihrer Nachfolge haben dann Christoph Willibald Gluck auf der deutschen, in gewissem Sinne aber auch Nicola Piccinni, Antonio Sacchini u. a. auf der italienischen Seite einen nunmehr sowohl inhaltlich wie musikalisch ausgesprochen »klassischen« Operntypus herausgebildet. Das stereotyp gewordene Bühnenpathos der Vergangenheit wird als »falsch« empfunden; die »wahre« Darstellung allgemein-menschlicher »empirischer« Charaktere erscheint als das hohe Ziel, das nicht mehr nur eine Standesgesellschaft, sondern die Menschheit angeht. Von hier führt ein gerader Weg zu Beethoven und Cherubini.

Neben die opera seria war seit Gaetano Latilla, Francesco Provenzale und Giovanni Battista Pergolesi die *opera buffa* bzw. das *Buffo-Intermezzo* getreten, die sich mit ihrer realistischen Volkstümlichkeit und ihrer scharfen Rationalität von vornherein weit eher als Kinder des klassischen denn des barocken Zeitalters vorstellen. Die italienische opera buffa hat sich ebenfalls über den größten Teil Europas ausgebreitet; sie war es, die in Frankreich den Kampf gegen die starr gewordene Tradition entfesselte und den Musikern und Literaten in allen Nationen die Zunge löste. Eine völlig unübersehbare Masse solcher Opern ist allenthalben in Europa aufgeführt worden; die Gattung hat am Ende des Jahrhunderts noch mit Domenico Cimarosa, Giuseppe Sarti, Giovanni Paisiello usw. Triumphe gefeiert. Von Frankreich aus war seit Rousseaus ›Devin du village‹ (1752) das französische *Singspiel* auch nach Deutschland gelangt (Gluck hat ihm mit mehreren Werken gehuldigt), und in seinem Gefolge hatte die bürgerliche musikalische Komödie in der Gestalt der *opéra comique* (die sich dann auch zur bürgerlichen Tragödie wandeln konnte) seit Egidio-Romoaldo Duni, François-André Danican Philidor, Pierre-Alexandre Monsigny und André-Ernest-Modeste Grétry ebenfalls die europäischen Bühnen erobert. Unter Vorgang der englischen ballad opera und dieser französischen Muster sind in Deutschland die Singspiele Johann Adam Hillers, Christian Gottlob Neefes, Ignaz Umlauffs, Johann Andrés und vieler anderer entstanden, in denen sich ebenso überzeugend wie in der opéra comique die Verschmelzung der Nationalstile vollzogen hat.

Von allen diesen Richtungen her kam es schließlich mit Anton

Schweitzers ›Alceste‹ und ›Rosemunde‹ (1773 und 1777; Texte von Wieland) und mit Holzbauers ›Günther von Schwarzburg‹ (1777) zu jenen Bestrebungen, eine ernste *deutsche Nationaloper* zu schaffen, die schließlich in der ›Zauberflöte‹ und ›Fidelio‹ zwar größte Meisterleistungen, aber doch nur Teillösungen des zugrunde liegenden Problems erzielt haben. Diese Bestrebungen münden dann geradenwegs in die romantische Oper Webers und Spohrs.

Die Operngeschichte des klassischen Zeitalters bietet ein verwirrendes Bild vielfältig sich überschneidender Strömungen und Tendenzen, in denen barockes Erbe lange am Leben geblieben ist, klassisches Empfinden sich früh durchgesetzt hat und die alle schließlich von den nationalen Richtungen überlagert und bis zur Unkenntlichkeit miteinander verschmolzen und vermischt worden sind. Die Zwischen- und Nebengattungen, die entstanden, wie die »opera eroico-comica«, das »dramma giocoso«, das Mono- und Duodram usw. komplizieren das Bild in höchstem Maße. Das Durcheinanderwirken mehrerer Generationen hat dazu beigetragen, ältere Muster und Stile noch zu einer Zeit am Leben zu erhalten, wo jüngere längst entwickelt waren, hat aber die Musiker auch oft gezwungen, nebeneinander in verschiedenen Stilen zu schreiben. 1771 hat der 72jährige Hasse in Mailand seine letzte opera seria aufgeführt, und der 15jährige Mozart machte ihm dort auf demselben Felde Konkurrenz.

Das Verhältnis der einzelnen Komponisten zu Gattungen und Richtungen ist von Fall zu Fall verschieden und sehr häufig durch den Auftrag bestimmt. Haydn hat italienische opere serie (etwa reformneapolitanischen Typs) und opere buffe geschrieben, die den italienischen Mustern vorwiegend folgen; Mozart hat in sich das Singspiel mit der opera seria, der opera buffa, der opéra comique, das dramma giocoso mit einer Vorahnung der deutschen romantischen Märchenoper vereinigt und vielleicht gerade durch diese Vielseitigkeit Opern geschaffen, die (neben denen Glucks) das Jahrhundert weit überragen.

Das 18.Jahrhundert ist das Jahrhundert der Oper par excellence gewesen. Die Zahl der komponierten und aufgeführten Opernwerke ist noch völlig unübersehbar. Ihre Geschichte im einzelnen zu durchforschen und sie auf die in ihr waltenden barocken, klassischen und romantischen Grundströmungen zurückzuführen, wird noch ausgedehnter Bemühungen bedürfen. Neben der Kirchenmusik ist sie das traditionsreichste, neben der neuen Instrumentalmusik das fortgeschrittenste Gebiet musikalischer Komposition im klassischen Zeitalter, und nirgendwo hat, abgesehen vom Lied, die klassische Wort-Ton-Ästhetik so entscheidende Neuformungen nach sich gezogen wie in der Oper. Es ist aber gewiß, daß das vorwiegende Interesse des klassischen Zeitalters bis hin zu

Beethoven nicht der Orchestermusik, der Kirchenmusik oder der Kammermusik, nicht dem Lied, sondern der Oper gegolten hat.

Ähnlich der Oper ist auch das *Oratorium* als Erbgut weitergepflegt worden. In Süddeutschland und Italien hat sich der metastasianische Oratorientypus, vertreten durch Hasse, Porpora und fast alle Opernkomponisten des Zeitalters, bis weit hinein in das 19.Jahrhundert erhalten. Daneben ist Johann Ernst Eberlin mit Oratorien in einem fortgeschrittenen klassischen Stil hervorgetreten. Diesen beiden Richtungen entsprechen etwa Haydns ›Ritorno di Tobia‹ (1774) und Mozarts kleine italienische Oratorien. In Norddeutschland ist mit J.S.Bach eine Oratorientradition abgebrochen, aber von Telemann über Graun (›Tod Jesu‹, 1755), Johann Ernst Bach und Johann Christoph Friedrich Bach zu Johann Heinrich Rolle hin ist eine sentimental-aufgeklärte Richtung des Oratoriums weitergetragen worden, die neben einem geistlichen Zweige (mit den sogenannten »Jesus-Oratorien«) auch einen weltlichen getrieben hat. Nach Schering haben an die sechs oder acht Oratorientypen nebeneinander bestanden. Die Empfindsamkeit bildete einen überaus fruchtbaren Mutterboden für die Gattung.

Die gleichzeitigen englischen Oratorienkomponisten wie Maurice Greene, William Boyce, John Stanley, Thomas Augustine Arne und Samuel Arnold haben mehr das biblische Oratorium in der Art Händels weiterzuführen versucht. J.Haydns ›Schöpfung‹ und ›Jahreszeiten‹ (1798 und 1801) haben Händelsche Eindrücke mit englischen Texten und Elementen des Singspiels, der Oper, ja der Kirchenmusik, der Sinfonie, des Liedes und mit den Eigenheiten seines eigenen reifen Stils verknüpft. Sie sind die ragenden Zeugnisse jener Sternenstunde der Menschheit geworden, in der die Einheit höchster Kunst und höchster Volkstümlichkeit in der Schaffenskraft des damals weltberühmtesten Komponisten Wirklichkeit geworden ist. »Kunstvolle Popularität oder populare Kunstfülle« urteilte die Allgemeine musikalische Zeitung 1801 über die ›Schöpfung‹. Es gibt schlechterdings (einzig ›Die Zauberflöte‹ ausgenommen) keine anderen Musikwerke des Zeitalters, in denen die Universalsprache in solchem Grade die ganze Menschheit angesprochen hat und die von ihr in solchem Grade verstanden worden sind wie die beiden Spätoratorien Haydns. Nicht umsonst haben sie bis weit in das 20.Jahrhundert ihre Wirksamkeit bewahrt. Beethovens 9.Sinfonie und der Schlußteil seines ›Fidelio‹ (beide in gewissem Sinne »oratorische« Werke) wollen zwar Ähnliches, haben aber die vollkommen durchschlagende Wirkung Haydns nicht mehr oder doch erst in späteren Generationen erzielen können.

Ein sehr bezeichnendes Produkt erwachenden und sich entwickelnden klassischen Geistes ist endlich das *deutsche Lied*, das eine sehr ähnlich gerichtete gleichzeitige Parallele im *englischen Lied* (Henry Carey, Boyce, Arne, Charles Dibdin, James Hook u. a.) hat. In dieser Gattung konnten die volkstümlichen Tendenzen der Zeit sich besonders artgemäß ausprägen und sich mit der hohen Dichtung vereinigen. Von Telemann und Johann Valentin Görner waren bestimmende Ansätze zu einem idyllisch-kleinbürgerlichen oder erzählenden Sololied mit Basso continuo in einfachsten Formen ausgegangen, die sich bewußt gegen die überfeinerte barocke Ornamentik und gegen die virtuosenhafte italienische Arienmelodik wendeten. Mit den beiden »Berliner Liederschulen«, der sogenannten Ersten um Christian Gottfried Krause und Karl Wilhelm Ramler (Johann Gottlieb und Carl Heinrich Graun, C. Ph. E. Bach, Franz Benda, Johann Joachim Quantz, Johann Friedrich Agricola, Christoph Nichelmann) und der sogenannten Zweiten um J. A. P. Schulz, ist im Ablauf von kaum mehr als dreißig Jahren eine neue Liedkunst entstanden, die in ihrer offenen Herzlichkeit und unverkünstelten Anpassung an das Gedicht genau die Grundsätze des »Klassischen« verkörpert. Mit seinen besten Meistern wie Carl Friedrich Zelter, Johann Friedrich Reichardt, Christian Gottlob Neefe in Norddeutschland, Johann Rudolf Zumsteeg, Christoph Rheineck, Chr. Fr. D. Schubart, Hans Georg Nägeli in Süddeutschland und der Schweiz hat das deutsche Lied eine Höhe klassischer Gültigkeit erreicht, die in Österreich mit Josef Anton Steffan (Štěpán), Johann Holzer u. a. kaum gleichrangige Kräfte erweckt, in dem jungen Schubert aber ihre letzte Höhe und den Übergang in eine mehr romantische, das Gedicht überhöhende und »fortdichtende« Richtung gefunden hat. Haydns und Mozarts Lieder stehen dabei nur am Rande, und Beethoven hat in dieser Gattung nur vereinzelt den Ton getroffen, der dieser hohen Kleinkunst angemessen war.

War es zu einer durchschlagenden und allgemein gültigen Lösung des Problems einer ernsten deutschen Volloper auch nicht (oder nur in dem vereinzelten Glücksfall der ›Zauberflöte‹) gekommen, so hat doch die bescheidene Gattung des Liedes die Forderungen und Ideen der klassischen Dichtung und die ästhetische Forderung der volksnahen Universalsprache in vollkommen adäquater Weise zu erfüllen vermocht. Reichardt, Zelter, Zumsteeg u. a. waren keine »Vorläufer«, sondern Erfüller; aber während in der Instrumentalmusik neben dem romantischen das klassische Repertoire dauernd gültig geblieben ist, hat im Liede die romantische Richtung später die klassische verdunkelt.

VI. Das Orchester und das Klangbild der Klassik

Das klassische Zeitalter hat sein klangliches Signum vom *Orchester* erhalten, von dem »modernen« Orchester, das sich in diesem Zeitalter ausgebildet hat. Doch ist das Orchester nur eines der Mittel, in denen das neue Klangbedürfnis sich niedergeschlagen hat; ebenso bezeichnend sind andere *instrumentale Ensembles* wie das Streichquartett und -quintett, das Streich- und das Klaviertrio sowie die Sonate für Klavier mit obligaten Instrumenten. Die feststehenden instrumentalen Besetzungsarten, die sich in der klassischen Musik herausgebildet haben, sind durchaus neuartig, wenn auch die dazu verwendeten Instrumente es nicht waren.

Die *Violine* war schon seit dem Ausgang des 17. Jahrhunderts (Arcangelo Corelli) auf den vordersten Platz unter den Streichinstrumenten gerückt; im Verein mit *Viola* und *Violoncello*, ebenfalls Gliedern der Violin-Familie, hat sie die älteren Violenformen allmählich verdrängt. In der frühklassischen Phase ist der Prozeß zu Ende gegangen. Die Gambe erscheint nach der Mitte des 18. Jahrhunderts als Soloinstrument nur noch vereinzelt (wie bei Karl Friedrich Abel und Giuseppe Tartini), ebenso die Viola d'amore (bei Carl Stamitz); für die beharrenden Tendenzen spricht, daß noch 1782 ein gewisser Milandre eine ›Méthode facile pour la viole d'amour‹ veröffentlichen konnte. Sonderformen wie das Baryton, für das Haydn so viel komponiert hat, blieben modische Kuriositäten. Die Violine errang sich als Solo- und Orchesterinstrument den absolut beherrschenden Platz. Das Violoncello ist seit Giuseppe Maria Jacchini (1701), Evaristo Felice dall'Abaco (1712–1714) und Leonardo Leo (1737/38) bis hin zu Beethoven zeitweise mit solistischen Aufgaben bedacht worden und hat sich im übrigen den nächst der Violine wichtigsten Platz im Orchester und im Kammermusik-Ensemble unter den Streichern errungen, während die Viola ganz vorzugsweise Orchesterinstrument gewesen und geblieben ist.

Auch die Zupfinstrumente haben sich aus dem Spätbarock in das klassische Zeitalter hinübergerettet. Bis um 1750 ist die *Laute* noch solistisch verwendet worden (Silvius Leopold Weiss, Ernst Gottlieb Baron, Adam Falkenhagen, David Kellner, Karl Kohaut), aber ihre langdauernde Blütezeit war vorbei. Als Generalbaß-Instrument dagegen haben sich Laute, Harfe, Theorbe und Gambe noch bis in das Ende des 18. Jahrhunderts, gelegentlich sogar noch darüber hinaus erhalten. Die *Harfe* ist im späten 18. und frühen 19. Jahrhundert sogar ein besonders beliebtes Virtuosen- und Dilettanteninstrument gewesen.

Unter den Holzblasinstrumenten ist die *Querflöte* (die Blockflöte kam um 1750 ganz zum Verschwinden) in der Frühklassik als Solo-, Ensemble- und Orchesterinstrument unentbehrlich gewesen. Ihr zarter, schmachtender und süßer Ton wandelte sich freilich mehr und mehr zu dem vollen, männlichen, ja schneidenden Ton, den Quantz wünschte. Ihre Rolle als Liebhaberinstrument ist im 18.Jahrhundert kaum zu überschätzen. Mit der Hochklassik aber ging ihre Bedeutung als Soloinstrument zurück; im Orchester behielt sie ihren festen Platz. Es ist bezeichnend, daß sie in der frühklassischen Phase als Soloinstrument vielfach der Violine und Oboe gleichgesetzt und mit ihnen ausgetauscht werden konnte, daß aber Haydn, Mozart und Beethoven sie nur selten noch außerhalb des Orchesters bedacht haben. Die Charakterinstrumente unter den Holzbläsern des spätbarocken Orchesters, *Oboe* und *Fagott*, haben ihre Funktionen als führende Melodie- bzw. Baßinstrumente im Orchester und Ensemble auch des klassischen Zeitalters behalten. Als Soloinstrument ist die Oboe mehr und mehr in den Hintergrund getreten (das Fagott ist als solistisches Instrument nur ausnahmsweise, z.B. für Tonmalerei in der Oper und dergleichen im Gebrauch gewesen); auch für sie haben die Meister der Hochklassik nur noch ausnahmsweise Solokompositionen geliefert. Dagegen ist seit etwa 1750 die früher nur vereinzelt verwendete *Klarinette* gleichberechtigt zur Holzbläsergruppe des Orchesters hinzugetreten. Seit den 1740er Jahren ist sie in Paris, Mannheim, Frankfurt, seit den 1760er Jahren in London und Mailand nachweisbar, und von Johann Stamitz und Johann Melchior Molter an ist sie bis zu Mozart hin auch als Soloinstrument, wenngleich ziemlich selten, gebraucht worden. Die Nebenform des Bassetthorns ist nie ins Orchester als stehendes Instrument eingezogen und nur von Mozart, von diesem allerdings mit bedeutenden Aufgaben betraut worden.

Als ständiges Blechinstrument ist das *Horn* seit der Mitte des Jahrhunderts im Orchester heimisch geworden und hat sich hier schnell einen dauernden Platz als unverzichtbare Stütze des Kolorits erworben. Fehlen im klassischen Orchester gelegentlich die Flöten oder die Oboen, fehlen noch bis in Haydns und Mozarts letzte Werke hinein nicht selten die Klarinetten, die Hörner fehlen nie. Auch das Horn stammt aus der spätbarocken Erbmasse und ist schon in der Hamburger Oper, bei Bach, bei Händel, bei Vivaldi, am Hof von Kremsier anzutreffen; aber es war eher ein gelegentlich solistisch gebrauchtes als ein ständiges Orchesterinstrument. In der klassischen Zeit ist es als Soloinstrument immer selten geblieben (Haydn, Mozart), ist aber häufig im Divertimento, in der Cassation und der Serenaden- und Tanzmusik zu finden. Die rasche Verbreitung des Instruments ist wohl überhaupt auf seinen Gebrauch bei der Tanz- und Ständchenmusik durch die wandernden böhmischen Musikanten zurückzuführen. Die *Trompete*, charakteristisch für das Festorchester des Spätbarock (dort meist zu zweit oder zu dritt und regelmäßig mit Pauken), ist als

Farbeffekt auch in das klassische Orchester übergegangen; solistisch ist sie zu allen Zeiten (von Bachs 2. Brandenburgischen Konzert bis zu Haydns Trompetenkonzert, 1796) immer nur selten benutzt worden. *Posaunen* werden den ganzen Zeitabschnitt hindurch nur (meist zu dritt) als Verstärkung zum Chorsatz in der Kirchenmusik verwendet; erst von Glucks ›Alceste‹, Mozarts ›Don Giovanni‹ und ›Zauberflöte‹ und von Beethovens 5. Sinfonie an sind ihnen obligate Orchester-Aufgaben zugewiesen worden und hat man auch sie als Koloritträger genutzt. Andere Instrumente wie der Flauto piccolo, das Kontrafagott usw. kommen im klassischen Orchester nur vereinzelt vor.

Ist also auch (von der Klarinette abgesehen) kein einziges Instrument im klassischen Orchester neu, so hat sich doch *ihr gegenseitiges Verhältnis* und *ihre Verwendungsart* gewandelt. Der Streichkörper des spätbarocken Orchesters ist nach französischem Muster fünfstimmig gewesen (zwei Violen); mit der italienischen Sinfonia (also schon einem frühklassischen Element) ist die Streichergruppe auf die seitdem grundlegende Vierstimmigkeit reduziert worden; erst die Spätromantik ist durch Verselbständigung der Kontrabaß-Partien zu einer neuen Art von Fünfstimmigkeit übergegangen. Im spätbarocken Orchester waren die Holzbläser stets entsprechend der Stärke des Streicherapparats chorisch besetzt; diese Praxis ist (wohl vorwiegend in der Kirchenmusik) auch noch bis an das Ende des 18. Jahrhunderts beibehalten worden. Mit dem Beginn des frühklassischen Zeitalters aber ist die paarweise Besetzung aller Blasinstrumente (außer der Flöte, die oft einzeln vorkommt) die Regel geworden. Drei und vier Hörner kommen nur als Ausnahme vor; erst seit Beethoven und Weber hat man häufiger von der Vierhörnerbesetzung Gebrauch gemacht, die im romantischen Orchester dann fast die Regel wurde. Die absoluten Besetzungsstärken sind oft erstaunlich groß; 24–30 Violinen, 10–20 weitere Streichinstrumente, 10–16 Blasinstrumente, Pauken und Generalbaß-Instrumente sind keine Seltenheiten gewesen. Beethoven hat eine Orchesterstärke von bis zu 60 Instrumenten verlangt, doch wurde in Wien in der Tonkünstler-Sozietät, beim Prinzen Hildburghausen und öfter mit Orchestern von über hundert Personen musiziert. François Antoine Habeneck soll in Paris 1828 über etwa 60 Streicher nebst doppeltem Holz und Blech verfügt haben. Doch sind so große Zahlen und ist insbesondere die Verdoppelung der Bläser sicher Ausnahme gewesen.

Am *Generalbaß* wurde noch bis Ende des Jahrhunderts vielfach festgehalten; in der Kirchenmusik und der italienischen Oper hat er sich weit ins 19. Jahrhundert hinein als unerläßlich bewahrt. Doch kann die klangliche Wirkung eines Cembalos oder auch eines frühen Fortepianos gegenüber derartigen Besetzungen nicht mehr erheblich gewesen sein; nur in der Oper, wo die Begleitung der Rezitative improvisiert werden mußte, behielt das Generalbaß-Instrument noch eine wirklich obligate Partie. Haydn hat bei seinen Londoner Sinfonieaufführungen zwar noch am Cembalo gesessen, aber die Leitung lag bei dem Konzertmeister Johann Peter Salomon, und seine Klavierbegleitung kann nur eine Formsache gewesen sein. In der Orchestermusik ist jedenfalls um 1800 der Generalbaß allgemein aufgegeben worden.

Die faszinierende *Klangwirkung des neuen Sinfonieorchesters* beruhte z. T. auf der starken Vermehrung der Streicher und z. T. auf der neuen Art der Bläserverwendung und der Ausnutzung ihres spezifischen Kolorits. Im spätbarocken Orchester hatten die Blasinstrumente entweder solistische Aufgaben, oder sie waren chörig aufgetreten: die Oboen und Fagotte geschlossen, die Trompeten und Pauken geschlossen, die Flöten mehr solistisch, und vielfach war den Bläsern auch nur unisones Spiel mit den Streichern oder mit Vokalstimmen zugefallen. Zwar hatten schon im Barockzeitalter die Komponisten Wert darauf gelegt, die Parte der Blasinstrumente mehr und mehr spiel- und klanggerecht, »idiomatisch« zu gestalten; aber ihr spezifisches Kolorit ist dabei nur selten genutzt worden. Hornstimmen unterscheiden sich von Violoncellostimmen, Oboenstimmen von Violinstimmen durch die andersartige Spieltechnik, durch Umfang, Lage und Tonvermögen, aber nicht grundsätzlich durch das Kolorit; daher können in frühklassischer Musik wie in spätbarocker vielfach die Instrumente gegeneinander ausgetauscht werden, ohne daß dadurch dem Werk irgendwelcher Eintrag geschieht. Mit der Mannheimer Sinfonik (die darin vielleicht durch Rameau beeinflußt ist) erwachte (und zwar hier deutlicher als in der italienischen, der Wiener oder der norddeutschen Komponistengruppe) der *Sinn für Farbwirkungen*; vielleicht liegt hierin die eigentliche Sonderleistung der Mannheimer böhmischen Musiker gegenüber anderen. Bei C. Ph. E. Bach und beim frühen Haydn spielt das Kolorit noch keine bestimmende Rolle; aber mit Haydns mittleren Sinfonien (kurz vor und nach 1770), bei Mozart schon in seinen Frühwerken aus derselben Zeit tritt die Farbe als charaktergebendes Moment hervor, und bald werden auch ihre Strukturwerte erkannt. Der Naturklang der Hörner und Klarinetten hat von vornherein in das klassische Orchester ein romantisierendes Element getragen. Die Fähigkeit, die spezifischen Farbwirkungen der verschiedenen Streich- und Blasinstrumente zu immer neuen Klangfarben zu kombinieren, sie zu neuen Ausdrucksbereichen zu entwickeln, die mitreißende Sinnlichkeit seines Kolorits und der einzigartig hohe Grad der Integration von Farbe, Tonart, Harmonie, Melodie und Rhythmus heben Mozart weit über alle kleineren Zeitgenossen, oft auch über Haydn und Beethoven hinaus. Hier ist in der Praxis der Orchester-Komposition die *neue Kunst der Instrumentation* entstanden, die Beethoven schon als Erbe übernommen hat, die dann seit Weber und Berlioz eines der Hauptanliegen der romantischen Komponisten gewesen ist und die seit Valentin Roeser (1764; vergleiche Heinz Becker in MGG, Artikel ›Instrumentation‹, Spalte 1256; charakteristischerweise zuerst für Hörner und Klarinetten) über François Francoeur u. a. zu Berlioz und damit zur modernen Lehre von der Instrumentation geführt hat. Unzweifelhaft ist das, was in den Noten zwar steht, aber aus ihnen heraus erst zum lebendigen Klang gestaltet werden muß, eine der fundamentalsten Neuerungen vor aller Vergangenheit, eine der ganz entscheidenden Grundlagen der klassischen Musik und eine der Ursachen ihrer Weltgeltung.

Das so geartete Orchester ist seit dem klassischen Zeitalter erweitert und verstärkt, um einige Nebeninstrumente bereichert, aber im Grunde nicht mehr verändert worden. Unverändert ist auch *die klassische Technik des Orchesterspiels* geblieben, die auf der strengen Disziplin, dem einheitlichen Strich der Streicher, der genauen Artikulation aller Instrumente und dem Einschmelzen aller in einen vollkommen homogenen Gesamtklang (im Gegensatz zum spätbarocken Spaltklang) beruht. Johann Adolf Hasse und Johann Georg Pisendel in Dresden, Graun in Berlin, Stamitz und Cannabich in Mannheim, Jomelli in Stuttgart, Haydn in Eisenstadt und Esterház und viele andere sind strenge Orchestererzieher gewesen; die Früchte ihrer Arbeit haben zweihundert Jahre ernährt, und der heutige Perfektionismus ist nichts als eine letztmögliche Steigerung ihrer Technik.

Mit einem so erzogenen Orchester ließen sich auch die vielbestaunten *dynamischen Effekte* erzielen; für ihr fein abgestuftes Spiel, ihr Fortissimo und Pianissimo, ihr Crescendo und Diminuendo, ihre Sforzati usw. waren vor allem das Mannheimer und das Stuttgarter Orchester berühmt. Die Technik läßt sich schon früher in Rom und Paris nachweisen, scheint aber erst hier konsequent auf das Orchester übertragen und zu den Wirkungen gesteigert worden zu sein, die von Schubart bis zu Jean Paul zahllose Zeitgenossen erschüttert haben. Bezeichnend ist vielleicht, daß die Direktion dieses so neuartig wirkenden Orchesters das klassische Zeitalter hindurch noch im wesentlichen unverändert die barocke geblieben ist; reine Orchestermusik wurde vom Vorgeiger (Konzertmeister) mit dem Bogen und Gesten, Vokalmusik mit Orchester vom maestro al cembalo mit seinen Generalbaß-Akkorden und Körperbewegungen geleitet. Das ist seit Bachs und Händels Zeiten so geblieben bis in das anfangende 19.Jahrhundert hinein. Beethoven, Jacob Gottfried Weber, Bernhard Anselm Weber, Gaspare Spontini, Carl Maria von Weber und Louis Spohr haben mit dem Stäbchen oder mit Papierrollen oder dergleichen dirigiert. Erst mit der beginnenden Romantik ist der Dirigent aus dem Verband der Spieler herausgetreten, ist zum Interpreten geworden und hat seine persönliche Auffassung dem Orchester und dem Publikum aufgezwungen.

Der klassische Verschmelzungsklang ist auch für das sonstige Instrumentarium und dessen Entwicklung maßgeblich geworden. Die *Orgel* verlor seit der Mitte des 18.Jahrhunderts die registerhafte und chörige Gespaltenheit ihres Klanges und gelangte mehr und mehr zur Nachahmung des Orchesters; ihre Register entliehen Klangcharakter und Namen von den Orchesterinstrumenten, und ihre Schwellvorrichtungen sorgten dafür, daß auch die dynamischen Effekte des Orchesters nachgeahmt werden konnten.

Unter den Tasteninstrumenten errang seit derselben Zeit schnell das *Fortepiano* den Vorrang, anfangs (bei J.A.Silbermann, J.G. Wagner, Stein, Walter, Erard) noch dünnklingend und zartbesaitet, dann schnell immer mehr auf Stärke und Abstufungsfähigkeit hin entwickelt, bis Shudi und Broadwood noch zu Beethovens Lebzeiten einen orchestergleichen, allen Anforderungen an Dynamik und Artikulation gewachsenen Flügel bauten, der bis heute im Prinzip unverändert geblieben ist. Das Fortepianospiel hat sich langsam durchgesetzt; C.Ph.E.Bach hat bis in sein Alter noch das Clavichord bevorzugt, Haydn und Mozart haben in ihrer Frühzeit ebenfalls dieses Instrument oder auch das Cembalo gebraucht, das sich im übrigen bis zum Ende des Generalbaßspiels überhaupt als Generalbaßinstrument erhalten hat. Man kann annehmen, daß etwa seit 1770 (freilich mit starken Unterschieden in den verschiedenen Ländern) das klassische *Klavier*, d. h. das Pianoforte, das wichtigste Tasteninstrument geworden ist; als Soloinstrument erwarb es sich schnell einen gleichrangigen Platz neben der Violine, und bis zur Gegenwart ist es neben ihr das wichtige Musikinstrument überhaupt geblieben. Berücksichtigen die Meister der Haydn-Mozart-Zeit noch sichtlich die geringe Tonstärke des Instruments und zielen sie in ihren Klavierkompositionen mehr auf Durchsichtigkeit und kammermusikalischen Klang als auf Fülle und Kraft, so setzt sich bei Beethoven schon seit seinen frühen Klaviersonaten ebenso wie bei seinen Zeitgenossen Muzio Clementi, Johann Ludwig Dussek usw. ein ausgesprochen orchestraler Satz durch. Eine Mozartsche Klaviersonate kann man nicht instrumentieren, aber Beethovensche Klaviersonaten sind im 19.Jahrhundert als Übungsmaterial für den Instrumentationsunterricht benutzt worden.

Es ist offensichtlich, daß das klassische Orchester mit seinen neuartigen Klangwirkungen das *ideale Klangbild der Epoche* überhaupt spiegelt. Das Klangbedürfnis der Menschen war in ein neues Zeitalter getreten. Die großen Epochen der Musikgeschichte sind nicht nur Epochen der Satztechnik, der Gattungen und Formen, sie scheiden sich nicht nur durch Veränderungen im Elementarbereich, sie sind, vielleicht vor allem anderen, Epochen der Klangvorstellungen und Klangbedürfnisse.

VII. Das öffentliche Konzert und die Stellung des Musikers

Die musikalische Klassik fällt mit dem Heranreifen eines *emanzipierten Bürgerstandes* zusammen. Das klassische Zeitalter der Musik ist zugleich ihr bürgerliches. Die Musikübung des Barockzeitalters war in der Hauptsache eine höfische und eine kirchliche gewesen; Fürsten, Adel und Kathedralen waren ihre vornehmsten Träger. Im protestantischen Bereich war die kirchliche weitgehend mit der städtischen Musikübung zusammengefallen; die leitenden Kirchenmusiker waren meist gleichzeitig die Musikdirektoren der Städte gewesen.

Ein konzertartiges *öffentliches Musikwesen* hatte es zwar in Ansätzen schon seit dem 17.Jahrhundert an verschiedenen Stellen gegeben. Die Anfänge des öffentlichen Konzerts liegen einerseits in den privaten Veranstaltungen einzelner Liebhaber in England und den öffentlichen kirchlichen Musikaufführungen, die sich in Holland und in Norddeutschland eingebürgert hatten, andererseits in den Akademien und Konservatorien-Aufführungen Italiens, in denen schon von jeher sich Adel und Bürgertum zusammengefunden hatten. Doch fehlt allen jenen älteren konzertartigen Veranstaltungen noch der Charakter des Unternehmertums, der sich offenbar erst vom Anfang des 18.Jahrhunderts an allmählich ausgebildet hat. Der entscheidende Schritt liegt darin, daß der Musiker nicht mehr von Amts wegen, sondern als eigens dafür verpflichteter und besoldeter Künstler vor die Öffentlichkeit tritt, daß ein bürgerlicher Verein oder ein einzelner Konzertunternehmer (der im Falle des Virtuosenkonzerts häufig der Künstler selbst ist) die Musikveranstaltung finanziert und daß grundsätzlich jedermann gegen Entrichtung eines Eintrittsgeldes Zugang hat. Die Regelmäßigkeit solcher Veranstaltungen trat früh als weiteres Kennzeichen hinzu; Konzerte wurden vielfach auf Subskription durchgeführt.

Diese neue Form des *Unternehmerkonzerts* ist nicht auf einen Schlag zustande gekommen, sondern hat sich allmählich aus den älteren Akademien, Kirchenmusiken, Aufführungen von Collegia Musica usw. herausgebildet, scheint aber schon vom Anfang des 18.Jahrhunderts an weit verbreitet gewesen zu sein. Nach Eberhard Preußner (Die bürgerliche Musikkultur, Kassel ²/1950) haben öffentliche Konzerte dieses Typus schon um 1710–1720 in Straßburg, Augsburg, Frankfurt, Bern, Lyon, Bologna und Rom bestanden. In England ist seit der Gründung der Academy of Ancient Music (1710) eine lange Reihe von Konzertunternehmungen entstanden. Das Muster aller solcher Einrichtungen für ganz Europa, gleichzeitig eine der durch das ganze 18.Jahrhundert berühmtesten, wurde das Concert spiruel in Paris (seit 1725), dem in Frankreich selbst eine Menge ähnlicher Veranstaltungen folgte. Öffentliche Konzerte des neuen Stils wurden in Deutschland vielfach gegründet. Eines der ältesten ist Frankfurt/Main (gegründet 1723 unter J.Chr.Bodinus); dann folgte Leipzig noch unter den Augen Bachs mit dem Großen Konzert (1743), das später in das Gewandhauskonzert überging (1781), und der Musikübenden Gesellschaft (unter J.A.Hiller seit 1775). In Berlin ging eine Musikübende Gesellschaft (unter Ph.Sack seit 1745) voran; die dortigen Spiritualkonzerte (unter Reichardt seit 1783) lassen schon im Namen das französische Vorbild erkennen. »Die dritte Periode des Konzerts umfaßt die Jahre 1770–1800. Es ist die Zeit der Ausdehnung der Konzerte auf die Mittel- und Kleinstädte, insbesondere die Zeit der Liebhaberkonzerte, die nun in keiner Stadt mehr fehlen« (Preußner, S. 32). In Wien fiel die Führung an die Tonkünstler-Sozietät (gegründet 1771); ihr folgten die Konzerte »auf der Mehlgrube« und »im Augarten«, in denen Mozart vielfach aufgetreten ist.

Mit der Zeit von Haydns späten Oratorien ist die Entwicklung des Konzertwesens, nicht nur in Deutschland und Österreich, sondern allgemein in Europa im wesentlichen abgeschlossen; die Typen standen fest und wurden im 19.Jahrhundert nicht mehr entscheidend verändert, sondern nur weitergetragen. Zu den öffentlichen Unternehmerkonzerten war eine unübersehbare Menge halbprivater Konzerte von Vereinen und Liebhabern getreten. Reisende Virtuosen veranstalteten Konzerte in solcher Menge, daß sie sich gegenseitig Rang und Erfolg abliefen. Um 1800 war nicht nur die Entwicklung abgeschlossen, sondern auch die künstlerische und wirtschaftliche Höhe erreicht; über den Niedergang des Konzerts wird seitdem allenthalben geklagt, und wirtschaftliche Schwierigkeiten, zeitweise erheblich vermehrt durch die Folgen der napoleonischen Kriege, stellten sich ein. »Eine Krise des Konzerts existiert, solange es Konzerte gibt« (Preußner, S. 48).

Die früh- und die hochklassische Phase sind damit die Abschnitte der Musikgeschichte, die in der Gestalt des öffentlichen Konzerts die moderne Form der *bürgerlichen Musikpflege* entwickelt haben. Das 19. und das 20.Jahrhundert haben das Ergebnis mit allen seinen Stärken und Schwächen übernommen; wesentlich neue Formen des Musizierens sind seitdem nicht mehr aufgekommen. Neben dem Konzert (in allen seinen Varianten und Schattierungen) hat während des klassischen Zeitalters nur die Oper noch im Vordergrund des musikalischen Interesses gestanden. Die Kirchenmusik spielte ihre traditionelle Rolle fort, ohne an dem neuen musikalischen Leben unmittelbar beteiligt zu sein. Die kräftigste und wertvollste Pflegestätte der Musik aber wurde das bürgerliche Haus, wo die neue Klavier- und Kammermusik wie auch das Lied in allen seinen Formen ihren Platz fanden, wo eine Musikpflege im Kreise der Familie und der Freunde getrieben wurde, die es in dieser Form früher nicht gegeben hatte, wo Kinder nicht durch das Internat, sondern durch den privaten Unterricht zur Musik erzogen wurden. Hier ist letzten Endes eigentlich der Grund gelegt worden, der die ganze Musikübung des klassisch-romantischen Zeitalters getragen hat: *die Hausmusik der Liebhaber*. Ihre Bedeutung für den Fortgang der Geschichte kann nicht hoch genug eingeschätzt werden. Nach dem Fortfall der höfischen und kirchlichen Musikpflege älterer Zeit konnte nur das Interesse des einzelnen Bürgers weiterhin das Fundament der Musik bilden. Es wurde im bürgerlichen Hause gelegt und hat sich als tragfähig bis in die Gegenwart hinein erwiesen.

Mit der Entwicklung des öffentlichen Konzerts hat sich das Verhältnis zwischen dem Komponisten, dem reproduzierenden Musiker und dem Musikverbraucher grundlegend gewandelt. Auch diese Veränderungen haben sich in der letzten Phase des Barock vorbereitet (siehe Artikel ›Barock‹, Abschnitt VIII), sind aber wie das Konzert selbst erst im Zusammenhang mit der heranreifenden Klassizität zur vollen Wirkung gekommen. Im Barock hatte der Musiker in der Regel in einem festen Anstellungsverhältnis gestanden, das ihn zum Komponieren wie zum Aufführen verpflichtete. Er war Hof-, Kirchen- oder Stadtmusiker, und er hatte in der Gesellschaft, die ihn beschäftigte, seine feste Abnehmer- und Zuhörerschaft. Insoweit gab es für ihn keine Sorge um die Aufführung noch um das Verständnis seiner Werke. Der Gesellschaftskreis, der ihn umschloß und ihn ernährte, bildete mit ihm eine Einheit, und in dieser Einheit war die Musik kein beliebig wählbares Bildungsgut, sondern notwendige Funktion. Solange der Musiker selbst sich an diese Ordnung hielt und die Funktion erfüllte, die ihm aufgegeben war, konnte es weder zwischen ihm und seinen Auftraggebern noch zwischen Komponisten und Aufführenden grundsätzliche Mißverständnisse geben, weil vielfach Schaffende und Ausführende noch personengleich waren oder doch demselben fest umgrenzten und durch einheitliche Anschauungen zusammengehaltenen Kreise angehörten.

Nur langsam hatte sich in der letzten Phase des Barockzeitalters eine Klasse von mehr oder minder unabhängigen Musikern herausgebildet, die reisenden Virtuosen und diejenigen Opernkomponisten, die Aufträge annahmen, wo sie sie fanden. Aber sie bestimmten nicht das Bild. Mit der raschen Entfaltung des Konzertwesens jedoch sind diese Verhältnisse zerfallen. Am längsten hielt sich noch eine gewisse Einheit von schaffenden und ausführenden Musikern: die italienischen und deutschen Opernkomponisten, die Sinfoniker aller Schulen, die Kammermusik- und Kirchenmusik-Komponisten haben auch im klassischen Zeitalter noch vorzugsweise ihre Werke selbst aufgeführt, oder die Ausführenden gehörten einer gleichartigen Schicht an wie sie selbst. Den Berufskomponisten, der nicht reproduziert, und den ausübenden Musiker, der nicht komponiert, gibt es erst seit Beethoven, und auch dann noch lange nur als Ausnahmefall; im 19. Jahrhundert hat diese Einheit noch in den weitaus meisten Fällen fortbestanden. Sogar die reisenden Virtuosen waren (wie z. B. noch Abt Vogler und Niccolò Paganini) in der Regel die Ausführenden ihrer eigenen Werke.

Dagegen zerfiel das enge Verhältnis zur Hörerschaft. Die Tatsache, daß auch im klassischen Zeitalter die namhaften Musiker vielfach noch in festen Anstellungsverhältnissen standen, darf nicht darüber täuschen, daß dieses Verhältnis in praxi mehr und mehr in das des Mäzens zum freischaffenden Künstler hinüberwechselte. Wie im öffentlichen Konzert, so ist es bald im gesamten Verhältnis zwischen Musiker und Gesellschaft »gleichgültig, ob der Patron ein einziger vornehmer Herr oder das gemischte Publikum ist« (Allgemeine musikalische Zeitung, 1802). Der Mäzen erhält den Musiker, indem er ihn fest besoldet oder ihm Kompositionsaufträge gibt und sie honoriert; der Künstler entledigt sich dieser Aufträge zunehmend weniger im Sinne der konventionellen Formen und Zwecke, sondern indem er nach Inspiration komponiert und seinen Auftraggeber und die Hörerschaft durch Schöpfungen zunehmend individueller und origineller Art beglückt oder enttäuscht. Kritik wird laut, wie man sie in diesem Sinne früher nicht gekannt hat: Kritik, die sich nicht so sehr mit der technischen Qualität, sondern viel eher mit dem individuellen und persönlichen Charakter des Werkes befaßt. Der Fürst Esterhazy hat zeitweilig an den Sinfonien seines Kapellmeisters Haydn ebensoviel wie der Erzbischof Hieronymus Colloredo an denen seines Konzertmeisters W. A. Mozart auszusetzen gehabt; ein anderer Fürst Esterhazy tadelte die Messe, die er Beethoven in Auftrag gegeben hatte, wie Kaiser Joseph II. die Orchesterbehandlung Mozarts.

Hatte sich eine öffentliche *fachliche Kritik* schon seit den Zeitschriften J. Matthesons und J. A. Scheibes eingebürgert, so stellte sich nun mit J. Fr. Reichardt und J. A. Hiller eine neue Art hermeneutischer und oft enthusiatischer Kritik ein, die sich als Sprachrohr der öffentlichen Meinung fühlte: einerseits sollen der »gute Geschmack« und die individuelle Würde des Kunstwerks dem Publikum nahegebracht, andererseits der schaffende und nachschaffende Künstler im Interesse dessen, was der Kritiker für schönheitliche Norm hält oder was dem Publikum genehm ist, belehrt werden. Darin aber spiegelt sich nichts anderes, als daß die alte gesellschaftliche Einheit zwischen den drei Gliedern des Musikwesens zerfallen ist.

In diesem Vorgang rückt der Musiker mehr und mehr aus der relativen Geborgenheit im Kapellamt in das Scheinwerferlicht des Podiums; die Bindung an Rang und Amt tauscht er gegen das Danaergeschenk der *künstlerischen Freiheit* ein, die ihm soziale Unabhängigkeit und moralische Selbstverantwortlichkeit bringt, die ihn aber nötigt, sich täglich zu behaupten und durchzusetzen. Diese Umschichtung hat sich sehr langsam vollzogen, ist je nach Ländern, Städten, Höfen usw., vor allem je nach Persönlichkeiten ganz verschieden verlaufen, aber spürbar ist sie allenthalben. Nach der Mitte des 18.Jahrhunderts wird die strikte Bindung an das Amt und an altüberkommene Formen der Verpflichtung seltener, wird der Musiker zur gesellschaftlich gleichberechtigten und charakterlich profilierten Persönlichkeit und tritt häufig (wie etwa Wagenseil, Dittersdorf, Haydn, Beethoven zu ihren jeweiligen Mäzenen) in ein persönliches Vertrauensverhältnis zu seinem Auftraggeber.

Die häufig formell aufrechterhaltene Pflicht, seine Kompositionen für den Gebrauch seiner Kapelle zu reservieren, wird zunehmend gelockert. Die Einordnung in eine Hierarchie von Beamten oder Hofchargen weicht mehr und mehr der bürgerlichen Selbständigkeit. In L. Mozart kämpft das anerzogene Ordnungsgefühl, verstärkt durch materielle Besorgnisse, mit dem steten Aufbegehren gegen Amtsfesseln, die ihm nicht mehr angemessen scheinen. Der wenig ältere W. Fr. Bach wirft die Pflichten eines altbürgerlich-kirchlichen Amtes zugunsten seiner persönlichen Freiheit ab, der er nicht gewachsen ist. W. A. Mozart bricht entschieden mit der Gesellschaftsordnung des ancien régime (so aufgeklärt dieses auch war), wechselt in ein unabhängiges Dasein hinüber, das er durch seine Fähigkeiten gewährleistet glaubt, und erleidet endlich im bürgerlichen Sinne Schiffbruch; Mozart ist wohl auch der älteste Komponist der Geschichte, der mit mindestens einem Teil seiner Werke dem Unverständnis seiner Zeitgenossen begegnet ist. Gluck gehört zu den reisenden Kapellmeister-Komponisten und ist einer der nicht ganz wenigen dieser Art, die es durch kompositorische Leistung zur Existenz des freien Künstlers gebracht haben.

Das Modell für die ganze folgende Entwicklung hat das Leben Haydns geliefert. Haydn ist über vier Jahrzehnte hin Kapellmeister des fürstlichen Hauses Esterhazy gewesen, hat es vom amtsgebundenen Hausoffizier zum persönlich und rangmäßig hoch angesehenen »Herrn Kapellmeister« gebracht, ist von den 1780er Jahren an praktisch unabhängig gewesen, hat reisen und trotz eines mit dem Fürstenhause bestehenden Vertrages seine Werke beliebig verwenden können und hat im Alter ein vollkommen selbständiges Leben geführt; die Fürsten, denen er gedient hat, waren aus Kapellherren längst Mäzene, zeitweilig Freunde geworden. Das Ergebnis dieses Lebens hat Beethoven ererbt; ihm gegenüber fühlte sich der Wiener Adel aufgerufen, ihn auch ohne jede formale Bindung (gegen die bloße Zusicherung seines Verbleibs in Wien, als er nach Kassel zu gehen drohte) lebenslänglich zu erhalten.

In Haydns und Mozarts letzten Lebensjahren stehen auch schon die beiden entgegengesetzten Extreme der Künstlerexistenz in Modellfällen da, die sich ähnlich im romantischen Zeitalter oft wiederholen: beide leben als freie Künstler, aber der eine ist der weltgültige, allerorten anerkannte und mit selbstverständlichem Respekt behandelte Meister, um den sich Publikum und Verleger reißen und der seine Unabhängigkeit auch in wirtschaftlicher Beziehung zu wahren versteht, der andere wird nur mit Mühe verstanden, vermag sich nur schwer durchzusetzen und lebt in einem geistigen Reich, das ihn den Boden der materiellen Welt unter den Füßen verlieren läßt.

Vom Musiker her gesehen, war das freie Künstlertum das mögliche, keineswegs von allen erreichte oder auch nur erstrebte Ergebnis des Zerfalls jener alten Einheit. Vom Musikverbraucher aus gesehen, wandelten sich die Dinge im klassischen Zeitalter zunächst in dem Sinne, daß Musik nicht mehr eine Sache von Stand und Gelegenheit war, sondern ein frei zugängliches Bildungsgut wurde. Als »Liebhaber« konnte er an den zahlreichen Chorvereinigungen oder Orchestern, die sich bildeten, teilnehmen, als »Kenner«, wenn er es vermochte, im gleichen Rang mit dem Fachmusiker urteilen, als Glied eines Publikums konnte er gegen bloßes Entgelt an jeder musikalischen Darbietung passiv teilnehmen.

Die vollkommene Freiheit der Wahl, die das klassische Zeitalter auszeichnet, setzt das bildungshungrige und gebildete Publikum voraus, das die öffentlichen Konzerte, die Vereine und Gesellschaften, die entstehenden öffentlichen Musikschulen und viele andere Einrichtungen des Musiklebens trug. Sie setzt auch den freien Musikverleger voraus, der auf seine eigene Verantwortung die begehrten Musikwerke käuflich zur Verfügung hält und dem Musiker die freie Existenz garantieren hilft. Der Musiker gerät hierdurch in die Notwendigkeit, seine Werke dem Verleger anzubieten; nur wenige konnten, wie Haydn in seinen letzten Jahrzehnten und Beethoven im Jahre 1800, sich rühmen, daß ihnen ihre Werke zu jedem Preise aus den Händen gerissen würden. Damit war auch die bis heute andauernde gegenseitige Abhängigkeit von künstlerischem Schaffen und kommerzieller Verwertung gegeben, die frühere Zeiten nicht gekannt hatten. In einem Zeitalter, das kein gesetzlich festgelegtes Urheberrecht kannte (1794 bezeichnete erstmals das Preußische Landrecht den Nachdruck als Eingriff in fremdes Eigentum), entstanden hieraus zahllose Mißbräuche, die vom Raubdruck bis zur gewerbsmäßigen Fälschung reichten; Komponisten, Verleger und Publikum haben bis zu R. Strauss hin und bis zur Gegenwart immer erneute Kämpfe um angemessene Formen des Rechtsschutzes austragen müssen.

Alles in allem bestimmte das *Publikum*, d. h. die Masse der Musikliebhaber, den Markt und damit in einem nicht unbeträchtlichen Maße auch das künstlerische Schaffen. Die Glanzzeit dieses Bildungspublikums fällt eben mit den Jahrzehnten der Hochklassik zusammen. Um 1800 bereits beginnt die (seitdem stereotyp gewordene) Klage um »sinkenden Wohlstand, sinkende Kunst, brot- und geschäftslose Musiker« (Preußner, S. 93). Die Adels- und Bildungsschichten des 18.Jahrhunderts verarmten mit den napoleonischen Kriegen; gerade in Österreich schnitt eine Inflation der Währung tief in die Verhältnisse der Musiker ein. Während die Romantiker sich, fern aller Wirklichkeit, ein seliges Wolkenreich der Musik erträumten, führte mit der beginnenden Industrialisierung der Weg unbarmherzig in den Materialismus und in die moderne Massengesellschaft, die von sich aus keine Beziehung zu den Künsten hat. Die Scheidung zwischen dem Kunstverständnis gehobener Geister (das sich dann leicht zum l'art pour l'art verdünnte) und dem Banausentum der Masse (das die Scheidung zwischen »ernster« und »Unterhaltungs«-Musik nach sich gezogen hat) war da. Der harmonische Einklang zwischen höchster Kunst und reinstem Volks- und Menschentum war zersprungen, der Traum der Universalsprache ausgeträumt. Die Romantik ist das Zeitalter der inneren Widersprüche. In diesem Zeitalter, dessen erlesene Köpfe sich im Lobe des Vergangenen und Altertümlichen nicht genug tun konnten, sind die meisten gotischen Kirchen eingerissen, ist aber auch der Kölner Dom ausgebaut und vollendet worden. Die Einsicht, daß ein Zerfall zwischen den breiten Massen und der Musik zu einem Unglück für die Musik und zu einer nihilistischen Leere der industrialisierten Masse führen müsse, ist im klassischen Zeitalter in aller Klarheit errungen worden. Die Notwendigkeit, einem solchen Zerfall durch bewußte Volkserziehung entgegenzuwirken, ist schon von Pestalozzi erkannt, von Männern wie Schiller, Goethe und Wilhelm von Humboldt erwogen worden und hat von da an die einsichtigen Gehirne bis zur Gegenwart bewegt. Es ist kein Zufall, daß von den 1780er Jahren an (Denkschrift von J. A. P. Schulz ›Über den Einfluß der Musik auf die Bildung eines Volkes‹, 1790) die ernsten Bemühungen um die musikalische Volksbildung nicht abgerissen sind. Mit J. Fr. Reichardt, J. A. P. Schulz, J. A. Hiller, H. G. Nägeli, K. A. Zeller, J. N. Forkel, C. Fr. Zelter sind die großen Musikpädagogen und Musikorganisatoren auf den Plan getreten; mit Schulz und Zelter ist der Gedanke der staatlichen Musikpflege in die Geschichte eingezogen. In dem geschichtlichen Augenblick der glückhaftesten Begegnung von Musik und Volk hat die tiefste gesellschaftliche Krisis der Musik eingesetzt. Ihre Wirkungen dauern in der Gegenwart unvermindert an.

Mit der Wandlung der Standesschicht zum Publikum ergab sich, daß die Musiker ihre Werke nun nicht mehr dieser Schicht als ihr dienende Glieder präsentierten, vielmehr als autonome und selbstverantwortliche Gestalter menschheitsgültiger Ideen einer amorphen Menge gegenübertraten, die sie zu sich hinaufheben, über sich selbst hinaus steigern sollten, einem Publikum, das sie als Halbgötter im Tempel der Kunst anbeten oder sie als Narren verwerfen würde. Sein eigenes Tun zu rechtfertigen, seine eigene persönliche und künstlerische Freiheit in geistiger und materieller Hinsicht zu sichern, wird daher vom klassischen Zeitalter an zu einer unabdingbaren Forderung an den Künstler. Der »freie Künstler« (Haydn) der Klassik muß das Danaergeschenk der Freiheit verteidigen; der »gebundene Diener« (Haydn) älterer musikalischgesellschaftlicher Ordnung war nie vor diese Notwendigkeit gestellt worden. Die neue Situation hat Haydn mit seinem unbestechlich nüchternen Scharfsinn schon 1778 in die Worte gefaßt: »Die freien Künste und die so schöne Wissenschaft der Komposition dulden keine Handwerksfesseln. Frei muß das Gemüt und die Seele sein, wenn man denen Witwen dienen und sich Verdienste sammeln will.« Das ist nicht nur die eklatante Absage an alles musikalische Zunft- und Amtswesen alten Schlages. Der Satz enthält auch, ganz wörtlich genommen, die Rechtfertigung des eigenen Tuns. Der Künstler, der frei sein will, muß sich »Verdienste sammeln«, was nicht nur Ehren und Auszeichnungen, sondern auch Geldverdienst bedeutet; niemand hat damals die Wechselbeziehung zwischen wirtschaftlicher und künstlerischer Unabhängigkeit so klar erkannt und so klug zu nutzen gewußt wie Haydn. Das ist die materielle Rechtfertigung. Die moralische liegt in den Worten »denen Witwen dienen«. Denn der Gesellschaft, die ihn trägt und aus der er sich als Individuum gelöst hat, dankt der Künstler die Freiheit, indem er sich ihr freiwillig in sozialer Hilfsbereitschaft wieder eingliedert. Haydn hat dafür die leuchtenden Beispiele gegeben, indem er seine Werke nicht als geistige Güter, sondern auch als Quelle der Wohltätigkeit einer Menschheit zur Verfügung gestellt hat. Die Äußerung Haydns, die Georg August Griesinger 1810 kurz nach dem Tode des Meisters veröffentlicht hat: »Es geschieht nicht aus Eitelkeit, aber die Welt darf wohl wissen, daß ich kein unnützes Mitglied der Gesellschaft gewesen sei und daß man durch die Musik auch Gutes stiften könne«, geht in ihrer Bedeutung weit über den Charakterzug hinaus, den sie zu Haydns Bild beiträgt: sie umreißt im Grunde das ganze Problem der freien Künstlerexistenz des Musikers im klassischen Zeitalter.

In keiner anderen Musikerpersönlichkeit hat sich die ursprüngliche Einheit von schöpferischer Leistung, klassischer Kunstgesinnung und gesellschaftlicher Lebensform mit so vollendeter Klarheit manifestiert wie in Haydn. Er hat die Technik der Komposi-

tion zur letzten Reife des Klassischen entwickelt, die überzeugend-
sten Beispiele für den Einklang von höchster Kunst und höchster
Volkstümlichkeit gegeben, und er hat in seiner schlichten Person
die weltumspannende Menschlichkeit der Musik auf das reinste
verkörpert. Die kleineren Zeitgenossen stehen schon qualitativ zu
weit hinter ihm zurück, um einen Vergleich zuzulassen. Mozarts
Klassizität ist in seinen reifsten Werken schon von den Schatten
der Romantik umdüstert. Beethoven umgreift nach Werk und
Persönlichkeit den klassischen wie den romantischen Bereich.
Wenn es eine reine »Klassik« der Musik gibt, so ist es Joseph
Haydn, in dessen geschichtlicher Erscheinung sie vollkommene
Wirklichkeit geworden ist.

FRIEDRICH BLUME
Romantik

I. Die Anfänge der Romantik in der Musik

Die Wörter »romantisch« und »Romantik«, ursprünglich aus der
Literatur des 18. Jahrhunderts stammend, gehören seit dem Beginn
des 19. Jahrhunderts zum alltäglichen Wortschatz der Musik, ohne
jemals eine ganz fest umrissene Bedeutung angenommen zu haben.
Auch in der Musikgeschichtsschreibung haben sie sich fest eingebürgert, so vage ihr Gebrauch vom Anfang an bis zur Gegenwart
geblieben ist und so sehr zu bezweifeln ist, ob mit ihnen eigentlich
ein Stil, eine Technik, ein Formenkanon oder nur eine allgemeine
künstlerische Anschauungsweise, eine geistige Haltung bezeichnet
wird. Gewiß scheint, daß sie zur Abgrenzung einer geschichtlichen
Epoche ungeeignet sind.
    Das Adjektiv »romantisch« ist in der Literatur des 18. Jahrhun-
derts im Sinne von »romanhaft«, »erzählend« verwendet worden.
Das Substantiv »Romantik« soll (nach Paul Kluckhohn, Das
Ideengut der deutschen Romantik, Halle 1942) zuerst bei Novalis
vorkommen. Auch in der Musik scheint die adjektivische Form
die früher gebrauchte zu sein, und noch auf lange Zeit hinaus
spricht man lieber vom »Romantischen« als von der »Romantik«.
Die Substantive »Romantik« und »Romantiker« sind auf musikalischem Gebiet erst seit E. T. A. Hoffmann allgemein gebräuchlich
geworden.
    Ungewiß ist, wann man angefangen hat, das Adjektiv mit Gat-
tungs- oder Werktiteln im Sinne einer *charakterisierenden Kennzeichnung* zu verbinden. Da es, mindestens zunächst, nicht den
Sinn eines bestimmten Stils oder einer bestimmten Richtung hat,
wird das auch schwer zu ermitteln sein. Begriffe wie »romantische
Oper«, »romantisches Lied«, »romantisches Klavierstück« und
dergleichen entstammen erst dem späteren 19. Jahrhundert und
sind als zusammenfassende historische Gruppen erst von der neueren Musikgeschichtsschreibung eingeführt worden. In der Frühzeit ist das Adjektiv mehr gelegentlich gebraucht worden, um damit etwas über den Inhalt oder den Charakter eines einzelnen
Dicht- oder Musikwerks anzudeuten. Friedrich Schiller hat seine

›Jungfrau von Orléans‹ (1802) eine »romantische Tragödie«, Carl Maria von Weber seinen ›Freischütz‹ (1821) eine »romantische Oper« genannt. In ähnlichem Sinne bezeichnet etwa Schiller in einem Brief an Johann Wolfgang von Goethe (28.Juni 1796) ›Wilhelm Meisters Lehrjahre‹ als romantisch, und zwar im Hinblick auf die seltsamen Begebenheiten und auf Gestalten wie Mignon und den Harfner.

Zu dem hier vorwaltenden Grundton des Wortes im Sinne des Ungewöhnlichen, Anziehenden haben sich frühzeitig Nebentöne eingestellt: das Ritterliche, das Altertümliche, das Ursprünglich-Naive und Volkshafte, das Ferne und Märchenhafte, das Seltsame und Überraschende, bald auch das Nächtige, das Gespenstische, das Grausige und Furchtbare sind Gefühls- und Vorstellungsinhalte, die sich gern mit dem Begriff des Romantischen verbinden, ohne doch notwendigerweise immer vollständig oder zum überwiegenden Teil darin enthalten sein zu müssen. Gerade das macht »das Romantische« so schwer faßbar, daß bald der eine, bald der andere Zug überwiegt und es zur Erfüllung des Begriffs durchaus genügt, wenn nur einer oder wenige dieser Inhalte vorhanden sind. Im bloßen Sinne des »Seltsamen und Überraschenden« nennt Schiller (Brief vom 26.Juni 1797) einen Entwurf Goethes zu einem epischen Jagdgedicht »romantisch«.

Um jene Jahre jedenfalls war die Auseinandersetzung darüber, was eigentlich das »Romantische« sei, bereits in vollem Gang, noch ehe es zu Versuchen einer begrifflichen Scheidung des »Klassischen« vom »Romantischen« kam. Der Briefwechsel Goethe-Schiller läßt an vielen Stellen spüren, wie sehr damals das Problem der aufkommenden Romantik in der Luft lag, wenn auch der Begriff selbst und seine Antinomie zum Klassischen noch kaum je bei Namen genannt werden. In eben derselben Zeit aber ist das Wort auch schon im musikalischen Sinne aufgekommen. Es ist bezeichnend, daß das ›Handwörterbuch‹ von Heinrich Christoph Koch (1807) bereits einen kleinen Artikel ›Romantisch‹ enthält, während in seinem ›Lexikon‹ (1802) das Schlagwort noch fehlt.

In dem Jahrzehnt zwischen 1790 und 1800 ist sowohl für die Literatur wie für die Musik die Frage des Romantischen zahlreiche Male erörtert worden, und um 1800 waren deutsche Dichtung und Musik durchtränkt mit romantischen Ideen. Friedrich Schlegel ließ 1799 seine ›Lucinde‹ erscheinen und begann von etwa 1800 an mit der Abfassung seiner für die ganze romantische Kunstanschauung grundlegend wichtigen ›Fragmente‹. Ludwig Tieck gab 1797 Wilhelm Heinrich Wackenroders ›Herzensergießungen eines kunstliebenden Klosterbruders‹ (die auch ›Das merkwürdige musikalische Leben des Tonkünstlers Joseph Berglinger‹ enthalten), ein Büchlein, das wie wenige andere den Gedanken- und Sprachschatz der Romantik beflügelt und emporgerissen

hat, und 1799 Wackenroders ›Phantasien über die Kunst‹ (mit
dem musikallegorischen ›Morgenländischen Märchen von einem
nackten Heiligen‹) heraus. Beide Freunde hatten zusammen in
Nürnberg den Traum der »altdeutschen Kunst« geträumt. Die
Schriften Wackenroders brachten in den Bestand der romantischen
Kunstideen die religiöse Note ein und versuchten, wie Goethe
(›Annalen‹, 1802) mißbilligend (und mißverstehend) aussprach,
»die Frömmigkeit als alleiniges Fundament« der Kunst zu setzen.
Tieck selbst ließ von 1797 an in rascher Folge seinen ›Gestiefelten
Kater‹, ›Sternbald‹, ›Musikalische Leiden und Freuden‹ und
›Phantasus‹ erscheinen, alle in stärkerem oder geringerem Grade
von dem romantischen Gedanken der engen Verflechtung, ja Ein-
heit der Künste und von der Überzeugung eines Vorrangs der
Musik durchdrungen.

Nach Sprache, Gedanken und Bildern wurde Novalis mit seinen
Gedichten (einige der ›Hymnen an die Nacht‹ komponierte Franz
Schubert) und mit dem Romanfragment ›Heinrich von Ofterdin-
gen‹ (1802) zur führenden Gestalt unter den jungen Romantikern;
sein Mystizismus, seine Hinneigung zur Auflösung des Realen und
Menschlichen in das Irreale und Kosmische brachten den enthusia-
stischen Ton des Transzendenten in die Dichtung ein. Musik steigt
zum höchsten Rang im Kreise der Künste auf. In ihr wird das
Unsagbare zur Sprache. Sie vollendet, wo die Mittel der bildenden
und redenden Künste an ihre Grenze stoßen.

Aus solchen Bemühungen und Anschauungen kommt es, teils
noch in den beiden letzten Jahrzehnten des 18.Jahrhunderts, teils
in den beiden ersten Jahrzehnten des 19.Jahrhunderts zu einer ganzen Literatur, die auf der Grenze zwischen den Künsten steht, die
so gut die eine wie die andere angeht und die, was die Musik betrifft, nur zu einem kleinen Teil fachlich ausgebildete Musiker, zum
größeren Teil Liebhaber, Dichter, Ärzte oder Philosophen zu Ver-
fassern hat. Schon Johann Jakob Engels Schrift ›Über die musikalische Malerei‹ (1780) gehört in diesen Zusammenhang. Romantische Selbstbespiegelung und Selbstbemitleidung sind schon voll
ausgeprägt in den ›Blicken eines Tonkünstlers in die Musik der
Geister‹ (1787) von Friedrich von Dalberg, von dem im übrigen
›Vom Erfinden und Bilden‹ und ›Grundsätze der Ästhetik‹ (beide
1791) bemerkenswert sind. Wilhelm Heinses ›Ardinghello‹ (1787)
ist mehr den bildenden Künsten und Fragen der allgemeinen
Kunstanschauung gewidmet, während in ›Hildegard von Hohen-
thal‹ (1795/96) vornehmlich Fragen der Musik in einem vor- oder
frühromantischen Sinne, z. T. aber auch noch unter aufklärerischen
Fragestellungen behandelt werden.

Den stärksten Einfluß auf die gesamte romantische Bewegung,
und zwar von ihren Anfängen an bis tief ins spätere 19.Jahrhun-
dert, ganz besonders auf ihre Musikanschauung, haben Jean Pauls

Romane, Erzählungen und ästhetische Schriften ausgeübt (u. a. ›Hesperus‹, 1795; ›Titan‹, 1800–1803; ganz besonders ›Flegeljahre‹, 1804/05; ›Vorschule der Ästhetik‹, 1804). Sie sind durchtränkt mit Musik und übertreffen in ihrem schwärmerischen Enthusiasmus, ihrer hochgesteigerten Gefühlsseligkeit alles, was von anderen romantischen Schriftstellern über Musik gesagt worden ist.

Was sich bei Jean Paul u. a. auf dem schwankenden Boden dilettierender Unverbindlichkeit oder poetisierender Ekstase bewegt, das findet seine scharfsinnige, kritisch-kennerhafte, dabei aber dichterisch gestaltete und verklärte Zusammenfassung in den Schriften E. T. A. Hoffmanns, dem Juristen, der Dichter, Zeichner, Komponist und Kapellmeister in einer Person war (beginnend mit ›Ritter Gluck‹, 1809, und von da an in rascher Folge; die ›Kreisleriana‹, Musikberichte, Rezensionen usw. ziehen sich von 1810 an über ein Jahrzehnt hin, vieles davon ist später in ›Serapionsbrüder‹ aufgegangen; zu den letzten Schriften, die etwas mit Musik zu tun haben oder speziell musikalischen Inhalts sind, gehören die ›Lebensansichten des Katers Murr nebst fragmentarischer Biographie des Kapellmeisters Kreisler‹, selbst ein Fragment, 1819–1822, und die bedeutenden ›Nachträglichen Bemerkungen über Spontinis Oper ‚Olympia'‹, 1821). Enttäuschen auch Hoffmanns eigene Kompositionen die Erwartungen, die von seinen ästhetischen Ansichten her an sie zu stellen wären (ähnlich wie etwa Bettina von Armins einziges Gedicht den Leser ihrer Schwarmschriften), so ist es doch unzweifelhaft E. T. A. Hoffmann gewesen, der den Musikbegriff der Romantik für Deutschland und von da aus auch für Frankreich geprüft und der das romantische musikalische Denken und Empfinden für ein Jahrhundert entscheidend beeinflußt hat. So überspitzt und phantastisch, so tränenselig und sarkastisch, so weltflüchtig und so derb, so echt hingebungsvoll und so gespielt ironisch er sich auch geben mag, in seinen Schriften kommt mit aller Prägnanz zum Ausdruck, was das Wesen der romantischen Bewegung in der Musik ausmacht.

Gibt es neben Jean Paul und E. T. A. Hoffmann noch einen dritten, viel gelesenen Schriftsteller, der dazu beigetragen hat, Vorstellungswelt und Begriffssprache der musikalischen Romantik zu gestalten, so ist es der Musiker Christian Friedrich Daniel Schubart, dessen ›Ideen zu einer Ästhetik der Tonkunst‹ (1806), erst fünfzehn Jahre nach dem Tode ihres Verfassers von seinem Sohn herausgegeben, in nuce schon die gesamte romantische Musikanschauung enthalten und die sowohl auf Jean Paul wie auf E. T. A. Hoffmann von stärkstem Einfluß gewesen sind.

Das Schrifttum erweist unwiderleglich, daß die *musikalische Romantik* nicht, wie oft angegeben, erst zwischen 1810 und 1820, sondern *gleichzeitig mit der literarischen Romantik* ein bis zwei

Jahrzehnte vor der Jahrhundertwende begonnen hat. Alle ihre entscheidenden Ideen sind im 18.Jahrhundert geprägt und in den folgenden Jahrzehnten nur vertieft und verbreitert worden. E.T.A. Hoffmann ist kein Anfang, sondern in gewissem Sinne ein Ende, wenn man die erste Periode der Bewegung ins Auge faßt. Aber auch das musikalische Schaffen im Geiste dieser romantischen Ideen hat zu derselben Zeit begonnen. Romantische Züge blitzen auf in Johann Schoberts Klaviersonaten (um 1760). Bei deutschen wie bei französischen Komponisten begegnen häufig Satzüberschriften, die sich an das aufkommende romantische Vokabular anlehnen, wie »empfindungsvoll«, »leidenschaftlich«, »erregt« und ähnlich.

Musterstücke romantischer, fast hoffmannesker Phantastik sind Carl Philipp Emanuel Bachs späte Klavierwerke (›Sonaten und freie Fantasien‹, 1783–1787). Die ihnen zugrundeliegenden improvisierten Fantasien müssen es in noch höherem Grade gewesen sein, aber auch in den niedergeschriebenen und gedruckten Fassungen enthalten sie überraschend »unklassische« Musik von großzügig-improvisatorischer Freiheit der Satzgestaltung und von überquellendem Ausdruck inniger Empfindens. Sie mit dem literarischen Sturm und Drang vergleichen, hieße sie unterschätzen; eher muß man sie als nächstverwandte Vorläufer des frühen Beethoven verstehen.

C.Ph.E. Bach selbst gebraucht das Wort »romantisch« in seinem Lehrbuch (dessen zwei Teile freilich auch schon in die Jahre 1753 und 1762 fallen) noch nicht. Es war ebenso wie das Wort »klassisch« in der Musik noch nicht üblich. Kommt eines dieser Wörter in so früher Zeit vor, so bleibt die Bedeutung fraglich wie in der Sammlung ›Tonstücke für das Clavier von Herrn C.Ph.E.Bach und einigen anderen klassischen Musikern‹, Berlin 1762), wo das Wort »klassisch« doch wohl nicht mehr besagen will als »mustergütig«, »anziehend«, »reizvoll« und somit letzten Endes fast dasselbe wie »romantisch«.

Das Werk Wolfgang Amadeus Mozarts, neben demjenigen Joseph Haydns gewiß der Inbegriff des »Klassischen« in der Musik, hat doch späterhin, ohne je diese Grundhaltung aufzugeben, in zunehmendem Maße die Reizwirkungen düsterer Farben, plötzlicher Gefühlsschwankungen, überraschender Eintrübungen und Aufhellungen, beseligender Klangsinnlichkeit und zwielichtiger Ironie aufgenommen und sich damit, in der Oper wie in der Instrumentalmusik, romantischen Bedürfnissen so stark angenähert, daß die Romantiker es ohne viel Besinnen romantisch deuten konnten. So wurde Mozart bei Tieck und E.T.A. Hoffmann zum Romantiker par excellence. Mozart-Panegyriker wie Jean Paul und Hoffmann sind gewiß vielfach über das Ziel hinausgeschossen und haben dadurch ihrerseits wieder zu dem Mißverständnis Mozarts im 19.Jahrhundert beigetragen. Dennoch beweist ihr Zeugnis die unreflektiert erkannte Seelenverwandtschaft, und so viel Verfärbung, Übertreibung und Schwärmerei auch im romantischen Mozartbilde stecken mag, so ist doch nicht zu übersehen, daß es ohne den Grund des in Mozarts Spätwerk tatsächlich vorhandenen romantischen Einschlags nicht zustande gekommen wäre.

Man wird die *romantische Atmosphäre*, die sich in der Musik schon in den 1770er und 1780er Jahren ausbreitete, nicht unterschätzen dürfen, andererseits in Rechnung stellen müssen, daß an romantisierenden Phänomenen in der Musik jener Jahrzehnte auch andere Antriebe ursächlich beteiligt sein können. Daß Mozarts Sinfonie g-Moll KV 183 (KV[6]: 173 d B) nicht auf schlechthin romantisierendem individuellen Ausdrucksbedürfnis beruht, sondern auf einen ganzen Stammbaum zurückgeht, hat H. C. Robbins Landon (La crise romantique dans la musique autrichienne vers 1770, in Colloques Mozart – Paris 1956, Paris 1958) gezeigt. Auf ähnliche Frühromantizismen in der französischen Instrumentalmusik weist Barry S. Brook hin (Simon Le Duc, in Musical Quarterly 48, 1962, 498–513). In demselben Zusammenhang sind wohl auch schon Haydns experimentelle Sinfonien Nr. 39, 44–46, 49 und 52 (1768–1772) zu sehen. Bei ihnen liegt es vielleicht näher, die Parallele zum literarischen Sturm und Drang zu ziehen, als bei C. Ph. E. Bach, weil sie in Haydns Werk eine isolierte Gruppe bilden und von ihnen kein ersichtlicher Weg zur Romantik führt. Wenn eine solche Auffassung zutrifft, so berechtigt sie jedoch nicht dazu, einen Trennungsstrich zwischen solchen frühen Erscheinungen und der Romantik zu ziehen. Eher handelt es sich um ein Intermezzo im Gang der Entwicklung zur klassischen Musiksprache, das neben und unter der hochklassischen Phase weitergewirkt und schließlich in eine Art spezifisch romantischer Musiksprache gemündet hat (vergleiche Artikel ›Klassik‹, Abschnitt V). Nach Tonartenwahl, rhythmischer Erregtheit, gespannter Motivbildung, Vorliebe für Unisoni und harmonischen Rückungen nehmen diese Sinfonien Haydns um 1770 (aus welchem Grunde auch immer sie so gestaltet sein mögen) vieles vorweg, was dann bei Beethoven wieder anklingt.

Die Zusammenhänge zwischen diesen »frühromantischen« Erscheinungen im musikalischen Schaffen untereinander wie zwischen ihnen und der entstehenden klassischen Musiksprache sind noch kaum erforscht. Wichtig ist jedoch festzuhalten, daß es neben der Hochklassik und trotz ihrer im musikalischen ebenso wie im gleichzeitigen literarischen Schaffen eine solche *Frühphase der romantischen Richtung*, etwa von den 1770er Jahren an, wenn auch vielleicht nur in vereinzelten Erscheinungen, gegeben hat, noch bevor nach der Jahrhundertwende die romantische Bewegung ihren Höhepunkt erreichte. Selbst Haydns Spätwerk steckt voll von Romantizismen, so die Streichquartette seit op. 64 (1790; Hoboken III: 63–68), die ›Schöpfung‹ (1798) und die ›Jahreszeiten‹ (1801). Die Oratorien verdanken ihren durchschlagenden und anhaltenden Erfolg neben ihrer naturreligiösen Grundhaltung und ihrer weltbürgerlichen Sprache nicht zuletzt ihren volkstümlich-anheimelnden und ihren stimmungshaft-schildernden Einschlägen. Goethe hat einmal die Orchester-Vorspiele der ›Schöpfung‹ besonders gelobt, von seinem Standpunkt aus eigentlich eine Inkonsequenz, während Schiller dasselbe Werk als »charakterlosen Mischmasch« kritisiert hat, ein ungewolltes Zeugnis für seine romantischen Züge. Dem geradlinigen und erdenfesten Haydn lagen romantische Verdüsterung oder Gefühlsschwelgerei, Hintergründigkeit oder Ironie weit ferner als Mozart. Das mag erklären, warum sich die Romantizismen bei ihm mehr vereinzelt als Reizwirkungen finden, während das Spätwerk Mozarts in einer viel tieferen Schicht romantisch durchglüht ist. Immerhin ist ein Satz Haydns wie das Adagio E-Dur aus dem Streichquartett op. 74, Nr. 3, (Hoboken III: 74) um nichts weniger romantisch als die Adagiosätze früher Klaviersonaten von Beethoven und um vieles mehr romantisch als die langsamen Sätze in Schuberts frühen Sinfonien. Klassisches und Romantisches sind eben in Haydns und Mozarts Werk untrennbar ineinander verwoben, bevor Beethovens Schaffen den Gegensatz und die Einheit beider offenbarte und damit die Antinomie des Klassischen zum Romantischen gewissermaßen zur Entscheidung stellte. Aber Klassisches und Romantisches blieben auch weiterhin miteinander verschmolzen.

Es waren nicht nur die großen Meister, in denen die Quellen romantischen Fühlens aufbrachen, vielmehr waren auch die mittleren und kleineren beteiligt. Doch ist die Kenntnis auf diesem Gebiet noch immer recht mangelhaft. Kein Zweifel besteht, daß viele von Muzio Clementis Klaviersonaten, Caprices und Préludes aus den 1780er und 1790er Jahren, Johann Baptist Cramers Konzerte und andere Klavierwerke um 1800–1810 (das Klavier ist um diese Zeit schlechthin das romantische Instrument geworden), Johann Ludwig Dusseks Klavier- und Kammermusikwerke um 1800 mitunter eine unmißverständlich romantische, häufig eine mindestens romantisierende Tonsprache reden, und zwar ebenso wie die Kompositionen der großen Meister, nämlich ohne das klassische Grundgefühl aufzugeben. Ähnliches gilt für manchen kleineren Komponisten wie etwa Prinz Louis Ferdinand von Preußen, Daniel Gottlieb Steibelt, Karl Czerny, Johann Nepomuk Hummel, Ferdinand Ries u. a. Ernst Bückens Einwand (in: Die Musik des 19. Jahrhunderts bis zur Moderne, 1929, S. 21 und passim), es handle sich bei diesen und sonstigen Komponisten der Zeit vor und um Beethoven noch nicht um echte romantische Musik, sondern nur um gelegentliche romantische Einfälle, schlägt nicht durch, weil sich dasselbe in zahlreichen Fällen auch von den im engeren Sinne romantischen Komponisten (von Franz Schubert an bis zu Felix Mendelssohn, August Eduard Grell, Joseph Gabriel Rheinberger u. a. hin) sagen läßt.

Wie viel von der Musik des 19.Jahrhunderts (selbst wenn man nur die deutsche ins Auge faßt) ist wirklich »romantisch«? So wenig im 17.Jahrhundert jeder Sakral- oder Profanbau, jede Messe oder Motette »barock«, so wenig ist im 19.Jahrhundert jedes Gedicht oder jede Sinfonie, jedes Schauspiel oder jede Oper im vollen Sinne »romantisch«. Romantisch ist kein definierbarer Stil, sondern eine geistige Haltung. Das Jahrhundert hat ausgesprochen aromantische, ja antiromantische Geister hervorgebracht wie Heinrich Heine oder Ludwig Börne, unter den Musikschriftstellern so verschiedenartige Köpfe wie Anton Friedrich Justus Thibaut, François-Joseph Fétis, Otto Jahn, in gewissem Sinne auch August Wilhelm Ambros und Eduard Hanslick, unter den Komponisten etwa Sigismund Thalberg und Gioacchino Rossini, Jacques Offenbach und Arthur Sullivan.

Freilich wird damit (und das gilt von den Anfängen der Romantik an bis in ihre späteste Zeit hinein) alsbald die Frage angerührt, ob dieses Bild nicht verzerrt und die Ursache der Verzerrung nicht darin zu suchen ist, daß der zugrunde gelegte Begriff des Romantischen zu eng gefaßt ist. Wenn aber der Begriff so erweitert wird, daß in ihm alle die zahlreichen Gegen- und Unterströmungen, die klassizistischen und historizistischen, die unterhaltenden und oberflächlich-brillanten, die realistisch-naturalistischen und die pathetisch-monumentalisierenden und viele andere ihren Platz finden sollen, so wird der Begriff überdehnt und noch unschärfer, als er es von Hause aus schon ist. Es ist eine Frage der *Begriffs-abgrenzung*, inwieweit das 19.Jahrhundert als »romantisch« bezeichnet werden kann, wenn man nicht so weit gehen will, wie es in der Praxis der Musikgeschichtsschreibung oft genug geschieht, nämlich daß man das Wort »Romantik« zur Benennung des ganzen Zeitalters benutzt, ohne viel danach zu fragen, wieweit sich Name und Inhalt decken.

Die romantischen Musiker selbst jedenfalls haben sich keineswegs als eine streng geschlossene und historisch abgegrenzte Gruppe mit gemeinsamen Zielen im Gegensatz zu anderen verstanden (wie es etwa die Musiker der Renaissance getan hatten). E. T. A. Hoffmann rechnet unbefangen Ludwig van Beethoven so gut zu den Romantikern wie Wolfgang Amadeus Mozart, Joseph Haydn, Christoph Willibald Gluck, aber auch Johann Sebastian Bach und (mit Einschränkung) Georg Friedrich Händel. Er beweist damit, daß für ihn, der ja selbst Musiker war und das musikalische Handwerk von Grund aus verstand, das Romantische nicht so sehr eine Sache des Stils oder der Formen als vielmehr des Gehalts und eines den musikalischen Formen mehr oder minder supponierten Gefühls war.

In der Tat zeigen, unberührt von allen ästhetischen Streitfragen, unberührt vom Problem des Klassischen und Romantischen, die Lehrwerke an, wie solid das gemeinsame Fundament war, auf dem die Komposition ruhte. H. Chr. Kochs ›Versuch einer Anleitung zur Komposition‹ (1782–1893), den Beethoven gekannt hat, Jérôme-Joseph de Momignys ›Cours complet d'harmonie et de composition‹ (1803–1806), Anton Reichas ›Philosophisch-practische Anmerkungen‹ (um 1803) und ›Cours de composition musicale‹ (1816), Jacob Gottfried Webers ›Versuch einer geordneten Theorie der Tonsetzkunst‹ (1817–1821), Johann Bernhard Logiers ›System der Musikwissenschaft und der praktischen Komposition‹ (1827) legen wie später die vierbändige und unendlich oft aufgelegte, noch von Hugo Riemann neu bearbeitete ›Lehre von der musikalischen Komposition‹ von Adolf Bernhard Marx (1837 bis 1847), Johann Christian Lobes vierbändiges ›Lehrbuch der musikalischen Komposition‹ (1850–1867) und Simon Sechters dreibändige ›Grundsätze der musikalischen Composition‹ (1853/54), an denen noch Anton Bruckner studiert hat, Zeugnis dafür ab, daß vor dem Gericht des sauberen Handwerks schwärmerische Gefühle und ästhetische Richtungen wenig galten. Ob Früh- oder Neuromantiker, ob Wagnerianer oder Brahmsianer, ob Deutscher, Tscheche oder Schwede: die Handwerkslehre galt für alle gleich. Sie ist die starke Klammer, die das musikalische Schaffen des Zeitalters trotz aller seiner tief klaffenden Widersprüche und seiner weit divergierenden Tendenzen bis in das 20. Jahrhundert hinein zusammengehalten hat. In ihr sind Klassik und Romantik Eins.

II. Romantik und Klassik. Der romantische Musikbegriff (vergleiche auch Artikel ›Klassik‹, Abschnitt II)

Wenn Goethe im Gespräch mit Heinrich Voss (26. Januar 1804) »den Unterschied, der jetzt gang und gebe ist, zwischen Romantischem und Klassischem« verwarf und meinte, »alles, was vortrefflich sei, sei eo ipso klassisch« (ähnlich zu Johann Peter Eckermann noch am 17. Oktober 1828), so geht daraus hervor, daß trotz der vorausgegangenen Debatten mit Schiller und mit den Schlegels die beiden Wörter noch nicht mit dem scharf gegensätzlichen Sinn belastet sind, den sie später annehmen; eher möchte hier Goethe »einen Unterschied zwischen Plastischem und Romantischem gelten lassen«. Ein andermal (Gespräch mit Friedrich Wilhelm Riemer, 28. August 1808) sucht er die Romantik aus dem

315

Gegensatz zur Antike zu bestimmen; behandelt diese ein »Reales«, so jene ein Phantastisch-Scheinhaftes; es ist »täuschend wie das Bild einer Zauberlaterne«; der »Anstrich« des Wunderbaren, des Sinnlichen, Ungebundenen wird erkannt. Als der Baron Oliva Musik von Beethoven vorgespielt hatte, kam es (4. Mai 1811) zu dem berühmten Gespräch mit Sulpiz Boisserée über die allegorischen Darstellungen von Pilipp Otto Runge, »schön und toll . . ., ganz wie die Beethovensche Musik, die der da spielt, wie unsere ganze Zeit«. Bezeichnend, wie auch bei Goethe, sobald von Romantik die Rede ist, die Musik ganz von selbst in Beziehung zu den anderen Künsten gesetzt wird. Dasselbe Gespräch mit Boisserée geht weiter »über das neue phantastische Wesen, über die alles zersprengende, ins Unendliche sich verlierende Sehnsucht und Unruhe in der Musik, in diesen malerischen Versuchen, in der Philosophie und in allem«. *Unruhe und Sehnsucht*, darin sieht auch Goethe *die Triebkräfte des Romantischen*. Novalis und Friedrich Wilhelm Schelling werden erwähnt; der 62jährige Goethe sieht »die Welt vermodern und in die Elemente zurückkehren«. Treffsicher wie immer registriert er Grundzüge der neuen Richtung. »Bei vielem Verdienst und Vorzug große Verderbtheit« wirft er in einem anderen Gespräch mit Boisserée (11. September 1815) der romantischen Richtung vor. Über seinen eigenen Anteil an der Auseinandersetzung zwischen dem Klassischen und Romantischen, sein »objektives Verfahren« gegenüber dem »subjektiven« Schillers, der ihm in dem Aufsatz ›Über naive und sentimentalische Dichtung‹ nachgewiesen hat, daß er selbst »wider Willen romantisch sei«, und wie es nach den Schlegelschen Polemiken dann zu dem weltweiten Streit um »Klassizismus und Romantizismus« gekommen sei, »woran vor fünfzig Jahren niemand dachte«, darüber hat sich Goethe im höchsten Alter (21. März 1830) gegenüber Eckermann ausgesprochen. Wenig früher (16. Dezember 1829) hat er noch einmal ausdrücklich bezeugt, daß das Klassische und das Romantische für ihn keine unversöhnlichen Gegensätze bedeutet haben, ja, im Grunde eine Einheit bilden, indem er die beiden »Dichtungsformen« (im Helena-Akt von ›Faust II‹) aus ihrem Gegensatz »wie auf einem ansteigenden Terrain« zu »einer Art von Ausgleichung« geführt habe. Einmal auch fällt im Unmut das scharfe Wort: »Das Klassische nenne ich das Gesunde und das Romantische das Kranke« (zu Eckermann, 2. April und ähnlich 5. April 1829); aber auch damit hat Goethe ja zweifellos an eine wirklich im romantischen Wesen vorhandene Seite gerührt.

Hat Goethe in drei bis vier Jahrzehnten immer von neuem versucht, Klarheit über *das Wesen des Klassischen und Romantischen*, über ihren Gegensatz oder ihre Einheit zu gewinnen, so stand ihm in denselben Jahrzehnten eine jüngere Generation gegenüber, der es nicht um begriffliche Klärung, sondern um die Verteidigung eines Programms ging. Erst bei ihr fangen die beiden Begriffe an, als Urgegensätze zu erscheinen, erst bei ihr kommt das Klassische in den Verdacht, das Veraltete, das Zopfige und Nüchterne, das Aufgeklärte gegenüber dem in freier Phantasie schwebenden romantischen Geist zu sein. Goethes nüchterner Klarheit und zuchtvollem Urteil setzte Jean Paul, nur vierzehn Jahre jünger als Goethe, den reinen Romantizismus, die rauschhafte Hingabe und die sinnlich-gefühlshafte Schwärmerei entgegen. Wo er gegen Kunstauffassungen polemisiert, die der seinigen entgegenstehen, da sind es solche, die dem Arsenal des Rationalismus entstammen. Sein Lebenswerk kreist großenteils um Musik, und von ihm aus ist das, was Goethe die »Auflösung ins Elementarische« nannte, zum Wunschbild und Schicksal der Musik geworden.

Kaum jemand sonst, es sei denn E. T. A. Hoffmann, hat zur Herausbildung des *romantischen Musikbegriffs* so entscheidend beigetragen und kein anderer Dichter hat bis zu Schumann und zum jungen Brahms hin einen so tiefen Einfluß auf die Musiker und ihr Schaffen ausgeübt wie Jean Paul. Musik hat nun gar keine andere Aufgabe mehr, als die Innerlichkeit des Menschen auszudrücken, dem Unaussprechlichen Sprache zu leihen. Nur dies eine ist Aufgabe des Schaffenden, aber dieser einen Aufgabe ist er in so hohem Maße verpflichtet, daß er sich selbst aufzuopfern, seine Persönlichkeit im Werk auszulöschen hat (wie es Wackenroders Berglinger geschieht). Der Künstler spricht nicht aus sich selbst; ein Höheres, Jenseitiges, Universales spricht durch ihn und aus ihm; er ist Sprachrohr der »Weltseele« (Novalis). Das Kunstwerk löst sich in reine Subjektivität auf und folgt jeder zarten oder wilden Regung des Herzens bis hin zum Weichlichen, zum Tränenseligen und Krankhaften, bis zum Maßlosen, Brutalen, ja, bis zum Wahnsinn. Dem entspricht es, daß Jean Paul wie alle späteren Romantiker mindestens theoretisch die volle Unterordnung der Form unter den Inhalt, ja, die Vernichtung der Form durch die feurige Lava des Gemütsausbruchs fordert. Das romantische *Form-Inhalts-Problem* der Musik geht im Grunde auf Jean Paul zurück, den man insofern den großen Gegenspieler Goethes in allen die Musikästhetik betreffenden Fragen nennen kann.

Mit Jean Paul beginnt auch die Romantisierung Haydns und Mozarts, sei es indem man ihre Musik in das Pathos einer überspannten Dramatik und Leidenschaftlichkeit mißdeutet, sei es indem man ihr gelassenes Maß zu femininer Schwächlichkeit abwertet. Jede Bemühung um ein dialektisch abwägendes Urteil (wie es Goethe in jedem Falle versuchte) fehlt; das Urteil über Musik entspringt stürmischem Enthusiasmus oder flammender Abwehr, frommer Hingabe des Herzens oder ätzendem Sarkasmus des Intellekts. Die ganze funkelnde Geistreichelei der romantischen Kritik und ihre brillante Bosheit haben hier ihren Ursprung.

In diesem Verhalten kommt aber auch ein sehr allgemeingültiger Wesenszug der romantischen Musikästhetik und -kritik zum Vorschein: sie ist von Grund aus »dilettantisch«, und zwar in dem Sinne, daß nicht die fachliche Kennerschaft, sondern *das emotionale Erlebnis* zum Ausgang genommen wird. Die Rollenverteilung des 18.Jahrhunderts in Künstler, Kenner und Liebhaber ist umgestürzt. Prototyp des Hörers und Verbrauchers von Musik wird der »denkend Geniessende« (Goethe), und dazu gehört der Musikkritiker ebenso wie der Musikästhetiker, der Konzertbesucher wie der selbstmusizierende *Dilettant*. In diesem neuen Sinne »Dilettanten« sind alle, nicht ausgenommen diejenigen unter den romantischen Schriftstellern, die selbst (wie Friedrich Rochlitz, E. T. A. Hoffmann, Robert Schumann u. a.) fachlich ausgebildete Musiker waren, und diese neue Verhaltensweise erklärt manche sonst schwer verständliche Rezension von Schumann, Ferdinand Hiller, Franz Liszt u. a. Das Urteil dieses Liebhabers ist ebenso subjektiv bedingt wie das Kunstwerk des Komponisten, und wo beide nicht voll zur Deckung gelangen, flammt die vernichtend bissige Kritik auf, die von Rochlitz über Eduard Hanslick bis zu George Bernard Shaw so häufig anzutreffen ist.

Bezeichnend genug, exemplifiziert Jean Paul seine musikalischen Ansichten mit Vorliebe an Gluck, Haydn, Mozart, Reichardt, Spontini, Grétry oder an Kleinmeistern wie Wilhelm Rust, Georg Laurenz Schneider, Karl Siegmund von Seckendorff u. a. J. S. Bach hat er offenbar nicht gekannt, und Beethoven, von dem er nur eine Sinfonie und den ›Fidelio‹ erwähnt, umgeht er gern. Bei Jean Paul tritt auch jener Hang zum Volksliedhaften, »Kunstlosen«, zum Ursprünglichen und Altertümlichen hervor, der dann die ganze Romantik, gewissermaßen als Korrelat zu ihren höchst artistischen Neigungen, durchzieht, ein Nachklang Herderscher Tendenzen und genährt an den höchst unromantischen, aber als romantisch empfundenen Liedern von Johann Friedrich Reichardt, Carl Friedrich Zelter u. a. Wie tief bei alledem Jean Pauls Anschauungen in der Vergangenheit wurzeln und auf welche Vorgänger sie sich gründen, wie umgekehrt Ideen und Vorstellungen der Aufklärung bei ihm ihre romantische Umfärbung erlebt haben, hat Georg Schünemann (in der Zeitschrift für Musikwissenschaft 16, 1934, insbesondere S. 461 ff.) instruktiv gezeigt; diese Zusammenhänge werfen ein eigenartiges Licht auf die Verkettung von Rationalismus und Idealismus in der Musik der Romantik.

Damit kommt eine weitere, sehr charakteristische Seite der romantischen Musikauffassung zutage, die vom beginnenden 19.Jahrhundert an bis in die Gegenwart unabsehbare Folgen nach sich gezogen hat: ihre Neigung, sich auf die Musik einer liebgewordenen *Vergangenheit* zu stützen und ihr in schroffer Antithese die Musik einer resolut voranschreitenden und radikal umstürzlerischen *Moderne* entgegenzuhalten. Auch dafür wird Beethoven zur Scheide der Geister: seine Werke wurden entweder als verstiegen und verworren abgelehnt und blieben dann unbekannt (als 1804 Louis Spohr in Leipzig und Berlin aus den »neuen Quartetten«, also op. 18, konzertierte, waren sie in diesen beiden Musikzentren noch unbekannt, und Bernhard Romberg bespöttelte sie als »barockes Zeug«; in Frankreich hat es bis zu der berühmten Aufführung der ›Eroica‹ durch François Antoine Habeneck 1828 noch keine nennenswerte Beethoven-Kenntnis gegeben), oder sie wurden – freilich erst viel später – zu Fanalen einer vermeintlichen musikalischen Revolution (Julius Becker führt in seinem Roman ›Die Neuromantiker‹, 1839, eine »neuromantische Schule« ausdrücklich auf das Spätwerk Beethovens zurück).

Alle *Grundzüge des romantischen Musikdenkens* sind um 1800 vorhanden und ausgebildet. Sie werden nun von den Schriftstellern in den ersten drei Jahrzehnten des 19. Jahrhunderts mit blühender Phantasie und schwärmerischer Ekstase ausgeführt, variiert und poetisiert. Bei dem nüchternen H. Chr. Koch (›Handwörterbuch‹, 1807) heißt es noch: »Es ist also der Charakter des Ungewöhnlichen, Großen und selbst des Abentheuerlichen, durch Lieblichkeit verschönert, welcher das Wesen des Romantischen ausmacht.« Für Wilhelm Heinrich Wackenroder, Ludwig Tieck, E. T. A. Hoffmann, Carl Gustav Carus, August Wilhelm und Friedrich Schlegel ist Musik als die »stofflosteste« Kunst auch die ursprünglichste, die »Ursprache der Natur«, das »Geisterreich Dschinnistan« (Hoffmann). Schon Wackenroder gilt sie, wie noch Arthur Schopenhauer, als das Transzendente schlechthin, das Abbild des Unendlichen, das der Welt der Erscheinungen entgegengesetzt ist. In der Sprache der Töne versteht der Mensch die Sprache der Tiere, der Blumen und der Gewässer. Naturbilder und Düfte verschmelzen bei Jean Paul und E. T. A. Hoffmann mit den Schauern des Jenseits und den Akkorden der Äolsharfe in Eins. Die Nelke versetzt Kapellmeister Kreisler durch ihren Duft in einen träumerischen Zustand, in dem er glaubt, die anschwellenden und wieder verfließenden Töne des Bassetthorns zu hören (Hoffmann, ›Kreisleriana: Höchst zerstreute Gedanken‹). Im Gegensatz zu dem Realaffekt der französischen Aufklärung wird Musik als das durchaus Irreale und Scheinhafte verstanden, ein Gedanke, der von Charles Avison und Anthony Ashley-Cooper, 3. Earl of Shaftesbury sowie von Edward Young her in die deutsche Ästhetik eingedrungen ist. So erschließt Musik die Geheimnisse des Kosmos, ja, sie wird selbst zur kosmischen Macht. In verzückten Schilderungen der Irrealität, der Märchenhaftigkeit des musikalischen Denkens, Fühlens und Tuns und im Gefühl des Einseins mit dem Unendlichen versteigt sich Hoffmann bis zum Skurrilen und Aberwitzigen. Kreisler beschließt im Wahnsinn Selbstmord

und will sich »im Walde mit einer übermäßigen Quinte erdolchen«;
er spricht von »schlangenzüngigen Septimen« und kauft ein Kleid,
»dessen Farbe in Cis-Moll geht, weshalb ich zu einiger Beruhigung
der Beschauer einen Kragen aus E-Dur-Farbe daraufsetzen lassen«
(›Kreisleriana‹). »So wurde sein Schmerz auf schauerliche Weise
skurril«.

Nur derjenige, der fähig ist, in sich eine so vollkommene Syn-
ästhesie von Farben, Bildern und Klängen zu vollziehen, gelangt
zur Ahnung des Unendlichen, dem sich der Genius in einer seltsamen Mischung von Ergriffenheit, Staunen, Demut, Selbst-
bewußtheit und Selbstironie naht. Im Universum selbst schlum-
mert Musik, eine Art romantischer Wiedererweckung uralter Vorstellungen von der Sphärenharmonie. »Und die Welt hebt an zu
singen, triffst du nur das Zauberwort« (Joseph von Eichendorff).
Deshalb sind es auch die »naturnahen« Instrumente, das Wald-
horn, die Flöte, die Klarinette, die in der romantischen Lyrik aus
verfallenden Schlössern und verwunschenen Gärten erklingen.
Das Posthorn trägt auf den Fittichen des Klanges die sehnsüchtige
Seele in die Weite. Gedanken, wie sie hier zu Lyrizismen subli-
miert erscheinen, sind schon seit Johann Gottfried Herders ›Kalli-
gone‹ (1800) im Umlauf gewesen. Sie haben ihre späte Fortbildung noch in den Schriften Robert Schumanns gefunden.

Die Wurzel aller Musik zieht ihre Kraft aus dem »Urklang«,
der sich durch einen geheimnisvollen Vorgang zu realem Klang
umformt. Am Künstler liegt es, ob er ihn zu erwecken und zu
gestalten vermag. Deshalb muß sich der Musiker Eins mit dem All
fühlen, er muß die Schauer des Jenseits aus den Stimmen der Natur
erleben und muß selbst zur Stimme des Universums werden. Er
darf Naturlaute, Bilder und Erlebnisse nicht nachzuahmen versuchen; alle Nachahmung ist, wie schon bei Goethe, auf das
Schärfste verpönt. Der Gedanke einer *Symbolik*, die zwischen dem
Darzustellenden und der Darstellung eine geheimnisvolle Verbindung schafft (vergleiche Artikel ›Klassik‹, Abschnitt II), ist von
den Romantikern auf das Mannigfachste variiert worden. Eine
unerklärliche Inspiration befähigt den Komponisten, im Werk
auszusprechen, was ihm aus den Quellen des Unendlichen zuge-
strömt ist und diesen »Inhalt« ohne jede Beimischung von Absichten und Zwecken allein aus der Kraft seines schöpferischen Vermögens zu gestalten, dabei auf jede Schilderung und jeden
brillanten Effekt zu verzichten, das Empfangene durch das Medium seiner Persönlichkeit rein und ohne Rest in das Werk zu ver-
strömen, das ist seine höchste Aufgabe. Deshalb hat sich auch der
nachschaffende Künstler ganz und gar dem Willen des geschaffenen
Werkes unterzuordnen und muß es »verschmähen, auf irgendeine
Weise seine Persönlichkeit geltend zu machen« (Hoffmann, ›Beethovens Instrumentalmusik‹); hier findet der Gedanke der »Werk-

treue«, vermutlich zum ersten Male, seinen Ausdruck und gleichzeitig seine tiefere Begründung. So wird höchste Subjektivität zum hohenpriesterlichen Dienst am Unendlichen. Jede Beimischung von anderen Motiven wie Anschauungen, Bildvorstellungen, Schilderungen, Erzählungen, von jedem Programm, schließlich aber auch von literarischen Texten verunreinigt das Kunstwerk, das im höchsten Falle zur »absoluten« Musik wird. Daher steht, nun zum ersten Male in der Geschichte, reine Instrumentalmusik über jeder anderen. Gelingt das, dann ist Musik »die romantischste aller Künste, beinahe möchte man sagen: allein echt romantisch, denn nur das Unendliche ist ihr Vorwurf« (Hoffmann, ›Beethovens Instrumentalmusik‹).

Um sich aus ungeordneter Phantastik zu befreien und eine verständliche Sprache zu reden, bedarf jedoch der Künstler der *kompositorischen Techniken und Formen*; er bedarf sogar gewisser allgemein verständlicher Symbole für Empfindungen oder Gehalte, die ihn davor bewahren, ins Sibyllinische zu versinken, wie man es so oft an den Spätwerken Beethovens tadelte. Damit aber entsteht für den romantischen Musiker das ständige Dilemma zwischen dem, was ihm durch die Inspiration als reiner »Inhalt« seines Schaffens zufließt, und der »Form«, deren er zur Gestaltung des Kunstwerkes bedarf (Form im weitesten Sinne des Wortes; vergleiche Friedrich Blume, Artikel ›Form‹ in MGG, Band 4, Spalte 523–538). Um diesen Zwiespalt kreist im Grunde die ganze romantische Musikästhetik von den Anfängen bis zu Richard Wagner, Hans Pfitzner, ja, bis in die Gegenwart, wo er in Igor Strawinskys ›Poétique‹ seltsam vernebelt wieder auftaucht.

Den Weg zu einer vollkommen »reinen« Musik haben die Klassiker gebahnt; der Vergleich, den E. T. A. Hoffmann (›Beethovens Instrumentalmusik‹) zwischen Haydn, Mozart und Beethoven zieht, ist höchst instruktiv. Haydn steht auf der Schwelle, die zur Pforte der Romantik führt. Mozart hat, zu seiner Zeit unverstanden, die romantische Ära inauguriert (›Don Giovanni‹ ist eine romantische Oper (Hoffmann, ›Don Juan‹ und ›Nachträgliche Bemerkungen über Spontinis Oper ‚Olympia'‹). Die »hohe Romantik Mozarts« (Hoffmann, Rezension über Glucks ›Iphigenie‹) versteht freilich nur, wer »ältere, energische Werke« studiert hat; ihn führt Mozarts Musik »in die Tiefen des Geisterreichs«, zur »Ahnung des Unendlichen« (Rezension über Beethovens 5. Sinfonie; vergleiche auch Hoffmanns Brief an Theodor Hippel vom 4. März 1795). Erst Beethoven aber hat es vermocht, »das Reich des Ungeheuren und Unermeßlichen aufzuschließen«, in dessen Tönen »der Schmerz der unendlichen Sehnsucht . . . und jede Lust . . . hinsinkt und untergeht«; in diesem Reich der ringenden Leidenschaften »leben wir fort und sind entrückte Geisterseher«. Beethovens Musik »erweckt eben jene unendliche Sehnsucht, welche das Wesen der Romantik ist« (Hoffmann, ›Beethovens Instrumentalmusik‹). Nur der Genius vermag, den Widerspruch solchen Vermögens mit den »Zahlenproportionen, welche dem Grammatiker . . . nur tote, starre Rechenexempel bleiben«, zu überwinden und die elementaren Formen der Musik in »magische Präparate« zu verwandeln, »denen er seine Zauberwelt entsteigen läßt« (Hoffmann, Rezension über Beethovens Klaviertrio op.70, Nr.1).

Unter dem Einfluß dergestaltiger Auffassungen wird Johann Sebastian Bach zum Mystiker und Gotiker romantisiert; seine Musik verhält sich zu derjenigen der alten Italiener (genannt werden Giacomo Antonio Perti und Orazio Benevoli) »wie der Münster in Straßburg zu der Peterskirche in Rom«, und sein Kontrapunkt wird zu »schauerlich geheimnisvollen Kombinationen«, zu wunderlich verschlungenen Moosen und Kräutern, zu Adern im Gestein, zu einer »in Tönen ausgesprochenen Sanskritta der Natur« (Hoffmann, ›Kreisleriana: Höchst zerstreute Gedanken‹). Wie weit sich hier die idealistische Ästhetik von den realen Grundlagen der Komposition entfernt hat, lehrt ein Blick auf die Kontrapunktlehren von Johann Joseph Fux und Johann Georg Albrechtsberger, die ja dem zeitgenössischen Schaffen zugrunde gelegen haben und zu denen die Musiker aus ihrer Traumwelt notgedrungen zurückfinden mußten. Wie lange dieses Dilemma am Leben geblieben ist, illustriert, fast einhundert Jahre später, eine unwirsche briefliche Bemerkung Anton Bruckners: »Kontrapunkt ist nicht Genialität, sondern Mittel zum Zweck« (an F.Bayer, 22.April 1893). Ältere italienische Kirchenmusik wird als schlicht, fromm, unproblematisch empfunden und als Muster »wahrer Kirchenmusik« hingestellt. Irgendeine Betrachtungsweise älterer Musik unter historischen Gesichtspunkten fehlt noch ganz. Geliebt wird sie wegen ihrer »Reinheit«, mit der sie eine oft wiederholte Grundforderung der Romantik erfüllt. Thibauts ›Reinheit der Tonkunst‹ ist von 1825 bis 1861 nicht zuletzt deswegen immer wieder von neuem aufgelegt worden, weil das Büchlein genau das Verhältnis der Romantik zur älteren Musik im Geiste eines Nazarenertums widerspiegelt. E.T.A.Hoffmann selbst hat mit seinem Aufsatz über ›Alte und neue Kirchenmusik‹ (zuerst anknüpfend an Beethovens C-Dur-Messe in Allgemeine musikalische Zeitung, 1814, später in ›Serapionsbrüder‹ übergegangen) einen wichtigen Beitrag zu dem Thema geliefert, und in der Praxis haben die kirchenmusikalischen Reformbestrebungen beider Konfessionen wie später der Cäcilianismus eben diesem Idealprogramm gehuldigt.

Die romantische *Musikästhetik* ist mit all ihrem Bemühen um eine neue Menschlichkeit, eine neue Wahrheit und Unmittelbarkeit der Musik und des Musikverständnisses ganz vorwiegend aus der Reaktion gegen die aufgeklärte Ästhetik von Abbé Charles Batteux und seiner Schule zu verstehen, einer Reaktion, die teils durch Jean-Jacques Rousseau, teils auch durch die englische Schule ausgelöst worden war und die in Johann Gottlieb Fichte und Friedrich Wilhelm Schelling ihre tiefere Grundlegung gefunden hat. Wie viel Aufklärung in ihr selbst steckte, wie widerspruchsvoll sie in sich selbst war und in welchem Maße sie selbst nur eine Variante der musikalischen Klassik gewesen ist, dessen ist sie selbst sich nicht bewußt geworden. Sie rezipierte und romantisierte kurzerhand aus dem zeitgenössischen oder dem nur wenig älteren oder auch aus dem weiter zurückliegenden Musikschaffen alles das, was ihr gemäß war, und betrachtete es als ein ihr Eigenes, ein »Romantisches«, ohne irgendwelche historische oder formale oder stilistische Grenzen zu ziehen. Für E.T.A. Hoffmann konnte gelegentlich sogar Palestrina »romantisch« sein; Bettina von Arnim konnte mit Entschiedenheit die Lieder Zelters und Reichardts als »aufgeklärte Musik« verwerfen.

Auf der anderen Seite aber wird überraschend schnell eine Grenze gegen die neue Musik der eigenen Zeit errichtet, sobald sie als unorganisch, überspitzt, effekthascherisch, oder auch, sobald sie als flach, gehaltlos, äußerlich empfunden wird. Carl Gustav Carus hat in Beethovens 9. Symphonie ein Zeichen des Niedergangs erblickt, Hoffmann das »Grelle und Bunte« in der ›Missa solemnis‹ kritisiert. Erfüllt eine Komposition nicht die höchsten (und das heißt in der Romantik gleichzeitig: die höchst subjektiven) Ansprüche des Kritikers, so ist sehr schnell der Vorwurf des Epigonentums bei der Hand (so z.B. von Hoffmann gegen Luigi Cherubini), ein Vorwurf, der dann in den Kritiken und Rezensionen von Robert Schumann, Hector Berlioz, Franz Liszt, Richard Wagner, Eduard Hanslick, Hugo Wolf u.a. ständig wiederkehrt. Er hat das 19. Jahrhundert geradezu vergiftet. Der Kult der künstlerischen Originalität ist so hochgetrieben, daß er sich überschlägt und als Radikalforderung formuliert, jede Wertskala zertrümmert. Das wahrhaft Originale (wie etwa die letzten Werke von Beethoven, später Wagner oder Bruckner) wird als phantastische Verstiegenheit verketzert, das Mittelmäßige zum Exempel für einen Schönheitskanon hinaufgelobt, dessen Anwendung zu zahllosen Fehlbeurteilungen führt. Dem Neuen werden dann gelegentlich ältere Komponisten wie etwa C. Ph. E. Bach, Georg Antonin Benda, Ernst Wilhelm Wolf, Johann Adolf Hasse, Niccolò Jommelli, Tommaso Traetta u.a. als große Meister der Vergangenheit und als Muster für die Gegenwart gegenübergestellt.

So geraten neu und alt, Enthusiasmus und Kritik, Ideal und Wirklichkeit, Gefühl und Verstand immer tiefer in unauflösbaren *Widerspruch* (E.T.A. Hoffmann, ›Kreisleriana: Der Musikfeind‹, zuerst 1814). Das Bild des an sich selbst, am Leben und an seiner

Kunst leidenden Musikers ist seit Beethovens ›Heiligenstädter Testament‹ (1802) bis hin zu Bruckner, Mahler und Pfitzner nicht mehr geschwunden. Zur höchsten Aufgabe berufen, zum Priester und Seher geweiht, an das Gemeine gefesselt, der Realität verpflichtet, gerät der Künstler in Widerstreit mit sich selbst und mit der Welt, in der er lebt. Die Gesellschaft, der er als Künder ewiger Werte gegenübertritt und der er sich durch die banalen Mittel der Konvention verständlich machen muß, versteht ihn nicht und verspottet ihn, wo sie ihn nicht scheu verehrt. Er ist nicht mehr ihresgleichen, er ist aus dem Kreis getreten, in dem der Musiker bislang beheimatet war. Der Zerfall zwischen Künstler und Publikum, zwischen Kunst und Spießbürgertum ist unaufhaltsam geworden. Hoffmanns Kapellmeister Kreisler steht »höllische Qualen« aus, als er mit der Oberflächlichkeit der bürgerlichen Gesellschaft zusammenstößt (›Kreisleriana: Kreislers musikalische Leiden‹, zuerst 1810); er wehrt sich mit diabolischen Sarkasmen und besinnt sich auf seine Überlegenheit. Aber diese Gesellschaft duldet ihn nicht. Er flüchtet in die Einsamkeit und in Bachs ›Goldberg-Variationen‹, d. h. in eine geliebte Vergangenheit (ähnlich gesellschaftskritisch und polemisch ist Hoffmanns ›Nachricht von einem gebildeten jungen Manne‹; derselbe Gedanke in der Form lyrischer Ergebenheit begegnet in Franz Schuberts ›Gebet‹, 1823). »Nur ein romantisches Gemüt kann eingehen in das Romantische, nur der poetische exaltierte Geist, der mitten im Tempel die Weihe empfing, das verstehen, was der Geweihte in der Begeisterung ausspricht« (Hoffmann, ›Kreisleriana: Kreislers Lehrbrief‹, 1814). Aber die Wirklichkeit sah ganz anders aus, und am Widerstreit mit ihr zerbrach der geniale Schwung der Romantik.

Der *Musikbegriff der Romantik*, hochgespannt wie er war, gründete auf einer Art Glaubensbekenntnis: im Ring der Künste führt die Musik. Durch ihre »Stofflosigkeit« allen anderen Künsten überlegen, reiner Geist, Ausdruck des »innersten Selbst« (Hegel) oder Abbild des Willens (Schopenhauer), vermag sie wie keine andere Äußerung des Menschengeistes die Seele dem Unendlichen entgegenzuführen. In ihr wird der Widerspruch zwischen Endlichem und Unendlichem aufgehoben und der Mensch zu seinem reineren Selbst erlöst. Dieser Musikbegriff war in sich geschlossen und gerundet; weiter zu entwickeln war er nicht. Er liegt in Abwandlungen noch den Schriften Schumanns, Liszts, Wagners und vieler anderer bis zu Pfitzner zugrunde, hat manche Einschränkung und manche Versachlichung erfahren (Ferdinand Gotthelf Hand, ›Ästhetik der Tonkunst‹, Band 1, Leipzig 1837, Band 2, Jena 1841; später Eduard Hanslick, ›Vom Musikalisch-Schönen‹, Leipzig 1854), ist aber im Grunde unverändert derselbe geblieben. Wenn Carl Maria von Weber den Grund alles musikalischen Schaffens beschreibt als »jenes unbestimmte Sehnen in die dunkle

Ferne, von der man Linderung hofft ..., jenes schmerzliche Ringen innerer Kraft, dem das Bewußtsein des hohen Ideals drückende Fesseln angelegt ..., dieses Chaos von wogenden, ängstlichen Gefühlen« (›Tonkünstlers Leben‹, um 1820), so spricht er damit nur aus, was alle Zeitgenossen empfanden, und tritt dicht neben Hoffmann. Wenn Robert Schuman seinen Weg schildert als »ziemlich einsam, auf dem kein Hurra einer großen Menge zur Arbeit erfreut, auf dem mich nur meine großen Vorbilder Bach und Beethoven anblicken und es an Trostworten ... nicht fehlen lassen« (Brief an S. de Sire, 8. Februar 1838), so kommt darin eine Auffassung vom Künstler und seiner Stellung in der Gesellschaft zum Ausdruck, die schon bei Hoffmann und noch bei Pfitzner vorhanden ist. Wenn noch Richard Wagner schreibt: »Das, was mich die Musik so unsäglich lieben läßt, ist, daß sie alles verschweigt, während sie das Undenklichste sagt; sie ist somit, genau genommen, die einzige wahre Kunst« (an Fürstin Karoline Wittgenstein, 12. April 1858), so gebraucht er, um den Rang und die Fähigkeiten der Musik auszudrücken, Worte, die ein halbes Jahrhundert früher auch Jean Paul oder Hoffmann geschrieben haben könnten. Wenn noch R. Strauss es nötig findet, über seine Sinfonischen Dichtungen die Erklärung abzugeben: »Für mich ist das poetische Programm auch nichts weiter als der Formen bildende Anlaß zum Ausdruck und zur rein musikalischen Entwicklung meiner Empfindungen« (Brief an Romain Rolland, 5. Juli 1905), so nimmt er zum Problem der Programmmusik genau dieselbe Haltung ein, wie sie schon bei Hoffmann, Schumann, Wagner u. a. zu lesen ist. Und wenn schließlich noch 1919 Hans Pfitzner (›Die neue Ästhetik der musikalischen Impotenz‹) definiert: »Die Inspiration ist das Wesen der Musik als schöpferischer Kunst« und »Musik ist die reinste, eigentlichste und stärkste Stimmungskunst schlechthin«, so lebt darin ein ganzes Jahrhundert romantischen Musikdenkens wieder auf.

Fest im deutschen Idealismus gegründet, hat sich dieser romantische Musikbegriff durch alle Schattierungen, Abwandlungen und Gegenströmungen hindurch im Grunde unverändert bis in das 20. Jahrhundert erhalten. Er hat sich von hier aus in andere Länder ausgebreitet, vor allem nach Frankreich und in die osteuropäischen Länder. In Frankreich hat E. T. A. Hoffmann stärksten Einfluß ausgeübt; im Schrifttum von Hector Berlioz, George Sand, Félicité de Lamennais, Eugène Delacroix, Etienne-Alexandre Choron, Castil-Blaze, Emile Deschamps, Jean-Baptiste Sabatier, Hippolyte Barbedette und darüber hinaus bis ins 20. Jahrhundert haben dort die Spuren der deutschen romantischen Musikanschauung weitergewirkt.

Klang auch in Deutschland selbst die romantische Bewegung im engeren Sinne, die man »Hochromantik« nennen mag, bald ab und setzte hier und in Frankreich zusammen mit den Bewegungen des »Jungen Deutschland« und der »Jeune France« eine zweite Phase ein, die man als *Neuromantik* zu bezeichnen pflegt, so sind dabei doch die Grundvorstellungen unverändert geblieben.

Die Neuromantik hat zwei Tendenzen hinzugebracht, auch sie beide im Grunde nicht ganz neu, aber nun stark vordergründig erscheinend. Die eine ist die halb echte, halb gespielte *antibürgerliche Aufsässigkeit*, die in revolutionären oder mindestens »contre les philistins« gerichteten Schriften, Aufrufen, Kompositionen und Programmerklärungen insbesondere im Kreise der ›Neuen Zeitschrift für Musik‹ (seit 1834) um Robert Schumann häufigen und kräftigen, oftmals grotesken, satirischen, oftmals aber auch ironischen und selbstpersiflierenden Ausdruck gefunden hat. Sie richtete sich mitunter in scharfer Form auch gegen die ältere Romantik, so z. B. Richard Wagner in einem seiner frühen Aufsätze (›Die deutsche Oper‹, 1834) gegen ein Idol der früheren Romantiker, Webers ›Euryanthe‹. Aus ähnlicher, revolutionär-kritischer Haltung führte der Kieler Dozent Ludolf Wienbarg seine ›Ästhetischen Feldzüge‹ (1834), und eine Spitze erreichte dieses aufrührerisch-romantische Schrifttum in Wagners Revolutionsschriften wie z. B. ›Kunst und Revolution‹ (1849). Musiker wurden zu Umstürzlern, Wagner schloß Freundschaft mit Michail Bakunin. Es war ein berauschendes Utopia, das man sich vorgaukelte. Der feurige Atem des Neubeginns beflügelte auch Berlioz und den jungen Liszt.

Aber trotz des tiefen Ernstes und der idealistischen Hingabe, die in ihr steckte, verrauschte die Bewegung schnell wieder. Hermann Hirschbach betrachtete rückblickend in seinem ›Musikalisch-kritischen Repertorium‹ schon 1844 die Neuromantik als abgeklungen und versunken. Sie hatte sich hohe Ziele gesetzt. Sie hatte die Geister aufrütteln wollen, sie hatte den Kampf gegen das »friedliche Dahindämmern«, dem sich die meisten Zeitgenossen nur zu gern hingaben, auf ihre Fahne geschrieben. Sie hatte einen *optimistischen Fortschrittsglauben* erweckt. Eine Begleiterscheinung dabei war freilich, daß sich die Komponisten immer stärker an Bach einerseits, Beethoven andererseits anlehnten, während die Klassiker im engeren Sinne an Achtung verloren.

In den 1830er Jahren sind Mozarts Werke langsam in den Hintergrund des Interesses getreten; 1841 fällt R. Schumanns berühmtes Wort über Haydn, der »wie ein gewohnter Hausfreund« erscheint und »nichts Neues« mehr zu sagen hat. Mozart rückt in die Stellung des »objektivsten (d. h. unromantischsten) aller Musiker«; nun kommt es zu jener apollinischen Verklärung seines Genius, die dann Otto Jahn aufgegriffen und in seinem Mozartbild zur vollen klassizistischen Makellosigkeit verdünnt hat. Haydns Sinfonien verschwanden allmählich von den Konzertprogrammen, Mozarts Bühnenwerke aus den Repertoiren der Opernhäuser. »1848 werden Hauptmann, Franz und der junge Hans von Bülow darüber einig, sein (Mozarts) Requiem dem ›viel erhabeneren‹ in c-Moll von Cherubini nachzustellen« (Arnold Schering, Aus den Jugendjahren der musikalischen Neuromantik, in: Jahrbuch der Musikbibliothek Peters für 1917, S. 55).

Das geschichtlich bedeutendste Ergebnis, gleichzeitig das dauerhafteste der neuen Bewegung aber war der aufreizende, aufrührerische und oft gewalttätige Charakter vieler ihrer künstlerischen Leistungen. Hier wies sie wirklich »neue Bahnen«, hier kämpfte sie gegen das Philistertum, hier offenbarte sie noch einmal den gewaltigen idealistischen Antrieb, der ihr aus der romantischen Urüberzeugung von der Führerstellung der Musik im Reich des Geistes und von ihrer unmittelbaren Abstammung aus dem Unendlichen zufloß. Schumanns op. 1 erschien 1830. Chopin begann 1829, mit eigenen Klavierwerken zu konzertieren. Die ›Sinfonie fantastique‹ von Berlioz kam 1830 zur Uraufführung. Seit den 1830er Jahren erschienen die ersten Klavierwerke Liszts im Druck. Von ihnen allen ist eine unübersehbare Wirkung auf Zeitgenossen und Nachfahren ausgegangen, und vom Schaffen dieser »Neuromantiker« ist ein beachtlicher Anteil bis nach der Mitte des 20. Jahrhunderts am Leben geblieben, ja, bildet neben dem im engeren Sinne »klassischen« Repertoire bis zur Gegenwart in allen Ländern den Grundstock des gesamten Konzertrepertoires. Als dann Wagners Opern (›Rienzi‹ 1842, ›Der fliegende Holländer‹ 1843, ›Tannhäuser‹ 1845) ihren Siegeszug antraten, wurde auch ein großer Teil des musikalischen Theaters in die neuromantische Bewegung hineingerissen und verschärfte sich andererseits der Gegensatz zum klassizistischen, durchaus antiromantischen Musiktheater von Vincenzo Bellini, Gaetano Donizetti, Gioacchino Rossini und des jungen Giuseppe Verdi aufs Äußerste.

Es ist aber nicht zu verkennen, daß das, was hier mit stürmischem Schwung die Welt eroberte, ebenso viele Individualitäten waren und alles andere als eine einheitliche Richtung. Sie gehorchten dem Gesetz des *Subjektivismus*, nach dem sie angetreten waren, indem ein jeder seinem eigenen Dämon folgte. So erklärt sich, daß die neuromantische Periode, indem sie sich auflöste, ihre höchste Strahlkraft entwickelte und in die zweite Hälfte des 19. Jahrhunderts eine Fülle von widersprechenden Erscheinungen, von individuellen Ideen und Begabungen entsandte, darüber aber das Gepräge einer stilistischen Einheit mehr und mehr verlor. Es gibt kein zweites Zeitalter der Musik, in dem die Widersprüche so ausgeprägt sind, die Richtungen so auseinanderklaffen und das in so geringem Maße ein verpflichtendes, einheitliches Leitbild besitzt wie die zweite Hälfte des 19. Jahrhunderts. Will man sie noch Romantik nennen (wie es sich eingebürgert hat), so muß man sich jedenfalls dabei gegenwärtig halten, daß die Einheit nur noch im Namen besteht.

Die zweite Tendenz, die mit der Neuromantik heraufkam, war die *Ausbreitung scheinbar antiromantischer Neigungen und Richtungen*. Hierher gehört das brillante *Virtuosentum*, das um dieselbe Zeit erwuchs. Niccolò Paganini überwältigte mit seinen Teufelskünsten seit etwa 1830 ganz Europa; wenig später traten Charles de Bériot und andere Geiger ihre Virtuosenreisen an. Primadonnen wie Henriette Sontag und Maria Felicità Malibran-García lag das musikalische Publikum der Welt zu Füßen. Um dieselbe Zeit ernteten in Paris Friedrich Kalkbrenner und Sigismund Thalberg ihre ersten rauschenden Pianistenerfolge.

Zu derselben Zeit, um 1830, faßte auch das Gegenstück zur virtuos-brillanten Musikrichtung, der *Historizismus*, und mit ihm das historizistische Interesse Fuß in der praktischen Musikpflege und richtete sich die Forschung auf die Erschließung der Vergangenheit. Giuseppe Bainis Buch ›Palestrina‹ erschien 1828. 1829 führte Mendelssohn in Berlin die ›Matthäuspassion‹ von J. S. Bach auf, einhundert Jahre nach ihrem Entstehen. In demselben Jahre setzte das Studium der altniederländischen Musik mit den Preisschriften von Raphael Georg Kiesewetter und François-Joseph Fétis ein.

In der Stille aber war, wiederum zur selben Zeit, eine Quelle entsprungen, die alsbald zum Strom werden und bis in die Gegenwart hinein in einem bis dahin unbekannten Maße das gesamte Reich der Musik überschwemmen sollte: seit den 1820er Jahren hatten die *Wiener Walzer* von Josef Lanner und Johann Strauß (Vater) beispiellose Verbreitung erfahren. Die von hier ausgegangene *Unterhaltungsmusik*, anfangs auf hohem künstlerischen Niveau, verflachte sich später in Niederungen, wie sie die Musikgeschichte früher niemals gekannt hatte.

Diese und andere antiromantische Ansätze und Tendenzen haben zum Zerfall der Romantik viel beigetragen und haben dazu geführt, daß in Verbindung mit dem revolutionären Subjektivismus des ästhetischen Urteils und der schrankenlosen Autonomie des individuellen Künstlertums ein Zeitalter ungehemmter Freiheit und maßlosen Selbstbewußtseins heraufzog, das sein letztes Ziel im fessellosen Ausleben der Persönlichkeit erblickte. Daß nur das Genie selbst berechtigt sei, sich das Gesetz zu geben, wurde zum Glaubenssatz der *Spätromantik*, wofern man das ausgehende 19. und anfangende 20. Jahrhundert überhaupt noch mit einem geschichtlich zusammenfassenden Begriff bezeichnen will. Von Richard Wagner bis zu Richard Strauss bezeugen zahllose Schriften und Briefe der schaffenden Musiker, daß es einzig *der freie künstlerische Wille des Individuums* ist, der Richtung und Gestalt, Klangwelt und Formen, Aufführung und Verwendung des Werkes bestimmt und dem sich der Musikverbraucher ungefragt zu unterwerfen hat. Nie zuvor hat die Musikgeschichte einen Zustand so verwirrender Vielfalt, so launenhafter Buntscheckigkeit gekannt, und keine frühere Zeit ist durch ein so unübersehbares Chaos der Widersprüchlichkeiten gekennzeichnet wie diese.

Die sogenannte »Spätromantik« war *ein Zeitalter unbegrenzter Möglichkeiten*, aber auch vollkommener Auflösung in die zu nichts verpflichtende Vielgestaltigkeit eines Musikdenkens, dem jedes bindende Ideal abhanden gekommen war. Zu jeder anderen Zeit der Musikgeschichte, mögen ihre Musikwerke noch so verschieden und so gegensätzlich geartet sein, haben Gestalten und Formen innerhalb gewisser Grenzen für alle gegolten, alle gebunden. Im Altersverfall der »Romantik« verblaßte der ehemals einigende Musikbegriff und erlag dem Anspruch der Individualitäten. Der vorwaltende Subjektivismus lag von allem Anfang an in ihrem Wesen; jetzt hatte er alle Schranken niedergeworfen, ja, die Einheit der Epoche zerschlagen. Die Romantik war tot. Eine Generation, die um 1910–1920 ihr Werk aufnahm, fand sich vor ihre Trümmer gestellt.

III. Romantik als musikgeschichtliche Epoche

Als musikgeschichtliche Epoche bilden *Klassik und Romantik eine Einheit.* Sie sind zwei Aspekte derselben musikalischen Erscheinung und derselben geschichtlichen Periode. Es gibt innerhalb dieser Erscheinung und dieser Periode, und zwar von ihren Anfängen an bis zu ihrem allmählichen Auslaufen im 20. Jahrhundert, bald mehr klassizistische, bald mehr romantizistische Strömungen. Sie lassen sich nicht klassifizieren, weil sie an Persönlichkeiten, Richtungen, Moden und Zwecke gebunden sind. Die grundlegenden Aufgaben und Tendenzen, in die sich die Musiker dieser Zeitspanne gestellt sahen, sind immer die gleichen geblieben, wie auch ihre grundlegenden Anschauungen vom Wesen der Musik die gleichen geblieben sind, allen mehr oder minder entschiedenen Gegen-, Unter- und Nebenströmungen zum Trotz. Dementsprechend gibt es keinen »romantischen Stil« als solchen, wie es definierbare und abgrenzbare Stile für andere Epochen der Musikgeschichte gibt. Es gibt nur eine langsame Wandlung desjenigen Stiltypus, der sich am Anfang des klassisch-romantischen Zeitalters herausgebildet und sich von dort aus entwickelt, gesteigert, kompliziert, differenziert, überspitzt und schließlich zersetzt hat, ganz wie es in anderen Epochen der Musikgeschichte, in der Renaissance und im Barock, der Fall gewesen ist. Und wie der Barock mit einer Absage an die unmittelbare Vergangenheit begann, die Ergebnisse dieser Vergangenheit jedoch teils unverändert weitergetragen, teils in die eigenen Klang- und Formbedürfnisse des neuen Zeitalters umgeschmolzen hat, so hat eine »Neue Musik« seit etwa 1920, seit Igor Strawinsky, Paul Hindemith, Arnold Schönberg und Anton Webern, mit einer Absage begonnen, die fortlebenden Reste der klassisch-romantischen Musik aber teils in unzähligen Formen und Gestalten weitergetragen, teils in das Eigene umgeschmolzen bis in die Gegenwart. Die Anfänge der großen musikgeschichtlichen Epochen sind bestimmbar, indem man das entstehende Neue ins Auge faßt und indem man von dem nachklingenden Alten abstrahiert; das Ende keiner der großen musikgeschichtlichen Epochen ist fest zu definieren, weil jede unter der folgenden weiterlebt.

Die Einheit des Klassischen mit dem Romantischen ist so ausgeprägt, daß es im Grunde weder eine rein klassische noch eine rein romantische Richtung oder Periode gibt. Was sich in Haydn und Mozart als höchste Reife der Klassik manifestiert, ist durchdrungen von den Reizen des Romantischen. Erst sie verleihen dem »klassischen Stil« jenen unbeschreibbaren Duft des Sinnlich-Charaktervollen, des Einmaligen und »Unendlichen«, der das Wesen der Hochklassik ausmacht, und was in Schumann oder Brahms als sublimste Romantik erscheint, ruht fest auf dem Grunde dieses »klassischen Stils«. Erst als in der reinen Bergluft der Klassik die blaue Blume der Romantik erblühte, vollendete sich die musikalische Landschaft zur höchsten Klassizität. Wo in den Anfängen des klassischen Zeitalters diese Durchdringung noch fehlt, haftet ihren musikalischen Werken etwas Kühles, Strenges an wie etwa den Liedern Zelters oder Reichardts, die Bettina von Arnim eben deswegen als »aufklärerisch« ablehnte. Es fehlt ihnen, nach H.Chr. Kochs Definition (›Handwörterbuch‹, 1807), »der Charakter des Ungewöhnlichen, Großen und selbst des Abentheuerlichen, durch Lieblichkeit verschönert«, worin nach Koch das Wesen des Romantischen, nach heutiger Geschichtsauffassung das Wesen des Klassisch-Romantischen liegt. Erst da, wo sich romantische Reize in die klare Formenstrenge des klassischen Stils eingedrängt haben, entstand, was an Haydn und Mozart die Mitwelt wie die Nachfahren bezwungen hat, ein von romantischem Geiste angehauchter Stil, den man aus der Rückschau des mittleren 20.Jahrhunderts den »hochklassischen Stil« nennt. Einen davon abweichenden und selbständigen Stil hat die Romantik nicht geprägt; sie hat lediglich jenen hochklassischen Typus weitergebildet.

»Stilistic criticism of romantic music offers the greatest difficulties to musicology ... On the one hand romantic music clings to the formal stylistic factors of classicism, on the other it seeks to eradicate boundaries and architectural logic. The loosening and flexibility of the coloristic, freely unfolding melody, the differentiated harmony, rich in dissonances and leaning to a veiling of tonal relationship, resulted in a wide variety of refined tonal and sonorous sense; the immensely enriched rhythm, lending itself to many combinations and indulging in the reversal of strong and weak beats, the intimate, egocentric, dreamy, oscillating and fantastic mood complexes, all created a conflict not only with classicism but within the romantic style itself« (Paul Henry Lang, Music in Western Civilization, New York 1941, S. 816). Selbst das, was man gemeinhin »das Romantische« in der Musik zu nennen pflegt, ist in sich vielfältig gespalten und widerspruchsvoll. »We seek in vain an unequivocal idea of the nature of musical Romanticism« (Alfred Einstein, Music in the Romantic Era, New York 1947, S. 4).

Das Romantische, das Franz Schubert bezeichnet, ist ein anderes als das für Felix Mendelssohn oder Johannes Brahms Charakteristische, zu schweigen von Antonín Dvořák oder Edvard Grieg, Modest Mussorgsky oder Manuel de Falla. Das Romantische in Beethovens Musik hat zwar Hector Berlioz und Hans Pfitzner gleichermaßen inspiriert, aber gerade damit Ergebnisse hervorgebracht, die nur in einem gleichgeartet sind: in dem, was in Berlioz und Pfitzner nicht romantisch ist, nämlich in dem überlieferten klassischen *Elementen- und Formenkanon.* Dieser Kanon, der von Johann Stamitz bis Max Reger in seinen Grundlagen beständig der gleiche geblieben ist, unterscheidet alle musikalische Produktion des klassisch-romantischen Zeitalters von derjenigen des Spätbarock, wie er sie von der zwölftönigen oder der seriellen Musik unterscheidet. Aber innerhalb der klassisch-romantischen Epoche bleibt er die verbindliche und bindende Norm, auf die Anton Bruckner zurückgeht wie César Franck, Ralph Vaughan Williams wie Peter Tschaikowsky, Richard Wagner wie Giuseppe Verdi. Insofern läßt sich wohl ein klassisch-romantisches Zeitalter als Gesamtheit gegen die vorausgehende Epoche, den Barock, wie auch (freilich sehr nebelhaft) gegen die nachfolgende, die »Neue Musik«, abgrenzen, nicht aber ein klassisches gegen ein romantisches. Auf diesem Kanon, dieser Stilnorm des klassisch-romantischen Zeitalters ruhen sie alle, so weit sich auch in Klang und Form, Tonalität und Satzbehandlung, Ausdruckswillen und Aussagekraft ihre individuellen Welten auseinanderentwickelt haben, hierauf ruhen Richard Strauss, Max Reger und Hans Pfitzner, Bedřich Smetana, Antonín Dvořák und Leoš Janáček, Pietro Mascagni, Giacomo Puccini und Gian Francesco Malipiero; mit diesem Kanon stehen und fallen noch George Gershwin und Gian Carlo Menotti, Willy Burkhard und Heinrich Sutermeister, William Walton und Benjamin Britten, Sergej Prokofieff und der größte Teil von Igor Strawinskys Lebenswerk, Franz Schreker und Paul Hindemith, Manuel de Falla und Enrique Granados, Darius Milhaud und Arthur Honegger, so gut wie auf ihm Mozart und Beethoven geruht haben, die diese Stilnorm geschaffen haben. Sie ist die epochebildende Macht, hinter der die Unterscheidung, ob »relativ klassisch« (d. h., im deutschen Sinne des Wortes: klassizistisch) oder »relativ romantisch« (romantizistisch) zu einer untergeordneten Frage des subjektiven Urteils herabsinkt.

War es auch nur noch dieser Formen- und Elementenkanon, der das Zeitalter zusammenhielt (Tonalität, Harmonik, Takt- und Rhythmusbehandlung, Periodizität usw.), so gewährleistete doch er eine gewisse Einheit des Zeitalters gegenüber den auseinanderstrebenden Richtungen und Individualitäten. Alfred Einsteins Aphorismus »Romanticism hates classicism« (Music in the Romantic Era, S. 4) kann nur sehr bedingte Gültigkeit in Anspruch nehmen, und die angeblich so feindlichen Brüder wie Hanslick und Wagner, Bruckner und Brahms, Pfitzner und Paul Bekker erscheinen im Rückblick als Söhne einer Mutter. Hinter dieser letzten Einheit sinkt aber auch jeder Versuch, die Epoche von etwa 1770 bis um 1920 in eine klassische und eine romantische Phase zu spalten, wie immer man auch gliedern möge, zu einer rein äußerlichen Zeitmessung ab, und die oft und mit Leidenschaft diskutierte Frage, ob Beethoven unter die Klassiker oder die Romantiker zu rechnen sei, wird bedeutungslos. Er war eben auf seine persönliche Art beides, wie es von C. Ph. E. Bach und Haydn an bis zu Strauss und Reger alle schaffenden Musiker, jeder auf seine einmalige und besondere Art, gewesen sind. Er konnte beides sein, weil Klassik und Romantik Eins sind und nur der Akzent sich bald mehr nach der einen, bald mehr nach der anderen Seite verlagert. Beethoven war weit romantischer als Mozart, Schubert, Mendelssohn oder Brahms, wenigstens in einem großen Teil seiner Werke und wenn man das Wort »romantisch« im Sinne E. T. A. Hoffmanns und seiner Zeitgenossen versteht, und er hat mit seinen Spätwerken den Neuromantikern, er hat Wagner, Liszt und vielen Jüngeren die Richtung gewiesen. Aber gleichzeitig verkörperte er jenen klassisch-romantischen Formenkanon, den Stiltypus seines Zeitalters, mit so außergewöhnlicher Bestimmtheit und Strahlkraft, daß er dem 19.Jahrhundert in weit höherem Maße als Haydn und Mozart zur Zentralgestalt der ganzen Epoche werden konnte. Deshalb konnten 1838 der Novellist Robert Griepenkerl (›Das Musikfest oder die Beethovener‹) und noch um 1900 der Bildhauer Max Klinger in Beethoven den Göttlich-Übermächtigen, den romantischen Magier, 1854 Eduard Hanslick (›Vom Musikalisch-Schönen‹) und noch 1919 Hans Pfitzner (›Neue Ästhetik‹) in ihm den Meister der klassischen Form und den von keiner »poetischen Idee« angekränkelten absoluten Musiker erblicken. »In Beethoven classicism became romantic« (P. H. Lang, Music in Western Civilization, S. 746); wie das Beethoven-Verständnis unter der Wirkung des romantischen Musikbegriffs geschwankt hat und wie sehr gerade die Beethoven-Interpretation die Einheit und Untrennbarkeit des Klassischen und Romantischen erweist, hat knapp und instruktiv Joseph Schmidt-Görg gezeigt (Artikel ›Beethoven‹ in MGG, Band 1, besonders Spalte 1545–1551).

Unter solchen Voraussetzungen erscheint die in der Musikgeschichtsschreibung eingebürgerte *Abgrenzung* einer romantischen von einer klassischen Epoche fragwürdig; gewiß kann sie nicht das volle Gewicht einer echten Epochengliederung in Anspruch nehmen. Ernst Bücken (Die Musik des 19.Jahrhunderts bis zur Moderne 1929) versucht noch, Beethoven als den reinen Klassiker darzustellen, und vindiziert ihm wiederholt eine geradezu »antiromantische« Haltung, zu der er dann mit E.T.A. Hoffmann, Carl Maria von Weber, Johann Ludwig Dussek, Franz Schubert usw. den Neubeginn einer romantischen Periode in vollen Gegensatz treten läßt. Alfred Einstein (Music in the Romantic Era, 1947) neigt dazu, in Beethoven den sozialrevolutionären Charakter zu überbewerten und ihn damit in die neuromantische Sphäre zu ziehen; er betont nachdrücklich, daß es Beethoven gewesen ist, der den Romantikern die Muster gesetzt hat. Infolgedessen vermeidet er es, einen Gegensatz zu konstruieren, läßt aber dabei die Frage nach dem Verhältnis des Romantischen zum Klassischen und nach der Abgrenzung offen. Auch Jacques Handschin (Musikgeschichte im Überblick, 1948) hält den Gegensatz zwischen Klassik und Romantik aufrecht; Beethoven ist ihm »im Ganzen doch eher Klassiker als Romantiker«, weil ihm die Sonatenform »noch etwas durchaus Lebendiges«, den Romantikern hingegen etwas »innerlich Fremdes« gewesen sei. Schwerlich ist diese an und für sich richtige Beobachtung ausreichend, um darauf eine Epochengliederung zu gründen. Die vielen Fäden, die Beethoven mit den Romantikern verknüpfen, sieht auch Handschin. Wenn er jedoch dem Dilemma zu entrinnen versucht, indem er Beethoven zum Meister des »Empire« erhebt, so klärt er nicht das Problem, sondern umgeht es. »Empire« ist (übrigens ebenso wie der für andere Musiker der Romantik mitunter klassifizierend angewendete Begriff »Biedermeier«) ein Begriff der allgemeinen Kulturgeschichte, auch ein Stilbegriff der bildenden Künste, bleibt aber für die Musik ohne Beziehung.

Daß die klassisch-romantische Epoche längst vor Beethoven beginnt und daß Beethoven nur eine der vielen möglichen Zwischenstellungen in dieser sich herausbildenden Antinomie einnimmt, hat auch Handschin nicht erkannt. Paul Henry Lang (Music in Western Civilization, 1941) hat in seiner grundlegenden Darstellung des Zeitalters die frühklassische mit der galanten und empfindsamen Musik zusammen als Vorstufe behandelt, das klassische Zeitalter selbst auf Haydn und Mozart beschränkt, Beethoven aber nicht in Gegensatz, sondern in konsequente Folge zu ihnen gerückt und richtig den engen Zusammenhang, ja die Einheit von Klassik und Romantik herausgearbeitet: »Romanticism should not be taken as the antithesis of classicism, nor was it a mere reaction to it, but rather a logical enhancement of certain elements which in classicism were inherent and active, but tamed and kept in equilibrium.« Nur die subjektivistischen Züge, die schon seit langem in der Musik an die Oberfläche drängen, treten jetzt schärfer hervor. »It is only in their vehemence that we feel a direct opposition to classic measure. And thereby the stylistic relationship between classicism and romanticism seems determined.« Einen neuen Stil hat die Romantik nicht geschaffen, sondern den klassischen um- und weitergebildet. »Romanticism is no more mere lawlessness than classicism is sheer form and order. Romanticism is not, then, an adversary of classicism.«

In Goethe und Beethoven haben die Romantiker ihre Abgötter gesehen; »in combining the deification of Goethe and Beethoven with their own ideals, they merely carried the accomplishment of classicism into the unrealizable.« Demgemäß betitelt P.H.Lang das betreffende Kapitel treffend ›The Confluence of Classicism and Romanticism‹ und läßt den weiteren geschichtlichen Verlauf in die einzelnen Richtungen, Persönlichkeiten und Nationen auseinandergleiten, die daran beteiligt sind. Auch Donald J. Grout (A History of Western Music, 1960) sieht in Beethoven das Bindeglied zwischen den Tendenzen und erkennt die klassisch-romantische Einheit in ihm. Hier tritt der Gedanke, daß Beethoven durch den jeweils ganz persönlichen Ausdruck seiner Werke besonders die romantische Generation befeuert habe, in den Vordergrund: »music as a mode of self-expression«. »Romantic or not, Beethoven was the most powerful disruptive force in the history of music. His works opened the gateway to a new world.« Auch Grout erblickt in Haydns ›Schöpfung‹ und ›Jahreszeiten‹, in Mozarts ›Don Giovanni‹ und ›Zauberflöte‹ wie in Beethovens 5. und 9. Sinfonie die tiefsten Quellen des Romantischen, in der späteren Entwicklung »a great variety of styles and within its general unity . . . many contradictions and countercurrents«; auch ihm löst sich die Musikgeschichte des 19.Jahrhunderts schließlich in die Vielzahl der durch Persönlichkeiten, Gattungen und Nationen bestimmten Richtungen und Individualstile auf, bis »the late nineteenth and early twentieth centuries witnessed the last stage of Romanticism and the transformation of the late Romantic idiom into a new musical language«.

Es ist gewiß, daß die Musikgeschichtsschreibung nicht ohne den Begriff der Romantik auskommen kann. Es ist ebenso gewiß, daß sich mit ihm allein eine fest bestimmbare und abgrenzbare Epoche der Musikgeschichte nicht bezeichnen läßt. Und es ist vollends gewiß, daß nur in der fundamentalen Einheit des Klassischen und Romantischen die fundamentale Einheit jener geschichtlichen Epoche erblickt werden kann, die von etwa den 1760er Jahren an (wenn man ihr Frühstadium einschließt) bis in die ersten Jahrzehnte des 20.Jahrhunderts gedauert hat. Es ist erforderlich, im Auge zu behalten, daß die Ansätze zur Romantik (vergleiche Abschnitt I) bereits in den Ansätzen zur Klassik enthalten, ja,weitgehend mit ihnen Eins sind, und es ist ebenso erforderlich, nicht zu übersehen, daß die Grundlagen des klassisch-romantischen Stils dieselben geblieben sind von den Anfängen bis zu ihrer Auflösung. Dennoch sind die Unterschiede in der Musik des »romantischen Zeitalters« ungeheuer groß, selbst wenn man nur die deutsche Musik berücksichtigt, und werden unübersehbar, wenn man die Musik anderer Nationen einbezieht. Den »Stil der musikalischen Romantik« beschreiben, hieße, eine Musikgeschichte des 19.Jahrhunderts schreiben.

IV. Der klassisch-romantische Stil im 19.Jahrhundert

Der klassische *Elementen- und Formenkanon* ist im Abschnitt V des Artikels Klassik eingehend dargestellt worden; er liegt, im Grundsatz unverändert, auch der romantischen Musik zugrunde. Seine Entwicklungen und Abwandlungen in allen Einzelheiten zu beschreiben, ist unmöglich, weil er sich von einem zum anderen Komponisten, bei einem und demselben Komponisten innerhalb seines eigenen Lebenswerkes, von einer Nation und einer Gattung zur anderen vielfältig differenziert und weil in diesem Prozeß allmählich dieser Kanon abgenutzt und zerfasert wird, bis schließlich das einheitliche Leitbild verloren geht. Nur die Grundzüge dieses Vorganges lassen sich zusammenfassend andeuten.

a. Rhythmus, Metrum, Tempo
Das *periodische Metrum* und die *verfeinerte Rhythmik* bleiben zunächst, später mit Einschränkungen, die Grundlage. Noch für Richard Wagner und Richard Strauss gilt das Prinzip der achttaktigen Periode, wenn auch nun äußerst wandelbar und oft überdeckt von scheinbar freien Bildungen, hinter denen freilich oft genug das alte Schema erkennbar bleibt. Anton Bruckner hat die Taktzahlen seiner Perioden mitunter an den Rand seiner Partitur geschrieben, und bei Johannes Brahms tritt die schlichte, achttaktige Periodizität oft unverhüllt zutage. Je näher am Tanz, um so unkomplizierter; in Franz Schuberts ›Deutschen‹, den Walzern von Johann Strauß (Sohn) und noch in Leoš Janáčeks ›Lachischen Tänzen‹ ist die metrische Gliederung ganz simpel. Auch das Lied

335

übernimmt sie und wandelt sich erst spät, bei Hugo Wolf, R. Strauss, Gustav Mahler u. a., außerhalb Deutschlands besonders bei den tschechischen Komponisten, zu komplizierteren, aber kaum je aperiodischen Strukturen.

Ist schon im hochklassischen Zeitalter diese *Periodizität* oft bis zum Überdruß beansprucht und infolgedessen von den erfindungsreicheren Komponisten verfeinert, erweitert, verkürzt, verdeckt oder sonst wie belebt worden, so geschah das im 19.Jahrhundert in zunehmendem Maße, ohne daß doch je das Grundschema völlig verlassen worden wäre. Arbeitet Beethoven oft mit sehr gewagten Verklammerungen, Überlagerungen, Elisionen und dergleichen, so haben die späteren Musiker ganz im Gegenteil wieder viel häufiger zur Simplizität der Periodenbildung zurückgestrebt. Weber, Schubert, Schumann, Brahms, noch stärker Mendelssohn, Joseph Joachim Raff, die zahlreichen brillanten Klavierkomponisten um Ignaz Moscheles und Stephen Heller, die Liederkomponisten um Mendelssohn und Robert Franz, auch Brahms nicht ausgenommen, bedienen sich oft einer überraschend schlichten Periodizität, die auf diesem besonderen Gebiet wohl auch mit der Neigung zum Volkslied zusammenhängen mag. Aber auch in der Symphonie, dem Streichquartett, der Sonate usw. verhält es sich grundsätzlich nicht anders, wenn freilich auch im einzelnen die Schwankungsbreite überaus groß ist.

Wie sich für dieses fundamentale Bauprinzip, die achttaktige Periode, im Laufe des 19.Jahrhunderts kaum eine wesentliche Fortentwicklung, ja, im Vergleich zu Beethoven eher eine Rückbildung beobachten läßt, so verhält es sich auch mit dem *Rhythmus*, der im klassischen Zeitalter äußerst nuanciert, äußerst sensibel gehandhabt und damit zu einem wesentlichen Teil der Träger des Ausdrucks geworden war. Es ist auffallend, daß die »romantischen« Musiker ihn oft mit einer gewissen Stereotypie behandeln.

Der Rhythmus ist eine schwache Seite der Musik im romantischen Zeitalter, nicht nur des Impressionismus (siehe den Artikel ›Impressionismus‹ von Hans Albrecht in MGG, Band 6, insbesondere Spalte 1076 ff.), einerlei, ob man diesen nun für ein Spätstadium der klassisch-romantischen Epoche oder eine Sonderentwicklung sui generis halten mag. Schubert kann ganze Sätze, besonders 6/8-Finali in einem durchgängigen Rhythmus schreiben; in anderen Sätzen kontrastieren große Abschnitte miteinander, indem jeder einen konstanten Rhythmus festhält. Brahms ist ebenso wie Bruckner an einer eigentümlichen, im einzelnen oft bestechenden, im Gesamtwerk aber häufig wiederkehrenden Rhythmik kenntlich, in der Konfliktrhythmen und lang ausgesponnene Synkopenreihungen eine Rolle spielen. Die Werke kleinerer Komponisten wie etwa Georges Onslow, Karl Czerny, Adolph Henselt, Albert Lortzing, aber auch Louis Spohr und Felix Mendelssohn nicht ausgenommen, in späteren Jahrzehnten etwa Friedrich Gernsheim, Joseph Gabriel Rheinberger, Heinrich von Herzogenberg, Friedrich Kiel kranken oftmals geradezu an rhythmischer Monotonie, und ihre Kompositionen wirken nicht zuletzt aus diesem Grunde oft matt und ermüdend.

In der Klavierliteratur hat die Neigung zur *Brillanz* (die in der einen oder anderen Form fast alle Komponisten des Jahrhunderts teilen) auf die Rhythmusbildung durch ihren Flitterglanz einebnend gewirkt; hinter dem eleganten Arabesken- und Rankenwerk wird hier oft das rhythmische Element fühlbar vernachlässigt, ein Mangel, dem u. a. auch Frédéric Chopin und Franz Liszt nicht entgangen sind.

Wie auf der einen Seite die virtuose Brillanz, so haben auf der anderen der Marschtritt (der ja seit Beethoven in der Kunstmusik nachhaltige Eindrücke hinterlassen hat) und die Stereotypie der Walzer-, Galopp- und anderer Tanzformen auf die rhythmische Beweglichkeit hemmend gewirkt, so z. B. bei Robert Schumann. Die Häufung von Komplementär- und Konfliktrhythmen (Schumann, Brahms), die Vermischung oder Superposition binärer und ternärer Rhythmen (Brahms, Bruckner; ein Schulbeispiel sind die Ensemblesätze in Verdis ›Falstaff‹, so aromantisch sie in anderer Hinsicht sind), die Verschiebung der Schwerpunkte in hemiolischen und verwandten Bildungen, das wechselhaft-launige Spiel mit Klein- und Großrhythmen (Brahms), die Emphase feierlich getragener Rhythmen und ihre Erhebung in den Hymnus oder Choral (Wagner, Bruckner), die raffiniert zugespitzte Deklamationsrhythmik (R. Strauss), die vom frühen Chopin bis zu Claude Debussy und länger beliebte Verschleierung oder Spannung einfacher rhythmischer Grundbildungen durch Quintolen, Septolen usw., der häufige Gebrauch ausgeschriebener Ritardandi oder Accelerandi, schließlich der kaleidoskopartige Wechsel aller dieser Mittel und ihre willkürlich-souveräne Anwendung charakterisieren insbesondere das späteste Stadium, das unter einem Bombardement von Reizen die rhythmische Feinfühligkeit der Klassik begräbt, ohne doch den Eindruck des Mechanischen, des Gehetzten, des Stagnierenden usw. immer vermeiden zu können.

Auch für die Rhythmik hat der späteste Beethoven die Anregungen gegeben; in der ›Missa solemnis‹ und der 9. Sinfonie ist letztlich alles an Rhythmen vorgebildet, was das 19.Jahrhundert zu entwickeln vermochte. Dabei geht in der Häufung der Effekte und der Überspitzung ihres Gebrauchs häufig die Prägekraft des einzelnen rhythmischen Motivs verloren. In Bruckners Symphonien etwa gibt es kaum irgendein rhythmisches Motiv, das man nicht mit ähnlichen aus den anderen verwechseln könnte. Der rhythmische Boden der Wiener Klassik war Ende des 19.Jahrhunderts ausgelaugt, und erst als die Nationalmusiken der osteuropäischen Völker sich ausbildeten, sind aus ihnen der europäischen Musik neue rhythmische Impulse erwachsen. Modest Mussorgsky, Antonín Dvořák, Bedřich Smetana, Leoš Janáček, Béla Bartók u. a. haben aus ihrer heimischen Volksmusik heraus neue rhythmische Kräfte entfaltet.

Mit den Fragen des *Tempos* steht es ähnlich. Was an Kunstmitteln der absoluten Geschwindigkeit zur Originalität der Komposition beitragen konnte, hatte Beethoven bereits erschöpft; gerade in dieser Hinsicht wirkt er sehr »romantisch«, weil die Romantiker seine Art der Tempodisposition und Tempobezeichnung immer wieder nachgeahmt haben. Die außergewöhnliche Langsamkeit seiner Largo- und Adagiosätze, das hexenhafte (so schon von Goethe empfundene) Prestissimo seiner Scherzi und der Strette in seinen Finali, der »ritmo di tre battute« in der 9. Sinfonie, »di quattro battute« im Sreichquartett cis-Moll op. 131, dazu seine individuell charakterisierenden Tempovorschriften wie in der ›Missa solemnis‹ »Assai sostenuto. Mit Andacht«, »Andante molto cantabile e non troppo mosso« oder im Streichquartett F-Dur op. 135 »Lento assai, cantate e tranquillo«, »Grave, ma non troppo tratto«, die überaus reiche Fülle fein abgestufter Übergangsvorschriften wie »Adagio assai«, »Adagio, ma non troppo«, »Allegro vivace«, »Allegro con spirito«, »Allegro maestoso«, »Allegro moderato«, »Allegretto un poco«, »Larghetto« und viele andere, in denen Beethoven mit anschaulicher Phantasie seine Ausführungswünsche auf das Genaueste zu fixieren liebte, sind auf das ganze 19.Jahrhundert und darüber hinaus übergegangen und in unzähligen Varianten und Verästelungen immer wieder nachgebildet worden; zu entwickeln war daran nichts mehr. Die rasendsten Passagen Strauss'scher Partituren konnten so wenig wie Bruckners breiteste Hymnensätze Beethovens Tempi übertreffen.

Eine Vergröberung der Tempi und eine Art Flucht in die Extreme sind in der späten Romantik nicht zu verkennen. Damit hängt zusammen, daß die feineren Mittelnuancen allmählich ihre Wirkung einbüßten und die Tempoempfindlichkeit des einzelnen Satzes abnahm. Obwohl mit Beethovens Verfahren die möglichst genaue Festlegung des Tempos (manchmal sogar durch Metronomzahlen) und damit die enge Fesselung des Interpreten an peinlich minuziöse und strikt bindende Vorschriften auf die Romantik übergegangen war, entsteht durch die Neigung zu den extremen Tempi und die relative Vernachlässigung der mittleren die paradoxe Folge, daß die praktische Temponahme recht breiten Schwankungen unterliegen kann, ohne damit die Wirkung des betreffenden Satzes merklich abzuschwächen, tatsächlich also die Freiheit des Interpreten eher größer als kleiner wird. Auf dieser Erfahrungstatsache beruht ein nicht geringer Teil der Auffassungsdifferenzen moderner Dirigenten. Wie sehr dies eine Eigentümlichkeit des

19.Jahrhunderts (seit Beethoven) ist, wird sofort empfindlich spürbar, wenn daraus für die Musik der Hochklassik dasselbe Interpretationsrecht abgeleitet wird.

b. Harmonik und Tonalität

Die Musik des klassisch-romantischen Zeitalters beruht uneingeschränkt auf dem *Dur-Moll-System*, dessen Durchchromatisierung bereits im ausgehenden Barock praktisch erfolgt war und dessen Durchenharmonisierung seit der allgemeinen Einführung der *gleichschwebenden Temperatur* nichts mehr im Wege stand. Sind bis zum Ende Haydns und Mozarts die Molltonarten bei den Komponisten noch immer Ausnahmen und seltenen Ausdrucksbereichen vorbehalten geblieben, so hat sich dieser Zustand mit Beethoven plötzlich geändert. Das »Beethovensche c-Moll« ist in der Romantik zu einem Begriff geworden, und nicht zufällig hat sich E. T. A. Hoffmanns Enthusiasmus gerade an der 5. Sinfonie entzündet. Symbol des Tragischen schlechthin, findet es seinen Widerpart im Beethovenschen C-Dur als dem Symbol des Triumphalen. Dazwischen erstreckt sich die unendlich stufenreiche Ausdrucksskala der Tonarten, wie sie Schubart und E. T. A. Hoffmann poetisierend geschildert haben: »As-Moll: Ach, sie tragen mich ins Land der ewigen Sehnsucht . . .; E-Dur: Sie haben mir eine herrliche Krone gereicht . . .; A-Moll: Warum fliehst du, holdes Mädchen« usw. (E. T. A. Hoffmann, ›Kreislers poetisch-musikalischer Klub‹).

In der Praxis treten die Molltonarten gleichberechtigt und mit gleicher Häufigkeit neben die Durtonarten, und unter ihnen erlangen die entfernteren, die in der Hochklassik nur äußerst selten und nur vorübergehend gebraucht wurden, eine Vorzugsstellung. Beethovens Streichquartett op. 131 benutzt unbedenklich für den Streicher-Satz cis-Moll und gis-Moll. Bei der hochentwickelten Technik der Streicher und einer sich mehr und mehr verbessernden Mechanik der Blasinstrumente spielen Intonationsschwierigkeiten auch im Orchester keine Rolle mehr. Die Klaviermusik bevorzugt, so schon bei John Field, Franz Schubert, Frédéric Chopin und Stephen Heller, in zunehmendem Maße die entfernten Tonarten, die dem romantischen Bedürfnis nach dem Ungewöhnlichen, Märchenhaften entsprechen und überdies dem Klavierklang besonderen Glanz verleihen. Schon Beethoven schreibt eine Klaviersonate in Fis-Dur (op. 78), Carl Maria von Weber eine sehr brillante in As-Dur (op. 39), Johann Nepomuk Hummel eine ›Grande Sonate‹ in fis-Moll (op. 81), Robert Schumann seine berühmte Sonate in f-Moll (op. 14).

Waren in der Hochklassik noch weite Möglichkeiten der Tonartenwahl und Tonartenkombination ungenutzt geblieben, so machen die Musiker des 19.Jahrhunderts nunmehr von ihnen unbeschränkten Gebrauch, ohne daß sich deswegen im Verhältnis des Komponisten zur Tonalität grundsätzlich etwas änderte und ohne daß bis zum Ende der Epoche die Grundlage des Dur-Moll jemals ernsthaft angetastet worden wäre. Bis zu Strauss, Debussy, Janáček usw. steht noch jede Komposition und jeder Satz in einer fest definierbaren Dur- oder Molltonart, mag diese auch noch so reich differenziert oder noch so stark ausgeweitet sein. Erst mit Béla Bartók, Arnold Schönberg, Igor Strawinsky u. a. kommt es nach 1910 zu Dispositionen, die nicht mehr im Dur-Moll-Sinne gemeint sind und nicht mehr so aufgefaßt werden können.

Ein charakteristisches Merkmal der »romantischen« Tonartenbehandlung ist der *flüssige Wechsel*, das unmerkliche Gleiten der Modulationen und Ausweichungen. In der Hochklassik entspricht die *Kadenz* noch der Sinngliederung des Satzes und hat konstruktiven Wert; sie ist die Interpunktion, die den logischen Zusammenhang deutlich macht. *Modulationen* finden in der Regel im Zusammenhang mit Kadenzen und Satzgliederungen statt; auch ihnen kommt konstruktiver Wert zu. Sie stellen verschiedene Tonartenbereiche neben- und gegeneinander und verleihen dem Verlauf des Satzes Plastizität. Die *Ausweichung* wird als Ausdrucksmittel vorübergehender Nuancierung, Eintrübung, Aufhellung, Stimmungsschwankung usw. benutzt. Beethoven ist in dieser Hinsicht in seinem frühen und mittleren Werk ganz »Klassiker«; Kadenzen und Modulationen fallen im wesentlichen mit der konstruktiven Gliederung zusammen, und vorübergehende Ausweichungen sind ohnehin bei ihm nicht häufig.

Auch die *Tonalitätsbeziehungen* zwischen den Sätzen zyklischer Werke bleiben bei Beethoven noch vorwiegend der klassischen Ordnung treu; Ecksätze von Sonaten, Streichquartetten, Sinfonien, Konzerten usw. stehen in der Grundtonart oder deren Variante, Mittelsätze in nahe verwandten Tonarten. Schon bei Haydn gibt es Ausnahmen, und in Beethovens mittleren Werken werden sie häufiger (z. B. Tripelkonzert op. 56 C-Dur–As-Dur–C-Dur, Klavierkonzert Nr. 5 op. 73 Es-Dur–H-Dur–Es-Dur, Klaviertrio op. 97 B-Dur–D-Dur–B-Dur, Klaviersonate op. 101 A-Dur–F-Dur–a-Moll–A-Dur und Klaviersonate op. 106 B-Dur–fis-Moll–F-Dur–B-Dur), und in den letzten Streichquartetten kommt es zu sehr überraschenden Tonartverhältnissen. Aber das bleiben Ausnahmen. Schubert und Weber, Spohr und Mendelssohn, aber auch Schumann und Brahms verfahren recht konventionell mit ihren Tonartendispositionen, und zwar sowohl im Verhältnis zwischen den Sätzen zyklischer Werke wie der Abschnitte innerhalb der Sätze; es ist schon ungewöhnlich, wenn etwa Brahms in seiner 1. Sinfonie op. 68 die vier Sätze in c-Moll–E-Dur–As-Dur–c-Moll anordnet, oder wenn Bruckner, der sich sonst eng an die nächstverwandten Tonarten hält, in seiner letzten, der 9. Sinfonie, nachdem der 1. Satz und das Scherzo in d-Moll gestanden haben, das Trio in H-Dur und das Adagio in E-Dur setzt. Bei Dvořák, Grieg u. a. sieht es nicht anders aus. Selbst bei Berlioz herrscht die Folge nächstverwandter Tonarten vor.

Die *Tonartenfolgen*, die im Vergleich zur Hochklassik ungewöhnlich scheinen (siehe die vorstehenden Beispiele), beruhen fast immer darauf, daß seit Beethoven die terzverwandten Tonarten als eng zusammengehörig, gleichwertig dominantischen, subdominantischen und variantischen Beziehungen, empfunden werden. Ein sehr großer Teil der tonalen Kontrasteffekte bei den Komponisten des 19.Jahrhunderts beruht auf der *Terzverwandtschaft*, und hierauf beruht auch ein großer Teil der Modulationseffekte von Schubert an (seine oft betörend wirkenden harmonischen Rückungen und Ausweichungen finden in der Regel zwischen terzverwandten Tonarten statt). Erst ganz am Ende des Jahrhunderts kommt es bei Debussy und Strauss zu ganz freien Tonartendispositionen, die sich an keine konventionellen Regeln mehr halten.

Überdies ist die romantische *Harmonik* durch den reichlichen Gebrauch üppiger *Alterationen* gekennzeichnet und erhält durch sie den Charakter des weichen Gleitens, der flüssigen Übergänge, die die Konturen verschleiern; zwischen Ausweichung und Modulation ist oft schwer zu unterscheiden. Die Alterationsharmonik erreicht eine Spitze im »Tristan-Akkord« Richard Wagners, ein viel erörtertes Musterbeispiel, und sie ist eine der Voraussetzungen für die gleitende Harmonik des Impressionismus geworden, vor deren neuem Wesen »der Begriff Romantik versagt« (Hans Albrecht in MGG, Artikel ›Impressionismus‹). Ferner wird das Modulationswesen bereichert durch den extremen Gebrauch der *chromatischen* und *enharmonischen Modulation*, die bei Schubert und Brahms, erst recht bei Wagner und Strauss die Grenzen des Möglichen erreichen.

Von hier aus erfolgt schließlich die Auflösung der klassisch-romantischen tonalen Ordnungen. Leerklänge, Parallelführungen von Akkorden (Claude Debussy), unvorbereitete und unaufgelöste Dissonanzen, Quartenakkorde (Alexander Skrjabin), Häufung von übermäßigen und verminderten Intervallen, Terzenschichtungen, gehäufter Ersatz von Dreiklängen und ihren Umkehrungen durch Sept-, Nonen-, Undezimen- usw. Akkorde, »accords de la sixte ajoutée« u. a. sind Reizmittel, die in immer zunehmendem Maße die gerüsthafte Festigkeit der Komposition auflockern, das Gefühl für die Logik der Konstruktionen unterminieren, und die schließlich an die Grenze dessen führen, was innerhalb des Dur-Moll-Systems noch geleistet und aufgefaßt werden kann, ohne daß das tonale Grundgefühl verloren geht. Strauss, Reger, Janáček und viele andere verzichten gelegentlich ganz auf eigentliche Modulation und setzen hart Tonart neben Tonart; der Satz: »Auf jeden

Akkord kann jeder andere folgen« stammt aus einem Brief von Max Reger (an C. Sander, 17.Juli 1902; Reger schreibt ihn Liszt zu, was nicht ganz glaubhaft scheint). Werden dazu noch *Tonartenüberschichtungen* benützt (Strauss, Debussy, Reger) und wird damit eine Art »Polytonalität« erzielt, so ist der Augenblick gekommen, wo Tonarten, Akkorde und Modulationen nicht mehr als solche und nicht mehr als Konstruktionswerte, sondern nur noch als Farbwirkungen aufgefaßt werden können. Der Prozeß, der mit der Verschmelzung tonaler und koloristischer Werte (wie so viele andere) schon bei Beethoven begonnen hat, ist abgelaufen, ohne daß jedoch die im System latenten Möglichkeiten vollständig erschöpft worden wären. Leoš Janáček ist einer der Komponisten, die ihm ganz am Ende des Zeitalters noch durchaus neuartige Kombinationen entlockt und so am klassisch-romantischen System festgehalten haben, während schon früher Arnold Schönberg, Anton Webern und Igor Strawinsky zu »atonalen« Verfahren gelangt waren.

Das Dur-Moll-System aber und die Gesetze der harmonischen Fortschreitung sind in der klassisch-romantischen Epoche niemals gesprengt, sie sind nur aufs Äußerste gelockert, erweitert, bereichert, verflüssigt worden, hart bis an die Grenze ihrer Auflösung. »Composers – any of them from Bach to Fauré – have had certain common habits in forming sequences of chords. If the music of Bach and that of Fauré do not sound like, it is not because their basic chordal progressions differ essentially; they differ only superficially in that the individual chords of the latter may be more complicated and colored« (Willi Apel, Harvard Dictionary of Music, Cambridge, Massachusetts 1944, S. 317; vergleiche für das funktionslose Aneinanderrücken von Akkorden auch H. Albrecht im Artikel ›Impressionismus‹ in MGG, Band 6, Spalte 1069 ff.).

c. Motiv, Thema und thematische Arbeit (vergleiche auch Artikel Klassik, Abschnitt V. c.)
Die Suprematie der *Melodie* über alle anderen Elemente, die in der früh- und hochklassischen Musik oberstes Gesetz gewesen ist, blieb es auch in den späteren Phasen der klassisch-romantischen Epoche und wird in dieser Funktion häufig bestätigt. Zahlreiche Äußerungen der Komponisten von Beethoven bis Strauss lassen erkennen, daß sie sich um die Entfaltung der Melodie besonders gemüht haben, während von Harmonie und Tonalität viel seltener die Rede ist. Beschäftigt die Harmonie als ästhetisches Problem noch lebhaft die erste romantische Generation (Anton Reicha nennt die »feinen Verbindungen der Harmonie« einmal »Reflexe aus dem Unbewußten«; nach Ernst Bücken, Die Musik des 19.Jahrhunderts bis zur Moderne, 1929, S. 25), so scheint es, daß sie den späteren mehr Sache des Handwerks als ästhetischer

Spekulationen gewesen ist. Das bezeugt die ungeheuer anschwellende Menge der Lehrbücher für Harmonielehre im 19.Jahrhundert.

Die Fragen der *Melodiebildung* hingegen sind sowohl von technisch-handwerklichen wie von praktisch-ästhetischen Erwägungen her für die Komponisten ein Gegenstand der Auseinandersetzung gewesen. A. Reicha hat 1814 einen ›Traité de la mélodie‹ veröffentlicht, und die Lehrbücher der Komposition widmen melodischen Fragen oft lange Kapitel, so Heinrich Christoph Koch, ›Versuch einer Anleitung zur Composition‹, 1782 ff., Johann Bernhard Logier, ›System der Musikwissenschaft und der praktischen Komposition‹, 1827, Adolf Bernhard Marx, ›Die Lehre von der musikalischen Komposition‹, 1837 ff., und insbesondere Hugo Riemanns Bearbeitung dieses Werkes als ›Große Kompositionslehre‹, 1902 bis 1913, Ludwig Bussler, ›Elementarmelodik‹, 1879, Salomon Jadassohn, ›Das Wesen der Melodie‹, 1899.

Jedoch wird in der Praxis die Melodie mehr und mehr zu dem Element, worin sich die Originalität des Komponisten am ungezwungensten ausspricht, gleichzeitig zum Gegenstand schwerer Arbeit. R. Strauss berichtet, wie Brahms ihm in seiner Meininger Zeit den Rat gegeben habe: »Sehen Sie sich genau die Schubertschen Tänze an und versuchen Sie sich in der Erfindung einfacher und achttaktiger Melodien«, und äußert im Gespräch mit Max Marschalk höchst aufschlußreich: »Ich arbeite sehr lange an Melodien; vom ersten Einfall bis zur letzten melodischen Gestalt ist ein weiter Weg . . . Auf den Konservatorien wird alles gelehrt, nur nicht . . . die Melodienbildung. . . . Das Motiv ist Sache der Eingebung; es ist der Einfall, und die meisten begnügen sich mit dem Einfall, während sich in der Entwicklung des Einfalls erst die wahre Kunst zeigt« (es folgen Beispiele von Giacomo Meyerbeer, Mozart, Beethoven und Äußerungen über den eigenen Melodienbau). »Eine Melodie, die aus dem Augenblick geboren scheint, ist fast immer das Ergebnis mühevoller Arbeit.«

Daß diese Bemerkungen für zahlreiche romantische Musiker gelten, ist offensichtlich; der *Einfall*, den Strauss mit dem *Motiv* gleichsetzt, wird durch mühevolle Ausarbeitung zur Melodie entwickelt (Beethovens Skizzenhefte sind frühe Zeugen; im Gespräch mit Michael Kelly hat sich auch Joseph Haydn schon einmal ähnlich geäußert), und diese Mühe ist der romantischen Melodik oft anzumerken. Das Ausspinnen solcher Melodien steht in engerem Zusammenhang mit der Neigung des Zeitalters zur Periodizität und zur Herausbildung langer, zusammengesetzter Perioden. Hieraus dürften sich zwei Ergebnisse erklären, die in der romantischen Musik auffallen: einmal die Vorliebe für wiederholt und stockend ansetzende, sich nur langsam entfaltende und erst im weiteren Verlauf ausschwingende Bögen, die sich über mehrgliedrige Peri-

oden erstrecken (Schubert, Brahms), und zum anderen ihre ausgesprochene *Liedhaftigkeit*.

Am Anfang des 19.Jahrhunderts hatte mit Franz Schubert eine
Hochblüte des Kunstliedes eingesetzt, die bis zum Ende der Epoche
angehalten hat, und Schubert ist einer der genialsten und frucht-
barsten Melodieerfinder der ganzen Musikgeschichte gewesen. Von
ihm und von der allverbreiteten Gattung des Liedes aus ist die
instrumentale Melodik des 19.Jahrhunderts unabsehbar tief beeinflußt worden, in einem so starken Maße, daß der Unterschied
zwischen instrumentaler Thematik und liedhafter Melodik, der
bei Beethoven noch entscheidend ins Gewicht fällt, sich mehr und
mehr verwischt. Zahllose instrumentale Themen könnten zu entsprechenden Texten gesungen werden (und sind so gesungen worden), und von Schubert bis zu Brahms, Liszt und Dvořák sind
zahllose Male Liedmelodien als »Themen« instrumentaler Kompositionen benutzt worden. In Schuberts meisten Instrumentalwerken sind die »Themen« nichts anderes als lang ausgesponnene
Liedmelodien (z. B. Streichquintett C-Dur op. 163 D 956, Symphonie Nr. 8 h-Moll, die ›Unvollendete‹, D 759, Klaviersonate
B-Dur, D 960); sie knüpfen damit viel eher an die Thematik von
Mozarts Spätwerken als an die abrupte, aphoristische, auf kleinste,
energiegeladene Einheiten beschränkte Thematik des letzten Beethoven an.

Dieser *liedmelodische Thementypus* ist über das Instrumentalwerk der ganzen Romantik verbreitet; er findet sich bei Mendelssohn so gut wie bei Schumann und Brahms, er gilt für Weber,
Spohr und die vielen Kleinmeister, er beherrscht das lyrische Klavierstück kleinsten Formats wie die Sinfonie, das Streichquartett und das Solokonzert. Ihm verdankt die Instrumentalmusik des
19.Jahrhunderts ihren betont lyrischen Charakter und damit ihren
Welterfolg; auf der anderen Seite freilich ist nicht zu übersehen,
daß er ein Ergebnis der verfallenden konstruktiven Formkraft,
eine Art fin de siècle-Erscheinung ist.

In der Melodienseligkeit der romantischen Instrumentalmusik
löst sich der ursprüngliche Sinn der Sonatenform, der Kampf der
Gegensätze und ihr Zusammenstoß in der durchführenden Bearbeitung des thematischen Ausgangsmaterials, in die ausdrucks-
starke, aber formenschwache Gegensätzlichkeit von *Gefühlsberei-
chen* und *Klangflächen* auf. Aus Beethovens leidenschaftlich erreg-
tem Drama wird Schuberts elegisch-besinnliche Idylle. »Thematic
logic is the sine qua non of sonata construction, and requires spe-
cifically symphonic thematic material. This fundamental require-
ment the romantic sonata lacked« (P. H. Lang, Music in Western Civilization, 1941, S. 818). So kommt es, daß bei Schubert und Schumann, selbst bei Brahms und erst recht bei vielen Komponisten
von geringerer Gestaltungskraft das Interesse für die Form als

solche und für eine thematische Arbeit, aus der sie sich erbaute, in den Hintergrund tritt, daß die Form oft nur als Gehäuse für Melodieentfaltung, harmonische und rhythmische Reize und für die Farbigkeit des Instrumentalklanges erscheint und die thematische Arbeit der Klassik mehr und mehr abstirbt, ja schließlich erlischt.

Es war eine der größten Leistungen der sogenannten »neudeutschen« Bewegung, in dieser Beziehung einen neuen Weg gebahnt zu haben. In Wagner, Bruckner und R. Strauss hat sich *ein neuer Geist der thematischen Erfindung* gezeigt, der wieder stärkere, formbildende Kräfte aus sich entband. Bruckners Symphonien knüpfen erneut an Beethovens thematische Technik an und arbeiten mit knappen, energiegeladenen Motiven, deren jedes in sich selbst entwickelt, ausgeschöpft, mit anderen kontrastiert, kombiniert und kontrapunktiert wird; aus dieser Motivarbeit erwächst der *umfangreiche thematische Komplex*, in sich selbst schon eine gespannte und formstarke sinfonische Einheit. In größeren Dimensionen werden mit solchen Komplexen dann wieder ähnliche Verfahren wie mit dem thematischen Ausgangsmaterial angewendet und werden die großartig getürmten Steigerungswellen erzielt, durch die sich Bruckner auszeichnet. Gleichzeitig wird die Konstruktion durch gewichtige *Kadenzbildungen* gegliedert; ursprünglich standen in den ersten Sinfonien Generalpausen zwischen den Abschnitten. Bruckner vermeidet in seinen Ecksätzen, ja selbst in langsamen Sätzen die Ausformung des Motivs zur liedmelodischen Periode und entgeht damit der Gefahr, im Lyrismus stecken zu bleiben. In diesem Sinne kann man ihn den einzigen echten Sinfoniker seit Beethoven nennen.

Auf die Oper übertragen, arbeitet Richard Wagner nach denselben Grundsätzen; seine *Leitmotive* stehen Bruckners sinfonischem Ausgangsmaterial sehr nahe und entwickeln in vergleichbarer Weise aus sich sinfonische Gewebe, ganz unabhängig von ihrer programmatischen Funktion und der Opernhandlung. Stücke wie etwa der ›Walkürenritt‹ oder der ›Feuerzauber‹ aus ›Walküre‹ sind in ihrer motivischen Erfindung und sinfonischen Verarbeitung das genaue Gegenteil zum opernhaften Lyrismus Verdis oder Meyerbeers und stehen an der Seite Brucknerscher Entwicklungsgruppen.

Freilich darf nicht übersehen werden, daß auch in den liedmelodischen Themenkomplexen Schuberts Ansätze für Wagners und Bruckners komplexe Themengruppen gegeben waren. Die dreigliedrige Anlage des Themenkomplexes im Adagio von Bruckners 5. (ähnlich auch 8.) Sinfonie und ihre Entwicklung zur fünfgliedrigen Gesamtanlage des Satzes dürften trotz des Gegensatzes zwischen Bruckners motiventwickelnder und Schuberts melodiefortspinnender Technik doch wohl auf dessen komplexive Themenanlagen zurückgehen (Streichquintett C-Dur op. 163 D 956,

Streichquartett G-Dur op. 161 D 887, Sinfonie Nr. 8 h-Moll, die ›Unvollendete‹, D 759 und Sinfonie Nr. 7 C-Dur D 944).

Den formalen Grund für die *melodische Struktur* hatte die Klassik gelegt. Ihre periodisierenden Konstruktionen liegen auch der romantischen Melodik zugrunde. Analysen des gewaltigen Melodienschatzes, den die Komponisten von Schubert bis Brahms und selbstverständlich weit darüber hinaus aufgehäuft haben, ergeben im Prinzip immer wieder dieselben Schemata, obwohl im einzelnen Charakter und Duktus der Melodien unübersehbar wechselhaft sind. Versuche zu verallgemeinernden Feststellungen über den bevorzugt steigenden oder fallenden Charakter der romantischen Melodik, über bevorzugte Engschrittigkeit oder Weitschrittigkeit, Dreiklangs- oder Stufenmelodik und dergleichen müssen ergebnislos bleiben, weil der Originalitätsanspruch sich gerade auf melodischem Gebiet die größte Freiheit gelassen hat.

Was sich vielleicht mit vorsichtiger Annäherung verallgemeinernd feststellen läßt, ist der Hang der romantischen Musiker zur *Integration des melodischen Duktus* in sich, indem die diastematische Bewegung das Motiv als Baumaterial in sich aufsaugt und es als Einzelbaumaterial unkenntlich macht (vergleiche z. B. die 1. Themen der 1. Sätze von Schuberts Sinfonie Nr. 8 h-Moll und Mozarts Sinfonie g-Moll, KV 550), und der Hang zu verstärkter Integration der Melodie mit der Harmonie. Zwar sind in aller Melodik des klassisch-romantischen Zeitalters Melodie und Harmonie mehr oder weniger integriert; jedoch läßt sich im Zeitalter von J. A. P. Schulz, Johann Friedrich Reichardt, Carl Friedrich Zelter und Joseph Haydn (bei Mozart nur noch teilweise) die melodische Erfindung selbständig und ohne Harmonie (»die Erfindung einer hübschen Melodie ist das Werk des Genius, und eine solche bedarf keiner weiteren Ausschmückung, um zu gefallen; willst du wissen, ob sie wirklich schön ist, singe sie ohne Begleitung«; Haydn zu Michael Kelly) vorstellen, während seit Beethoven diese Integration merklich zunimmt (z. B. würde die Melodie des 2. Satzes von Beethovens Klaviersonate f-Moll op. 57 oder von Brahms' Klavierquintett f-Moll op. 34 ohne die zugehörige Harmonie kaum bestehen können, mindestens sehr stark an Reiz verlieren).

Relativ am selbständigsten bleibt die Melodik noch im Klavierlied; von Schubert, Schumann, Mendelssohn, Franz usw. lassen sich viele strophische Liedweisen auch unbegleitet verstehen. Hier wirkt sich die Orientierung am Volkslied und an der Volksballade aus. Doch wird in der romantischen Instrumentalmusik die Durchdringung des Melodischen und Harmonischen meist so eng, daß die melodische Erfindung ihren Charakter, ja, wesentliche Momente ihrer Gestalt einbüßt, wenn sie von der harmonischen Begleitung getrennt wird. Diese Beobachtung ist für die Instrumentalmusik wichtig, weil die zunehmende Integration des Melodischen und Harmonischen sich als ein Hindernis auf dem Wege zur thematischen Arbeit erweist. Entwickelnde Bearbeitung eines Motivmaterials setzt dessen Anpassungsfähigkeit, Wandelbarkeit und Freiheit von harmonischen Bindungen voraus. Es ist bezeichnend, daß in der romantischen Instrumentalmusik melodische Erfindungen meist mit gleichbleibendem oder wenig verändertem Harmoniegerüst wiederkehren.

Auch auf diesem Gebiet hat erst die »neudeutsche« Richtung mit Wagner und Bruckner Wandel geschaffen; die Motive beider Komponisten sind äußerst wandlungsfähig und lassen sich im echten Sinne »entwickeln«; hierauf beruht Wagners »unendliche Melodie« und seine Fähigkeit zur Entfaltung breit angelegter Orchestergewebe wie Bruckners Kraft zu sinfonisch-kontrapunktischer Arbeit und zur fortdauernden Entwicklung seines Ausgangsmaterials in großen Steigerungswellen.

d. Gattungen und Formen

Die Einheit von Klassik und Romantik erweist sich auch darin, daß die Gattungen und Formen beiden gemeinsam sind und nur Erweiterungen, Spezialisierungen, Abwandlungen und dergleichen unterliegen. Keine der im hochklassischen Zeitalter gebräuchlichen Gattungen ist in der Romantik aufgegeben worden, am ersten noch die *Serenadenkomposition*, die bei Beethoven, Brahms, Tschaikowsky, Carl Reinecke, Hugo Wolf, Strauss, Dvořák, Reger und einer Reihe kleinerer Meister nur noch vereinzelt Nachfolge gefunden hat (siehe Hans Engel in MGG, Artikel ›Divertimento, Cassation, Serenade‹).

Neu im instrumentalen Repertoire erscheinen nur die modischen und allmählich in kunstmäßige Stilisierung übergehenden *Tanzgattungen* wie »Deutsche«, »Schottische« (»Ecossaisen«), Walzer, Polka, Mazurka, Galopp, Cancan u. a. Die Zurückhaltung gegenüber dem Tanz, die in der beginnenden und hohen Klassik zu spüren war, wird von den Komponisten des romantischen Zeitalters wieder aufgegeben, und mehr als je dringt der Tanz in die hohe Musik ein. Das gilt nicht nur in dem Sinne, daß von Beethoven an zahlreiche Meister Tänze in einfacheren oder stilisierteren Formen geschrieben haben (Beethovens Eccossaisen, Schuberts Deutsche, Chopins Mazurken und Walzer, Webers Polonaisen, Liszts brillante Walzer, Csárdás, Galoppe, die Walzer von Lanner und den beiden Strauß, die kecken Cancans von Jacques Offenbach usw. bis hin zu Brahms' ›Liebeslieder-Walzern‹ op. 52a und op. 65a, seinen ›Ungarischen Tänzen‹, Dvořáks Dumkas, Furianten, ›Schottischen Tänzen‹ op. 41 und ›Slawischen Tänzen‹ op. 46 und op. 72 usw.), sondern mehr noch in dem Sinne, daß Tanzformen und Tanzrhythmen weitgehend die instrumentale Kunstmusik überhaupt durchsetzt haben, von dem Ländlercharakter

Schubertscher Sonaten- und Quartett-Trios an bis zu dem tänzerischen Schwung, der in zahllosen lyrischen Klavierstücken von Mendelssohn, Heller, Schumann, Moscheles, Brahms, Dvořák und vielen anderen durchbricht und sich in vielen Sätzen zyklischer Werke ausprägt. Es gibt, wenigstens im Bereich der deutschen Romantik, wohl nur wenige Komponisten, die wie Wagner und Bruckner dem Tanz nicht mehr oder minder reichlichen Tribut entrichtet haben, und im ›Rosenkavalier‹ von Richard Strauss hat am Ende der Epoche der Walzer eine Art Apotheose (wie in Maurice Ravels ›La Valse‹ eine Art Persiflage) erfahren. Daß die Operette und die Unterhaltungsmusik von Tänzen aller Art leben, verdient kaum der Erwähnung.

Dagegen hat sich seit Beethoven das *Scherzo* zyklischer Werke weitgehend vom Tanz gelöst, aus dem es entstanden war, und ist entweder dem Beethovenschen Typus des wildbewegten Hexenritts gefolgt (so insbesondere Bruckner), oder es hat sich gemächlicher und besinnlicher Typen (etwa die Intermezzi bei Brahms) bedient, oder aber es ist durch neue Tanztypen verdrängt worden (Dumkas und Furianten bei Dvořák).

Eine Besonderheit des 19. Jahrhunderts ist das *lyrische Stück* für Klavier, seltener für andere Instrumente oder Kammerensembles, das sich aus der Entwicklung vom Menuett zum Charakterstück bei Beethoven, Schubert, Václav Jan Tomášek, Jan Hugo Voříšek u. a. allmählich herausgelöst hat und das nun unter den verschiedensten Namen auftritt (Bagatelle, Impromptu, Intermezzo, Elegie, Barcarole, Rhapsodie, Ballade, Dithyrambe u. a.). Mendelssohns glücklich erfundener Titel ›Lieder ohne Worte‹ weist deutlich auf eine zweite Abstammungslinie hin; aus dem Tanz und dem Lied sind diese kleinen Kunstwerke, die man wohl unter die Kostbarkeiten der gesamten romantischen Musik rechnen darf, erwachsen, und sie erweisen mit unmißverständlicher Eindeutigkeit, daß auf diesem Gebiet der kleinen Formen die beste oder mindestens eine der besten Befähigungen des Jahrhunderts gelegen hat. Von Schubert bis zu Grieg, Niels Gade, Reger, Mussorgsky, Dvořák, Janáček und Hunderten anderer ist die Produktion an solchen zarten oder leidenschaftlichen Stimmungsbildern oder Herzensergießungen überaus reich gewesen. Sie hat, zusammen mit den Tänzen, ihren besonderen Beitrag zur Musikpflege des bürgerlichen Hauses und zur Musikerziehung geleistet; denn in dem Maße, als die konzertbestimmte Kunstmusik virtuosen Charakter annahm und die Leistungsfähigkeit der Dilettanten überstieg (auch dieser Prozeß beginnt im wesentlichen mit Beethoven), trat das lyrische Klavierstück zusammen mit dem Tanz und dem gesungenen Klavierlied in die Lücke und ist bis in das 20. Jahrhundert hinein ein bevorzugtes Feld des gebildeten Liebhabertums wie des Unterrichts gewesen.

Im Wettbewerb mit dem lyrischen Stück stand insbesondere die mehr *brillante Unterhaltungsmusik*, die seit Chopin, Heller, Liszt, Thalberg, Henri Herz, Franz Hünten u. a. ebenfalls zu einer umfangreichen Literatur erwachsen und oft mit dem lyrischen Klavierstück verschmolzen ist (so etwa bei Mendelssohn, Moscheles, Schumann und Brahms). Dieses brillante und bravouröse Unterhaltungsstück hat aber schließlich durch das Überhandnehmen oberflächlichen Geklingels zur Salonmusik und zum Untergang der ganzen Gattung geführt. Schon Schumann und sein Kreis haben das vorausgesehen und sich in Kritiken und Schriften heftig dagegen gewendet. Eigene und ausgeprägte Formen haben diese Gattungen nicht entwickelt; im Gegenteil, das Interesse an der Form steht gegenüber der Brillanz der Technik oder der Gefühlstiefe des Ausdrucks ganz im Hintergrund, und so decken meist die einfachsten Lied- oder Rondoformen den Bedarf. Tomášek z. B. komponierte in seinen ›Rhapsodien‹ ähnlich wie Schubert in seinen ›Impromptus‹ nur einen Hauptteil, einen Mittelteil, und läßt den ersten einfach wiederholen.

Diese gesamte *Kleinkunst*, diese vielleicht feinste und bezeichnendste Blüte der Romantik, verdiente eine eigene, zusammenfassende Darstellung. In ihr hätte auch die romantische *Etüde*, die Konzertetüde (auch Caprice, Studie oder ähnlich genannt), ihren ehrenvollen Platz einzunehmen, die in Anton Reicha, Johann Baptist Cramer, Muzio Clementi, später in Ludwig Berger, Ignaz Moscheles, Friedrich Kalkbrenner, Frédérik Chopin, Stephen Heller, Adolph Henselt, Henri Bertini, Anton Rubinstein, in Schumanns ›Studien nach Capricen von Paganini‹ op. 3 und op. 10 (1832/33), seinen ›Etudes en forme de variations‹ op. 13 (1834), Liszts ›Bravourstudien nach Paganinis Capricen‹ (1838), Brahms' ›Paganini-Variationen‹ op. 35 (1862/63) und in zahllosen anderen Komponisten bis in das 20.Jahrhundert hinein glänzende Vertreter für das Klavier gehabt und in unzähligen Fällen Zeugnisse für den hohen Stand einer mit dem verbreiteten Interesse für Fingerfertigkeit einhergehenden hohen Geschmackskultur hinterlassen hat. Sie hat ihre Parallelen auf dem Gebiet der Violinmusik bei Pierre Rode, Rodolphe Kreutzer, Niccolò Paganini, Charles de Bériot, Jacques-Féréol Mazas, Jean-Baptiste-Charles Dancla usw., der Violoncellomusik bei Justus Johann Friedrich Dotzauer, Friedrich Grützmacher usw. sowie auf anderen Instrumenten.

Hierhin gehört schließlich auch die beliebte Virtuosengattung der *Konzertfantasie*, *Bravourfantasie* und ähnlichen Gattungen, die in Liszt ihren prominentesten und produktivsten Vertreter gehabt hat. Neben der Musik für Orchester ist es besonders dieses weite Feld der »Kleinkunst« gewesen, auf dem das Problem der Programmusik aktuell geworden ist (siehe weiter unten). Viele derartige Kompositionen tragen programmatische Überschriften

(Mendelssohn und Schumann, Mussorgsky und Skrjabin, Grieg und Gade, Dvořák und Janáček usw.) und haben sich damit einen bevorzugten Platz im Repertoire der nichtprofessionellen Spieler erworben und dazu beigetragen, daß der Streit der Meinungen um »programmatische« und »absolute« Musik nicht zum Erliegen gekommen ist.

Zu den älteren instrumentalen Gattungen, die im 19.Jahrhundert weiterhin umfänglich gepflegt worden sind, gehört der *Variationszyklus*, der sich nun in allen Arten instrumentaler Solo-, Ensemble- und Orchestermusik einbürgert, in der Musik für Klavier oder Harfe so gut wie im Klaviertrio und Streichquartett, in der Sonate wie in der Sinfonie. Auf diesem Gebiet ist das klassische Modell ziemlich schnell durch neue Anregungen, Absichten und Wirkungen überwunden worden.

Beethoven setzte das eine neue Muster. Er sprengte mit seinen ›Righini-Variationen‹ (1790) die bisherige figurative Enge und unterwarf das Thema mit Hilfe virtuoser Künste formaler Verwandlung und gleichzeitig gehaltlicher Umdeutung, mit den Variationen op. 34 (1802) die Bindung an die Einheitstonart und das harmonische Gerüst. Er verlieh jeder einzelnen Variation das Gepräge eines lyrischen Charakterstücks. Die ›32 Variationen über ein eigenes Thema‹ (1806), die ›Diabelli-Variationen‹ op. 120 (1819–1823), die Variationen seiner letzten Klaviersonate op. 111 (1821/22), im Klaviertrio B-Dur op. 97, im Streichquartett cis-Moll op. 131, in der 3. Sinfonie Es-Dur op. 55, der ›Eroica‹, erheben die Gattung aus dem ehemaligen Zweck halb improvisatorischer Unterhaltung, halb virtuoser Schaustellung in die Regionen höchster Ausdruckskunst. Auf dem Gebiet der Variationen hat Beethoven wahrhaft revolutionierend gewirkt; er hat die Gattung aus den Fesseln eines konventionellen, wenn auch höchst vergeistigten (Mozart, Haydn) Spiels befreit und ihr den Ernst hoher Kunst aufgeprägt.

Eine zweite Anregung ging von der romantischen Wiederbelebung von Bachs ›Goldberg-Variationen‹ aus, in denen E.T.A. Hoffmann eine Fundgrube »poetischer Ideen« entdeckte (die Original-Ausgabe von 1742 war vermutlich kaum zugänglich; die Variationen waren in Abschriften verbreitet, eine erste Neuausgabe soll um 1802 in Wien oder Zürich erschienen sein). Sie haben später auf Schumann und Brahms tiefen Eindruck gemacht und haben in die Variationskunst des 19.Jahrhunderts das kontrapunktisch-kanonische Element sowie den Gedanken, einzelne Variationen bekannten anderen musikalischen Typen oder Gattungen anzupassen, sie haben wohl auch durch ihren Schluß den witzigen oder parodistischen Zug eingebracht, der bei so vielen Variationswerken bis hin zu Regers ›Telemann-‹ und ›Hiller-Variationen‹ begegnet.

Ein dritter neuer Anstoß kam von der Seite der brillanten Klaviermusik von Nicolas-Joseph Hüllmandel, Friedrich Kalkbrenner, Daniel Gottlieb Steibelt (dem Beethoven seine ›Righini-Variationen‹ vorführte) und schob in der Klaviervariation das virtuose Element in den Vordergrund, das dann schon bei Beethoven spürbar wird, das bei Schubert und Weber die Variationen oftmals nahe an die brillante Salonvariation heranträgt und das später bei Liszt u. a. den Variationen-Zyklus auf eine Ebene mit dem Potpourri und der Transkription gebracht hat. Karl Czerny hat 1836 eine ›Systematische Anleitung zum Phantasieren‹ herausgebracht und dabei die brillante Variation zusammen mit der bravourösen Fantasie und dem Potpourri behandelt; Liszt hat zusammen mit Sigismund Thalberg, Johann Peter Pixis, Henri Herz, Czerny und Chopin unter dem Titel ›Hexaméron‹ einen gemeinschaftlichen Variationen-Zyklus über den Marsch aus Vincenzo Bellinis Oper ›I Puritani‹ veröffentlicht (1837).

Alle diese Arten von Variationen sind das 19.Jahrhundert hindurch, teils mehr nach Zwecken und Richtungen getrennt, teils in mannigfachen Vermischungen geübt und auf alle Gattungen der Musik angewendet worden; ihre Zahl ist gewaltig. Teils sind sie als selbständige Werke erschienen, teils auch (und vielleicht noch häufiger) im Rahmen größerer zyklischer Werke. Die Orchestervariation als alleinstehendes Werk, wie sie etwa bei Brahms (›Haydn-Variationen‹ op. 56a, 1873) oder Reger (›Hiller-Variationen‹ op. 100, 1907) bekannt ist, kommt verhältnismäßig selten vor; hierher gehören u. a. Dvořáks ›Sinfonische Variationen über ein Originalthema‹ op. 78 (1877), César Francks ›Variations symphoniques‹ für Klavier und Orchester (1885), Hubert Parrys ›Symphonic Variations‹ (1897), ›Don Quixote‹ von R. Strauss (1897), die ›Enigma Variations‹ von Edgar Elgar (1899) und manche andere. In Sinfonien, sinfonischen Dichtungen, Kammermusikwerken und Sonaten aller erdenklichen Art von Schuberts Streichquartett d-Moll ›Der Tod und das Mädchen‹ D 810 (1824) bis hin zu Dvořáks Streichsextett A-Dur op. 48 (1878) und weit darüber hinaus steckt eine Fülle von Variations-Zyklen verborgen, die, in ihrer Art ebenfalls »Kleinkunst«, zu den feinsten Geistesblüten aus der Musik des 19.Jahrhunderts gehören.

Unter den altüberlieferten Gattungen hat auch das *Konzert* für ein Soloinstrument und Orchester im 19.Jahrhundert eine Periode reichster Entfaltung und üppigster Pflege erlebt, in der, wie in anderen Gattungen, nun das virtuose Element besonders in den Vordergrund getreten ist. Auch hier haben Beethovens Konzerte die Bahn gebrochen, indem sie höchst originelle Phantasie der Erfindung mit größter Kraft der Gestaltung und anspruchsvollster Brillanz der Technik verbanden. Die Klavierkonzerte Nr. 4 G-Dur op. 58 (1805/06) und Nr. 5 Es-Dur op. 73 (1809) stehen unbestritten an der Spitze des romantischen Klavierkonzerts, wie das Konzert D-Dur op. 61 (1806) das maßgebliche Muster für das romantische Violinkonzert geworden ist. Die gesteigerte Violintechnik von Pierre Gaviniès und Giovanni Battista Viotti, die Klavierbrillanz Hüllmandels und Steibelts fanden hier ihre großartige Vergeistigung im Ernst des Gehalts und der Macht der Form. Im Wettbewerb mit Beethovens Typus des sinfonischen Konzerts, der das Soloinstrument mehr oder weniger in die thematische Arbeit und die formale Konstruktion einbezieht, steht die ganze Periode hindurch das mehr brillante und bravouröse Konzert, das dem Solisten den Vorrang läßt und das Orchester mehr mit Vor- und Zwischenspielen und mit der Begleitung beschäftigt. Für das Klavier von Dussek, Ludwig Berger, John Field, Ignaz Moscheles, Friedrich Kalkbrenner, Henri Herz, Carl Maria von Weber, Frédéric Chopin, Felix Mendelssohn usw. hin zu Franz Liszt, Johannes Brahms, Edouard Lalo, Camille Saint-Saëns, Anton Rubinstein, Peter Tschaikowsky, Max Reger, für die Violine Louis Spohr, Max Bruch, Mendelssohn, Brahms, Tschaikowsky, Dvořák, Pfitzner usw. ist die Zahl der Komponisten von Solokonzerten Legion (siehe Hans Engel in MGG, Artikel ›Konzert‹, C. ›Das Instrumentalkonzert‹).

Die zu Mozarts Mannheim-Pariser Zeit modische und vielverbreitete Gattung der *Symphonie concertante* hingegen hat im 19.Jahrhundert nur noch selten eine Fortsetzung gefunden; Werke wie Beethovens Konzert C-Dur für Klavier, Violine, Violoncello und Orchester op. 56 (1803/04) oder Brahms' Konzert a-Moll für Violine, Violoncello und Orchester op. 102 (1887) stehen ziemlich isoliert, wenngleich sich verstreut in den Konzerten anderer Komponisten hie und da auch einmal diese Sondergattung vertreten findet.

Die Grundanlage des Konzerts bleibt die klassische, dreisätzig, mit einem aus Sonaten- und Konzertelementen gemischten Eingangssatz, einem lyrischen, vorwiegend liedhaften Mittelsatz und einem rondo- oder sonatenartigen Finale; selten tritt einmal an die Stelle vor dem Finale ein Scherzo oder ein Übergangssatz, und selten werden konzertfremde Techniken, etwa die Variation, benutzt.

Die grundlegende und allgemein gültige Großform bleibt auch im 19.Jahrhundert die *Sonate* in ihren vielfältigen Besetzungen als Solosonate für Klavier, für ein Streich- oder Blasinstrument mit Klavier, selten in der Besetzung als Duett oder Terzett für Streicher oder Blasinstrumente ohne Klavier, für die verschiedensten Kammerensembles, als Klaviertrio (das Streichtrio bleibt selten wie in der Klassik), als Streichquartett, -quintett, -sextett, schließlich als *Sinfonie* für Orchester.

Im Gegensatz zum klassischen Zeitalter ist die *Viersätzigkeit* jetzt zur Regel geworden; einem Sonatensatz als Kopfsatz folgen ein langsamer Liedsatz und ein Scherzo, diese beiden recht häufig auch in umgekehrter Reihenfolge, und das Finale bildet meist wieder ein in lockeren Formen gehaltener Sonatensatz, während das Rondo im allgemeinen seltener geworden zu sein scheint oder, wo es vorkommt, als ›Rondo brillant‹, meist in der Klaviersonate auftritt. An die Stelle des langsamen Satzes oder des Finales, seltener des ersten Satzes, kann auch ein Variationenzyklus treten.

Die *Formen der einzelnen Sätze* unterliegen stärksten Wandlungen. Im *Kopfsatz*, der nicht selten noch von einer langsamen Introduktion in der Art Haydns eingeleitet wird (Beethovens 1. Sinfonie C-Dur op. 21 und 7. Sinfonie A-Dur op. 92, Schuberts 7. Sinfonie C-Dur D 944, Brahms' 1. Sinfonie c-Moll op. 68 usw.), wird die *Zweithemigkeit* seit Beethovens frühen Klaviersonaten als Regel betrachtet. Doch gewinnt das in der klassischen Exposition übliche Epilogthema schnell an Gewicht und erscheint schon in den späten Klaviersonaten und Kammermusikwerken Schuberts mitunter annähernd wie ein drittes Thema. Da die Themen selbst die Neigung haben, sich zu Komplexen zu weiten, entsteht vielfach eine Exposition, in der die Unterscheidung von echt thematisch-konstitutiven und übergangshaft-akzessorischen Bestandteilen verloren geht und an ihre Stelle die Gruppierung in drei große, annähernd gleichwertige und gleichgewichtige, kontrastierende Gruppen tritt (z. B. Schuberts Streichquintett C-Dur op. 163 D 956 oder Brahms' 4. Sinfonie e-Moll op. 98). Dieser Aufbau hat für Bruckners Sinfonien große Bedeutung erlangt und ist bei ihm die Regel.

Der breiten *Entwicklung* liedartiger Themen entspricht jedoch selten eine gleichwertige, entwickelnde Verarbeitung. Hier trennt sich der Weg der meisten Romantiker von Beethoven, dem erst Bruckner wieder in vollem Umfang gefolgt ist. Die meisten Komponisten begnügen sich damit, den Mittelteil des Satzes an Stelle einer Themendurchführung mit neuer, stark modulierender Erfindung oder mit weit ausholender brillanter Figuration oder mit melodisch-harmonischen Fortspinnungen des Ausgangsmaterials zu füllen (Schubert, Schumann, Mendelssohn, Spohr, Brahms), und verzichten mehr oder minder auf echte thematische Arbeit. Der 1. Satz von Schumanns 1. Sinfonie B-Dur op. 38 wirkt wie ein sehr weit dimensionierter dreiteiliger Liedsatz, und ähnlich steht es bei vielen romantischen Sinfonien. In die Klaviersonate (und vielfach auch in den Sonatenkopfsatz von Sinfonien und Kammermusikwerken) drängen sich virtuose Einlagen, Elemente aus anderen Gattungen, in der Klaviersonate besonders aus dem lyrischen Klavierstück, episodische Erfindungen und dergleichen ein (Brahms), die Klang und Gehalt phantasie- und gefühlvoll bereichern, das formale Gefüge aber aufweichen und nur in der Hand eines ungewöhnlich formstarken Geistes wie Bruckner dazu beitragen, gleichzeitig mit der inhaltlichen Bereicherung auch die Kraft der Konstruktion zu fördern.

Weitere auflösende Neigungen treten hinzu. Der Satz beginnt oft nicht mehr wie bei Beethoven mit dem profilierten Thema, sondern entwickelt sich aus einleitenden Bewegungen, die erst langsam das Thema aus sich entstehen oder erkennen lassen. Sehr charakteristisch dafür sind die Anfänge von Schuberts 8. Sinfonie h-Moll D 759, der ›Unvollendeten‹, und Streichquartett G-Dur op. 161 D 887. In der ersteren leitet ein Gesangsthema der Bässe ein, dem sich eine Wellenbewegung der oberen Streicher zugesellt, und erst aus diesem fortlaufenden Bewegungszug erblüht, eine blaue Blume, in Oboen und Klarinetten das Thema; im zweiten geschieht etwas völlig Neuartiges: ein dynamisches Crescendo und eine Schwankung zwischen der Dur- und der Mollvariante von G-Dur werden zu konstitutiven Elementen, aus deren stockenden Ansätzen das Thema erwächst.

Dur-Moll-Verschleierungen spielen in der ganzen Romantik eine sehr große Rolle (Schuberts ganzes Streichquartett G-Dur op. 161 lebt davon) und dienen zur Verhüllung der tonalen Konstruktionsschemata wie zur Vermittlung fluktuierender Erregungen. Ähnlich werden auch sonst die Gelenke der Konstruktionen gern durch weich fließende Übergänge verhüllt; man vergleiche z. B. aus demselben Streichquartett Schuberts den Eintritt der Reprise des 1. Satzes, die ganz unmerklich (Takt 278) erfolgt (ein Muster hierfür bringt schon der Repriseneintritt in Beethovens ›Eroica‹). Brahms (1. Sinfonie c-Moll op. 68), Bruckner (sehr häufig) und zahlreiche andere haben sich dieses Kunstmittels bedient. Hierher gehört auch das Aushauchen oder plötzliche Abbrechen des Satzes, das schon von Beethoven (8. Sinfonie F-Dur op. 93, 1. Satz) gelegentlich überraschend gebraucht worden ist und das bis zu den charakteristisch abrupten Schlüssen, wie sie Janáček liebt, benutzt worden ist, um den Ausgang eines Satzes in unbestimmter Schwebe zu lassen.

Ist schon der Formwille bei den meisten Komponisten schwach ausgeprägt, erscheint die Form oft nur als das äußerliche Gehäuse für Ausdrucksbereiche und Farbflächen, so breiten Mittel dieser Art zusätzlich ihre Schleier über den Satz und wiegen den Hörer in die Zauber ihres sinnlich-gefühlvollen Wohlklanges ein, ohne ihn zum Mitvollzug anzustacheln, ja, ihm den Mitvollzug auch nur zu gestatten. Rauschhafter Genuß tritt an die Stelle von Goethes »denkendem Genießen«. Vielleicht liegt gerade hierin einer der tiefsten Gegensätze zwischen dem Klassischen und dem Romantischen, daß dort die kräftige, selbsthandelnde Mittätigkeit des Hörers durch die Musik selbst geradezu gefordert, hier die Passivität süßer Hingabe geradezu erzwungen wird (vergleiche Artikel Klassik, Abschnitt II). In der Erfindung solcher Zauberschleier durch tonale, rhythmische, harmonische, melodische Mittel sind alle Romantiker unerschöpflich gewesen, und ihre Musik wirkt um so romantischer, je mehr sie davon Gebrauch gemacht haben. Vorgeschriebene Temposchwankungen, Verbreiterungen (Brahms' häufige »tranquilli«), Accelerandi, rasende Prestoschlüsse (seit Beethoven), vorgeschriebene dynamische Verschleierungen, schroffe oder gleitende Modulationen, geheimnisvolle Flüsterwirkungen (Schumanns »Stimme aus der Ferne« in der ›Novelette‹ op. 21, Nr. 8) erregen zusammen mit literarischen Anspielungen (Berlioz' ›Harold en Italie‹ auf Lord Byron, Liszts ›Hamlet‹ und ›Die Ideale‹ auf Shakespeare bzw. Schiller, Schumanns ›Kreisleriana‹ auf E. T. A. Hoffmann oder die ›Marseillaise‹ in seinem sonatenartigen ›Faschingsschwank‹) die Vorstellungsgabe des Hörers und bringen jeden Satz irgendwie in die Nähe eines »Programms«, wenn er sich formal auch noch so sehr als Sonate oder Sinfonie gebärdet, und zwingen damit dem Hörer eine rezeptive und passive Haltung auf, die der von der klassischen Musik geforderten entgegengesetzt ist.

Ähnliches geht in den anderen Sätzen der Sonate bzw. Sinfonie vor sich. Mehr noch als in den Kopfsätzen weiten sich hier die Dimensionen. Die knappen lied- und romanzenartigen Sätze der Klassik dehnen sich aus, werden vielgliedrig und verlassen die Haltung gleichschwebender Ruhe und verhaltenen Gleichmaßes, die sie bei Mozart, aller inneren Spannung zum Trotz, noch bis in seine letzten Werke auszeichnet. Schon bei Beethoven beginnt diese innere Spannung sich zu steigern; sie wird zum Trauermarsch in der 3., zum Hymnus in der 9. Sinfonie, und damit wird das Muster für die zahlreichen ähnlichen Charakterstücke gesetzt, die im romantischen Zeitalter die *langsamen Sätze* von Sinfonien, Streichquartetten und Sonaten bilden (z. B. der »feierliche« Übergangssatz vor dem Finale in Schumanns 3. Sinfonie Es-Dur op. 97, die balladeske Romanze in seiner 4. Sinfonie d-Moll op. 120; das aus sehnsüchtiger Melancholie zum schmerzlichen Ausbruch gesteigerte und dann wieder in sich zurücksinkende Adagio in Brahms' 4. Sinfonie e-Moll op. 98; die grandiosen hymnischen Steigerungsanlagen von Bruckners langsamen Sätzen).

So wenig neu in formaler Hinsicht das alles gegenüber dem klassischen langsamen Satz sein mag, so verändert ist doch der seelische Gehalt, der den Hörer in seinen Bann zwingt und ihm die Freiheit nimmt, »solchen Sachen aus eigenem Geist und Herzen etwas unterzulegen« (Goethe zu Eckermann, 12. Januar 1827). Hiermit hängt es zusammen, daß in romantischen Sinfonien, Quartetten und Sonaten der langsame Satz nicht selten den Schwerpunkt und den Ort höchster Konzentration im ganzen Zyklus bildet. Das Gleichgewicht ist gestört, die »Teilnahme am einzelnen« (Goethe) fordert ihr Recht.

An den *Scherzi* fällt ebenfalls das Wachstum der Dimensionen auf (vgl. z. B. das Scherzo von Schumanns 2. Sinfonie C-Dur op. 61, schon 1845/46 mit fast 400 Takten; bei Bruckner erreichen dann Scherzi Längen von mehr als 500 Takten). Vielfach folgen sie dem Beethovenschen Typus, nicht selten halten sie noch am klassischen Menuettschema fest (Schubert), oder sie führen mäßig schnelle, idyllisch-beschauliche Charaktertypen ein (z. B. Schumanns 3. Sinfonie Es-Dur op. 97), oder sie werden durch Tanzsätze (wie vielfach bei Dvořák) ersetzt usw. Die Auswahl ist reich, und die Neigung zum Charakterstück wird hier noch deutlicher als in den langsamen Sätzen. Wo der Beethovensche Typus waltet, wird er nicht selten mit zwei Trii versehen (so oft bei Schumann). Die Trii selbst erhalten stets stark kontrastierenden Charakter und stehen oft in stark kontrastierenden Tonarten, Rhythmen oder Taktarten. Mit dergestalten Wandlungen tritt auch der Scherzosatz in viel stärkerem Maße als in der klassischen Sinfonie der Menuettsatz aus dem Verband des Zyklus heraus und erhebt den Anspruch, als Einzelwesen sui generis verstanden zu werden.

Der schwache Punkt in der romantischen Konstruktion von Sonaten- und Sinfoniezyklen liegt häufig in den *Finali*. Während es noch bei Haydn und Mozart kein Finale gibt, das nicht den Zyklus in natürlicher und ungesuchter Weise abschlösse und nicht den heiteren Ausgleich der Gegensätze herbeiführte, tritt der romantische Komponist dem Finale seines Zyklus mit Unsicherheit entgegen. Es ist ihm nicht mehr nur um die Herstellung des Gleichgewichts und um das lieto fine zu tun, sondern er ist auf einen Aufbau bedacht, der das Ganze des Zyklus zusammenfassend krönen, es zum Triumph steigern oder es zur verzagten Resignation herabstimmen soll. Die Schluß-Strette in den Sinfonien und Kammermusikwerken von Brahms und Dvořák sind oft martialisch und sieghaft, keck und übermütig; Tschaikowskys 6. Sinfonie h-Moll op. 74, die ›Pathétique‹, schließt in rätselhafter Versunkenheit. Beethoven hat mit seiner 5. Sinfonie c-Moll op. 67 das Urmuster »per aspera ad astra« gesetzt, das nun in unzähligen Varianten durch das Jahrhundert hindurch abgewandelt worden ist.

Häufig wirkt bei den romantischen Komponisten die Anlage solcher Finali gesucht, und die von den klassischen Meistern mit leichter Hand hingesetzte Form (lockerer Sonatensatz mit Einlagen, Sonatenrondi oder ähnlichem, selten Variationszyklen wie z. B. in Brahms' Klarinettensonate Es-Dur op. 120, Nr. 2) gelingt nicht immer überzeugend. Die Dur-Schlüsse, die Schumann an seine Moll-Finali anzuhängen liebt, wirken mitunter gekünstelt, und die Themenerfindung zum Finale ist schon bei Schubert und Weber, noch mehr bei Mendelssohn und Brahms oft recht schwach. Das Finale der 4. Sinfonie e-Moll op. 98 von Brahms ist eine Passacaglia über einen Ciaconnenbaß aus Bachs (?) Kantate

Nr. 150; es ist trotz allen bewundernswerten Erfindungsreichtums kein befriedigender Abschluß des Zyklus. Tschaikowskys Finale der 5. Sinfonie e-Moll op. 64 ist laut und theatralisch und hat eine bombastische Stretta. Spohrs 3. Sinfonie c-Moll op. 78 schließt mit einem opernhaften und gezierten Finale. Dvořák und andere flüchten sich gern in die immer wirkungsvolle Welt der Folklore. Schuberts Finali begnügen sich mit poetischer Ausspinnung in regelmäßig gebauten, konventionellen Formen und verraten durch ihre übergroße Länge (Sinfonie C-Dur D 944: 1158 Takte), daß hier im Grunde eine Aufgabe ungelöst geblieben ist.

Eine Ausnahme macht auch hierin wieder Bruckner. Er unternimmt es in seinen Finali, in gewaltigem Anlauf das Material eines oder mehrerer vorhergehender Sätze wieder aufzugreifen und durch einander übersteigernde sinfonische Wellen, oft durch kontrapunktisches Übereinandertürmen der Themen unter Einschaltung von choralartigen Gebeten den thematischen Gehalt des Zyklus vollkommen auszuschöpfen, und er erzielt Apotheosen, in denen das Gesamtwerk zu letzter triumphaler Einheit zusammengerafft wird. Was in Anknüpfung an Bruckner von Späteren, z. B. von Mahler, versucht worden ist, konnte ihn allenfalls übertönen, aber nicht mehr übertreffen.

Die angewendeten Mittel und die erzielten Ergebnisse schwanken von Komponist zu Komponist, von Werk zu Werk beträchtlich. In jeder Hinsicht hat sich der romantische Subjektivismus die Wege offen gehalten. Als gemeinsamer Zug läßt sich aber wohl für die gesamte Produktion zyklischer Werke im romantischen Zeitalter aussagen, daß ihr das Sinfonie- und Sonatenwerk der Klassik und insbesondere Beethovens auf diesem Gebiet wie ein immer von neuem erstrebtes, aber nie erreichbares Ideal vor Augen gestanden hat. Richard Wagners bekanntes Wort, man könne nach Beethoven keine Sinfonien mehr komponieren, enthält einen Kern von Wahrheit, die für das ganze Jahrhundert gilt. Alle Originalität und alle noch so sinnlich-betörende oder leidenschaftlich-überwältigende Erfindungskraft des romantischen Zeitalters kann nicht darüber hinwegtäuschen, daß auf diesem Gebiet vielfach mehr gewollt als vermocht wurde, daß die gestaltende Kraft nachgelassen hatte und daß Sinfonien, Sonaten, Streichquartette usw. oft nichts anderes als geistreiche oder gefühlvolle Corollarien von lyrischen Kleinformen waren. Aus einem Klaviertrio von Schubert, einem Klavierquartett von Brahms oder einer Sinfonie von Mendelssohn ließe sich ohne große Mühe eine Perlenkette lyrischer Einzelstücke formen; stellt man einen solchen Versuch bei Beethoven oder Bruckner an, so wird die abgrundtiefe Kluft deutlich. Hier liegt wohl zweifellos auch eine der Wurzeln für das Ungenügen, das die romantischen Komponisten an sich selbst empfanden: sie litten unter dem ihnen wohl bewußten Abstand zwischen den

Aufgaben und ihren Talenten, die sie auf die blaue Blume romantischer Lyrik hinwiesen. In Briefen und Schriften haben sie, von Schubert an, dieses quälende Selbstbewußtsein oft genug bekundet.

An derselben Stelle liegt auch die Wurzel oder mindestens eine der Wurzeln zutage, aus denen im 19.Jahrhundert das deskriptive, mehr dramatische oder mehr lyrische, mehr schildernde oder mehr kontemplative lyrische Orchesterstück entstanden ist, die *sinfonische Dichtung* (im weitesten Sinne des Wortes). Die Masse solcher Kompositionen, die seit Berlioz' ›Symphonie fantastique‹, »épisode de la vie d'un artiste« (1830), ›Harold en Italie‹ (1834) und ›Roméo et Juliette‹ (1839) sowie Liszts ›Ce qu'on entend sur la montagne‹ (1849 ff.) und ›Tasso‹ (1849 ff.) Hunderte von Komponisten bis zu Strauss' ›Tod und Verklärung‹ (1889), ›Till Eulenspiegels lustige Streiche‹ (1894/95) und ›Ein Heldenleben‹ (1898), zu Nikolai Rimski-Korssakow, Tschaikowsky, Mussorgsky, Smetana, Dvořák usw. geschrieben haben, läßt sich nicht entfernt überblicken und umfaßt alles, was von zartester Naturlyrik über pathetische Historienmalerei bis zur Intimität der psychologischen Studie denkbar ist. Hier konnte auf die formale und zyklische Geschlossenheit der Großform verzichtet, hier konnten statt dessen deskriptive Einzelbilder in freier Reihung aneinandergehängt werden; hier konnte die Phantasie nach Willkür schalten, Einfall, Klangsinn und Effekt waren wichtiger als überzeugende Architektonik großer Formen, und der Komponist konnte sich je nach Bedarf und Veranlagung auf literarische Vorwürfe oder auf die Schilderung vorgestellter Inhalte, Geschehnisse oder Charaktere stützen (vergleiche S. 325, Brief von R. Strauss an Romain Rolland, 5. Juli 1905). Es war eine Art Ausweg aus innerer Not, wie Berlioz und Liszt gelegentlich in ihren Schriften angedeutet haben; es war auch eine Probe auf das Vermögen zu freier Formung und zu einer Klanggestaltung, die nicht durch vorgegebene Muster präjudiziert war. Viele Komponisten (wie Schumann, Mendelssohn, Brahms, Bruckner, Reger) haben es, von Ausnahmen abgesehen, verschmäht, diesen Ausweg zu benutzen, und haben es vorgezogen, ihre Kräfte immer wieder an der großen Form zu messen, und oft haben sie damit, ohne es eigentlich zu wollen, ihrem Schaffen den Stempel des Klassizistischen aufgeprägt. Im Grunde aber ist die freigeschaffene und formal ungebundene sinfonische Dichtung das ebenbürtige Geschwister des kleinen lyrischen Charakterstücks und war der Veranlagung der romantischen Komponisten angemessener als die Sinfonie oder die Sonate. Eine umfassende Darstellung des Gebietes, das bisher ein fast unzugängliches Dickicht in der Geschichte der romantischen Musik bildet, wäre dringend erforderlich. Der Wettbewerb zwischen Sinfonie und sinfonischer Dichtung jedenfalls hat viel dazu beigetragen (zumal seit Debussys impressionistische Klanggemälde weltweite Muster wurden), daß sich die Konvention der klassischen Formen mehr und mehr auflöste und damit die pièce de résistance der Überlieferung verfiel.

Hat im romantischen Jahrhundert zweifellos die *Instrumentalmusik* im Vordergrund des Interesses gestanden, für die Musikschaffenden wie für die Musikverbraucher, so ist nichtsdestoweniger eine große Menge *Vokalmusik* aller Gattungen und Richtungen komponiert worden. Sie hat für das öffentliche Musikwesen in der Form der Kirchenmusik, des Oratoriums, der Oper, der weltlichen Chorkomposition und des Liedes, für das private Musizieren vor allem in der Gestalt des Liedes eine keinesfalls zu unterschätzende Bedeutung besessen.

Zwar steht auf vokalem Gebiet die weltliche Komposition der geistlichen nach Umfang und Gewicht weit voran, doch war innerhalb der *Kirchenmusik* beider Konfessionen das schöpferische Leben keineswegs erloschen. Es ist aber zu bedenken, daß nur ein geringer Teil des kirchenmusikalischen Schaffens sich unter dem Schlagwort »Romantik« subsumieren läßt. Der weitaus größere Teil der Kirchenmusik hat nur insoweit etwas mit Romantik zu tun, als er den der Romantik eigenen historisierenden Neigungen entsprossen ist. Ein anderer, gleichfalls nicht unbeträchtlicher Anteil, zumal der katholischen Musik, ist dem aromantischen, völlig klassizistischen Arsenal der italienischen Kirchenmusik von Domenico Cimarosa, Ferdinando Paër, Vincenzo Rastrelli (von der Wiederbelebung älterer Meister ganz zu schweigen) entnommen worden, und ihre Richtung ist von dort auf eine große Gruppe deutscher Komponisten, darunter etwa Johann Gottlieb Naumann, Franz Seydelmann, Joseph Schuster, Adalbert Gyrowetz usw. übergegangen. Das Gegenstück dazu bildet die umfangreiche kirchenmusikalische Produktion Deutschlands und Österreichs, die im Anschluß an W. A. Mozart, Joseph Haydn und besonders Michael Haydn die klassische Tradition der Messe, der Vesper und der motettischen a cappella-Musik für die verschiedensten liturgischen Zwecke und Gelegenheiten fortgesetzt hat. Sie findet sich unverändert noch bei dem jungen Bruckner wieder.

Der romantische Streit um die »wahre Kirchenmusik«, der praktisch schon mit den restaurativen Tendenzen bei J. A. Hiller, C. Ph. E. Bach usw. eingesetzt hat und der dann in zahlreichen Schriften von J. Fr. Reichardt, J. A. P. Schulz, J. G. Herder, K. A. von Mastiaux, E. T. A. Hoffmann, A. Fr. J. Thibaut u. a. ausgetragen worden ist, war seiner Natur nach überkonfessionell und ist unlöslich mit den Restaurationsbewegungen beider Konfessionen verquickt, die *zur Wiederbelebung alter Musik* und *zum Neuschaffen nach ihrem Vorbild* geführt haben. Der Begriff der »alten Meister« stammt aus der Romantik. Die zahlreichen Motettensammlungen der Zeit legen Zeugnis für das Bedürfnis nach »erbaulicher« und »andächtiger« Kirchenmusik ab. Wie auf katholischer Seite seit

Caspar Ett und Johann Kaspar Aiblinger, so haben auf evangelischer Seite seit Johann Gottfried Schicht und Bernhard Klein zahlreiche Komponisten dieses Ziel verfolgt. Ihr bedeutendster später Vertreter dürfte Felix Mendelssohn sein, der über den Konfessionen stand und paradoxerweise vielleicht der kirchlichste unter allen großen deutschen Komponisten des 19.Jahrhunderts gewesen ist. In seinem ausgedehnten und vielseitigen Schaffen kann der kirchliche Anteil vielleicht das Hauptgewicht beanspruchen. Bei ihm feiert in konzertierenden wie in a cappella-Werken der *Klassizismus* Triumphe; auch sie können nur mittelbar als Erzeugnisse »romantischen« Geistes gelten, insofern sie ohne die historizistische Ader des romantischen Musikdenkens nicht zu verstehen sind. In Mendelssohns Nähe stehen August Eduard Grell und Moritz Hauptmann, und mit der Gruppe hängt wiederum das Motettenschaffen von Johannes Brahms eng zusammen. Wie auf der katholischen Seite durch Franz Liszt, Joseph Gabriel Rheinberger und Anton Bruckner, dann durch die zahllosen Komponisten der cäcilianischen Bewegung, so ist auf evangelischer Seite durch Heinrich von Herzogenberg (obschon selbst Katholik), Arnold Mendelssohn, Albert Becker und viele andere, schließlich durch Max Reger (gleichfalls Katholik) diese Richtung fortgesetzt worden, die sich längst von dem breiten Strom des romantischen Musikschaffens abgesondert hatte und eine innerkirchliche Angelegenheit geworden war.

Entsprangen alle diese Bestrebungen aus dem Grunde klassizistischer und aromantischer, ja vielfach antiromantischer Voraussetzungen, so hat doch die katholische Kirchenmusik in diesem Zeitalter noch eine neue und selbständige, ganz und gar aus klassisch-romantischem Geiste entsprungene Gattung geschaffen, die *sinfonische Messe*. Nachfolgerin der alten konzertierenden Messe, unterscheidet sie sich von ihr durch die stärkere Verpersönlichung des Ausdrucks, die autonomere formale Gestaltung (wobei Anlehnungen an die sinfonischen Formen der Sonate, des Rondos usw. nicht selten sind), durch die freier Phantasie entspringende Gestaltung der Chöre und Sologesänge, vor allem aber durch die verselbständigte und mitunter führende Rolle des Orchesters, das nun aus einem Begleit- und Konzertierkörper zu einem Mitgestalter der Form und des Ausdrucks geworden ist. Haben hier Mozarts ›Requiem‹ (so fragwürdig es überliefert ist), Haydns sechs späte Hochämter und Beethovens Messe C-Dur op. 86 die Ausgangsbasis gebildet, so ist es doch wiederum Beethoven gewesen, der mit der ›Missa solemnis‹ den Typus der sinfonischen Messe als Muster für das ganze Jahrhundert hingestellt hat. Ob dabei das einzig denkbare Muster der Vergangenheit, Bachs h-Moll-Messe, eine Rolle gespielt hat, möge dahingestellt bleiben. An Beethoven haben die Meister der sinfonischen Messe im 19.Jahrhundert angeknüpft. Schon Schuberts Messen Nr. 2 G-Dur D 167 (1815), Nr. 5 As-Dur D 678 (1818–1822) und Nr. 6 Es-Dur D 950 (1828), Berlioz' ›Grande Messe des Morts‹ (1837), Liszts ›Graner Festmesse‹ und ›Requiem‹ (beide 1869), Bruckners grandiose drei späten Messen in d-Moll (1864), e-Moll (1866) und f-Moll (1867/68) und zahlreiche ähnliche Werke sind nicht ohne das Vorbild Beethovens zu denken, und bis zu Verdis ›Messa da Requiem‹ für Alessandro Manzoni (1874) erstreckt sich dieser Einflußbereich. Brahms' ›Deutsches Requiem‹ (1857–1868) steht zwischen der sinfonischen Messe und dem Oratorium.

So viel »Romantik« auch in diesem Schaffenszweig steckt, so ist doch nicht zu verkennen, daß die sinfonische Messe, mag sie auch im Einzelfall für den liturgischen Zweck komponiert und im Gottesdienst aufgeführt worden sein, weit eher im Konzertsaal als in der Kirche Heimatrecht beanspruchen kann, daß ihre Orchesterbehandlung nicht selten der Oper nahekommt und daß mit ihr die im engeren Sinne kirchliche Komposition aus ihrem Rahmen herausgetreten ist.

Ein ähnlich riesenhaftes Gebiet wie die Kirchenmusik beider Konfessionen im 19. Jahrhundert, und mit ihr vielfach verschwistert, bildete das *Oratorium*. Getragen von einem ähnlich restaurativen und historizistischen Geist wie die Kirchenmusik, in seinen Formen und Klanggestalten aber viel enger an die weltliche Musik, insbesondere die Oper angelehnt, hat das romantische Oratorium eine seltsame Mittelstellung zwischen Kirchenmusik, Oper und weltlicher Chormusik eingenommen. Ein einheitlicher Typus hat sich nicht herausgebildet, und von betont kirchlichen und biblischen Oratorien wie etwa den Werken Bernhard Kleins (1822 bis 1828) bis zum rein weltlichen Oratorium wie ›Das Paradies und die Peri‹ und ›Der Rose Pilgerfahrt‹ von Schumann ist jede Zwischenstufe vertreten. Das biblische Oratorium hat Friedrich Schneider von 1819 an in loser Anlehnung an G. Fr. Händel und Mendelssohn mit ›Paulus‹ (1836) und ›Elias‹ (1846) in loser Anlehnung an J. S. Bach gepflegt. Karl Loewes viel aufgeführte ›Zerstörung Jerusalems‹ (1829) bemüht sich um stärkere dramatische Wirkungen und orchestrale Effekte, und Liszts ›Heilige Elisabeth‹ (1867) und ›Christus‹ (1873) kommen in ihren Mitteln und ihrer Haltung schon Wagners ›Parsifal‹ nahe.

Von einer zureichenden Einordnung des Oratoriums in die Geschichte der romantischen Musik ist die Forschung noch weit entfernt. Auf eine auch nur einigermaßen befriedigende Darstellung dieses Zusammenhangs muß an vorliegender Stelle ebenso verzichtet werden wie auf einen Überblick über die romantische *Chormusik*, so charakteristisch als Erzeugnis spezifisch romantischen Musikempfindens in ihren Sonderzweigen der Männer- und Frauenchormusik, der Musik für gemischten Chor und als geschichtlicher Zusammenhang von Schubert bis Janáček sie auch ist (vergleiche Artikel ›Chorkomposition‹, insbesondere Abschnitt ›Chorkomposition von 1800 bis zur Gegenwart‹, Artikel ›Frauenchor‹ und Artikel ›Männerchor‹ in MGG).

Darf es als eine anerkannte geschichtliche Tatsache betrachtet werden, daß im 19.Jahrhundert die deutsche Instrumentalmusik aller Kategorien in Europa dominiert hat, daß die Komponisten anderer Länder sich an ihr ausgerichtet und vielfach an der deutschen Musik oder in Deutschland selbst gelernt haben, muß es auf der anderen Seite als unbestreitbare geschichtliche Tatsache gelten, daß die deutsche und österreichische Kirchenmusik, das Oratorium, die Chormusik usw. mit seltenen Ausnahmen deutsche Sondergattungen geblieben sind, die im wesentlichen außerhalb des internationalen Zusammenhangs gestanden und ihren Boden nur im eigenen Lande gefunden haben, so verteilt sich auf dem Gebiet der *Oper* das Gewicht zwischen den Nationen völlig anders.

In Deutschland steht der Beginn des Zeitalters unter dem Zeichen der Sehnsucht nach der *ernsten deutschen Nationaloper*, die nur in dem einen Glücksfall von Mozarts ›Zauberflöte‹ eine vollkommene Erfüllung gefunden hat. Hier sind trotz der vollkommenen Klassizität ihrer Formen und ihrer Sprache die romantischen Tendenzen bereits mit Händen zu greifen: der Märchenstoff, die Volkstümlichkeit der Melodien, die Schauer der Bühneneffekte und vieles andere; an die ›Zauberflöte‹ hat denn auch (von anderen Quellen abgesehen) die deutsche romantische Oper mit ›Undine‹ von E. T. A. Hoffmann (1816), ›Faust‹ von Spohr (1816) und ›Freischütz‹ von Weber (1821) angeknüpft. Die Vorgänge, die zu diesem Operntypus geführt haben, die Einwirkungen von seiten der opéra comique, das hierher übernommene Erbe aus Abbé Voglers Mannheim-Darmstädter »Tonschule« usw. stehen hier nicht zur Erörterung, ebensowenig die Frage, wieviel von Elementen der opera buffa in sie übergegangen ist. Mit seiner Naturmotivik, seinem Waldeszauber, mit der gespenstischen Wolfsschluchtmusik, mit den volkstümlichen Lied- und Tanzeinschlägen, mit seinem Zwiespalt zwischen himmlischen und höllischen Mächten, mit Männerchor und Walzereffekten hat ›Der Freischütz‹ einen spezifisch *deutsch-romantischen Operntypus* geprägt, der sich über Heinrich Marschner und viele Kleinmeister weitervererbt hat und noch in Wagners ›Fliegendem Holländer‹ (1843) nachweisbar ist.

Doch beherrschte dieser Typus keineswegs allein die deutsche Bühne. Neben ihm standen die italienischen *opere buffe* und *opere semiserie* von Saverio Mercadante, Gaetano Donizetti und Vincenzo Bellini, und seitdem Gioacchino Rossini mit ›Die Italienerin in Algier‹ (1813) und ›Der Barbier von Sevilla‹ (1816) seinen Siegeszug über die Bühnen Europas angetreten hatte, verfiel auch

Deutschland dem Rossini-Taumel, der die Opern dieses Spätmeisters einer langen Geschichte der italienischen opera buffa zu den meistaufgeführten machte. Die *Große Oper französischen Ursprungs* hatte in Gaspare Spontini (Opern von Etienne-Nicolas Méhul, Konradin Kreutzer, Charles-Simon Catel u. a. sind anscheinend in Deutschland weniger zuhause gewesen) einen gewichtigen Meister, der in Deutschland tätig und wohlbekannt war (siehe E. T. A. Hoffmann, ›Nachträgliche Bemerkungen zu Spontinis Oper »Olympia« ‹, 1821). Die französische »Revolutions- und Schreckensoper« wirkte durch André-Ernest-Modeste Grétry und seine Nachfolger nach Deutschland herüber (gattungsgeschichtlich gehört Beethovens ›Fidelio‹ in diesen Zusammenhang), denen später François Auber mit ›Die Stumme von Portici‹ (1828), Rossini mit ›Wilhelm Tell‹ (1829) u. a. nachfolgten. Dazu bildete die italienische opera buffa weiterhin eine besonders beliebte Gattung auf den deutschen Bühnen; Opern von Domenico Cimarosa, Giovanni Paisiello, Ferdinando Paër und viele andere sind hier unendlich oft aufgeführt worden. Mit Adrien Boieldieu und Ferdinand Hérold eroberten sich weitere Ausländer die Gunst des deutschen Publikums. Als dann Giacomo Meyerbeers Große Opern ›Robert der Teufel‹ (1831), ›Die Hugenotten‹ (1836), ›Der Prophet‹ (1849), Jacques Halévys reißerische ›Jüdin‹ (1835) ihren Weg nach Deutschland fanden, schien im Lande der Romantik der italienischen und französchen Oper – aromantisch, wie sie im Grunde waren – der Vorrang gesichert. Nicht von ungefähr haben sich die Schriftsteller des Schumann-Kreises und der junge Richard Wagner mit Erbitterung gerade gegen diese Arten von Opern gewendet. Was Deutschland dagegen mit Friedrich von Flotows ›Martha‹ (1847), Albert Lortzings ›Zar und Zimmermann‹ (1837), ›Wildschütz‹ (1842) und ›Undine‹ (1845) oder mit Otto Nicolais ›Lustigen Weibern von Windsor‹ (1849) einzusetzen hatte, blieb, gemessen am internationalen Maßstab, bescheiden; es war bestenfalls lyrische »Kleinkunst« (die Bühnenparallele zu den sonstigen lyrischen Kleingattungen), biedermeierlich und kleinbürgerlich, wenn auch mit dem Anhauch des Märchens, keinesfalls eine Volloper, und es konnte überdies für sich ja nur sehr bedingt Anspruch darauf erheben, als »romantisch« im vollen Sinne des Wortes gewertet zu werden.

Aus dem klassischen Zeitalter führten die Opern Christoph Willibald Glucks ein gewisses Nachleben; von Mozart blieb neben ›Titus‹ vor allem ›Don Giovanni‹ im Repertoire, aber auch diese Nachklänge verhallten allmählich im neuromantischen Zeitalter. Der große Wurf einer *deutschen Nationaloper*, die dann ja eine romantische Volloper gewesen wäre und die der französischen und italienischen Oper die Stange hätte halten können, war nicht geglückt. Die romantische Bewegung, so sehnsuchtsvoll sie auch nach der Opernbühne blickte, fand dort keinen Meister, der ihre Träume hätte erfüllen können.

Das geschah erst mit dem Auftreten *Richard Wagners*, dessen ›Fliegender Holländer‹ (1843), ›Tannhäuser‹ (1845) und ›Lohengrin‹ (1850) bald das »Kunstwerk der Zukunft«, das »Gesamtkunstwerk«, heraufführen sollten, ein Bühnenwerk, an dem Musik und Dichtung gleichberechtigt nebeneinander und gleichberechtigt mit allen anderen Künsten beteiligt sein sollten, eine Konkretisierung aller synästhetischen Bestrebungen der Romantik. Mit ›Tristan und Isolde‹ (1865), ›Die Meistersinger von Nürnberg‹ (1868), der Trilogie ›Der Ring des Nibelungen‹ (1869–1876) und ›Parsifal‹ (1882) fand es seine vollkommene Verwirklichung, in zahlreichen Schriften, vor allem ›Oper und Drama‹ (1851), seine ästhetische Begründung.

Wagners Musikdramen gelang es trotz aller Propaganda und Polemik nicht, die Opern anderer, älterer und zeitgenössischer Komponisten und Richtungen von den Bühnen zu verdrängen; dazu waren sie nach Inhalt, Aufführungstechnik und musikalischer Struktur zu anspruchsvoll. Charles Gounod, Ambroise Thomas, Georges Bizet, Léo Delibes, Emanuel Chabrier, Jules Massenet u. a. sind auf den deutschen Opernbühnen immer beheimatet geblieben wie Giuseppe Verdi, später Pietro Mascagni, Ruggiero Leoncavallo, Giacomo Puccini, Eugen d'Albert und viele andere. Aber mit Wagner war das geschichtliche Ereignis eingetreten, daß der deutsche romantische Geist sich ein erstes und einziges Mal auf der internationalen Szene Bahn gebrochen hatte. Er hat zunehmend die Opernbühnen anderer Länder, vorab Frankreichs, ergriffen, und der »wagnérisme« wurde zum Sammelbegriff für die spätromantische Musik des »neuen Deutschland« schlechthin. Von seinen späteren Lebensjahren an bis in die Ideologie des Nationalsozialismus hinein ist Wagner, für gut oder übel, zum Inbegriff des deutschen Wesens in der Musik geworden. War das gewiß auch eine starke Vereinseitigung, so war es doch ein letztes Aufflammen romantischen Musikdenkens, und seine geschichtliche Wirkung ist von unabsehbarer Tragweite gewesen.

In Wagners Stoffwahl, in dem unerschöpflichen sinfonischen Gewebe seines Orchestersatzes aus konstanten »Leitmotiven«, in das die »unendliche Melodie« und die mehr oder minder geschlossenen Formen der Sologesänge, Ensembles und Chöre eingebettet sind, in seinem Gefühlsüberschwang und seiner rhetorischen Unersättlichkeit, in seinem dramatischen Pathos und seiner lyrischen Verzückung, seinem Hang zum Transzendenten und Legendären, in der derben und dennoch verklärten Alltäglichkeit der ›Meistersinger‹, in der mystisch-religiösen Erhabenheit des ›Parsifal‹ ist zum ersten Male seit Mozart das deutsche Opernschaffen maßgeblich am internationalen Bühnenrepertoire beteiligt worden.

Die Zeitgenossen spürten das Revolutionäre und Gewaltsame in Wagner stärker als das Traditionsverhaftete und Verinnerlichte. An ihm wie an keinem anderen haben sich die Geister geschieden. Zwischen seinen unbedingt ergebenen Gefolgsleuten von Carl Friedrich Glasenapp und Houston Stewart Chamberlain an bis zu George Bernard Shaw und Guy de Pourtalès und seinen erbitterten Gegnern von Eduard Hanslick bis zu Igor Strawinsky haben die Kämpfe auf allen Ebenen der sachlichen Kontroverse und der infamen Gehässigkeit ein halbes Jahrhundert und länger angedauert. Sie haben nur bewiesen, welch ungeheure und elementare Kraft hier von dem Spätstadium der deutschen Romantik her in den Gleichgang der Weltmusikgeschichte eingegriffen hatte. An Wagner wurde auch deutlich, wie tief sich die Musikanschauung zwischen traditionsgesättigtem Klassizismus und umstürzlerischer »Zukunftsmusik« zerspalten hatte.

In der Praxis hielten sich die Komponisten zwischen den Extremen. Von den »Circumpolaren« (Theodor Kroyer, Die circumpolare Oper. Zur Wagnergeschichte, in Jahrbuch Peters für 1919, S. 16–33) wie Siegfried Wagner, August Bungert, Cyrill Kistler, Friedrich Klose, Engelbert Humperdinck u. a., die Richard Wagner fortzusetzen und zu übertrumpfen versuchten, hat keiner ihn an Intensität der Wirkung oder Qualität der Kompositionen erreichen können, und erst ganz am Ende der romantischen Ära ist mit Richard Strauss (›Salome‹, 1905; ›Elektra‹, 1909; ›Der Rosenkavalier‹, 1911; ›Ariadne auf Naxos‹, 1912; usw.) ein ebenbürtiger Musiker auf den Plan getreten, der es an dramatisch-musikalischer Begabung mit Wagner aufnehmen konnte, und der, nun schon unter den stark veränderten Vorzeichen eines realistischen, naturalistischen und veristischen Opernzeitalters, neue Ideen auf der Grundlage des Wagnerschen Vorbildes zu erneuten Welterfolgen der deutschen Oper ausmünzen konnte. Wie weit sie noch unter den Begriff der »Romantik« einzuordnen sind, bleibe dahingestellt.

Wie auf allen Gebieten der Vokalmusik, so bleibt auf dem der Oper das Bild des romantischen Zeitalters zwielichtig und schillernd. Inwieweit die grundlegenden musik-ästhetischen Ideen der Romantik sich (vor und außer Wagner) im Opernschaffen durchgesetzt haben, auf welche ästhetischen, sozialen, literarischen u. a. Hintergründe der Opernwirrwarr des 19.Jahrhunderts zurückgeht, in welchem Maße und in welcher Weise die Opernmeister des 19.Jahrhunderts in den verschiedenen Ländern sich gegenseitig beeinflußt haben, wer hier der Nehmende, wer der Gebende gewesen ist (vergleiche das noch immer umstrittene Verhältnis Wagner-Verdi), ob dem Ganzen eine einigermaßen einheitliche Leitidee vom musikalischen Drama zugrunde gelegen hat (wie es doch noch im klassischen Zeitalter eindeutig der Fall gewesen war) oder ob hier in der Tat nur die Willkür eines zügellosen und subjektiv übersteigerten Individualismus das Regiment geführt hat, diese und viele ähnliche Fragen sind bis heute durchaus ungeklärt. Festzuhalten ist jedoch, daß von der Seite der Oper (und verwandter Gattungen wie des Balletts, der Operette usw.) die »Suprematie der Instrumentalmusik«, die für das 19.Jahrhundert als Grundsatz gilt, eine erhebliche Einschränkung erfährt. An ihrer Seite hat im öffentlichen Musikleben die Oper einen hervorragenden Rang bei Schaffenden und Verbrauchenden eingenommen, und wenn auch der weit überwiegende Teil des im 19.Jahrhundert produzierten Opernbestandes vergessen ist, so beweisen doch die Werklisten der Komponisten, wie umfangreich und wie intensiv um die Oper als die zweite große Gattung neben der Sinfonie gerungen worden ist. Sie beweisen ferner, daß neben und unter den Ideen der Romantik andere, national oder ästhetisch oder literarisch oder sozial oder sonstwie bestimmte Ideen einhergelaufen sind, die sich selbständig weitergebildet haben. Sie machen klar, daß in der Musikgeschichte des 19.Jahrhunderts die deutsche Romantik nur eine Facette gewesen ist, und kein Gebiet beweist es so schlagend wie die Oper.

Viel einfacher liegen die Dinge im Bereiche des *Liedes*, weil hier schon im klassischen Zeitalter J.A.P.Schulz, J.Fr.Reichardt, C.Fr.Zelter, Johann André, Johann Rudolf Zumsteeg u.a. (von den Liedern Haydns, Mozarts und Beethovens zu schweigen) einen klaren Typus herausgebildet hatten, der dann im deutschen Sprachbereich grundlegend geblieben ist. Franz Schubert hat ihn nicht angetastet, sondern nur weitergebildet. Das Lied in seiner wichtigsten Form als *Sologesang mit Klavierbegleitung* galt »in seiner engen Verbindung von Dichtung und Musik, von Gehalt und Form, von Singstimme und Begleitung als etwas so spezifisch Deutsches, daß deutsches Lied und ›Lied‹ als identisch angesehen wurden« (Kurt Gudewill in MGG, Artikel ›Lied‹, Abschnitt A); in der Tat ist aus dieser geschichtlichen Situation das Wort als Fremdwort in die französische, englische, gelegentlich auch in die italienische Sprache übernommen worden.

Was vorging, war zunächst nichts anderes als das, was schon Johann Christian Lobe im April 1820 Goethe in einfacher und überzeugender Weise erklärt hatte: die Singstimme behielt den (wenn auch schmiegsamer und sensibler gewordenen) »Volkston« bei, und nur die Klavierbegleitung bereicherte sich, erlangte größere Selbständigkeit, Charakterisierungskraft, und die strophische Variation erlaubte dem Komponisten, sich den wechselnden Inhalten anzupassen. Insofern sind auch Schuberts Lieder aus seiner früheren und mittleren Zeit durchaus klassische Lieder. Daß in diesen Grundbestand Einflüsse von seiten der Zumsteeg-Bürgerschen Ballade, von der Opernszene italienischer Herkunft, von der französischen Romanze usw. drangen, änderte nur die technischen Mittel, nicht das Wesen des Liedes. »Romantisch« im engeren Sinne wurde es erst, als spezifisch romantische Dichtungen (Schuberts Lieder nach August Wilhelm Schlegel, Novalis, Wilhelm Müller usw.) den emotionalen Gehalt der Komposition aufrührten und seit die Komponisten (Schubert besonders seit den späteren Fassungen der Lieder nach ›Wilhelm Meister‹ und seit der ›Schönen Müllerin‹) begannen, die Aufmerksamkeit zwischen der gefühlsbewegten, dennoch »liedhaft« bleibenden Führung der Singstimme und der selbständig schildernden, quasi-sinfonisch untermalenden, schließlich aber aus eigener Phantasie über den Text hinaus weiterdichtenden Klavierbegleitung zu teilen. Hiermit war das im engeren Sinne »klassische« Liedideal gesprengt und eine Liederkomposition erreicht, die den Text zugunsten der Schilderungskraft der Musik zurückdrängte.

Zwischen einer mehr klassischen und langsam dünnblütig und klassizistisch werdenden Haltung (Ludwig Berger, Bernhard Klein, Friedrich Heinrich Himmel, Friedrich Wilhelm Kücken, Felix Mendelssohn, Peter Joseph von Lindpaintner und zahlreichen späteren) und einer mehr charakterisierenden und programmatischen Richtung (Norbert Burgmüller, Robert Schumann, Robert Franz, Adolf Jensen; eine Mittelstellung nimmt etwa Johann Vesque von Püttlingen ein) hat sich dann die Geschichte des deutschen Sololiedes in zahlreichen Mischformen und Kompromißerzeugnissen das 19. Jahrhundert hindurch fortentwickelt. Der letzte große Meister, der die Gattung noch einmal von ihren Urgründen her neu aufzubauen versuchte, ist Johannes Brahms gewesen. Die *Ballade* als spezifisch romantische Sondergattung hat von Karl Loewe bis zu Max Bruch, Engelbert Humperdinck, Richard Strauss u. a. eine beachtlich reiche Pflege gefunden.

Erst mit den Liedern von Richard Wagner, Franz Liszt und insbesondere Hugo Wolf geriet das Lied in eine Krise, indem die Grundsätze der Gattung durch ihre Annäherung an den Opernstil Wagners in ihren Grundlagen erschüttert wurden. Die spätromantischen Meister des deutschen Liedes wie Richard Strauss, Gustav Mahler, Hans Pfitzner u. a. haben die ehemalige Einheit eines Typus nicht wiederherzustellen vermocht. In seinen Grundformen aber und in seinen besten Zeugnissen ist das deutsche Lied des 19. Jahrhunderts, das auch in Frankreich, England, Italien, Rußland, der Tschechoslowakei, den skandinavischen Ländern usw. zahlreiche Komponisten angeregt hat, eines der bezeichnendsten Ergebnisse des romantischen Musikdenkens mit all seiner ungestillten Sehnsucht, seinem innigen Naturgefühl, seiner Herzenswärme und nicht selten Sentimentalität, seiner Nähe zur Volksmusik und in der »poetischen Idee«, die es fortdauernd zu verkörpern sucht.

Neben der Klavier- und der Kammermusik ist das Lied auch

der kräftigste Pfeiler der *Hausmusik* im 19.Jahrhundert gewesen. Der Dilettantensänger trat neben den Dilettantengeiger und den Dilettantenpianisten; das Lieder- und Duettsingen ist ähnlich wie das Trio- oder Quartettspielen oder das vierhändige Klavierspiel, mindestens im deutschen Bürgertum, bis in das 20.Jahrhundert hinein eine der Grundlagen, und eine der solidesten, der gesamten Musikpflege geblieben. Diese Gattungen sind es gewesen, die durch das Selbstmusizieren breiteste Laienkreise eng mit der Kunstmusik verknüpft und in ihnen die Liebe zur Musik wachgehalten haben, stärker als Sinfonie oder Oper, die verhältnismäßig beschränkten Kreisen zugänglich waren. Nichts scheidet die »Neue Musik« von dem Ausklang der Romantik so scharf wie das Ende dieser häuslichen Musikpraxis in ihrer engen Verbindung mit dem zeitgenössischen Liede, der zeitgenössischen Kammermusik und der zeitgenössischen Klaviermusik. Das Ende dieses Zusammenhalts verkündete die bedrohliche Spaltung zwischen Dilettantismus und Professionalismus, zwischen Musik der Vergangenheit und Musik der Gegenwart.

V. Sonderprobleme und Ende der musikalischen Romantik

Im großen Zusammenhang der Musikgeschichte ist die Romantik nur als Teilerscheinung innerhalb der *Einheit einer klassisch-romantischen Epoche* zu verstehen. Sie hat ihre Gattungen und Formen, sie hat die Grundlagen ihres Stils und sie hat vielfach auch die Komponisten mit der Klassik gemeinsam. Beethoven ist romantischer Klassiker oder klassischer Romantiker, und mancher spätere Komponist ist »klassischer« als er. Was die Romantik an hochfliegenden Ideen hervorgebracht hat, wurzelt in Herder, Fichte und letztlich sogar in Goethe. Was sie an Besonderungen ihrer musikalischen Formen und ihres Stils hervorgebracht hat, sind Steigerungen und Entwicklungen, Varianten oder Beschränkungen, zuletzt vielleicht auch Auswüchse und Extravaganzen, die sich aber alle aus der Fortbildung des hochklassischen Stils und seiner Formen ergeben haben. Es gibt keinen romantischen Komponisten, der nicht fest auf dem Elementen- und Formenkanon der Klassik stünde, wie es keinen Klassiker gibt, in dem nicht die Ansätze zu romantischer Formenbereicherung und Ausdruckssteigerung zutage träten. Von den Vor- und Frühklassikern um Jommelli, Rousseau und Stamitz bis zu Strauss, Reger und Pfitzner erstreckt sich eine geschlossene musikgeschichtliche Epoche, deren Einheit freilich durch tiefgehende innere Widersprüche, durch nationale Gegensätze und durch die Spannung zwischen idealistischem Konservativismus und realistisch-naturalistischem Liberalismus aufs äußerste gedehnt, überanstrengt, ja gesprengt wird.

Um den Anfang dieser musikgeschichtlichen Epoche zu bezeichnen, kann man unschwer die Namen eines Italieners, eines Franzosen und eines Deutschen nebeneinanderstellen; man könnte sie durch beliebige Namen aus den drei Nationen vermehren. Um das Ende dessen zu bezeichnen, was sich mit einiger Berechtigung als musikalische »Romantik« ansprechen läßt, muß man wohl oder übel zu deutschen Namen greifen. Denn wenn auch Tschaikowsky und Mussorgsky, Smetana und Malipiero, Elgar und Vaughan Williams noch so sehr durch vielfältige Bande mit der *deutschen Romantik* verknüpft sind, in irgendeinem Bereich ihres Wesens bleiben sie außerhalb des spezifisch romantischen Kreises stehen.

Ein vorzügliches Beispiel dafür ist Giuseppe Verdi, der sich zeitlebens dagegen verwahrt hat, mit Wagner in eine künstlerische Beziehung gesetzt zu werden, und wahrscheinlich mit Recht. Denn Verdis Werk ist das charakteristische Produkt einer *Sonderentwicklung*, die aus dem Boden *Italiens*, zwar unter vielfältiger Einwirkung der opéra comique, der grand opéra, der deutschen romantischen Oper usw., im großen ganzen aber doch auf dem Wege über Donizetti und Bellini (von Meistern geringeren Ranges zu schweigen) selbständig und unabhängig zu ihm verlaufen ist, und von ihm ist dann, wiederum unter Einwirkung von den verschiedensten Seiten, von der französischen Literatur, von Bizet und Wagner, von Strauss und Leoncavallo die Entwicklung zu dem Naturalismus und Verismus Puccinis weitergegangen.

Dieses (stark vereinfachte) Bild läßt erkennen, daß es im 19.Jahrhundert Entwicklungszüge gegeben hat, die neben der »Romantik« im engeren Sinne einhergelaufen sind, von ihr wohl zeitweise beeinflußt, im ganzen aber doch eher von eigenständigen *nationalen Kräften* gelenkt worden sind und die deshalb nicht mit Fug und Recht zur »Romantik« gezählt werden dürfen, will man nicht diesen Begriff schlechterdings zum Gehäuse für »Geschichte des 19.Jahrhunderts« degradieren. Im allgemeinen wird in den Darstellungen der Musikgeschichte viel zu vielerlei leichtherzig unter den Begriff »Romantik« subsumiert, was damit nicht oder wenig zu tun hat. Das ist auch der Grund, weshalb sich unter dem Schlagwort »Romantik« im wesentlichen nur die deutsche Musikgeschichte des 19.Jahrhunderts, wenn auch mit vielen Ausblicken in andere Länder, aber diese selbst auch wiederum nur z. T. rubrizieren läßt, während die italienische, französische usw. Musik trotz allen deutsch-romantischen Einflusses eben doch vorwiegend außerhalb des romantischen Bereiches bleibt.

Eine ähnliche Entwicklung wie in Italien hat sich in *Frankreich* abgespielt, wo von François-Joseph Gossec und André-Ernest-Modeste Grétry aus eine national bedingte Sonderrichtung verlaufen ist. Zwar wurde sie theoretisch durch E. T. A. Hoffmann, praktisch durch Beethoven, Schubert und Weber stark beeinflußt

369

(vergleiche Artikel ›Frankreich‹ in MGG, Band 4, Spalte 781 ff.), zwar haben Cherubini und später Rossini auch hier ihre Wirkungen ausgeübt, zwar hat sich Berlioz vorwiegend der deutschen Neuromantik verschrieben, aber der Gang der Geschichte, der von der Revolutionsoper zu Spontinis, Meyerbeers und Halévys grands opéras führt, der sich im esprit von Liszts und Chopins Klavierwerken ausdrückt und in der Brillanz der deutschen Pariser Pianisten breiteste Wirkung ausgeübt hat, die geistreich-spöttische Gesellschaftskritik, die Jacques Offenbach französischer als irgendein Franzose gehandhabt hat, das alles lief doch unabhängig und fremd neben der deutschen Romantik einher.

Erst mit der Einwirkung Richard Wagners (von den 1860er Jahren an) kam es zu einem zeitweiligen Übergewicht der deutschen Romantik über die französische Eigenart. Franzosen von Vincent d'Indy und Emanuel Chabrier bis zu Romain Rolland und selbst Claude Debussy pilgerten nach Bayreuth, Wagners Werke setzten sich in Paris durch, und die französische Wagner-Partei, unterstützt durch Charles Baudelaire, Paul Verlaine und Stéphane Mallarmé, war kaum minder enthusiastisch, devot und fanatisch als die deutsche. Henri Duparc, d'Indy und Chabrier bilden eine Art französische »Circumpolaren«-Gruppe.

Trotz allem aber fußte die französische Musik im Grunde fest auf ihrer nationalen »Klassik«, d. h. auf dem Grenzstreifen zwischen letztem Barock, Rokoko und frühester Klassik, den die Namen Jean-Philippe Rameau und François Couperin bezeichnen, und richtete sich in Abständen immer wieder nach dieser Tradition aus. Damit verlief sie letzten Endes in einer Bahn, die zwar der deutschen Romantik parallel ging, so sehr auch die Ströme zeitweise ineinander überquollen, und die »französische Romantik« von Hector Berlioz und César Franck ist von der deutschen von C. M. von Weber und R. Wagner im tiefsten Grunde so weit entfernt wie die »französische Neoklassik« von Charles Gounod und Camille Saint-Saëns von der deutschen von Mendelssohn und Brahms, und Erscheinungen wie Georges Bizet oder Gustave Charpentier sind weder mit Otto Nicolai oder Peter Cornelius noch mit Verdi oder Mascagni ganz vergleichbar.

Ähnliche Sonderverläufe spielen sich im 19. Jahrhundert etwa in der spanischen und der tschechischen Musik ab, ohne daß ihnen im Vorliegenden nachgegangen werden sollte. Was sich hier abzeichnet, ist als ein geschichtliches Sonderproblem der Romantik zu betrachten. Während nämlich in älteren Epochen der Musikgeschichte, z. B. der Renaissance, die Nationen am Anfang von einer gemeinsamen Basis ausgehen, während dann im weiteren Verlauf eine von ihnen die Oberhand behält und eine Art *Leittypus* ausbildet, den die anderen, wenn sie auch in *Sonderentwicklungen* ausweichen, anerkennen und in dem sie sich alle einigen, wenn es um die Komposition der gesamteuropäisch führenden Gattungen geht, wurzeln die europäischen Nationen im Zeitalter der Romantik in geschichtstieferem Boden und ziehen aus ihm die Kräfte, die sie befähigen, neben der Zentralentwicklung selbständige Verläufe zu durchmessen. Diese Verläufe berühren einander vielfach und nehmen gegenseitig voneinander Einwirkungen auf, bleiben aber in der Hauptsache national bestimmt und wenden diesen national bestimmten Stil auf alle Gattungen an, auch auf die gesamteuropäisch maßgeblichen (wie in diesem Falle etwa Sinfonie oder Oper). Hierin liegt ein grundlegender Unterschied der klassisch-romantischen gegenüber allen früheren Epochen der Musikgeschichte.

Diese neue und besondere Grundsituation wird im 19.Jahrhundert durch einen zweiten Prozeß überdeckt und vielfach überschnitten, ohne daß bisher zu erkennen wäre, wie sich bei den verschiedenen Nationen diese Vorgänge und Grundlagen im einzelnen zueinander verhalten, nämlich durch die Ausbildung einer Art *Neonationalismus* (der gelegentlich, ziemlich unscharf und unter einseitiger Beleuchtung des Begriffs Romantik, auch als »Nationalromantik« bezeichnet wird). Eine der entscheidendsten und bewundernswertesten Errungenschaften der Hochklassik hatte darin bestanden, daß die Stile der verschiedenen Nationen sich nach einer Etappe des »vermischten Geschmacks« zu dem zusammengeschlossen hatten, was Gluck und Michel Paul Guy de Chabanon die »Universalsprache« genannt haben, einer »Kunst der Menschheit« (Herder), einer Sprache, in der sich die Unterschiede von Rang und Stand, Nation und Konfession zum Bekenntnis der Menschlichkeit und Weltbürgerlichkeit aufgehoben hatten. Das war die Sprache Haydns und Mozarts, an der (mit Einschränkungen und Abweichungen) auch noch Beethoven teilgehabt hat. Aber es darf nicht übersehen werden, daß diese Universalsprache (aus welchen Elementen sie auch zusammengewachsen sein mag) deutsch war, deutsch mit Wiener Akzent, und daß neben der universalen die nationalen Sprachen weitergesprochen worden sind.

In diese weltbürgerlich-humanitäre Idealwelt ist die Romantik mit der Betonung der nationalen Unterschiede, ja Gegensätze und Wertschätzungen eingebrochen. Die deutsche Romantik ist so betont und penetrant deutsch, daß sie damit den weltbürgerlichen Charakter verlor und in anderen Ländern nicht mehr als das Ergebnis einer Integration, sondern als ein deutscher Anspruch auf Hegemonie empfunden wurde, in dem (um im Bilde zu bleiben) der norddeutsche und (mit Wagner) der sächsische Akzent stärker in den Vordergrund drangen, als eine universale Sprache es ertragen konnte. Während Wagner immerhin vor der Frage: »Was ist deutsch?«, wie er bekennt, »in immer größere Verwirrung« geriet, hat sich Schumann zu Sätzen verstiegen, die für andere Nationen geradezu kränkend sind, wie: »Die höchsten Spitzen italienischer Kunst reichen nicht bis an die ersten Anfänge wahrhaft deutscher« oder: »Die Erhebung deutschen Sinnes durch deutsche Kunst mag noch jetzt als das Ziel unserer Bestrebungen angesehen werden.«

Aus dieser Voraussetzung kam es zu jenem Neonationalismus, in dem die europäischen Nationen sich vom universalen Stamme abspalteten und *nationale Idiome* ausbildeten, die nicht »Sprachen« heißen können, weil sie dem auch in Deutschland aufrecht erhaltenen Urgrund des klassisch-romantischen Elementen- und Formenkanons entstammen, die sich aber dennoch vernehmlich, bewußt und oft lautstark von der deutschen Musiksprache unterschieden, also eine Art Nationaldialekte der Universalsprache. Ihre Grammatik und Syntax ist nach wie vor (mit Einschränkungen) jener klassisch-romantische Elementen- und Formenkanon, ihre Aussprache und Sprachmelodie national, regional, oft folkloristisch bedingt.

Das ist der geschichtliche Prozeß, aus dem die Abspaltung der russischen (von Michail Glinka über Alexander Dargomyshsky, Peter Tschaikowsky, Nicolai Rimski-Korssakow, Mily Balakirew, Alexander Borodin, Cesar Cui, Modest Mussorgsky bis zu einem der letzten echten Spätromantiker der russischen Musik, zu dem jungen Igor Strawinsky), der tschechischen (von Václav Jan Tomášek und Jan Hugo Voříšek über Bedřich Smetana und Antonín Dvořák bis zu dem tschechischen Gegenspieler von Richard Strauss und Claude Debussy, zu Leoš Janáček), der skandinavischen (von Niels Gade und Halfdan Kjerulf über Edvard Grieg, Rikard Nordraak, Andreas Halléen, August Söderman, Wilhelm Peterson-Berger bis zu Finn Hoffding, Kurt Atterberg und Gösta Nystroem), der ungarischen (von Ferenc Erkel, Mihály Mosonyi, Kornél Ábrányi, auch Franz Liszt, bis zu Béla Bartók und Zoltán Kodaly) und anderer Nationalmusiken von dem Stamm der deutschen klassisch-romantischen Musik so versteht ist, dem sie dennoch bis zum Ende der Epoche verbunden bleiben wie selbst der weitestverzweigte Ast dem Baume. So weit auch ihre Dialekte, ihr Sprachklang oder wie immer man es nenne, vom deutschen abweichen: in den Elementen und Formen sind sie alle von dort ausgegangen, und die Sprachengruppe ist letztlich niemals ganz gesprengt worden. Vor diesen Hintergrund gehört auch die »English renaissance«, das Wiedererstehen einer englischen Nationalschule nach dem Niedergang des späteren 18. und des frühen 19.Jahrhunderts, die mit William Sterndale-Bennett, Heinrich Hugo Pierson (Pearson), Hubert Parry, Charles Villiers Stanford u. a. unmittelbar von der deutschen romantischen Schule herkam und sich später mit Arthur Sullivan und William S. Gilbert, Alexander Campbell Mackenzie, Frederick Cowen und Edgar

Elgar zu einem mehr oder minder eigenen englischen Idiom emanzipierte, um endlich in der spezifisch englischen Musiksprache von Ralph Vaughan Williams und Benjamin Britten gleichfalls das Stadium einer »englischen Spätromantik« zu erreichen.

Schwierig zu beurteilen ist, ob man einen ähnlichen Vorgang für Frankreich in jenem Zusammenhang erblicken soll, der von César Franck, Edouard Lalo, Camille Saint-Saëns, Vincent d'Indy, Ernest-Amédée Chausson, Emanuel Chabrier, Paul Dukas zu Gabriel Fauré, Claude Debussy und Maurice Ravel geführt hat, weil das französische Idiom in der Musik neben dem deutschen ohnehin aus der eigenen nationalen Vergangenheit vererbt war und nicht erst neu geschaffen zu werden brauchte. Jedoch bildet der französische *Impressionismus* in mancher Hinsicht ein Gegenstück zu den anderen Nationalschulen des ausgehenden 19. und anfangenden 20.Jahrhunderts, und dies um so mehr als er, ungeachtet aller Einwirkungen auf die Komponisten anderer Länder, doch vorwiegend eine französische Angelegenheit geblieben ist. So mag man in ihm denn die spezifische französische Form einer nationalen Spätromantik erblicken.

Das universale und humanitäre Zeitalter der Klassik ist gleichzeitig das Zeitalter der großen Französischen Revolution und des anbrechenden Nationalismus, das Zeitalter der beginnenden Klassenspaltungen gewesen. Mit ihm hat der *Zerfall einer übernationalen Kultur* eingesetzt, wie sie seit den Tagen des Mittelalters die Oberschichten der europäischen Völker, allen Feindseligkeiten zum Trotz, zusammengehalten hatte. Das musikalische Spiegelbild dieser kulturgeschichtlichen Situation ist der einmalige Aufschwung zur menschheitsumarmenden Universalsprache, in deren Umkreis dennoch die Nationalsprachen lebendig geblieben sind und die in der Folge selbst alsbald in eine Unzahl von europäischen Dialekten zerfallen ist. Es ist die verwickeltste *Nationalproblematik*, die je in irgendeinem Zeitalter der Musikgeschichte sichtbar geworden ist; ja, die Romantik ist überhaupt die erste Epoche der Musikgeschichte, in der die nationalen Absonderungen einen entscheidenden Einfluß auf den Gang der künstlerischen Entwicklung ausgeübt haben und zu sorgfältig gehätschelten Chauvinismen herangezüchtet worden sind. Die Folge war eine babylonische Sprachenverwirrung, wie sie keine frühere Epoche der Musikgeschichte gekannt hat. Denn in allen früheren Epochen sind die Sonderidiome entweder interne Angelegenheiten der betreffenden Nationen geblieben (etwa das deutsche polyphone Lied im 15. und 16.Jahrhundert, die englische »Consort music« im 17.Jahrhundert), oder sie sind ihrerseits wiederum internationale Muster geworden (etwa Jean-Baptiste Lullys Instrumentalkompositionen oder Arcangelo Corellis Kammersonaten). Im 19.Jahrhundert aber sind die Nationalprodukte zwar zu genießerisch ausgekosteten Reizen des internationalen Publikums geworden, aber keins von ihnen hat sich als internationales Leitbild durchzusetzen vermocht.

Am nächsten an diesem Ziel hat noch Wagners Musikdrama gestanden. Aber auch das ging in der Disintegration der Nationen unter. Eine praktische Folge dieses Vorgangs war, daß zwar Spitzenleistungen einzelner Komponisten sich im internationalen Repertoire einen ständigen Platz sichern konnten, die Masse der Komponisten und ihrer Werke aber (und in keinem anderen Zeitalter der Musikgeschichte ist in so unvorstellbaren Massen komponiert worden wie im 19.Jahrhundert) kaum im engsten Umkreis zu Worte kam und international völlig unbekannt blieb. Vergleicht man damit, wie respektable Mengen niederländischer, französischer, italienischer, spanischer, englischer und deutscher Musik sich in früheren Epochen der Musikgeschichte, vor allem in der Renaissance, je nach Situation und Voraussetzungen auf dem internationalen Markt durchgesetzt und sich gegenseitig befruchtet haben, so tritt in aller Schärfe das Paradox hervor, daß das Ende des romantischen Zeitalters zwar eine Periode exzessiver Internationalität für eine »Weltklasse« von Komponisten und ausübenden Musikern, aber eine Periode trister Dörflichkeit für ihre breite Menge gewesen ist.

Mit der Rückbesinnung auf nationale Vergangenheiten, mit dem ungeheuren quantitativen Anschwellen der musikalischen Komposition und mit der Neigung der Romantik zum Altertümlichen hängt ein weiteres Sonderproblem zusammen, das kein früheres Zeitalter in auch nur annähernd demselben Ausmaß gekannt hat, der *Historizismus* und die *Spaltung zwischen konservativer Beharrung und radikalem Fortschrittsglauben*, die in der Mitte des 20.Jahrhunderts noch immer nicht zum Stillstand gekommen sind. Mag auch seit der Spaltung zwischen »prima pratica« und »seconda pratica« um 1600 eine konservative Unterströmung in der Gestalt von Palestrina- und Lasso-Renaissancen, von »wahrer Kirchenmusik«, Restauration und Cäcilianismus mehr als drei Jahrhunderte hindurch die Musikgeschichte begleitet haben, mögen altväterliche Zeremonien und Repräsentationen manchen Gattungen zu einem ephemeren Nachleben verholfen haben wie der mittelalterlichen isorhythmischen Motette im 15.Jahrhundert, der opera seria im späten 18.Jahrhundert und dem Lullismus in Frankreich bis in das 19.Jahrhundert hinein, zu keiner Zeit ist es geschehen, daß die breite Menge der Musikverbraucher sich so deutlich in eine Überzahl von Verehrern der Vergangenheit und eine Minderzahl von Fortschrittsgläubigen gespalten hat, wie es im 19.Jahrhundert, besonders seit dem Auftreten von Berlioz, Liszt und Wagner, der Fall gewesen ist. Die Aggressionslust der ›Neuen Zeitschrift für Musik‹ und ihres

Kreises hat sich nicht nur gegen Veräußerlichungen und Bequemlichkeiten gerichtet, sondern gegen die zu jeder Zeit gefährliche Herausbildung einer Partei, die das Neue um seiner selbst willen zu bekämpfen und es als Götzendämmerung zu vernichten suchte. In Zelters Urteil über Beethoven wie in Goethes Urteil über Ph. O. Runge wird frühzeitig eine solche Haltung sichtbar, wie sie dann seit dem Kampf um Wagner in Deutschland und Frankreich bis zu den erbitterten Fehden der Gegenwart um die expressionistische, die zwölftönige und die serielle Musik die Geister unaufhörlich gegeneinander zu Felde geführt hat.

Von etwa der Mitte des 19.Jahrhunderts an bis zur Mitte des 20.Jahrhunderts hat sich jeder Komponist irgendeiner »modernen« Richtung gegen hitzige Feindschaften zur Wehr setzen müssen, und das polemische Musikschrifttum ist in diesen rund einhundert Jahren zu Strömen angeschwollen. Zwar haben sich Brahms und Wagner, H. Wolf und R. Strauss (im Gegensatz zu den als »Epigonen« verketzerten Komponisten geringeren Ranges) noch zu Lebzeiten im internationalen Repertoire mehr oder minder durchsetzen können, wenn man darunter versteht, daß sie auch außerhalb des Berufsmusikertums Anerkennung und Ansehen im breiten Publikum errangen und zahlreiche Aufführungen ihrer Werke erzielten.

Seit dem Ausgang der Romantik aber hat die *Isolierung* der Komponisten erschreckend zugenommen, einerseits weil der Konservativismus des weltweiten Verbrauchertums einer so allgemeinen Anerkennung unübersteigliche Hindernisse entgegensetzte, andererseits weil die Nationalschulen mit ihrer jeweiligen eigenen Masse von Neuproduktion sich so weit auseinandergelebt hatten, daß man sich schlechterdings gegenseitig aus den Augen verloren hatte. Es ist bezeichnend, daß R. Strauss erst durch Rollands Vermittlung die Partituren mancher zeitgenössischen französischen Komponisten kennengelernt hat, und Rolland selbst bemerkt: »Il faut se dire que si les grands hommes peuvent être aimés de tous les hommes, les intermédiaires entre les grands hommes sont plus particulièrement nationaux. Ils échappent aux étrangers« (›Fragments d'un Journal‹, 20. Mai 1899).

So konnte es geschehen, daß Komponisten, die ihrer Qualität nach innerhalb ihrer Nationalschulen führend waren und die Weltrang hätten beanspruchen können (wie etwa Reger, Janáček, Albert Roussel, Vaughan Williams), in der Hauptsache auf *nationale Wirkung* beschränkt blieben, während das große Publikum von New York bis Moskau, von Stockholm bis Neapel einem »klassisch-romantischen Repertoire« anhing (und anhängt), das nicht viel weiter als von Bach oder Haydn bis zu Brahms oder Strauss, von Donizetti oder Rossini bis zu Verdi oder Puccini reichte. Die »Neue Musik« stieß im zweiten Jahrzehnt des 20.Jahrhunderts auf eine Situation, deren Verworrenheit und Zerspaltenheit, deren retrospektive und nationale Disintegration nicht zu überbieten war.

In die Entwicklung, die zu einer solchen Situation geführt hat, spielte maßgeblich die Neigung zur Wiederbelebung des »Alten«, d. h. der barocken und renaissancehaften Musik, der *Historizismus*, hinein. Hatten ohnedies die Italiener immer in gewissem Maße an Palestrina und Giacomo Carissimi, die Franzosen an François Couperin oder Jean-Philippe Rameau, die Deutschen an Carl Heinrich Graun oder Georg Friedrich Händel, die Engländer mit ihren »Concerts of Ancient Music« an den Meistern der älteren Tudor- oder der elisabethanischen Zeit festgehalten, so brachte nun die kirchenmusikalische Restaurationsbewegung in allen Ländern, vorab in der deutschen Romantik, die Wiederbelebung der unbekannten »alten Meister« hinzu, und damit drang ein kräftiger Strom uralter a cappella-Technik und Kontrapunktik, ja, längst vergangener Praktiken wie der Fuge, des Kanons und des cantus firmus-Satzes in die klassisch-romantische Epoche ein, verstärkt durch den Beginn der musikhistorischen Forschung und durch ein Wiederaufleben des kontrapunktischen Studiums, das sich in die »spanischen Stiefel« des »palestrinensischen Kontrapunkts« einschnürte und die bis zur Gegenwart gültige Merkwürdigkeit zur Folge hatte, daß der Komponist seine Meisterprüfung an einer drei oder vier Jahrhunderte alten Technik ablegen mußte. Zahllose Komponisten der klassischen Zeit (wie Mozart selbst) sind durch die Schule des Padre Giovanni Battista Martini gegangen, dessen ›Esemplare os sia Saggio fondamentale pratico di contrappunto‹ (1774/75) zu einem der Standard-Lehrbücher aufstieg. Luigi Cherubinis ›Cours de contrepoint et de fugue‹ (um 1820), Johann Georg Albrechtsbergers zahlreiche Schriften über den Generalbaß und den reinen Satz und viele andere bis hin zu Johann Gottfried Heinrich Bellermann stützen ihre Lehre ausschließlich auf eine weit zurückliegende Vergangenheit und haben gar nicht die Absicht, gegenwärtige Formen und Techniken zu lehren, während auf der anderen Seite Hector Berlioz in seinem ›Grand Traité d'instrumentation et d'orchestration‹ (1844), den noch Richard Strauss 1905 neu bearbeitet hat, das grundlegende Lehrbuch für die romantische Orchesterbehandlung schuf.

Die Wiener Klassiker selbst hatten mit der Wiederaufnahme der Fuge seit Joseph Haydns Streichquartetten, op. 20 (1772) dem Historizismus das Tor geöffnet. Mozart hat Bachsche Fugen bearbeitet und in der ›Zauberflöte‹ mit der im Bachschen Stil gesetzten Szene der Geharnischten der romantischen Neigung zum ritterlichen Altertum seinen Tribut gezollt. Beethoven hat Bachs Werke studiert (soweit sie damals bekannt waren) und hat in einer ganzen Reihe eigener Kompositionen der Fuge gehuldigt. Wie breit und wie tief die Bach-Bewegung in das musikalische Schaffen, die musikalische Erziehung und die musikalische Geschmacksbildung des 19.Jahrhunderts eingegriffen hat, ist heute noch nicht abzusehen. Dazu kamen, je mehr das Interesse an der Musik älterer Vergangenheiten anwuchs, je mehr von ihr in Neuausgaben publiziert wurde und je mehr von ihr praktisch musiziert wurde, neue Anregungen von den verschiedensten Seiten, vom italienischen Barock, von den niederländischen Meistern der Renaissance, vom deutschen Liede des 16.Jahrhunderts usw., hinzu und bewirkten, daß die ohnehin reichlich vorhandenen konservativen Neigungen durch retrospektive ergänzt und befestigt wurden. Sie haben zur umfangreichen Wiederaufnahme alter Musik, sie haben zur Stilkopie und zur Stilparodie (wie bei Reger und Busoni, bei Strauss und Ravel) geführt. Sie haben in Deutschland um 1900 eine Bewegung entstehen lassen, die ihren Überdruß am »Romantischen« im Versuch einer totalen Erneuerung der Musik aus dem Geist des 16. und 17.Jahrhunderts abreagierte und dabei übersah, wie tief ebendieses ihr Bemühen selbst im Romantischen wurzelte.

Sie haben vor allem jedoch das Neuschaffen des Zeitalters tief durchdrungen. Von Beethoven bis zu Reger und Bruckner gibt es keinen Komponisten, der nicht irgendwie von historizistischen Neigungen beeinflußt gewesen wäre. Brahms wäre ohne Bach und Händel nicht Brahms, Verdi ohne Palestrina und Paisiello nicht Verdi geworden. So haben Konservativismus und Historizismus schließlich mit dem Ausgang der Romantik in einen Zustand geführt, wie ihn die Geschichte der Musik noch zu keiner Zeit gesehen hatte: die öffentliche und private Musikpflege, der Unterricht, die Theorie und Ästhetik lebten von einer mehr oder minder weit zurückliegenden Vergangenheit. Der Kreislauf von Reproduktion, Lehre und Schaffen war ins Stocken geraten. War der Zusammenhang zwischen der zeitgenössischen Musik und den breiten Kreisen der Musikliebhaber aller Völker, der um 1800 noch ein sehr enger und ungezwungener gewesen war, ohnehin geschwunden, war das Verständnis für die zeitgenössische Musik zunehmend mehr auf den engen Kreis der musikalisch »Gebildeten« oder der professionellen Kunstgenossen selbst eingeschrumpft, war das l'art pour l'art mit Claude Debussy, Ferruccio Busoni und vergleichbaren Komponisten in bedenklichem Maße zum Leitwort snobistischer Unverantwortlichkeit geworden, so wurde der »elfenbeinerne Turm« Rainer Maria Rilkes nun fast zur Norm. Die Komponisten gingen ihre Wege, die Musikbedürftigen einen anderen.

Der Nationalismus, der Historizismus und die Spaltung zwischen Beharrung und Fortschritt sind Probleme, die bereits in den Anfängen der klassisch-romantischen Epoche angelegt waren, aber erst mit dem Vordringen des romantischen Musikbegriffs und der romantischen Komposition stärker in die Erscheinung getreten sind. Das gilt auch für ein weiteres Sonderproblem der Romantik, den *Vorrang der Instrumentalmusik* und, damit eng verknüpft, den Streit um die *absolute* und die *programmatische Musik*. Nicht »die Klassik«, wohl aber die klassisch-romantische Epoche ist »das Zeitalter der Instrumentalmusik« gewesen, und es hat eben da eingesetzt, wo die meisten spezifisch romantischen Erscheinungen und Probleme der Musik eingesetzt haben, bei Beethoven. Ist noch bei allen älteren Meistern das Lebenswerk ziemlich gleichmäßig zwischen vokaler und instrumentaler Produktion, je nach Bedarf und Gelegenheit, verteilt und tritt noch bei keinem von ihnen (selbst nicht bei Haydn) eine erkennbare Vorliebe nach der einen oder anderen Seite hervor, so ist das mit Beethoven anders geworden. Nicht daß er ausdrücklich den Vorrang der Instrumentalmusik verkündet hätte (wie ihm ja alles Theoretisieren fernlag), aber das Gewicht seines Sonaten-, Quartett- und Sinfoniewerks wirkte auf die Zeitgenossen so übermächtig und die Vokalwerke traten nach Rang und Zahl dahinter so sichtlich zurück, daß ganz von selbst der Vorzug auf die Instrumentalmusik fiel.

Dazu kam, daß die romantischen Schriftsteller sich nun ganz besonders an ihr entzündeten; die historische Bedeutung von E. T. A. Hoffmanns Rezension der 5. Sinfonie Beethovens und seines Aufsatzes über ›Beethovens Instrumentalmusik‹ liegen nicht so sehr in der Anerkennung eines individuellen Künstlers als darin, daß an Beethovens instrumentalem Schaffen offensichtlich Hoffmann selbst (und anschließend den Zeitgenossen) die »Sprache des Unendlichen« und der Gehalt an »poetischen Ideen« aufgegangen sind. Nun plötzlich erschien die Vokalmusik als ein Pegasus im Joch, die Notwendigkeit, sich dem Wort unterzuordnen und es zu deuten, eine unwürdige Fessel. Der Komponist hatte nur seinem Genius, nur der Stimme des Unendlichen zu lauschen und sich zu ihrem Priester zu machen; nur so konnte die Musik zum wahren »Geisterreich Dschinnistan«, zur »einzig wahrhaften romantischen Kunst« werden. Nur die Sprache der Instrumente befähigte die Musik zu ihrer höchsten Aufgabe, Künderin ewiger Ideen zu sein.

Diese Doktrin hat das romantische Zeitalter überdauert, ohne daß freilich in der Praxis die Komposition von Vokalmusik fühlbar eingeschränkt worden wäre. Die Opernkomponisten von Weber bis Strauss haben so wenig wie die Liedkomponisten von Schubert bis Pfitzner oder die Männerchorkomponisten von Friedrich Silcher bis August von Othegraven ihre Kunst als zweitrangig betrachtet. Aber in der allgemeinen Vorstellung, die durch Philosophen wie Immanuel Kant, Friedrich Nietzsche, Arthur Schopenhauer, Eduard von Hartmann, Ferdinand Gotthelf Hand, durch Musikschriftsteller wie Eduard Hanslick, August Wilhelm

Ambros, Ferruccio Busoni u.a. genährt wurde, befestigte sich doch die Auffassung, daß die »wahre Musik« in der »reinen«, der »absoluten« Instrumentalmusik liege, und daneben blieben die vokalen Gattungen leicht mit dem Odium behaftet, Musik für die minder Anspruchsvollen, für die breite Masse der Liebhaber zu sein, und zahllose Dilettanten wie Musiker haben bis tief ins 20.Jahrhundert hinein an einer solchen Wertung festgehalten.

Sie brachte einen weiteren Zwiespalt in die ohnehin widerspruchsvolle Situation der romantischen Musik ein, um so mehr als am Beginn des Zeitalters die Berechtigung oder wenigstens die autonome Sinngebung der reinen Instrumentalmusik noch durchaus im Zweifel stand. Goethe ist es noch sehr schwer gefallen, für sie Verständnis aufzubringen, und Jean Paul hat zur vokalen ein weit innigeres Verhältnis als zur instrumentalen Musik gehabt. In Johann Georg Sulzers ›Allgemeiner Theorie der schönen Künste‹ (1771 ff.) hatte es von der Instrumentalmusik noch geheißen, sie sei ein »lebhaftes und nicht unangenehmes Geräusch«, Kant hatte in der ›Kritik der Urteilskraft‹ (1790) an ihr noch getadelt, daß sie »nichts darstelle«, »kein Objekt unter einem Begriff«, und Ernst Wilhelm Wolf hat sogar noch 1783 in einem Aufsatz in Christoph Martin Wielands ›Teutschem Merkur‹ der Vokalmusik ausdrücklich den Vorzug gegeben. Für E.T.A.Hoffmann stand die Vorstellung von der Einheit der vokalen und der instrumentalen Musik und von ihrer Gleichberechtigung noch im Hintergrund seiner Anschauungen, wenn er sich auch mehr und mehr auf die instrumentale Seite neigte.

Die Instrumentalmusik hat sich in den Augen der Nichtmusiker als selbstwertige Kunst nur langsam durchsetzen und sich nur allmählich von dem ihr anhaftenden Beigeschmack der »angewandten«, unterhaltenden Kunst befreien können. Ludwig Tieck hat in seinen ›Musikalischen Leiden und Freuden‹ einen Vergleich zwischen Vokal- und Instrumentalmusik angestellt und damit wahrscheinlich die Auffassung der Zeit um 1820 sehr treffend wiedergegeben; es heißt dort u.a.: Die Vokalmusik »scheint mir ...immer nur eine bedingte Kunst zu sein; sie ist und bleibt erhöhte Deklamation und Rede. In der Instrumentalmusik aber ist die Kunst unabhängig und frei, sie schreibt sich nur selbst ihre Gesetze vor, sie phantasiert spielend und ohne Zweck, und doch erfüllt und erreicht sie den höchsten; sie folgt ganz ihrem dunklen Triebe und drückt das Tiefste, das Wunderbarste mit ihren Tändeleien aus. ... Diese Sinfonien enthüllen in rätselhafter Sprache das Rätselhafteste, sie hängen von keinem Gesetze der Wahrscheinlichkeit ab ... sie bleiben in ihrer rein poetischen Welt. ... Der Zweck selbst ist in jedem Moment gegenwärtig und beginnt und endigt das Kunstwerk«.

Gedanken wie diese sind für das *Verständnis* der Instrumentalmusik im 19.Jahrhundert grundlegend geblieben; sie sind andernteils bis hin zu Busoni und Pfitzner lebhaft umstritten worden. Dahinter steht die Frage nach der *Sinnerfüllung*. Drückt die »absolute« Musik etwas aus? Drückt sie in jedem Falle etwas aus, oder kann sie reines Spiel der Formen sein (was Hanslick nie behauptet hat, wie oft fälschlich zu lesen ist)? Was kann sie ausdrücken? Wie weit kann sie das Gemeinte deutlich ausdrücken? Wie weit bleibt es bei einem vagen und ungewissen Gefühlsausdruck, wie weit kann sie präzise Aussagen machen? Ist ihr nur eine Symbolik im klassischen Sinne gestattet, oder darf sie von ihren lautmalenden Mitteln Gebrauch machen, um zu erzählen, zu schildern, zu illustrieren? Bleibt es bei Herders »kein Schatte von Anschauung«, oder soll es sich die Instrumentalmusik zur Aufgabe machen, naturalistisch zu werden?

An Fragen dieser Art hat sich die literarische *Polemik über absolute und programmatische Musik* entzündet (vergleiche die Artikel ›Absolute Musik‹ von Walter Wiora und ›Programmmusik‹ von Hans Gunter Hoke in MGG), die bis zum Ende der Romantik nicht abgeklungen ist und bis in die Schriften von Ernst Krenek und Igor Strawinsky nachhallt. »Unheilvoll und zu ernsten Konflikten führend« ist »das Dualismusgespenst der ›angewandten‹ (angelehnten) und ›absoluten‹ Musik in das europäische Musikbewußtsein« getreten (Arnold Schering, Kritik des romantischen Musikbegriffs, in: Jahrbuch der Musikbibliothek Peters für 1937, S. 18). War es so, daß die Instrumentalmusik nur vage Inhalte ausdrücken konnte oder nur in schönem Formenspiel bestand, so berechtigte sie nichts, eine Vorrangstellung in Anspruch zu nehmen; war es so, daß sie »deutlicher Ausdruck besonderer, charakteristisch-individueller Empfindungen« und Kundgabe »eines ganz bestimmten, klar verständlichen individuellen Inhalts« sein konnte, so geriet sie in die Gefahr, zum Gegenstand des Rätselratens zu werden, und mußte unter Umständen das Opfer der »Unverständlichkeit« bringen (Richard Wagner, Oper und Drama, Band 1, 1851, 5. Abschnitt; der ganze Abschnitt ist für das Verständnis des Problems im 19.Jahrhundert grundlegend). »Uns ist jetzt das unerschöpfliche Vermögen der Musik durch den urkräftigen Irrtum Beethovens erschlossen«. Gerade Beethoven in seinem ungestümen Verlangen, einen solchen »klar verständlichen Inhalt« in der Sprache der reinen Instrumentalmusik wiederzugeben, die einer Wiedergabe von Inhalten ihrer Natur nach überhaupt »nur nach ihrer Allgemeinheit gewachsen« war und der es »in Wahrheit unmöglich« war, sich so eindeutig und bestimmt auszudrücken, ist einem totalen Irrtum erlegen. Das ist die Erkenntnis Wagners, und es ist das Dilemma der Instrumentalmusik im ganzen romantischen Zeitalter geblieben, daß sie sich in der Illusion wiegte, unmißverständlich ausdrücken zu können, was ihrer Sprache nur in andeutenden Umrissen zu sagen vergönnt war.

Infolgedessen ist sie teils von den Komponisten aus, die ihre Ideen verständlich zu machen wünschten, teils von Interpreten und Hörern aus, die ihr einen »klar verständlichen Inhalt« abzugewinnen trachteten, immer tiefer in die programmatische Auslegung, in die sogenannte poetische Hermeneutik oder geradenwegs in die *Programmusik* hineingetrieben worden. Die Komponisten selbst deuteten häufig (wie vereinzelt schon Beethoven, vielfach dann Schumann, Berlioz und Hunderte von Kleinmeistern bis hin zu Debussy, Walter Niemann, Mussorgsky, Ravel, Dvořák, Janáček und vielen anderen) versteckte Programme an, verwahrten sich aber ebenso häufig mit Entschiedenheit gegen die Auffassung, als sei die Komposition aus dem Programm entstanden. Nach Schumann, der gelegentlich behauptet hat, aus Jean Paul mehr Kontrapunkt gelernt zu haben als von seinem Musiklehrer, »bedarf Musik keines Programms«; sie ist »immer an sich genug und sprechend« (an Ignaz Moscheles, 22. September 1837). »Der (Ludwig Rellstab) meint wohl, ich stelle ein schreiendes Kind hin und suche die Töne danach. Umgekehrt ist es« (an Heinrich Dorn, 5. September 1839). Und wie Beethoven apotropäisch zu seiner 6. Sinfonie, der ›Pastorale‹, erklärte: »Mehr Ausdruck der Empfindung als Malerei«, um einer naturalistischen Auffassung der Programmüberschriften vorzubeugen, so Schumann zu seiner 1. Sinfonie: »Schildern, malen wollte ich nicht« (an Louis Spohr, 23. November 1842). In immer erneuter Abwehr haben sich die Komponisten dagegen gewendet, ihre Programmandeutungen zu wörtlich zu nehmen und der Musik eine präzisere Aussagefähigkeit zuzumuten, als sie sie besitzt (ähnlich z. B. Janáček anläßlich seiner Klavierstücke ›Auf verwachsenen Pfaden‹, 1902–1908, und passim in seinen ›Feuilletons‹, 1959, z. B. S. 139 f.; desgleichen R. Strauss an R. Rolland, siehe oben S. 325). Interpreten versuchten, schwer zugängliche Werke dem Publikum durch Programme schmackhafter zu machen wie Wagner selbst zu Beethovens Werken oder Josef Schalk zu Bruckners 7. Sinfonie oder etwa in der Art wie später Hermann Kretzschmar in seinen ›Führern durch den Konzertsaal‹.

Andere Komponisten aber schrieben ohne Bedenken Musik, die erzählen und schildern wollte, wie es die sinfonischen Dichtungen seit Berlioz und Liszt tun, Musik, die vor keinem Naturalismus zurückschreckt, freilich nicht ohne daß von dieser Seite aus nun wieder das Problem auftauchte, wie eine solche frei schildernde und abbildende Musik ihre überzeugende Form finden solle. Wagner hat, vom Standpunkt des Romantikers aus gewiß mit Recht, gesagt: »Nichts ist weniger absolut als die Musik« (›Über Liszts symphonische Dichtungen‹, 1857), aber nicht versäumt, in demselben Zusammenhang hinzuzufügen: »Wenn es keine Form gäbe, gäbe es gewiß keine Kunstwerke.« Die »neue Form« ist, nach Wagner, »Programmusik«, und die Musik kann es sich erlauben, dieser Forderung nachzukommen, weil sie ihre Selbständigkeit nie verlieren, weil sie »in keiner Verbindung, die sie eingeht, aufhören (kann), die höchste, die erlösende Kunst zu sein« (›Über Liszts symphonische Dichtungen‹). »In Wirklichkeit ist die Programmusik ebenso einseitig und begrenzt wie das als absolute Musik verkündete, von Hanslick verherrlichte Klang-Tapetenmuster« (Ferruccio Busoni, ›Entwurf einer neuen Ästhetik der Tonkunst‹, Leipzig 1910, S. 13).

Die Romantik selbst hat das Problem so offen gelassen, wie es seiner Natur nach ist, und die rückschauende Kritik der Forschung kann nur die Fakten konstatieren. Alle *nachträgliche programmatische Interpretation* von Instrumentalmusik der Romantik schießt über ihr Ziel hinaus, wenn sie nach Goethes ›Xenion‹ verfährt: »Legt ihrs nicht aus, so legt was unter«. Aber keine nachträgliche programmatische Interpretation von Instrumentalmusik der Romantik kann ihr Ziel vollkommen verfehlen, weil die Forderung nach dem Kunstwerk als Ausdruck einer »poetischen Idee« im Urgrund des romantischen Musikbegriffs enthalten ist und der Interpret von der Annahme ausgehen darf, der Komponist werde eine solche Grundidee im Sinne gehabt haben. Das gilt für die unzähligen »poetischen« Interpretationen, die das Schrifttum des 19. und 20.Jahrhunderts geliefert hat; es gilt u. a. auch für Arnold Scherings vielumstrittene Beethoven-Auslegungen.

Keine unter den älteren Epochen der Musikgeschichte hat mit einer so klaren und zielstrebigen Integration der jugendlichen Ansätze zu einem europäischen weltbürgerlichen Universalstil begonnen, keine ist gewissermaßen in so vollkommener und strahlender Rüstung dem Haupte des Zeus entsprungen wie die klassisch-romantische, und keine ist alsbald so von Widersprüchen und Zwiespältigkeiten, von literarischen Kontroversen und kompositorischen Gegensätzen, von peinigendem Zweifel am eigenen Genügen und von der überheblichen Vorstellung einer Gottähnlichkeit des Künstlers zerrissen worden wie sie. Alles schien ins Maßlose oder Beschränkte auseinanderzubrechen. Zwischen einem Geniekult, der an das Sakrileg grenzte, und einer Epigonenverachtung, die jeder Bescheidung im Handwerklichen den Boden entzog, zwischen der Anbetung der Musik als einer Ersatzreligion und ihrer Herabwürdigung zum Dirnentum war das Feld des Möglichen und Wirklichen weit gespannt.

Die Folge war eine endlose *innere Problematik*, deren Unerschöpflichkeit ein wesenhaftes Kennzeichen der Romantik bildet. Zu den wenigen oben erörterten »Sonderproblemen« treten in Wirklichkeit zahllose andere, die im Vorliegen nicht gestreift werden können. Der »Musikbetrieb« internationalisierte sich im höchsten Grade, aber die Nationen lebten sich auseinander. Die private Musikpflege blühte, aber sie distanzierte sich mehr und mehr vom zeitgenössischen Schaffen; die öffentliche Musikpflege wurde (besonders in Deutschland) zunehmend eine Angelegenheit des Staates und der Städte, seitdem Wilhelm von Humboldt die grundlegende Erkenntnis ausgesprochen hatte, daß es im Zeitalter des beginnenden Industrialismus mehr denn je darauf ankomme, die breiten Massen an die Musik heranzuziehen. Die allmählich seit Zelter, Nägeli und Schulz erwachsenden Ansätze zu einer musikalischen Volkserziehung waren Zeugnisse guten Willens, aber künstlicher Lenkung, und fruchteten letzten Endes wenig. Auf dem Mißverständnis, daß zu dem gleichen Zweck die Autonomie des künstlerischen Schaffens zu beschränken und die Grundsätze der musikalischen Komposition den Hörgewohnheiten einer vergangenen Volkstümlichkeit anzupassen seien, beruhen die Eingriffe totalitärer Staaten in die Freiheit der Komponisten.

Das Bedürfnis nach leichtester und seichtester Unterhaltung für die im Grunde musikalisch uninteressierten und musikfremden Schichten entfernte sich unabsehbar weit von der Zähigkeit, mit der breiteste Kreise musikalischer Liebhaber und Berufsmusiker an der ernsthaften Pflege des klassisch-romantischen Repertoires festhielten, und von der überheblichen Esoterik engster Zirkel, die nur noch im radikalen Experiment das Heil der Musik zu finden meinten. Veröderten die einen in der nicht mehr zu unterbietenden Flachheit einer Schlagerindustrie, versandeten die anderen in der unproduktiven Stereotypie des Herkömmlichen, so verkündeten die dritten den vollkommenen Umsturz des Überkommenen, ohne sich bewußt zu werden, daß ihr Treiben nichts anderes als eine sekundäre Neoromantik war. Zu einer Zeit, als der Abfall der europäischen Massen von der Musik als einer menschheitsgültigen und menschheitsverpflichtenden Universalkunst in vollem Gange war, wendete sich eine »Neue Musik« ganz vornehmlich an den kleinen Kreis der Professionellen und übersah geflissentlich, wie dadurch der Urgrund aller Musik, der lebendige Kreislauf zwischen Produktion, Reproduktion und Rezeption, abgeschnürt wurde. Das willige Dilettantentum, von ihr nicht erfaßt und außer Beziehung zu ihr, mißverstand um 1900 als »Romantik« eine fin de siècle-Musikpflege, es rebellierte, sagte ihr vollends die Gefolgschaft auf und wandte sich den Ufern einer weit zurückliegenden Vergangenheit zu.

Eine unheilvolle *Kluft* gähnte *zwischen Komponisten und Publikum* auf. Die hohepriesterliche Funktion, die sich im Frühstadium der Romantik die Künstler zugesprochen hatten, war zum Starkult entartet, und ihr Spätstadium war von Spaltungen, Antinomien und Häresien jeder Art zerklüftet. Eine übergreifende Einheit in diesem Wirrwarr zu erkennen, ist für den geschichtlichen Rückblick fast unmöglich. Die praktische Musikübung und der Unterricht liefen in ausgetretenen Pfaden weiter, ohne neue Ideen oder Formen zu entwickeln. Der Künstler, schon zu E. T. A. Hoffmanns Zeiten zum Abgott oder zum Narren der Gesellschaft geworden, gab sich das Air des Bohémiens oder vertrocknete zum Musikbeamten. Während die neugeschaffene Musik nach ihren geistigen und technischen Ansprüchen mehr und mehr dem Horizont des Durchschnittsmusikers wie des Dilettanten entschwand, verfiel das Fundament des musikalischen Laien- und Kinderunterrichts, aus dem beständig das Verständnis für das zeitgenössische Schaffen hätte nachwachsen müssen ins Bodenlose. Während gewerkschaftliche und urheberrechtliche Organisationen dem Musiker einen Schutz und eine soziale Stellung gewährten, wie er sie früher in ganz seltenen Ausnahmefällen erreicht hatte, entzog sich die Menge der Verbraucher ihrer Musik oder verlor den Kontakt mit ihr. Der offizielle »Musikbetrieb« wurde zu einer Kulisse, hinter der sich eine bedrohliche Leere verbarg. Die klassisch-romantische Epoche, in ihren Anfängen durch die überzeugende Einheit aller ihrer Kräfte und Erscheinungen gekennzeichnet, löste sich in ein Chaos auf.

Die Frage nach dem *Ende der Romantik* entzieht sich deshalb einer klaren Entscheidung. Ist es ohnehin zu allen Zeiten leichter, den Anfang als das Ende einer musikgeschichtlichen Epoche zu bestimmen, so gilt das für die klassisch-romantische in ganz besonderem Maße. Die Grenzen einer Epoche bestimmen setzt voraus, die in ihr waltende grundsätzliche Einheit erkannt zu haben. Läßt sich eine solche grundsätzliche Einheit, aller Widersprüche und Divergenzen unerachtet, für die älteren Epochen der Musikgeschichte einigermaßen überzeugend definieren, so fällt das gegenüber der Romantik schwer. Nur in ihrem tiefsten Untergrunde, im Elementen- und Formenkanon, ist die Epoche einheitlich geblieben. Die Einheit der Dur-Moll-Tonalität ist von Pergolesi und Stamitz bis zu Reger, Debussy und Janáček nicht ernstlich in Frage gestellt worden; erst Schönberg, Webern und Strawinsky haben versucht, das System als solches zu zerbrechen. Die klassische Periodizität, Rhythmik und Taktordnung ist trotz aller Überdehnung und Überspannung bis zu derselben Zeitgrenze die Grundlage aller musikalischen Form geblieben; auch danach haben sich nur mühsam Versuche, andere Prinzipien der Zeitordnung zu finden, Bahn gebrochen. Die klassische Melodik und Thematik schimmert auch bei Strauss, Kodaly und Skrjabin noch immer durch den Mantel einer bewußt antiromantischen Stimmführung durch. Die Sonaten-, Rondo- und Liedschemata, die Formen des Tanzes und Marsches, aber auch die historischen der Fuge und des Kanons haben sich unter der schimmernden Spiegelfläche neuartiger oder ganz freier Formversuche erhalten, ja, sie sind z. T. erneut zu hohen Ehren gekommen. Schönbergs ›Hängende Gärten‹, Hindemiths ›Marienleben‹ und Strawinskys ›Petruschka‹ machen es dem Historiker schwer, in ihnen noch heute die beabsichtigten Hebel zum Umsturz der letzten Romantik zu erkennen. Noch in der Mitte des 20.Jahrhunderts musiziert man in allen Ländern der Erde auf dem diatonisch-chromatisch gestimmten Klavier, und wenn auch die Komponisten sich von der Monstrebesetzung des Mahler- und Strauss-Orchesters abgewendet und sich mehr für kammermusikalische Gruppierungen erwärmt haben, so erzeugen doch Violine, Oboe und Harfe noch immer dieselben Töne und Klangwirkungen wie von je. Dem Erbe der Romantik den Kampf anzusagen, war viel leichter, als sich von ihm zu lösen.

Die klassisch-romantische Epoche ist um 1910 allmählich ausgeklungen. Sie hat sich in nationale und individuelle Einzelrichtungen aufgelöst, sie hat sich von den grundlegenden Begriffen getrennt, von denen sie einst ausgegangen war. Die Weltbürgerlichkeit der universalen Menschheitskunst ist in einem Gewirr nationaler Dialekte, im Lärm egoistischer Sonderidiome untergegangen, ohne dabei von der tiefen Zerklüftung ihrer inneren Problematik befreit oder von der überwältigenden Einheit eines neuen Kunstwillens antiquiert zu werden. Daß die »Neue Musik« ein halbes Jahrhundert lang im Vorfeld der Experimente verblieben ist, hat der »Romantik« das Nachleben erleichtert. Ob sie als geschichtliche Epoche zu Ende gegangen ist, weiß niemand.

WILLIAM W. AUSTIN
(Übersetzung aus dem Englischen von Thomas M. Höpfner)
Neue Musik

I. Der Begriff »Neue Musik« und seine Alternativen. – II. Schönberg und
neue Harmonien. – III. Strawinsky und neue Rhythmen. – IV. Webern und
neue Melodien, Strukturen und Prozesse. – V. Berg und Bartók und neue
soziale Gruppierungen. – VI. Notenanhang

I. Der Begriff »Neue Musik« und seine Alternativen

Für die meisten Schallplattenkäufer, Radiohörer oder Fernsehzuschauer bedeutet *neue Musik* ein Produkt der jünstvergangenen
paar Monate, das vermutlich etliche ältere Produkte ablösen wird.
Diese Auffassung von »neu« mag den Leser im Moment über-
raschen; sie entspricht jedoch dem herkömmlichen Gebrauch dieses Wortes und hat, wenn auch vielleicht nur indirekt, Auswirkungen auch auf spezialisierte Anwendungsformen des Begriffs. In
einem Zeitalter beispielloser Bevölkerungsballungen, geographi-
scher und sozialer Beweglichkeit, turbulenter institutioneller Veränderungen und Umweltkrisen erneuert sich die Musik auf vielfältige Weise.

Die meisten Menschen in den heutigen Industrieländern, die
sich mit Musik beruflich oder aus ernstgemeinter Liebhaberei beschäftigen, verstehen unter »Neuer Musik« einen Kulturbereich,
der von zeitgenössischer Literatur, Malerei, Tanz und Film überschattet wird, eine Art Nebenzweig vom Hauptast (nämlich der
klassisch-romantischen Musik), dessen prächtige Blüten mehr
öffentlich-allgemeines Interesse finden als die Klassiker der Literatur. Mag die relativ geringe Anziehungskraft der neuen Musik bisweilen irregeführten Komponisten angelastet werden, so empfinden Musiker und Musikliebhaber dieses Manko doch eher als eine
leicht besorgniserregende kulturelle Fehlanpassung, für die zum
Teil ihre eigene Ignoranz und ihr persönliches Vorurteil verant-
wortlich sein könnten, und folglich dulden sie die Subventionie-
rung der Neuen Musik durch Staat, Universitäten, Stiftungen und
andere Institutionen einer immer komplizierter werdenden Welt
des Spezialistentums. Gelegentlich suchen sie Aufklärung über das
Geheimnis der Neuen Musik in der Hoffnung, sie dann vielleicht
besser hören oder gar spielen und singen zu können.

Für diejenigen informierten Lernbeflissenen, die sich mit den
Kompositionsweisen des 20.Jahrhunderts befassen, mag der Terminus »Neue Musik« nur einen Teilbereich ihres Anliegens umreißen oder etwas meinen, was sie unter vielem nur allzubald Ver-

altendem ihres Interesses würdig erachten. Solche Lernenden sind sich der Verschwommenheit des Begriffs wohl bewußt und dessen eingedenk, daß es unter den heutigen Komponisten fast keine Gemeinsamkeiten in der Praxis mehr gibt und daß die Kompositionen, die der eine lobt, dem anderen unter Umständen unbekannt oder nur wenig vertraut sind. Sie erkennen, daß die meisten Erklärer neuer Musik nicht nur ein unparteiisches Verständnis für das wecken wollen, was Komponisten bislang geschaffen haben, sondern auch Einfluß gewinnen möchten auf die Werke, die lebende Komponisten zu schreiben sich anschicken. Aber wenn diese fachlich Interessierten einen allgemein gehaltenen Artikel über Neue Musik lesen, dürfen sie mit Recht eine gewisse Zurückhaltung in Voraussagen und Verordnungen erwarten. Wahrscheinlich erhoffen sie sich eher eine knappe Erläuterung einiger Werke Arnold Schönbergs, Béla Bartóks, Igor Strawinskys und des einen oder anderen ihrer Zeitgenossen und Nachfolger in der Auswahl eines Autors, der – was bedauerlich, aber unvermeidlich ist – manche Werke übergehen wird, die ein anderer gerade besonders ausführlich behandelt hätte, und der aus seinem Überblick absichtlich viele seiner eigenen Lieblinge ausklammert. Leser, die mit historischen Darstellungen Neuer Musik vertraut sind, können diesen Ausführungen zudem gewiß entnehmen, daß hier mit Bedacht einige gängige historische Strukturmuster vermieden werden, die typischerweise dazu dienen, gegenwärtige und künftige Wahlmöglichkeiten einzuengen und zu steuern. Man kann eine Auswahl an »Neuer Musik« studieren, ohne damit unbedingt ein Urteil über sämtliche übrigen Musikäußerungen aus ihrer Zeit zu fällen und ohne dabei zu vergessen, daß viele andere Arten von Musik das Interesse sich überschneidender und voneinander abhängiger Gruppen von Menschen beanspruchen.

In den letzten Jahren vor dem Ersten Weltkrieg und in den ersten Jahren nach dem Zweiten Weltkrieg hat die Musik von Tonsatz-Spezialisten in der industrialisierten Welt *zwei bemerkenswerte Umwälzungen* erlebt, ähnlich zwei großen, alles überrollenden Wogen einer ungeheuren Flut, die auch viele schwächere Wellen, viel Geplätscher, viele Gegen- und Unterströmungen mit sich bringt. Heute (1973) gehören beide Wellen schon der Vergangenheit an und sind für jüngere Studierende nur noch Gegenstand historischer Studien und nicht mehr identisch mit aktuellen Fragen, wenngleich mit ihnen verquickt.

Die erregende Tatsache der zweiten Welle beeinflußte selbst für distanzierte Betrachter das Bild der ersten Welle. Wie die Geschichte der älteren Musik wurde auch die der Neuen Musik partiell durch die Auswirkungen neuerer Musik geprägt und umgeformt. Darstellungen der ersten Welle, die vor der Heraufkunft der zweiten Welle breite Geltung errungen hatten, mußten revidiert werden. Jene frühen Darstellungen, darunter der um 1950 erschienene Artikel ›Atonalität‹ in MGG, dürften heute in geschichtlichen Abrissen der Zwischenperiode richtiger plaziert sein als in Untersuchungen über die Neue Musik der einen oder der anderen großen Welle. Über die erste Welle herrscht in Fachkreisen inzwischen immerhin soviel Einigkeit, daß eine verständige Diskussion nach wie vor strittiger Punkte möglich ist. Über die zweite Welle hat man zwar hier und da wissenschaftlich zu arbeiten begonnen, doch stehen die meisten Argumente noch gegeneinander. Tatsächlich ist bislang nicht entschieden, ob die zweite Welle ein Umschlagen der Gezeiten ankündigt und ob man sie, sollte sie zur gleichen Tide zu rechnen sein wie die erste Welle, nun als Ebbe oder Flut zu verstehen habe. Noch wird darüber debattiert, wie man die Ereignisse zwischen den beiden Umbrüchen interpretieren soll und wie dies alles mit den weltweiten Veränderungen in den Bevölkerungs- und Gesellschaftsstrukturen in Verbindung zu setzen wäre. Somit rückt vor allem die erste Epoche in den Brennpunkt der vorliegenden Betrachtung, während die jüngere Epoche als nächste in den Vordergrund tritt und alle Hinweise auf frühere, spätere und dazwischenliegende Ereignisse sich der ersten unterordnen und der weiteren Überprüfung offenstehen.

Setzt die Bezeichnung »Neue Musik« einen Glauben an solche musikalischen Gezeiten voraus? Unterscheidet sie nicht zwischen den beiden Wellen? Umschließt sie vieles, was dazwischen entstand? Ist sie vertauschbar mit »zeitgenössischer Musik« oder mit dem älteren Begriff der »modernen Musik«? Wenn nicht, welcher dieser Termini ist dann weiter und welcher ist enger gefaßt? Inwiefern überschneiden sich andere Begriffe wie »Avantgarde«, »experimentelle Musik« oder »musique actuelle« mit »Neuer Musik«? Wo verlaufen die Grenzen aller mit diesen Termini umschriebenen Musik vom breiteren Kontext des Weltmusikgeschehens aus gesehen, der Berufs- wie Laienmusik, der pädagogischen, liturgischen, kommerziellen und Gelegenheitsmusik? Wenn der *Begriff* »Neue Musik« so angewendet werden soll, daß vermeidbare Mißverständnisse und ungerechte Härten ausgeklammert bleiben, muß man sich zunächst etwas mit seiner Geschichte beschäftigen. Dabei soll keine historische Vollständigkeit angestrebt werden, sondern es sollen lediglich einige Fakten über die Begriffe zusammengetragen und im Zusammenhang damit über die Musik selbst gesprochen werden (eine ausführlichere Darstellung gibt z. B. Rudolf Stephan, Über das Musikleben der Gegenwart, Berlin 1968, und ders., Die sogenannten Wegbereiter, in: Musica 25, 1971, S. 349).

Das Bild der zwei Wellen kann helfen, den Bedeutungsspielraum der Begriffe nicht nur durch Daten, sondern auch anhand von Orten und von Namen von Komponisten Neuer Musik zu definieren. Dabei ist es interessant auszuloten, was den einzelnen Komponisten »Neue Musik« bedeutet. Zunächst soll in einer kurzen Übersicht die Stellung der Komponisten zueinander und im Hinblick auf die beiden Wellen umrissen, danach ihre Werke und Arbeitsweisen beschrieben und erklärt werden. Auf diesem Wege gelangt man zu einer komplexen, wenn auch nicht endgültigenAntwort auf die obigen Fragen zum Begriff »Neue Musik«.

Fünf Komponisten schrieben kurz vor dem Ersten Weltkrieg Musik, die auch heute noch die Bezeichnung »neu« verlangt: Arnold Schönberg, Béla Bartók, Igor Strawinsky, Anton Webern und Alban Berg. Unter den Neuerern nach dem Zweiten Weltkrieg haben sich drei Komponisten besonders profiliert: John Cage, Pierre Boulez und Karlheinz Stockhausen. Von den Hunderten interessanter Komponisten der Zwischengeneration seien hier zwei genannt, um an ihnen Betrachtungen über die Bedeutung »Neue Musik« anzustellen: Sergej Prokofieff und Paul Hindemith. (Auf weitere Komponisten wird später noch eingegangen werden.)

Igor Strawinsky (1882–1971) war der einzige Komponist, der an beiden Umwälzungen der Neuen Musik teilhatte, angeführt hat er jedoch keine von beiden. Er hat zwar durch seine Musik und seine bisweilen dogmatischen Ansichten großen Einfluß ausgeübt, war aber kein Lehrer, kein systematischer Theoretiker, kein Prophet. Als einzigartig erweist sich in seinem so extrem vielfältigen Schaffen die Kontinuität seiner Persönlichkeit. Seine Beziehung zu »Neuer Musik« (was auch immer darunter verstanden wird) ist wichtig: Strawinsky selbst hat diesen Begriff ausdrücklich abgelehnt. »Sectarian ›new music‹ is the blight of contemporaneity. Let us use con-tempo, then . . . in my meaning: ›with the time‹.« (›Dialogues and a Diary‹, New York 1963, S. 31). Ernster bekannte er mit dem Psalmisten: »Er hat mir ein neues Lied in meinen Mund gegeben, zu loben unsern Gott. Das werden viele sehen und sich fürchten und auf den Herrn hoffen« (Psalm 40, Vers 4).

Mit allen seinen neuen Verfahrensweisen wollte Strawinsky stets jahrhundertealte Zwecke erneuern. 1910 als Achtundzwanzigjähriger nach Paris gekommen, errang er sich dort mit den Balletten ›Feuervogel‹, ›Petruschka‹ und ›Le Sacre du Printemps‹ den Ruhm, dank dessen er die relative Vernachlässigung und die Mißverständnisse, die sein späteres Schaffen erfuhr, zu überstehen vermochte. Paris war und blieb seine Hauptstadt, auch nachdem er 1945 amerikanischer Staatsbürger geworden war, auch nach dem Wiedersehen mit seinem Geburtsland Rußland 1962, auch nach seiner Verfügung, in Venedig begraben zu werden. ›Le Sacre du Printemps‹ (1913) war zudem dasjenige seiner Werke, das von den führenden Vertretern der zweiten Welle am höchsten gepriesen wurde.

Arnold Schönberg (1874–1951) war Protagonist, Theoretiker,

Lehrer und Prophet der ersten Welle. Mit den Worten Stefan Georges sang er von »neuer Labung« und »neuen Gluten« (Nr. 9 in: ›15 Gedichte aus Das Buch der hängenden Gärten‹ op. 15; vgl. Beispiel 1, siehe Seite 441). Die Werke op. 10–22 – komponiert 1908–1914, während er in Wien und Berlin als Privatlehrer wirkte – wurden von aufgeschlossenen Musikern in London, Paris, München, Prag, Budapest und St. Petersburg sogleich als Herausforderungen erkannt, die sie und ihren Nachfolger ein Leben lang beschäftigen würden. 1910 empfahl sich Schönberg der Leitung der Wiener Akademie mit den Worten: »Durch die Besonderheit meiner künstlerischen Entwicklung, die von den klassischen Meistern ausgehend mich, wie ich annehmen muß, folgerichtig bis in die vorderste Reihe der Modernen geführt hat, sowie durch meine ausgesprochene Neigung, theoretischen Dingen nachzugehen, glaube ich geeignet zu sein, der Jugend mitzuteilen, was ihr sonst nicht wird« (Ausgewählte Briefe von Schönberg, herausgegeben von Erwin Stein, Mainz 1958, S. 23f.). Im selben Jahre formulierte er, halb im Scherz, seinen Geltungsanspruch als Portraitmaler, der »irgendeinem Kunsthandwerker, dessen Namen in 20 Jahren kein Mensch mehr kennt, während meiner schon heute der Musikgeschichte angehört« (Briefe, S. 20), doch wohl vorgezogen werden müsse.

Mit keinem einzigen seiner Werke verdiente Schönberg soviel, daß er davon hätte leben können, und so unterrichtete er weiter. Sein bestes Lehramt hatte er 1926–1933 in Berlin inne. Hier erregte das Schlagwort »Neue Musik« seinen charakteristisch erbitterten Zorn. Man stellte diesen Begriff als Entsprechung von »Neuem Bauen« und »Neuer Sachlichkeit« dem »Expressionismus« der Vorkriegsjahre entgegen, mit dem Schönberg noch immer identifiziert wurde. Der Terminus bezog sich primär auf Strawinsky sowie auf jüngere französische und deutsche Komponisten. In seinem Prager Vortrag über ›Neue und veraltete Musik, oder Stil und Gedanke‹ (1932; abgedruckt in der Aufsatzsammlung ›Style and Idea‹, New York 1950) wies Schönberg tadelnd darauf hin, daß Neuerungssucht rasch veralte – sämtliche Stile seien oberflächlich, was zähle, seien die Ideen.

Als Schönberg starb, waren gerade einige seiner Gedanken in Paris erstmals Mode geworden und wurden es nun auch in Deutschland und England. In Amerika, wo er seit 1933 unterrichtete, verbreiteten sie sich allmählicher – langsamer als in Italien, kaum rascher als in Argentinien, Israel, Japan oder Österreich. In der Sowjetunion wurde Schönberg zusammen mit Strawinsky um 1950 offiziell heftiger denn je als in einem gewissen Sinne zu neu und zugleich überhaupt nicht wahrhaft neu verdammt – beide Komponisten vertraten, hieß es, einen »modernistischen Formalismus«, der vergeblichen Reaktionen gegen die grundlegende revolutionäre

Umformung der Menschheit Vorschub leiste. Jedoch in der DDR wirkte der Schönberg-Schüler Hanns Eisler als führender Erneuerer der Musik, und nachdem 1956 die zweite Welle der neuen Musik Polen erreicht hatte, ließen neuere und qualifiziertere Deutungen des Neuen an Schönberg nicht lange auf sich warten. Nun aber trug auch Strawinsky, der zwischen den Kriegen sein Gegenspieler gewesen zu sein schien, viel zu einer gerechteren Würdigung Schönbergs bei und setzte sich für ihn bis zu seinem Tode immer stärker ein. Insofern war Schönbergs Glaube an die Unfehlbarkeit der eigenen Phantasie gerechtfertigt und seine Mahnung zeitgemäß: »Contemporaries are not final judges, but are generally overruled by history.« (Vortrag über: ›Composition with twelve tones‹, gehalten 1941 in Los Angeles, abgedruckt in: Style and Idea, S. 103).

Anton Webern (1883–1945) hatte 1904 seine musikgeschichtlichen Studien bei Guido Adler und 1908 seinen Kompositionsunterricht bei Schönberg abgeschlossen und komponierte seine opera 2–12 zur selben Zeit wie Schönberg seine opera 10–22. Als Privatlehrer und Dirigent hauptsächlich in Wien wirkend, ist Webern nie so bekannt geworden wie Schönberg, doch erwies sich bei seinem Tode, daß sein gesamtes Schaffen, besonders aber op. 6 und op. 9 sowie die späteren opera 21, 24 und 27, die zweite Welle mehr vorausgenommen hatte als die Musik Schönbergs oder die irgendeines anderen. In einer Vortragsreihe in Wien für musikliebende Freunde (1933) definierte Webern »Neue Musik« einfach als »die durch Schönberg heraufgekommene Musik« (Stenogramm herausgegeben von Willi Reich in: Wege zur Neuen Musik, Wien 1960, S. 34). Er benutzte diesen Begriff völlig selbstverständlich, und als »nach-Webernsche« Komponisten ihn beibehielten, bestätigten sie damit die Kontinuität mit Schönberg und Webern. Sie bestritten Strawinskys Schaffen der 1920er Jahre die zentrale Stellung, die ihm manche Bewunderer zuweisen wollten. Strawinsky selbst fand – wie viele der Jüngeren – für Webern begeistertere Lobesworte als für Schönberg, und in seinen letzten Kompositionen bewies er, wie viel er von Webern gelernt hatte.

Weberns Verehrung für die Vergangenheit ging weiter als die Schönbergs, erfaßte sie doch beispielsweise noch den gregorianischen Gesang und ein beträchtliches Repertoire an Musik des 16.Jahrhunderts. Weberns Glaube an die Zukunft weist – auch hierin unterschied er sich von Schönberg – weit über die zweite Welle hinaus und trägt entschieden zur Bedeutung der »Neuen Musik« bei. 1932 sagte er seinen Hörern: »Alles ist noch im Fluß. . . . Hier liegt bestimmt eine Gesetzmäßigkeit zugrunde, und es ist unser Glaube, daß auf diesem Wege das echte Kunstwerk zustande kommen kann. – Einer späteren Zeit ist es vorbehalten, die engeren gesetzlichen Zusammenhänge zu finden, die hier schon in den Werken vorliegen. – Wenn man zu dieser richtigen Auffassung der Kunst kommt, dann kann es keinen Unterschied mehr geben zwischen Wissenschaft und inspiriertem Schaffen.« (Wege zur Neuen Musik, S. 60). Diese Zuversicht Weberns ist mehr als nur Reflexion über die Geltung der Wissenschaft; sie ist eine tiefe Überzeugung, die ihn in seinem gesamten Schaffen geleitet und die bis zu einem gewissen Grade auch das Wirken aller seiner Kollegen in der Neuen Musik beeinflußt hat.

Alban Berg (1885–1935) studierte bei Schönberg von 1904 bis 1911, also bis Schönberg Wien verließ und nach Berlin ging. Um 1914 hatte Berg seine ›Orchesterstücke‹ op. 6 vollendet. Wie Webern lebte Berg weiter in Wien, schrieb jedoch im Gegensatz zu Webern als op. 7 eine Oper, ›Wozzeck‹, die 1925 in Berlin, 1926 in Prag, 1927 in Leningrad, 1931 in Philadelphia, 1932 in Brüssel und 1934 in London aufgeführt wurde. Auch fanden seine späten Instrumentalwerke mehr Aufmerksamkeit als irgendein Werk seines Freundes oder ihres gemeinsamen Lehrers. Nachdem ›Wozzeck‹ schließlich auch in Paris und New York in das Repertoire aufgenommen worden war, wurde Bergs Gesamtwerk von jungen Komponisten und von Strawinsky immer eingehender studiert. Sie entdeckten in seinen ›Altenberg-Liedern‹ op. 4 (1913, erschienen 1953) und in seiner fast vollendeten Oper ›Lulu‹ Aspekte, die noch neuer waren als selbst das, was sich ihnen bei Webern aufgetan hatte.

Um 1907 stand Bergs Auffassung von der neuen Epoche in der Musikgeschichte fest, und von ihr sollte er sein ganzes Leben lang nicht mehr abweichen. Er formulierte diese Gedanken in einem Brief an seine amerikanische Freundin Frida Semler, der erst 1959 in Zürich (in: Alban Berg, Bildnis im Wort, herausgegeben von Willi Reich) veröffentlicht und bislang nicht eben häufig zitiert wurde:

»Die große Masse ist jetzt bei Richard Wagner angelangt, dafür geeicht! Die Vorhergegangenen, etwa Bach, Mozart, Beethoven, schätzt sie ja auch nur, weil's eine Schande wär', es nicht zu tun. Aber ich möchte den Leuten nicht in die Seele sehn, die begeistert zu einem Bach-Konzert oder einem der letzten Quartette Beethovens oder gar einer Mozart'schen Arie oder Menuett applaudieren, wie tief gelangweilt sie sind. . . . Denn das sind diejenigen, die bei etwas Neuem immer sagen: ›Wir Wagnerianer, wir sind doch gewiß modern, uns kann man nicht sagen, daß wir am Alten kleben (denn wir haben selbst Bruckner und Hugo Wolf dem Publikum zugänglich und verständlich gemacht).‹ Und jetzt ist es eine Leichtigkeit, nach diesem wunderschön vorbereiteten Vordersatz dem Modernen, dem wirklich Neuen, und wäre es noch so groß und bedeutend, einen tüchtigen Schlag zu versetzen, auf den das Publikum natürlich hineinfällt – gerne hineinfällt –, weil es ja ebenso ignorant und philiströs ist, als der bei Wagner angelangte Zeitungsschmierer – oder Notenkleckser!

Nun geht es trotzdem R. Strauss und Mahler und Pfitzner und selbst Reger beim Publikum und bei den Zeitungen noch verhältnismäßig gut, weil diese alle in Wagners Fußstapfen weiterschreiten und nur langsam und hie und da die große Umwandlung in der Musik mitmachen – jene Umwandlung von der rein homophonen Musik, wie sie seit Haydn und Mozart bis Wagner inklusive fast ausnahmslos üblich ist, zur polyphonen Musik, wie sie vor Jahrhunderten im Kirchenstil gebräuchlich war und deren herrlichster Vertreter Johann Sebastian Bach ist. Das ist natürlich kein Rückschritt, denn man vereinigt nur die ›Kunst im wahrsten Sinn des Wortes‹ mit den modernen Mitteln. Solches ging ja ohnedies wie ein roter Faden durch die ganze Musikgeschichte: über Beethovens beste letzte Quartette (besonders die ›Große Fuge‹) hinweg zur Kammermusik von Brahms, zu einigem in Wagners ›Ring‹, ›Meistersingern‹, ›Tristan‹, wo das gleichzeitige Ertönen mehrerer Themen, das Ineinandergreifen mehrerer Motive oft die herrlichsten Wirkungen erzielt – hinan bis zu unseren großen Modernen, bei denen das immer häufiger und herrlicher wird, bis es in Schönberg (bis jetzt wenigstens) seinen höchsten, höchsten Grad der Möglichkeit erreicht hat.« (S. 12–14).

Bergs hochfliegende Geschichtsauffassung ist zwar in mancher Hinsicht zu einfach, gehört aber dennoch zu den akzeptabelsten aller positiven Einstellungen zur Neuen Musik und kann noch am besten helfen, zu ihr gesellschaftliche Bezüge herzustellen.

Béla Bartók (1881–1945) war 1907–1934 Professor für Klavierspiel an der Budapester Akademie. Seine Musik fand in London, Paris, Berlin, Wien und Zürich mehr Anerkennung als in Ungarn. 1911 zog er sich dort aus dem öffentlichen Leben zurück und hatte während des Ersten Weltkriegs keinen Kontakt zu Schönberg und Strawinsky. Doch 1920, nachdem er die Verbindung zur Musikwelt wieder aufgenommen und die beiden als seine wichtigsten Zeitgenossen erkannt hatte, wurde Bartók derjenige, der »das Problem der Neuen Musik« definierte – nämlich als Arbeit mit dem Ziel, »die unbeschränkte und vollständige Ausnutzung des ganzen vorhandenen, möglichen Tonmaterials« zu erreichen (Melos 1, 1920, S. 109). Seit 1923 war Bartók der wichtigste Komponist, der gewissenhaft in der ›International Society for Contemporary Music‹ (ISCM; deutscher Name: ›Internationale Gesellschaft für Neue Musik‹, IGNM) mitwirkte. In seinen Schriften sind die Termini »neu«, »zeitgenössisch« und »modern« austauschbar, wobei sich das jeweils Gemeinte eindeutig aus dem Zusammenhang ergibt. Als er im selben Jahr wie Webern starb – ein Emigrant in Amerika wie Schönberg und Strawinsky –, war seine Musik schon auf dem besten Wege, sich rasch einen einzigartigen Platz im Musikleben der Welt zu erobern. Ihre neuartigen Klänge und Rhythmen beeinflußten die zweite Welle der Neuen Musik.

Zugleich wurden seine Werke in der Sowjetunion und sogar in China als »realistische« Kunst begrüßt, als ein Modell für die immens schwierige Koordinierung alter Werte der Bauernkultur mit neuen sozialen Gegebenheiten und Bestrebungen.

Bartók, Strawinsky, Schönberg, Webern und Berg arbeiteten zusammen an der Schöpfung dessen, was Bartók, Berg und Webern »Neue Musik« nannten. Das Schaffen ihrer weniger bedeutenden Zeitgenossen und Nachfolger kann im Lichte ihrer Errungenschaften gesehen werden. Vom Standpunkt der 1970er Jahre aus betrachtet, erreicht keiner der Jüngeren ihre Vorrangstellung, und ihre fortwirkende Ausstrahlung auf ihre geistigen Nachfahren hilft ihre früheren Leistungen frisch und neu erhalten.

Das Neue bei Strawinsky, Bartók und den drei Wiener Meistern schien sich um so plötzlicher zu ereignen, als vier ältere Komponisten ziemlich früh starben: Gustav Mahler (1860–1911), Claude Debussy (1862–1918), Alexander Skrjabin (1872–1915) und Max Reger (1873–1916). Jeder dieser Männer ist für die Bewegung der »Neuen Musik« in Anspruch genommen worden, und zwar aus verschiedenen Gründen, auf die später zum Teil noch eingegangen werden soll. Aber da sie bereits tot waren, als dieses Schlagwort aufkam, wurden sie eigentlich doch mehr als Vorläufer der »Neuen Musik« oder als Monumente der verflossenen »belle époque« betrachtet. Hätten sie lange genug gelebt, um noch an den Nachkriegsentwicklungen teilzunehmen, wären diese womöglich von Grund auf anders verlaufen. Daß sie so früh und gerade zu einer Zeit starben, da die Jüngeren aktiv zu werden begannen, führte zu einem ungewöhnlichen Bruch in der Kontinuität der Musik.

Gleichermaßen schärfte es die Begriffsbestimmung der »Neuen Musik«, daß Debussys bedeutendster, ihn überlebender Zeitgenosse, Richard Strauss (1864–1949), sich an ihr nicht beteiligte. Bis zu ›Elektra‹ (1909) verkörperte Strauss' Schaffen den Glauben an eine fortschrittliche Entwicklung der Kunst. Er hatte Schönberg ermutigt, und Schönberg hatte seine Werke studiert und bewundert. Doch seit langem schon lehnte Strauss es ab, für irgendeine »Fortschrittspartei« zu sprechen; er bestand auf der Direktbeziehung zwischen vereinzelten Individuen und der anonymen kollektiven Öffentlichkeit. Mit dem ›Rosenkavalier‹ (1911) und seiner gesamten späteren reichhaltigen Produktion beanspruchte Strauss für sich das Recht, sich von der »Tragödie dieses Zeitalters« abzuwenden (Strauss-Rolland, Correspondence, Paris 1951, S. 174). Der echte musikalische Fortschritt mußte seiner Überzeugung nach auf eine radikale Reform des Ausbildungs- und Erziehungswesens warten. Schönberg wiederum hatte Strauss um 1914 »innerlich abgelehnt« (Ausgewählte Briefe, S. 49). Wenn der unparteiische Historiker sich nicht damit begnügen kann, das ganze Œuvre von Strauss (wie es gewöhnlich geschieht) als epigonale

Romantik abzutun, so kann er es andererseits doch auch nicht für die Neue Musik in Anspruch nehmen. Die Größe des Schaffens von Richard Strauss setzte der Neuen Musik der ersten Welle eine Grenze; sein Urteil über die Notwendigkeit pädagogischer Reformen hat für Gedanken über die zweite Welle noch immer Relevanz.

Der Tod von Berg, Bartók, Webern, Strauss und Schönberg trug zur Begriffsbestimmung der zweiten Welle bei. Auch dazu läßt sich sagen: hätten diese Meister so lange gelebt wie Strawinsky, wäre die Entwicklung der Musik vielleicht gleichmäßiger verlaufen.

Strawinsky selbst stärkte, nachdem er 1951 seine einzige abendfüllende Oper ›The Rake's Progress‹ vollendet hatte, die zweite Welle und schlug von ihr den Bogen zur ersten, indem er seine erstaunlichen Huldigungen an Webern denen der jungen Bahnbrecher *Pierre Boulez* (* 1925) und *Karlheinz Stockhausen* (* 1928) an die Seite stellte. Strawinsky pries ihn als »wirklichen Helden« (Die Reihe II, 1955, S. 7) und arbeitete einige seiner charakteristischen Klänge in ›Canticum sacrum‹ (1956), ›Agon‹ (1954 bis 1957) und spätere Werke ein.

Boulez und Stockhausen verkündeten die überragende Bedeutung Weberns 1953 in seinem Gedenkkonzert in Darmstadt, in dem auch ihre eigenen letzten Stücke – Boulez' ›Polyphonie X‹ und Stockhausens ›Kontra-Punkte‹ – aufgeführt wurden. Die ›Internationalen Ferienkurse für Neue Musik‹, 1946 in Darmstadt ins Leben gerufen, wurden jetzt zum Mittelpunkt, von dem die neue Welle ihren Ausgang nahm. Hier begründeten Boulez und Stockhausen zusammen mit Bruno Maderna (1920–1973), Luigi Nono (*1924) und Henri Pousseur (*1929) eine Gruppe von Webern-Anhängern. Im Sommer hielten sie in Darmstadt Kurse ab, im Winter arbeiteten sie in ihren Wohnorten Paris, Köln, Mailand, Venedig und Brüssel. Von den vielen weiteren Komponisten, die in den nächsten Jahren zu ihnen stießen, erkannten Boulez und Stockhausen Luciano Berio (* 1925) und *John Cage* (* 1912) als zumindest zeitweilige Mitglieder des Inneren Kreises an.

Aber Cages fruchtbarer Austausch mit Boulez und Stockhausen hatte 1951 in Paris und 1954 in Köln und Donaueschingen stattgefunden. Nach 1958, als Cage und Ravi Shankar (* 1920) Darmstadt besuchten, überraschten die jährlichen Neuerungen nicht mehr. Jeder der genannten Komponisten ging seinen eigenen Weg. Boulez arbeitete seine ›Improvisations sur Mallarmé‹ zu einem umfassenden Portrait aus, und Stockhausen erweiterte seine Raumgruppen, bis sie mehrere Räume oder einen Garten füllten. Auch früher schon waren die Erstaufführungen von Werken Boulez' und Stockhausens anderswo erfolgt – ›Le Marteau sans maître‹ von Boulez 1955 in Baden-Baden und der ›Gesang der Jünglinge im Feuerofen‹ von Stockhausen 1956 in Köln. Diese beiden sehr verschiedenen Stücke, die inzwischen die bekanntesten Beispiele für das Schaffen der beiden Komponisten geworden sind, scheinen heute den Kamm der Welle zu bezeichnen. Aber ein ebenso geeignetes Beispiel ist Boulez' Verherrlichung der Frische eines jeden neuen Tages in ›Improvisation sur Mallarmé‹ (vgl. Beispiel 2, siehe S. 443).

1958 veranstaltete Cage ein retrospektives Konzert mit eigenen Arbeiten unter Einschluß seines neuen Klavierkonzertes. Im selben Jahr bereiste Stockhausen amerikanische Universitäten und machte neuerlich auf Cage aufmerksam.

Ebenfalls 1958 gab es zwischen Boulez und Stockhausen eine kleine Unstimmigkeit, die hier besonders interessant ist: Beide beantworteten (neben anderen) einen Fragebogen für die Zeitschrift ›Melos‹ über die Krise der IGNM (in: Melos 25, 1958, S. 147–159). Die jährlichen Festivals der Gesellschaft langweilten einige Teilnehmer mit zu vielen Stücken, die nicht den Namen »neu« verdienten, und verärgerten eine größere Zahl Teilnehmer durch Werke, denen der Name »Musik« nicht zukam. Für Boulez »heißt die Lösung . . ., diese gealterte und baufällige Gesellschaft friedlich entschlafen zu lassen«. Stockhausen dagegen wollte die IGNM erweitern und auch die Sowjetunion und China repräsentiert sehen; auf jeden Fall, meinte er, sollte sie ihre Arbeit lieber schlecht fortsetzen als gar nicht; »die Bereitschaft zur kollektiven Zusammenarbeit ist wesentlicher als die Meinung des einzelnen über die Qualität der anderen.« Keiner der beiden versuchte, das alte Schlagwort von der »Neuen Musik« zu definieren oder zu verteidigen. Wenn sie es gebrauchten, war es befrachtet mit allerlei bunt gemischten Anklängen an ihre hektischen Sommermonate in Darmstadt und ihre divergierenden Beziehungen zur internationalen Gesellschaft. 1964 veröffentlichte Stockhausen zwei neue Antwortentwürfe für den Melos-Fragebogen von 1958, die sich von seiner Aussage von 1958 radikal unterschieden (Texte, Band II ›Aktuelles‹, Köln 1964, S. 215–217). Diese Entwürfe kamen der damaligen Replik von Boulez näher und hoben sich von ihr nur durch den noch schärferen Ton ab: Stockhausen sprach wiederholt ausdrücklich von »Neuer Musik« und verstand darunter seine eigene Arbeit und die seiner Gruppe.

1967 beschrieb Boulez in einem Interview (in: Melos 34, 1967, S. 162–164) »Neue Musik« mit dem Hinweis, sie korrespondiere »mit der Entwicklung der Wissenschaften, und das bedeutet in gewisser Richtung, in einem bestimmten Prozeß zu denken«. Vorsichtig qualifizierte er seine Definition indes durch die Warnung: »Es muß da einen musikalischen Gedanken geben. Man kann nicht die Wissenschaft in die Musik transponieren.« Im selben Interview bekräftigte er seinen Respekt vor Stockhausen – »der beste Musiker, den ich kenne« –, merkte jedoch einschränkend an: »Stockhausens Einfälle sind in der Abstraktion stärker als in der

Realisation«; er für seine Person, fügte er hinzu, sei selbstkriti-
scher. Sollte also »Neue Musik« das Schaffen dieser beiden Komponisten einbegreifen, so mußte sie für weitere Deutungen offen-
bleiben.

»Avantgarde«, ein Begriff, der in Darmstadt bisweilen auftauchte, wurde eine international gebräuchliche Bezeichnung für
Teilnehmer der zweiten Welle. Boulez weist darauf hin, daß der
Terminus auf Charles Baudelaire zurückgeht und weigert sich,
ihn zu verwenden. »Zeitgenössische Musik« bedeutet für ihn »seit
Webern«. »Moderne Musik« beginnt etwas ruhiger mit Debussy.
Überzeugt, daß er und seine Freunde die einzige gegenwärtig
wichtige Musik machen – »actualité« –, schreibt er klar, wenn
vielleicht auch etwas zu bruchstückhaft, eine revidierte Geschichte
der ersten Welle, die die Historiker, zusammen mit den aufschluß-
reichen Aufführungen, die er dirigiert, so genau verfolgen, wie sie
irgend können. Er tut die meisten seiner Zeitgenossen als Epigonen
ab, deren Beitrag zum zeitgenössischen Musikdenken nur unfrei-
willig und negativ sein könne. (Mehr als von Boulez' Musik wie
›Le Marteau sans maître‹ sind Avantgarde-Gegner von seinem
Ton befremdet.) Gleichwohl hat er ständig ein ähnliches Ziel wie
Bartók im Auge – nämlich eine gemeinsame Synthese, die alle
Klangmöglichkeiten umfaßt.

John Cage hat über Schönbergs Unterricht in Kalifornien aus
erster Hand berichtet, war aber kein Schönberg-Schüler; er wurde
1944 berühmt als Erfinder des »präparierten Klaviers« und seit
1939 als Fürsprecher von neuer Musik und neuem Tanz. In New
York nannte er 1952 Boulez, sich selbst und seine Schüler Morton
Feldman (*1926) und Christian Wolff (*1934) Komponisten,
»who are changing contemporary music«. »And I imagine that as
contemporary music goes on changing in the way that I am changing it what will be done is to more and more completely liberate
sounds from abstract ideas.« (A Year from Monday, Middletown,
Connecticut 1967, S. 100). 1952 legte Cage seine Komposition
›4' 33''‹, 4 Minuten und 33 Sekunden Schweigen, vor. In logischer
Konsequenz dieser reduzierenden Metapher interessierte er sich
immer weniger für Musik, dafür immer mehr für gesellschaftliche
Veränderungen und verstand es zunehmend besser, soziale Gruppen im Bereich »avantgardistischer« Künste wie Malerei, Tanz
und Musik zu verändern. Harold Rosenberg nannte ihn 1971 einen
»elucidator of avant-gardism for all the arts« (The New Yorker,
24. Juli 1971, S. 62). Cage selbst zieht den Begriff »experimentell«
vor; die Vieldeutigkeiten und Begrenztheiten seines Experimen-
tierens diskutiert z. B. Konrad Boehmer im Artikel ›Experimentelle Musik‹ im Supplement von MGG. Wenn Cage für das »zeitgenössische Denken« von Boulez nicht länger ins Gewicht fällt, so
übt er doch auf Stockhausen und viele junge Deutsche, Amerika-

ner, Italiener und Japaner einen wachsenden »aktuellen« Einfluß aus.

Wenn man das Wirken von Boulez, Stockhausen und Cage mit anhaltendem Interesse verfolgt, zeigt sich, daß sie sich von einander ebenso unterscheiden wie Schönberg, Bartók und Strawinsky. Natürlich bleibt die Frage offen, ob die Musik dieser Jüngeren die gleiche Aufmerksamkeit verdient wie die der Meister der ersten Welle. Manche Historiker der Neuen Musik ziehen fallweise die einen oder anderen ihrer Zeitgenossen oder deren Nachfolger vor, z.B. Bernd-Alois Zimmermann (1918–1970) oder Krzysztof Penderecki (* 1933). Aber kein Autor, der sich ernsthaft als Historiker bezeichnen darf, tut diese drei lediglich mit dem Klassifizierungsetikett »neu«, »avantgardistisch« oder »aktuell« ab, was ja besagen würde, daß sie alle drei sich auf die gleiche Weise von anderen favorisierten Komponisten unterschieden. Darüber hinaus verwendet kein Autor den Begriff »Neue Musik«, ohne diese drei zu berücksichtigen. Und keiner, der sich gründlich mit dem Studium der ersten Welle befaßt, wird die Einblicke dieser drei in das Denken ihrer Vorläufer achtlos übergehen.

Zwei Komponisten der Generation zwischen Strawinsky und Boulez sind – obzwar sie von Boulez und seinen Freunden vernachlässigt werden – einiger Beachtung wert, weil sie den Begriff »Neue Musik« erweitern können. Sergej Prokofieff (1891–1953) und Paul Hindemith (1895–1963) wuchsen zur Zeit der ersten Welle auf und glaubten sie so, wie sie auf sie reagierten, zu überwinden und ihre gültigen Errungenschaften zu verfeinern, um sie als Teil eines größeren Erbes in die Zukunft einzubringen. In den 1970er Jahren sind Gesamtausgaben der Werke beider in Arbeit.

Prokofieff wirkte kaum als Lehrer und hat auch über Musik nicht sehr viel geschrieben; dennoch wurde er zum überragenden Vorbild der Neuen Musik in der Sowjetunion, wohin er in den 1930er Jahren nach ausgiebiger Teilnahme an der musikalischen Entwicklung in Paris und nach Aufenthalten in den USA zurückkehrte. Mehr als jede andere Neue Musik haben sich seine frühen und späten Werke aller Genres ihren Platz neben den Klassikern der Vergangenheit gesichert. Prokofieff stimmte mit Schönberg hinsichtlich der Neuheit von Stil und Idee sowie des Verdiktes der Geschichte überein. Über seine erste sowjetische Oper ›Semjon Kotko‹ schrieb er (für eine geplante Festschrift 1940, veröffentlicht in: Sergej Prokofieff: Dokumente, Briefe, Erinnerungen, Leipzig 1961, S. 219 f.): »Hier handelt es sich um neue Menschen, neue Empfindungen, eine neue Art zu leben, so daß uns vieles aus der Rüstkammer der klassischen Oper fremd und unangebracht vorkommen kann.« Dementsprechend hat Prokofieff »mit neuem Material operiert, nach Möglichkeit neue und viele Melodien gebracht. Wenn eine solche Musik auch beim ersten Kennenlernen schwerer zu verstehen ist, so tritt doch vieles beim zweiten und dritten Hören hervor. Besser, wenn der Hörer jedesmal etwas Neues entdeckt, als wenn er nach dem zweiten Hören erklärt, daß ihm alles bekannt ist und sich weiteres Anhören nicht lohnt. Neuer Stoff, neues Leben. Deswegen muß auch die Gestaltung neuartig sein.« Die wichtigen Unterschiede zwischen Prokofieff und Schönberg basieren letztlich auf beiden gemeinsamen Einstellungen, was allzu selten erkannt wird.

Hindemith vertrat diese Einstellungen ebenfalls und drückte sie auf seine Weise aus: »Das uralte Streben nach geistiger Vertiefung der Musik ist noch immer so neu wie je. Bei aller Wertschätzung, die man billig den technischen Neuerungen entgegenbringen kann, da sie uns ja die Arbeit erleichtern sollen, ist es doch angezeigt, in der Bezeichnung ›Neue Kunst‹ die Betonung des Wortes ›neu‹ zu vermindern und dafür die ›Kunst‹ um so mehr hervorzuheben« (Vorwort zur Neufassung von: Das Marienleben, London 1948, S. X).

Hindemith lehrte 1927–1935 in Berlin, 1940–1949 in New Haven (Connecticut) und kürzere Zeiten auch an anderen Orten. Er schrieb mit seiner ›Unterweisung im Tonsatz‹ (Mainz 1937 und 1939) die umfassendste detaillierte Kompositionslehre seiner Epoche, in der er seine Kritik an Schönberg und Strawinsky offen darlegte. Er überarbeitete sein Frühwerk nach den Richtlinien seiner Lehre und seines gereiften Ethos (›Das Marienleben‹, 1922/23, bearbeitet 1936–1948; ›Cardillac‹, 1926, bearbeitet 1952). Für Prokofieff zeigte Hindemith kein Interesse, doch gelingt es unschwer, Hindemiths analytische Methode auf Prokofieffs Werk anzuwenden und Merkmale zu benennen, die Hindemith als Schwächen bezeichnen würde. Prokofieffs Standpunkt andererseits erlaubte es seinen Nachfolgern, Hindemiths Werk mit Sympathie aufzunehmen und kritisch zu beurteilen.

Strawinsky zollte Prokofieff und Hindemith einen etwas herablassenden Respekt; für ihre Nachfolger empfand er keinerlei Achtung. Schönberg sah in ihnen – wenn er sie überhaupt zur Kenntnis nahm – Gefolgsleute Strawinskys. Diese Meinungsverschiedenheiten kennzeichneten die Welt der Neuen Musik mehr als jeder einzelne Zug der Zeit. Gutgemeinte Bemühungen, alle lebenden Komponisten in ihrem Wettstreit mit der alten Musik um Interpreten- und Hörergunst zu unterstützen, wurden nicht einmal Strawinsky gerecht.

Die beiden Wellen der Neuen Musik trafen ungefähr gleichzeitig mit zwei Wellen in der kommerziellen Unterhaltungsmusik zusammen. Vor dem Ersten Weltkrieg gelangten – besonders in New Orleans – Amerikaner afrikanischer Abkunft zu einer Verschmelzung von vokalem Blues, Piano-Ragtime und Blechbläserklang zum später so genannten »Jazz«. Verwässerte Formen dieses

Stils gingen um die ganze Welt und verdrängten zum großen Teil ältere Arten der Unterhaltungsmusik. Die Zwanziger Jahre wurden zur Ära des Jazz. Für die meisten Nichtmusiker bedeutete der Begriff »moderne Musik« in allen Sprachen jetzt annähernd dasselbe wie »Jazz«, wohingegen der Terminus »klassische Musik« in seiner Bedeutung unscharf genug war, um auch noch Strawinsky zu erfassen, auch wenn dieser einige seiner Stücke »Ragtime« nannte (diese neue Bedeutung von »modern« erklärt teilweise die neuerliche Verbreitung der Begriffe »neu« und »zeitgenössisch«).

Auch in den 1950er Jahren wieder entwickelten Amerikaner afrikanischer Abstammung – nunmehr in den Städten der USA stärker isoliert, als der Einzelne es in New Orleans je gewesen war – einen geringfügig neuartigen Stil, zu dessen Hauptmerkmalen elektrisch verstärkte Gitarren gehören. Er wurde »Rock« genannt. Auch dieser Stil eroberte sich in verwässerten und besonders in England vielfach abgewandelten Spielarten die Welt und überließ die späteren Entwicklungen des Jazz, die manche Einflüsse von Bartók verarbeiteten, esoterischeren Gruppen als der Darmstädter Avantgarde. Tatsächlich fand Stockhausen, nachdem er 1967 von der englischen Rockgruppe »The Beatles« empfohlen worden war, mehr Bewunderer, als je Schönberg oder Charles Mingus (*1920) erfahren hatten.

Trotz vieler Brücken zwischen der neuen Unterhaltungsmusik und der neuen »ernsten« Musik verringerte sich die Kluft zwischen ihren typischen Formen nicht. Der Begriff »Neue Musik« überwindet diese Distanz nicht, aber die kontinuierlichen Entwicklungen auf beiden Ufern greifen ineinander, und die Gleichzeitigkeit der Umbrüche auf beiden Seiten könnte auf noch verborgene, tiefere Ursachen deuten.

In den Jahren zwischen den beiden Kriegen steuerten auch die Komponisten von Kirchenmusik nicht unwesentliche Deutungen zum Begriff »Neue Musik« bei. Hugo Distler (1908–1942) veranschaulichte in seinem Leben und Werk den »Geist der neuen Evangelischen Kirchenmusik« (Zeitschrift für Musik 102, 1935, S. 1325).

Zwei Musiker der Hindemith-Generation befaßten sich anhaltend und intensiv mit der Entwicklung von Begriffskonzeptionen im Bereich der Neuen Musik: Hans Mersmann (1891–1971) und Theodor W. Adorno (1903–1969). Beide beeinflußten das Denken (und das gedankenlose Prägen von Schlagworten) vieler, die nie auch nur von ihren Namen Kenntnis erhielten. Mehr Autoren und Lehrer als Komponisten, Interpreten oder Gelehrte, waren sie beide Denker auf dem Gebiet der Musik, wozu sie ihre reichen kompositorischen und aufführungstechnischen Erfahrungen sowie ihre profunden Kenntnisse in anderen Künsten und Wissenschaften qualifizierten. Beide hatten starke Bindungen an verschiedene

Formen des Historismus, die erst später von Walter Wiora und Carl Dahlhaus angemessen diagnostiziert werden konnten.

Mersmann gab 1927 in einem Aufsatz in ›Melos‹ einen Überblick über Entwicklung und Merkmale der Neuen Musik dieser Zeit. Dabei gliederte er die Neue Musik in drei Phasen oder Perspektiven: die erste mit Schönberg und seinen Schülern, die zweite als »elementare Reaktion« auf Schönbergs Werk mit Strawinsky, Bartók u.a., schließlich eine dritte Phase, in der sich für Mersmann neuerlich die in den ersten beiden Phasen zersplitterten musikalischen Elemente konsolidierten. Diese dritte Phase ist durch den reifen Strawinsky und Bartók, durch den jungen Hindemith u.a. repräsentiert. Insgesamt war die Evolution der Musik zu Beginn des 20.Jahrhunderts den »großen Stilwandlungen an den wesentlichen Einschnitten der Musikgeschichte« um die Jahre 1000, 1600 und 1750 vergleichbar – zwar keinem davon vollkommen, aber doch immerhin so ähnlich, daß sie es nahelegte, das Zeitalter als das der »Neuen Musik« zu bezeichnen. In den 1950er Jahren konnte Mersmann die spätere Entwicklung Hindemiths nicht gutheißen, während das Spätwerk Bartóks seine Analysen zu bestätigen schien (Deutsche Musik des XX.Jahrhunderts im Spiegel des Weltgeschehens, Rodenkirchen 1958, S.28, 71–75). Den neuen Umschwung begrüßte er insoweit, als er Stockhausens Talent anerkannte und ihm in seinen Studentenjahren half; aber es gelang ihm kaum, sich Stockhausens reife Arbeiten anzueignen.

Adorno, zwölf Jahre jünger als Mersmann, machte sich über Hindemith schon keine Illusionen mehr, als er um 1925 seine Studien bei Alban Berg aufnahm und seine erste bahnbrechende Würdigung Anton Weberns schrieb. Auch einem ernsthaften Studium der Unterhaltungsmusik wies er den Weg. In der Emigration in England und Amerika wirkte Adorno 1934–1949 als Soziologe, beriet Thomas Mann musikalisch und verfaßte seine ›Philosophie der Neuen Musik‹ (Tübingen 1949). 1949 in seine Heimatstadt Frankfurt zurückgekehrt, war er bereit, seinen Teil zu den Entwicklungen der fünfziger Jahre beizutragen. In seiner Sicht waren diese Entwicklungen zumeist oberflächlich und falsch, wogegen die Werke der ersten Welle – vor allem Schönbergs Monodram ›Erwartung‹ op.17 (1909) und sein Drama mit Musik ›Die glückliche Hand‹ op.18 (1908–1913) – ihren revolutionären Wert behielten. Sein Rundfunkvortrag über ›Das Altern der Neuen Musik‹ (1954, abgedruckt unter anderem in: Dissonanzen, Göttingen 1963, S.136–159) mochte, wie er glaubte, mitbewirkt haben, daß Boulez und Stockhausen ihre früheren Fehler in ›Le Marteau sans maître‹ und in ›Gesang der Jünglinge im Feuerofen‹ korrigierten, und vielleicht darf man ihm auch einen wohltätigen Einfluß auf Strawinskys ›Agon‹ anrechnen.

Da weder Mersmann noch Adorno das Gesamtwerk Schönbergs, Bartóks oder Strawinskys studieren und die langen individuellen Entwicklungen dieser Komponisten mitempfinden konnten, vermögen ihre Deutungen der Neuen Musik einer historischen Untersuchung keine richtigen Leitlinien zu setzen. Gleichwohl vermittelten sie beide Einsichten von bleibendem Wert sowie Assoziationen, denen man sich nur schwer entziehen kann. Noch steht die interpretative Synthese all der ins einzelne gehenden Arbeiten anderer Gelehrter aus, die ihre Ideen ablösen könnte. Mersmann und Adorno waren trotz aller zwischen ihnen aufklaffender Unterschiede darin einig, daß Schönbergs neue Verfahrensweisen 1908–1914 eine notwendige Stufe in der kollektiven Entwicklung der Weltmusik darstellten, notwendig in dem Sinne, daß kein Komponist, der diese Phase nicht selbst durchlaufen hatte, lange das Interesse des Historikers wachhalten konnte. Ferner erachteten es beide, auch hierin einmütig, für schwierig, den nächsten richtigen Schritt festzulegen, den zu bestimmen nach ihrer Auffassung zu den Pflichten des Kritikers, Theoretikers oder Historikers gehörte. Diese Anschauungen werden heute zwar von vielen Denkern verteidigt, stillschweigend akzeptiert oder fallweise vorausgesetzt, für die vorliegende historische Darstellung jedoch abgelehnt. Neue Musik läßt sich auch unter einem Gesichtspunkt beschreiben, der komplementären Entwicklungen von der Vergangenheit bis in die Zukunft Rechnung trägt. Sollten Komponisten Geschichtsabrisse und Theorien brauchen, so hätten sie sie wohl lieber so unparteiisch wie möglich.

»Neue Musik« meint also in diesem Artikel die Musik Strawinskys, Schönbergs, Bartóks, Weberns und Bergs, wobei für jeden angemessene Bedeutungsschattierungen anzusetzen sind. Wo der Begriff in diesem Kontext auch für Boulez oder Hindemith gilt, ordnet er beide lediglich ihren Vorläufern im Gegensatz zu Jazz und Rock zu. Doch »Neue Musik« muß mehr einschließen als die Werke der fünf älteren Großmeister: jede Musik, die sich von ihnen beeinflußt zeigt, kann dem Verständnis des Wesens »Neuer Musik« nützen. Neben den individuellen Arbeitsmethoden dieser fünf sollen auch zahlreiche Zeitgenossen und Nachfolger behandelt werden, um das Spektrum neuer musikalischer Verfahren umreißen zu können.

Schönberg und Strawinsky haben *Grundkategorien des musikalischen Denkens* verändert. Schönbergs radikales Neuerertum tritt deutlicher in den harmonischen als den rhythmischen Aspekten seiner Musik zutage; Strawinskys charakteristisches Neuerertum zeigt sich eher in seiner Rhythmik. Die alten Kategorien Harmonie und Rhythmus werden zwar angesichts der Neuen Musik fragwürdig, doch sind sie für derartige Feststellungen ausreichend. Man darf also ruhig wagen, auch weiterhin mit diesen alten Kategorien zu arbeiten, wie es Schönberg und Strawinsky selbst getan haben, um den Bereich des Neuen in der Neuen Musik abzutasten. Dabei sollen die Begriffe von Fall zu Fall geklärt werden.

Bei Boulez und Stockhausen sind die Grenzen der alten Kategorien möglicherweise überschritten, bei Cage ganz sicher. Daher wird die hier gegebene Übersicht nicht versuchen, die Techniken dieser Komponisten mit einzubeziehen, obwohl ihre Ansichten über die Vergangenheit immer wieder von Bedeutung sind. Seit 1950 beschäftigten sich die meisten Komponisten mit der wechselseitigen Austauschbarkeit von Klangkomponenten. Boulez betont auch die Interdependenz – die gegenseitige Abhängigkeit – der Komponenten und ihre Eignung zu hierarchischer Anordnung: ·»Von der kompositorischen Dialektik aus betrachtet, müssen, wie mir scheint, Tonhöhe und Dauer den Vorrang besitzen, während Intensität und Klangfarbe zu Kategorien von sekundärer Art gehören.« (›Musikdenken heute‹, Mainz 1963, S. 31). Stockhausen legt sich nicht in dieser Art fest. Beider Schaffen warnt davor, die Komponente Tonhöhe mit Harmonie (oder Melodie oder Kontrapunkt oder Skala oder Tonart) und die Komponente Zeitdauer mit Rhythmus (oder Melodie oder Form) zu verwechseln. Die alten Kategorien Harmonie und Rhythmus setzten bestimmte Arten des Ineinandergreifens der Klangkomponenten voraus, die Boulez und Stockhausen neu analysieren wollen. Ob die alten zusammengesetzten Kategorien soweit gedehnt werden können, daß sie sich für die Beschreibung ihrer Musik eignen, ist zweifelhaft; jedenfalls findet keiner von beiden eine solche Hoffnung sonderlich verlockend.

In der Literatur über Neue Musik wimmelt es von Neologismen – angefangen mit »Atonalität« –, die dem Denken wohl förderlich sein könnten, aber öfter noch zu Mißverständnissen führen. Derartige Termini werden vom Journalismus in Umlauf gebracht, der oft absichtlich ungenau und auf Effekte bedacht formuliert; und dann müssen sich die Komponisten mit dem neuen Schlagwort auseinandersetzen, wie es auch im Falle von »Neuer Musik« zu sehen ist. Spezialisten des jeweiligen Themas müssen jeden Begriff in seinem historischen Zusammenhang untersuchen, andere Musiker müssen zunehmend ihr sprachliches Rüstzeug so verfeinern, wie es von Fachleuten, die sich mit Dichtung, Malerei und Politik befassen, schon seit langem erwartet wird. Ein Überblick wie dieser mit seinen oben definierten Grenzen darf darauf verzichten. Vielmehr schließen zwei allgemeine Konzeptionen – *Prozeß und Struktur* – Begriffsinhalte aus den Musikdiskussionen seit 1950 sowie breiter gefaßte philosophische Begriffsinhalte aus dem Denken so schöpferischer Autoren wie Alfred North Whitehead und Claude Lévi-Strauss ein. Neue musikalische Prozesse und Strukturen bilden also den Mittelpunkt dieser Abhandlung.

II. Schönberg und neue Harmonien

Mit Schönbergs ›3 Klavierstücken‹ op. 11 und seinen ›15 Gedichten aus Das Buch der hängenden Gärten von Stefan George‹ op. 15, Weberns ›5 Liedern aus Der Siebente Ring von Stefan George‹ op. 3 und Bergs ›4 Liedern‹ nach Gedichten von Friedrich Hebbel und Alfred Mombert op. 2 – alle zwischen 1907 und 1909 entstanden – tritt eine Harmonik von geradezu schroffer Novität ans Licht. Dieser Wechsel, das sei betont, wurde indessen allmählich erreicht; Vorbilder lassen sich bis weit in die Vergangenheit zurückverfolgen. Dennoch ereignete sich hier so etwas wie das Umschlagen von Wasser im flüssigen Zustand in Dampf oder Eis. Zwar verläuft das Steigen oder Sinken der Temperatur kontinuierlich, doch gibt es einen sprunghaften Übergang im Molekularaufbau. Selbst wenn sich dieser Wandel inmitten eines Wirbelsturmes vollzieht, läßt er sich zeitlich einkreisen.

Die drei Wiener Komponisten erkannten wohl, daß gleichzeitig viele Veränderungen auftraten, und waren sich darüber klar, daß sie in harmonischer Hinsicht das Ende eines langen Prozesses erreicht hatten und »plötzlich und unvorbereitet« vor einem Neubeginn standen. Ihr Eindruck, an eine Grenze gestoßen zu sein, wird von allen bestätigt, die sich eingehend mit ihren Werken beschäftigen. Konsonante Akkorde und diatonische Leitern werden so gründlich eliminiert, daß sich die Bedeutung von »dissonant« und »chromatisch« wandelt (z.B. in Schönbergs op. 15, Nr. 9; vgl. Beispiel 1, siehe S. 441). So bringt Neue Musik nicht einfach weitere Belegstücke für das, was für die Harmonik des 19. Jahrhunderts immer kennzeichnender geworden war, sondern etwas grundlegend Neues.

Obwohl Konsonanz und Dissonanz einander als Begriffe ergänzen, stand im Mittelpunkt der Auseinandersetzungen doch immer die *Dissonanz*. Die Bedeutung des Adjektivs »dissonant« verschiebt sich, sobald mit ihm »Intervall«, »Akkord« und »Note« modifiziert werden sollen. Bezüglich dieser Verschiebungen kann es dem Terminus »konsonant« entweder als Gradmesser (Intervalle können mehr oder minder dissonant sein) oder als Kriterium der Absonderung (Noten gehören zu Akkorden oder nicht) gegenübergestellt werden. Das Substantiv »Dissonanz« verschleiert die Verschiebungen, so daß die Anwendung als Gradmesser leicht mit der der Absonderung durcheinandergerät. Seit Johann Philipp Kirnbergers Schriften aus dem 18. Jahrhundert unterscheiden Abhandlungen über Harmonie zwischen »wesentlicher« und »zufälliger« Dissonanz, was der Unterscheidung zwischen dissonantem Akkord und dissonanter Note entspricht. Schönberg störte besonders das Wort »zufällig«. Ihm schien es mehr als nur eine technische Unterscheidung zu beinhalten, vielleicht sogar ein Urteil über mangelnde

Kontrolle seitens des Komponisten. (Aus heutiger Sicht mögen die hier angeschnittenen Nebenbedeutungen eine Verbindung zu Schönbergs Schüler Cage herstellen.) Kein Zufall konnte nach Schönbergs Ansicht zu einem wahrhaftigen Kunstwerk oder zu gediegener handwerklicher Leistung etwas beitragen. In der Kunst wie in der Ausübung muß jede Dissonanz »wesentlich« sein. Wenn ein zwingendes Ausdrucksbedürfnis den Künstler zu einem reichlicherem Gebrauch von Dissonanzen führt, ist das zweifellos kein Zufall; wenn das Ausdrucksbedürfnis Schönberg und seine Schüler nun dazu trieb, Konsonanzen insgesamt auszuschalten, mußten sie das Harmoniesystem, das die Auflösung der Dissonanz in die Konsonanz verlangt, kritisch prüfen und reformieren, ja womöglich durch ein anderes ersetzen. Und vermochten sie schon keine Handwerksregeln zu liefern, mit denen sich ihr neues Verfahren erklären ließ, so konnten sie den Unterschied zwischen Handwerk und Inspiration wenigstens zum Teil präzisieren, indem sie das System so verbesserten, daß seine Beschränkung aufs Handwerkliche evident und der Künstler an seine Freiheit – nein, seine Verpflichtung vor Gott –, über das Handwerkliche hinauszugelangen, erinnert wurde. Dieses Prinzip taucht in Schönbergs ›Harmonielehre‹ (Wien 1911) immer wieder auf. Wie Schönberg selbst bezeugt, ist es ihm trotz aller Bemühungen nicht gelungen, das traditionelle System so zu erweitern, daß auch die neue Methode darin Platz fand. Er hat versucht, es durch ein neues System zu ersetzen, und damit ist er gescheitert. Offen und ausführlich schildert er seine Ungewißheit über das zukünftige Verhältnis zwischen Handwerk und Komposition. Vielleicht wird ein künftiger Theoretiker die Gesetze formulieren können, die der Genius heute unbewußt befolgt. (Schönberg glaubte, daß ihn diese Gesetze von Natur aus leiteten, gleichgültig, ob man sie jemals völlig durchschauen und ausformulieren wird.) Vielmehr wäre es möglich, daß die Harmonietheorie am Ende ist und das künftige Verfahren besser in Bezug auf melodische Eingebungen, rhythmische Lebendigkeit und eine neue Sensibilität für Klangfarben systematisiert werden könnte. Der Ausschluß der Konsonanz, jetzt lediglich durch das Form- und Ausdrucksgefühl der Komponisten gerechtfertigt, könnte sich als eine in späteren Phasen entbehrliche Übertreibung erweisen. Aber die versuchsweise erlassene Negativregel ist die beste Erklärung seines Verfahrens, die er anzubieten hat.

An einer Stelle in dem langen Kapitel über »nicht-harmonische« Töne gebraucht Schönberg die Metapher »emanzipierte Dissonanz«. Er hat erläutert, wie im Laufe der Geschichte gewisse Intervall-Kombinationen zwischen einer Melodienote und einem ansonsten konsonanten Akkord immer häufiger auftreten, bis man sie als neue Akkorde anerkennt. Ein Beispiel bietet der Dominantseptakkord. Und nun tadelt er bitter das System, das außerstande ist, eine beliebige Kombination von Intervallen, die Komponisten benutzen müssen, als einen Akkord anzuerkennen. Sollte man etwa glauben, fragt er, daß hier nicht derselbe Entwicklungsprozeß in Gang gekommen wäre, mit dem wir es bei anderen, bereits »emanzipierten« Dissonanzen zu tun haben? In der ›Harmonielehre‹ wird dieser Begriff nicht unmittelbar mit der neuen konsonanzeliminierenden Technik und auch nicht mit Chromatik verknüpft. Aber 1941 betonte Schönberg in Los Angeles in seinem Vortrag über ›Composition with twelve tones‹ wiederholt das, »what I call the emancipation of the dissonance« (abgedruckt in: Style and Idea, New York 1950, S. 104) – die Prämisse des »neuen Stils« von 1908.

Hat Schönberg beiläufig das Wort »emanzipiert« emanzipiert? Hat er als erster ein Ding, eine abstrakte Klangqualität emanzipiert und nicht eine Person oder eine Klasse von Personen? Sind Dissonanzen wirklich von Konsonanzen oder von der Forderung nach ihrer Auflösung in die Konsonanz befreit, wenn man Konsonanzen ausklammert? Oder ist es nicht eher so, daß die Dissonanzen hier von einer Gefangenschaft in die andere geraten? Mit dem Wort von der »Emanzipation der Dissonanz« wurde die Praxis, ohne Konsonanzen zu arbeiten, gebilligt. So schaffte es ein Gegengewicht zu »Atonalität«, zu jenem Begriff also, in dem noch immer Mißbilligung mitschwingen könnte.

Mit seinem Vortrag von 1941 wandte sich Schönberg an eine gemischte Zuhörerschaft und formulierte etwas großzügiger als in der ›Harmonielehre‹ oder seinem späteren Buch ›Structural Functions of Harmony‹ (geschrieben 1946, erschienen erst nach Schönbergs Tod 1954 in London; deutsche Ausgabe als: Die formbildenden Tendenzen der Harmonie, Mainz 1957). In dem genannten Vortrag sagte er, daß sein Stil »treats dissonances like consonances and renounces a tonal center« (Style and Idea, S. 105). Sollte dies mit seinen ausführlicheren Erörterungen und mit seiner Praxis in Einklang gebracht werden, so bedarf es der Erweiterung. Der neue Stil behandelt Dissonanzen in etwa so, wie vordem Konsonanzen behandelt worden waren; eine gleiche Behandlung von Konsonanzen und Dissonanzen, auf die aus dieser gedrängten Äußerung vielleicht geschlossen werden könnte, ist nicht gemeint. Und was die Tonalität betrifft, so verzichtet der neue Stil auf die Hervorhebung der Modulation und der Rückkehr zu einer Ausgangsart, die für manche frühere Musik charakteristisch war; er zerschneidet das »einigende Band« der Tonalität zugunsten des »selbständigen Funktionierens anderer Bande«. In ›Die formbildenden Tendenzen der Harmonie‹ unterstreicht Schönberg: »Meine Schule, der Männer wie Alban Berg, Anton Webern und andere angehören, strebt nicht nach Herstellung einer

Tonalität, schließt sie aber nicht vollständig aus. Das Vorgehen beruht auf meiner Theorie von der ›Emanzipation der Dissonanz‹ « (S. 189).

Die traditionelle Vorstellung von der chromatischen Leiter in ihren verschiedenen Formen setzt die diatonische Dur-Skala oder eine der überkommenen, aus den älteren diatonischen Modi entstandenen Moll-Skalen voraus. In den Passagen über die vorläufige Geltung der gleichschwebenden Temperatur – er sieht sie als eine Konzession an die Begrenzungen der Instrumente, aber nicht als Norm für musikalisches Denken – verrät Schönberg keine Neigung, die diatonische Skala aufzugeben. Seine interessante Erörterung der Ganztonleiter deutet nichts dergleichen an. Aber in einer, wie er selber gesteht, nachträglichen Überlegung am Schluß seiner Ausführungen über die in der Schwebe gelassene und aufgegebene Tonalität schlägt er »*die chromatische Skala als Grundlage der Tonalität*« vor. Ein anderes Argument bezieht er aus der Geschichte: Wie Johann Sebastian Bach die Modi auf zwölf Dur- und zwölf Molltonarten und wie Richard Wagner diese auf zwölf Tonarten mit austauschbarem Modus reduzierte, so sei die moderne Musik möglicherweise dabei, alle auf eine einzige »polytonale« chromatische Leiter zurückzuführen. Bei diesem Gedankengang vernachlässigt Schönberg jedoch die Frage der enharmonischen Äquivalenz. Er umgeht die Möglichkeit von Mikrotönen. Stillschweigend verteidigt er seine Praxis, diatonische Skalen auszuschließen. Er verleiht dem Wort »chromatisch« eine Bedeutung, die für seinen eigenen Sprachgebrauch eine Novität darstellt (wenn sie auch seit dem Theoretiker Friedrich Wilhelm Marpurg aus dem 18. Jahrhundert immer wieder einmal aufgetaucht ist). Sein neues Verfahren ist chromatisch in einem neuen Sinne, wie es auch dissonant in einem neuen Sinne ist; es ist nicht einfach »chromatischer« als das Wagners (Harmonielehre, 3. Auflage Wien 1921, 461–466).

Die *neue Dissonanz und Chromatik* zusammen kennzeichnen die *neue Harmonik*. Denn in der Verknüpfung dissonanter Akkorde allein argwöhnt Schönberg eine Art Kontrollfunktion der chromatischen Leiter; er spürt deshalb die Tendenz, die Töne eines fünf- oder sechsstimmigen Akkordes mit neuen Tönen im darauffolgenden Akkord zu ergänzen, so daß die chromatische Skala völlig oder zum größten Teil aufgebraucht ist, bevor ein Ton wiederholt wird. Heute ist man mit Schönbergs späterer *Zwölftontechnik* von 1922 vertraut, und in der Retrospektive wird als eine ihrer Quellen eben dieser Zusammenhang zwischen der neuen Dissonanz und der neuen Chromatik von 1908 sichtbar.

Nach der heutigen Erfahrung mit Boulez und Stockhausen erkennt man rückblickend in Schönbergs Stil von 1908 eine neue Beziehung zwischen bestimmten einzelnen Kunstwerken und allgemeinen Verfahrensweisen, die mehreren Werken oder mehreren Komponisten eignen: die Verfahrensweisen sind abstrakter geworden als die der älteren, allgemeinen Praxis, die in den musiktheoretischen Lehrbüchern festgelegt ist; die vielen Aspekte der Musik, die einem bestimmten Stück sein Profil geben, können nicht länger vor dem relativ gefestigten Hintergrund eines bekannten Verfahrens gesehen werden, sondern erfordern neue Erkenntniswege. Darin beruht nach Ansicht Rudolf Stephans (Das Neue in der Neuen Musik, in: Über das Musikleben der Gegenwart, Berlin 1968) das wesenhaft Neue der Neuen Musik. Erfaßt ein Komponist diese Situation, so bietet sie ihm eine neuartige Freiheit, die jedes Auswahlvermögen lähmen kann: Debussy sagte dies 1909 in einem Brief; Strawinsky analysierte die Situation ziemlich ausführlich in ›Poétique Musicale‹ (Cambridge, Massachusetts 1942; deutsche Ausgabe als: Musikalische Poetik, Mainz 1949); Cage begrüßt und nutzt diese Situation, indem er sich intensiv mit einer Reihe von Gedanken, die bestimmten Werken eigentümlich sind, und schließlich mehr mit Worten und Aktionen beschäftigt als mit Musik. Häufiger noch versuchen Komponisten, die alteingebürgerten Verfahren zu erweitern oder abzulösen oder zumindest auf eine kollektive Ablösung in der Zukunft hinzuarbeiten. Zum Teil ist die Zwölftontechnik ein solcher Versuch. Bartóks polymodale Chromatik stellt eine Alternative dar, Olivier Messiaens Technik eine weitere. Hindemiths Handwerklichkeit ist eine umfassendere, Boulez' projektierte Dialektik wieder eine andere Alternative.

Wie Schönberg, Webern und Berg es 1908 sahen, kam die neue Harmonik mit ihrer provisorischen Negativregel einer *neuen Konzentration des kontrapunktischen Denkens* entgegen, das Berg bereits als das charakteristische Merkmal der neuen Epoche angesprochen hatte. Was die Art und Weise der verwendeten Melodie, der Dissonanz und die Dichte des kontrapunktischen Gewebes anbelangte, schlug jeder der drei Komponisten seinen eigenen Weg ein. Auch jüngere Komponisten wie Ernst Krenek (* 1900) hoben das kontrapunktische Denken hervor und suchten eigenständige Wege für dessen Verwirklichung. Webern (vgl. Nr. 4 aus seinen ›5 Sätzen für Streichquartett‹ op. 5 im Notenbeispiel 3) füllt winzige melodische Motive mit neuem Ausdruckswert. Als harmonische Intervalle benutzt er fast ständig die große Septime und die kleine None. Er löst einen wichtigen Akkord in Gegenmelodien auf und führt sie zu einem kurzen Kanon; er kombiniert seine Melodien, Akkorde und Kontrapunkte mit seinen berühmten Momenten des Verstummens.

Berg bevorzugt längere Melodien; zu seinen Lieblingsakkorden gehören die übermäßigen und verminderten Dreiklänge; oft werden sich zuspitzende Dissonanzen in einem engen Register zusammengedrängt; Imitationen, häufig unisono, ergeben eine zusammengesetzte Melodie, die sich kraftvoll steigert wie im Notenbeispiel 4 aus dem 1. Satz des Streichquartetts op. 3.

Die negative Harmonieregel, der diese Beispiele wie Schönbergs op. 15, Nr. 9 (siehe Notenbeispiel 1) verpflichtet sind, hat der individuellen Entscheidungsfreiheit oder Inspiration immensen Spielraum gelassen. So ist die Individualität der Stile eine Eigenart der Schönberg-Schule, auf die sie stolz sein kann. Schönberg selbst nutzte diese Möglichkeit in seinem Schaffen am umfassendsten aus. Jedes Stück verlangt neue Formen eingehender Auseinandersetzung, wobei harmonische, melodische und andere Aspekte in ihren jeweiligen Interaktionen analysiert werden müssen. Zu Schönbergs ›Klavierstück‹ op. 11, Nr. 1 und seinem ›Orchesterstück‹ op. 16, Nr. 3 entstand eine besonders umfangreiche und interessante Literatur. In derartigen Studien kann neben der schmiegsamen Verknüpfung harmonischer und kontrapunktischer Gesichtspunkte eine analoge Kombination theoretischer und historischer Blickwinkel beobachtet werden. Jedes Stück wird vor einem Hintergrund sich wandelnder harmonischer Verfahrensweisen im Rahmen der individuellen Entwicklung des Komponisten untersucht.

Die drei Wiener Komponisten beurteilten die Möglichkeit einer Harmonik, die *Mikrotöne* – kleinere Intervalle als die der gleichschwebend temperierten chromatischen Leiter – einschloß, durchaus unterschiedlich. Sie alle waren mit Ferruccio Busonis Spekulationen in ›Entwurf einer neuen Ästhetik der Tonkunst‹ (Triest 1907) über neue Skalen mit Drittel- und Sechsteltönen vertraut. In den 1920er Jahren verfolgten sie die praktischen Versuche von Alois Hába (1893–1973) und anderen. Schönberg tat solche Bemühungen als dilettantisch ab. Er verlor nie das Interesse an den traditionellen Unterscheidungen zwischen beispielsweise Cis und Des, ließ sie jedoch in seinen meisten Werken unberücksichtigt. Seine 1906 begonnene zweite ›Kammersymphonie‹, die er 1907, 1908, 1911 und 1916 immer wieder vornahm und beiseite legte, wurde schließlich 1939 fertig; ihre komplexe Harmonik bezieht sich stets auf Dreiklänge und diatonische Skalen und birgt eine Fülle von Differenzierungen, die die der gleichschwebenden Temperatur an Feinheit übertreffen. 1925 verfiel Schönberg vorübergehend ins entgegengesetzte Extrem und schlug eine neue Zwölfton-Notation vor, welche die letzten Bezüge zu einer diatonischen Norm im Liniensystem tilgen sollte, eine Möglichkeit, die Hugo Riemann schon eine Generation früher erwogen hatte. Aber Schönberg hat seine eigene Anregung nicht verwirklicht, sondern behielt in seinen sämtlichen Partituren und den Entwürfen für Zwölftonreihen das traditionelle Liniensystem bei.

Webern zeigte in seiner kompositorischen Praxis keine solchen

Schwankungen. In der Theorie erhoffte er sich eine niemals endende Erforschung der in den Obertonreihen erscheinenden Intervalle; aber er sah, daß die Möglichkeiten der temperierten Zwölftonskala für seine Lebensarbeit mehr als ausreichten und hielt das zeitgenössische Herumprobieren mit Mikrotönen für reine Utopie. Andererseits hatte er offensichtlich keine Einwände gegen die überlieferte Notation.

Berg, der mit Schönberg zur Zeit der Entwicklung der Zwölftontechnik vorübergehend nicht in Verbindung stand, verarbeitete in seinem ›Kammerkonzert‹ (1925) die von ihm so benannten »Zwischentöne«. In seinen späteren Werken benutzte er die Zwölftontechnik auf eine Weise, die oft traditionelle Verfeinerungen nicht temperierter oder verschieden temperierter Intonation verlangt. Diese Abweichungen der drei Wiener Komponisten voneinander wurden besonders wichtig, als die neue Welle der 1950er Jahre das Interesse an Mikrotönen aufleben ließ.

Busonis Anregung wurde speziell von Bergs Zeitgenossen Edgar Varèse (1883–1965) aufgegriffen. Er verspürte ein wachsendes Bedürfnis nach der Verwendung von Mikrotönen in einer streng kontrollierten Form, die er dank technischer Fortschritte für realisierbar erachtete. Als ihm die Technik dann endlich zur Verfügung stand, wußte er sie auszuschöpfen wie kein anderer – so in ›Déserts‹ (1950–1954) und in ›Poème Electronique‹ (1958). Wenn er die elektronischen Errungenschaften pries, führt er als erstes stets die neue Befreiung von den Tonleitern an. Die temperierte Zwölftonleiter verwarf er als einen überholten konventionellen Kompromiß. Da alle seine vor dem Ersten Weltkrieg entstandenen Arbeiten verlorengegangen sind, kann man heute nicht mehr zurückverfolgen, wie sich sein Denken insgesamt entwickelt hat. Aber seine vorhandenen Werke stellen einen wichtigen inneren Zusammenhang zwischen den beiden Wellen Neuer Musik her, vielleicht einen ebenso wichtigen wie das spätere Schaffen Schönbergs. Varèses konsequentes Interesse an Mikrotönen ist nur einer von vielen Aspekten dieser Kontinuität.

Den feinsten Mikrotönen liegt das *Kontinuum der Tonhöhe* zugrunde, das in der musikalischen Praxis stets wichtig ist, jedoch von der Theorie fast immer sträflich vernachlässigt wird. Kann der Bereich der Harmonie, der Proportion so erweitert werden, daß er das gesamte Kontinuum mitzuerfassen vermag? Oder kann man die Harmonie in eine neue Beziehung zum Kontinuum bringen? Der Theoretiker Schönberg unternahm nichts dergleichen, aber als Praktiker rückte er das Kontinuum erneut in den Vordergrund. Mindestens einmal hat er die Relevanz des Kontinuums für seine Harmonik angedeutet. Das auffallendste Merkmal seines berühmtesten reifen Werkes, des ›Pierrot Lunaire‹ op. 21, ist die sogenannte Sprechstimme, eine Melodie ohne ausgehaltene Tonhöhen oder exakte Intervalle, dafür mit vagen Beziehungen zwischen den Kurven im Kontinuum. Hinzu kommt das Instrumentalglissando, das – besonders in den Streichern – vielfach motivisch eingesetzt wird. In seiner 1932 für den Frankfurter Sender niedergeschriebenen Analyse der ›Orchesterlieder‹ op. 22 (1915) unterbreitete Schönberg folgenden überraschenden und verlockenden Vorschlag:

»Bei einigermaßen ausdrucksvollem Sprechen bewegt sich die Stimme in wechselnden Tonhöhen. Aber in keinem Augenblick bleibt man, wie beim Singen, auf einem bestimmten Ton stehen. In dem Bestreben nun, aus dem natürlichen Tonfall der Worte, aus der Sprechmelodie, die Gesangsmelodie zu gewinnen, in diesem Bestreben liegt es nahe, daß man beim Singen den Hauptnoten auf solche Art ausweicht, wie beim Sprechen den starren Tonhöhen. Wie man hier von ihnen weggleitet, so umschreibt man dort die Hauptnoten durch Nebennoten. Vielleicht ist es das auch, wodurch die Recitative in den älteren Opern so lebendig wirkten, diese Vorhalte, die sogenannten Appogiatura. Wenn man diese Deutung annehmbar findet, so erklären sich viele der sonst schwerverständlichen Erscheinungen in meinen Werken aus diesem Zeitraum.«

Was diese Interpretation beleuchtet – das beabsichtigte »ausweichende« Verhalten von Schönbergs Melodien – läßt sich nur schwer mit der Theorie der »emanzipierten Dissonanz« vereinbaren. Immerhin ist es eine Alternative, die genauer untersucht zu werden verdient.

Auch hier wieder divergieren Webern und Berg. Webern hat nie eine Sprechstimme verwendet. Selten schrieb er ein Glissando vor, doch berichten seine Schüler, daß er in seinen Liedern den reichlichen Gebrauch des Portamentos voraussetzte. Berg entwickelte ein ganz neues Kontinuum von praktischen Bezügen zwischen Sprache und Gesang, mit deutlich hervortretender Sprechstimme. Er fand neue und überzeugende Wege, das Glissando als wesentliches melodisches Element und zur Modifizierung von Akkorden einzusetzen.

Varèse beschäftigte sich mit dem Tonhöhenkontinuum nicht minder gründlich und anhaltend als mit Mikrotönen. Die Sirenen in seiner ›Ionisation‹ (1931) spielen die einzigen Melodien und verbinden die dichten Perkussionsklangblöcke miteinander. Ähnlich auffällig sind Gleitklänge in seinen elektronischen Arbeiten.

Die verschiedenen Elektrophone von dem Russen Lev Theremin (1920–1928), dem Franzosen Maurice Martenot (1928) und dem Deutschen Friedrich Trautwein (1930) waren ein erster Schritt zum Tonhöhenkontinuum; diese Möglichkeit nutzten viele Komponisten, deren Harmonik sich im allgemeinen enger an diatonische Leitern hielt als die Schönbergs – genannt seien hierzu Darius Milhaud, Arthur Honegger, André Jolivet, Jacques Chail-

411

ley und Miklos Rózsa. Die raffinierteren elektronischen Klangsynthesizers der 1960er Jahre verwiesen die früheren Instrumente aufs Altenteil, wodurch sie allerdings an historischer Bedeutung gewannen.

Das Tonhöhenkontinuum wurde zu einer fast unentrinnbaren Realität, die viele neue harmonietheoretische Überlegungen, noch zahlreichere neue Glissando-Techniken auf traditionellen Instrumenten angeregt hat. Für Iannis Xenakis, Witold Lutoslawski, Krzysztof Penderecki und György Ligeti ist die langsame Glissando-Bewegung ein grundlegendes Kompositionselement. Sie kreierten damit eine Mode, die konventioneller eingestellte Komponisten wie Milton Babbitt und Rodion Schtschedrin nicht ignorieren konnten. Auch die verstärkten Gitarren von Riley »B. B.« King und die neuen Saxophontechniken von Ornette Coleman gehören in den breiteren Zusammenhang dieser Entwicklung.

Mikrotöne und Tonhöhenkontinuum hätten auch ohne die von Schönbergs neuer Harmonik ausgehenden Impulse im 20. Jahrhundert wachsendes Interesse gefunden. Sie hätten Tonleitern aufgelöst, Intervalle befreit und sämtliche Harmonietheorien in die Schranken gefordert. Zusammen mit Schönbergs Theorie und Praxis verweisen diese Interessen zweifellos auf eine noch fundamentalere Tendenz, die bislang nicht identifiziert worden ist. Erklärungen dafür wird man in der Sozialfunktion der Musik oder in der Physik und Psychologie des Klanges suchen müssen. Bei Schönberg selbst sind beide Erklärungsmöglichkeiten angedeutet: er hat Technik und Theorie stets dem Ausdruck des Gedanklichen untergeordnet, und er hat auch über die Beziehung der Tonhöhe zur Klangfarbe nachgedacht. In der ›Harmonielehre‹ schlug er eine neue Beziehung vor:

»Ich kann den Unterschied zwischen Klangfarbe und Klanghöhe, wie er gewöhnlich ausgedrückt wird, nicht so unbedingt zugeben. Ich finde, der Ton macht sich bemerkbar durch die Klangfarbe, deren eine Dimension die Klanghöhe ist. ... Ist es nun möglich, aus Klangfarben, die sich der Höhe nach unterscheiden, Gebilde entstehen zu lassen, die wir Melodien nennen, Folgen, deren Zusammenhang eine gedankenähnliche Wirkung hervorruft, dann muß es auch möglich sein, aus den Klangfarben der anderen Dimension, aus dem, was wir schlechtweg Klangfarbe nennen, solche Folgen herzustellen, deren Beziehung untereinander mit einer Art Logik wirkt, ganz äquivalent jener Logik, die uns bei der Melodie der Klanghöhen genügt. Das scheint eine Zukunftsphantasie und ist es wahrscheinlich auch. Aber eine, von der ich fest glaube, daß sie sich verwirklichen wird. ... Klangfarbenmelodien!«

Diese berühmte Schlußphantasie der ›Harmonielehre‹ verbindet sich nun mit der Instrumentation Debussys und Weberns, den

Klangblöcken von Varèse, der ganzen Entwicklung der elektronischen Musik und Lernerfahrungen aus dieser Entwicklung, wie sie z. B. Ligeti mit den »Klangflächen« machte. Sie hat zur Folge, daß sich viele Musiker nicht mehr so eifrig wie seinerzeit noch Hindemith oder Schönberg selbst um die Neuerarbeitung einer Harmonietheorie bemühen. Sie ermöglicht es manchen, sich mit Schönbergs harmonischen Verfahren in ihren verschiedenen individuellen Erscheinungsformen – einer allgemeinen Theorie ermangelnd – zu arrangieren. Und einige inspiriert sie, die wissenschaftliche Untersuchung von Klängen und ihrer Perzeption voranzutreiben und Fragen erneut zur Diskussion zu stellen, die schon die Pythagoräer und Aristoxener debattiert haben.

Neue Harmonien verdrängen aber alte Harmonien keineswegs aus jeglicher Neuen Musik. Und Schönbergs Verbannung der Konsonanz und diatonischer Bezüge ist zudem nicht die einzige neue harmonische Lösung. Sie ist nur die abrupteste. Sie scheint ein zentraler Denkansatz zu sein. Für Strawinsky blieben, auch nachdem er Schönberg und Stockhausen schätzen gelernt hatte, Tonhöhe und Intervallbeziehungen die primäre Dimension. Die Zwölftontechnik hinderte ihn niemals, reine Quinten hervorzuheben. Früher hatte er fallweise auf konsonante Akkorde (oft in überraschender Registrierung und Funktion), diatonische Leitern (darunter archaische Modi) und den Formwert von etwas Tonalitätsähnlichem (er nannte es gern »Polarität«) zurückgegriffen. In ›Musikalische Poetik‹ erläuterte er die Polarität als ein neues, gleichwohl noch provisorisches Mittel, Musik zu gestalten, in der »die Dissonanz sich emanzipierte. Sie ist nicht mehr an ihre alte Funktion gekettet. Sie wurde ein Ding an sich, und so kommt es, daß sie weder etwas vorbereitet noch ankündigt. Die Dissonanz ist also ebensowenig ein Faktor der Unordnung wie die Konsonanz eine Garantie der Sicherheit. ... ein derartiger Gebrauch der Dissonanz schwächte bei Ohren, die nicht darauf geschult waren, die Reaktionsfähigkeit ab und rief einen Zustand der Erschlaffung hervor, indem sich die Dissonanz nicht mehr von der Konsonanz unterscheidet. ... Und deshalb kann man auch noch nicht die Regeln aufstellen, welche dieser neuen Technik zugrunde liegen. ... Von dem Augenblick an, als die Akkorde nicht mehr nur dazu dienten, die vom tonalen Spiel vorgezeichneten Funktionen zu erfüllen, sondern sich von jedem Zwang frei machten, um neue, nirgends gebundene Einheiten zu werden, war die Entwicklung abgeschlossen: das tonale System hatte gelebt. ... Eine Folge von parallelen Nonenakkorden genügt als Beweis dafür« (S. 25–27). Damit stellte Strawinsky indirekt Debussy über Schönberg und assoziierte sich enger mit Debussys »discipline dans la liberté« (La Revue blanche, 1. Juli 1901). In keiner Phase seiner Laufbahn beugte sich der Praktiker Strawinsky irgendeiner – alten oder neuen – Theorie mehr als der Debussys oder Schönbergs. Auch bei ihm erfordert jedes einzelne Stück eine neue harmonische Rezeption.

III. Strawinsky und neue Rhythmen

In den Steigerungen des Opfertanzes in Strawinskys ›Le Sacre du Printemps‹ lebt eine Art von Rhythmus, die so neu ist wie Schönbergs Harmonik. Die meisten Musiker, Tänzer und Hörer waren auf ›Le Sacre du Printemps‹ so wenig gefaßt, daß seine Neuheit genauso schockierend schien wie die Schönbergs, obgleich Strawinsky selbst nicht fand, in diesem Sinne eine Grenze überschritten zu haben. Die neue Rhythmik ist mit dissonanten Akkorden, Melodiefragmenten und einer glänzend-originellen Behandlung des großen Orchesters gekoppelt, so daß manche Eindrücke von dem neuen Rhythmus mit anderen Aspekten der Musik verwechselt werden könnten. Überdies enthält ›Le Sacre du Printemps‹ viele kraftvolle Passagen, in denen alte Rhythmen ungewöhnlich deutlich hervortreten, so daß bei oberflächlicher Aufnahme nicht scharf erfaßt wird, was eigentlich neu ist. Andererseits wird in manchen sorgfältigen Analysen – wie sie beispielsweise Boulez bei Messiaen gelernt hat – der neue Rhythmus außerhalb des Kontextes behandelt, was weniger gründliche Betrachter zu der Vorstellung verleiten könnte, der neue Rhythmus sei von Melodie und Harmonie unabhängig oder ihnen übergeordnet. Aber der Rhythmus wäre lediglich grotesk, wenn Strawinsky ihn nicht so subtil auf den Kontext abgestimmt hätte. Seine Neuheit rüttelt die Musikwelt immer wieder auf, weil sie ein Aspekt einer ganzen Komposition ist, die Debussy als »terrible impression« beschrieb; »cela me hante comme un beau cauchemar« (undatierter Brief an Strawinsky, veröffentlicht in: Avec Strawinsky, Monaco 1958, S. 199).

Der neue Rhythmus enthält kurze Zeiteinheiten, gleich lang und unteilbar, die zu zweit oder zu dritt eine recht rasche Zählzeit für den Dirigenten und einen Schritt für den Tänzer ergeben. Diese ungleichartigen Zählzeiten folgen in einem keineswegs einfachen Schema aufeinander. Starke Staccato-Akzente unterstreichen ihre Unregelmäßigkeit; der Schlag selbst wird oft durch einen Aufschwung in der Begleitung markiert, während die Melodie keuchend einen synkopierten Akzent auf der zweiten oder dritten Kurzeinheit vorbereitet.

Zu den Vorbildern, die Strawinskys neuen Rhythmus definieren helfen können, gehören die mehr *fließenden Rhythmen* mit unregelmäßig wechselnden Gruppen mäßig schneller oder langsamer

Einheiten, wie sie stellenweise bei Modest Mussorgsky, Claude Debussy und anderen auftauchen, und die rascheren *Tanzrhythmen* mit einem regelmäßigen Schema ungleicher Einheiten, die Nicolai Rimski-Korssakow, Béla Bartók und andere aus der Volksmusik schöpften. Strawinsky kombinierte diese beiden Typen und fügte die Synkopierung hinzu. So entstand ein bislang unbekanntes Gefühl der *Diskontinuität in der Kontinuität*, eines nervösen Stolperns bei einer unerbittlich vorwärtstreibenden Bewegung. Es ist das entgegengesetzte Extrem zum spätromantischen Rubato, bei dem ein regelmäßiges, einfaches Akzentschema den gezählten Zeiteinheiten – deren Unterteilungen weiter unterteilt werden können, bis sie für jede Zählung zu klein geworden sind – eine enorme Elastizität verleiht. Gemeinsam haben diese beiden Extreme gleichwohl, daß sie beide die Vorstellung von körperlicher Bewegung und von Gewicht erwecken, und dies sehr im Gegensatz zu dem lockeren Schwung eines moto perpetuo des 19. Jahrhunderts oder zum Fließenden, Aufschwingenden mancher Gesangsformen. Der Strawinsky-Rhythmus erfordert, soll er präzise ausgeführt oder wahrgenommen werden, mehr und vor allem rascheres Zählen als jeder andere dieser (ähnlichen oder kontrastierenden) Rhythmen. Wenn er so beherrscht wird, daß das Zählen unbewußt erfolgen kann, entsteht der Eindruck sich vervielfachender Kraft. Strawinsky selbst fand die Notierung des Rhythmus schwierig und änderte sie mehrfach; er fand es schwierig, ihn Interpreten beizubringen, und unmöglich, ihn zu erklären. Aber niemand bestritt, daß es Rhythmus war.

Der Rhythmus unterscheidet sich von der Harmonie in mindestens zweierlei Hinsicht: er eignet nicht nur der Musik, sondern auch dem Tanz und der Dichtung (vielleicht auch guter Prosa); seine Notation und Theorie sind in der gängigen Kunstübung so wenig entwickelt worden, daß der Lernende sich nach einer kaum mehr als elementaren Schulung im Zählen von Schlägen und ihren Unterteilungen hinfort auf seinen Instinkt oder Geschmack verlassen muß. Strawinskys Schaffen untermauert die Verbindung ausgefeilter Musik mit dem Tanz, ein Zusammenhang, den einige Komponisten des 19. Jahrhunderts auf ein Minimum reduziert hatten, als Reaktion auf die gewaltige Ausbreitung der kommerzialisierten Tanzmusik. Strawinskys Werk zeigte die Unzulänglichkeit selbst der besten Ansätze zu einer systematischen Theorie, nämlich der Hugo Riemanns und André Mocquereaus. Solche Versuche waren zu eng mit der Musiknotation verknüpft, als daß sie dem gesamten Spektrum der noch lebendigen und jedem Autor bekannten Überlieferungen hätten gerecht werden können. Ihr Begriffsapparat erfaßte neue Rhythmen so unzureichend wie die traditionelle Harmonielehre neue Harmonien.

Aber der Rhythmus gleicht der Harmonie auch und steht mit

ihr in vielfältigen engen Verbindungen. Beide haben mit erfaßbaren Proportionen zu tun. Die Zeitwerte der Notenschrift geben die Proportionen der Zeitintervalle exakter an als Tempo, Betonung, Phrasierung oder irgendeinen anderen Aspekt des Rhythmus – genau wie das Liniensystem Tonhöhenintervalle anzeigt und die Feinheiten von Intonation, Portamento, Vibrato und andere Aspekte des Tonhöhenkontinuums oder der harmonischen Funktionen vernachlässigt. Taktstriche haben etwas mit rhythmischen Gruppierungen zu tun, sind aber in ihrer Funktion normalerweise – jedenfalls wird das auf der Elementarstufe so gelehrt – bestimmten Einteilungsformen untergeordnet, die aus der Notation nur unklar (oder gar nicht) ersichtlich werden. Die metrischen Verhältnisse, von Taktstrichen und Zeitangaben definiert, sind zum Teil Analogien von Skalen und Tonarten, zumal des Dur-Moll-Systems, das seine Blütezeit in derselben geschichtlichen Periode erlebte wie der Taktstrich. Eine weithin anerkannte Theorie schreibt bestimmten Teilen eines jeden Taktes ohne Rücksicht auf die rhythmischen Bildungen im melodischen Geschehen und auf dynamische Betonungen schwere Akzente zu; weniger wird indes gesehen, daß das Fortschreiten der Akkorde eine wichtige rhythmische Akzentuierung beisteuert, die oft – und besonders an den kadenzierenden Zielpunkten melodischer Phrasen – den Niederschlag des Taktes bestimmen. Es ist das, was Walter Piston »harmonic rhythm« nennt (›Harmony‹, New York 1941, Kapitel V und VI, und ›Counterpoint‹, New York 1947, Kapitel III und IV), dessen mehr oder minder vollständiges Fehlen in den Stilen der emanzipierten Dissonanz das traditionelle Metrum- und Rhythmusverständnis ganz allgemein in Frage stellt. Strawinsky, kein Theoretiker, hat die Funktion der Taktstriche dennoch nie verändert, sondern sie nur durch praktisches Probieren modifiziert. In seinen Kompositionen und in seiner ›Musikalischen Poetik‹ akzeptierte er einen »Metrum«-Begriff, der sich von dem Riemanns kaum unterschied:

»Die Gesetze, die den Zeitablauf der Töne bestimmen, fordern das Vorhandensein eines meßbaren und konstanten Wertes: das Metrum, ein rein stoffliches Element, mittels dessen sich der Rhythmus bildet, ein rein formales Element. Mit anderen Worten: das Metrum löst die Frage, in wieviel gleiche Teile die musikalische Einheit zerfällt, die wir Takt nennen, und der Rhythmus löst die Frage, wie diese gleichen Teile in einem gegebenen Takt gruppiert werden. ... Wir ersehen daraus, daß das Metrum, da es uns nur symmetrische Elemente liefert und Einheiten, die sich addieren lassen, notwendigerweise des Rhythmus bedarf, dessen Aufgabe es ist, den Zeitablauf zu ordnen, indem er die durch das Taktmaß gelieferten Einheiten zerteilt« (S. 21).

Diese Bemerkungen sind einem Verständnis von Strawinskys Notation nicht übermäßig dienlich, aber noch weniger einem Verständnis seiner neuen Rhythmen, weil sie sowohl die Harmonik als auch den Tanz außer acht lassen.

In der ›Geschichte vom Soldaten‹ (›L'Histoire du Soldat‹, 1918) gestaltete Strawinsky abermals neue Rhythmen. Ein Einblick in die Welt dieser Rhythmen dürfte – als Teil einer Würdigung des ganzen Werkes mitsamt seinem Text und dessen Sinngehalten – für jeden nützlich sein, der sich mit Strawinskys späteren Schöpfungen befaßt. Die armselig kratzende Fiedel des Soldaten ist so rhythmisch, fast so perkussiv, wie das Schlagzeug, das die Triumphe des Teufels begleitet. Die gemischten Rhythmen des aus sieben Instrumenten bestehenden Kammerorchesters sind schwieriger zu realisieren als die Krämpfe und Zuckungen von ›Le Sacre du Printemps‹, dabei jedoch, so gemeistert, nicht minder kraftvoll.

In Strawinskys ›Geschichte vom Soldaten‹, vgl. Beispiel 5, siehe S. 451) wird die – nicht völlig unteilbare – Zeiteinheit als Sechzehntelnote geschrieben (eine Verzierung in dem Takt vor Ziffer 7 ist die Ausnahme; die Sechzehnteltriolen gegen Schluß sind bedeutungsvollere Verflechtungen, die ein Ritardando ersetzen). Der Achtelschlag wird jedoch so oft von drei Sechzehntelschlägen durchgerüttelt, daß sich diese Erschütterung zu einem wesentlichen Element des Rhythmischen qualifiziert. Da die Achtelschläge jedoch fast regelmäßig als Zweiergruppen gestaltet sind, richtet sich das Hauptaugenmerk auf die Frage, ob die Viertel nun als Zweier- oder als Dreiergruppen zusammengefaßt werden sollen. Wiederholen sich die rhythmischen Tango-Schablonen der Trommeln zu bald oder zu spät? (Es gibt zwei Tango-Muster: ein unmißdeutbares im ersten Abschnitt des Tanzes und ein abgewandeltes nach dem kleinen Trioteil.) Die Hauptmelodie in der Violinphrase nach Ziffer 4 führt eine synkopierte Bewegung ein, die im Widerspruch zu der von dieser Melodie geweckten Erwartung steht. Aber neu und höchst kennzeichnend ist hier der Konflikt zwischen den Mustern der Melodie und denen der Begleitung. Die Klarinette spielt eine regelmäßige Folge von drei Achteln und wiederholt sie so, daß sie nicht mißzuverstehen ist, und dann drei gleichermaßen wiederholte Sechzehntel. Das Miteinander von Melodie und Begleitung, jede mit ihren eigenen raschen, jäh hereinbrechenden Wechseln, ergibt einen Gesamtrhythmus von beispielloser Komplexität. Doch in einigen wenigen Passagen der ›Geschichte vom Soldaten‹ wird selbst diese Vielschichtigkeit noch überboten, wenn tatsächlich vier verschiedene Muster, jedes von Zeit zu Zeit über eine kurze Einheit strauchelnd, gleichzeitig erklingen. Manchen Hörern bleibt eine solche Synchronisierung zeitlebens undurchschaubar. Die verschiedenen Bewegungen scheinen ohne jede vernünftige Koordinierung ihrer Einzelheiten im Raum nebeneinander herzulaufen. Aber genügend Probenzeit vorausgesetzt, gelingt den Interpreten die Koordinierung; Dirigenten können dazu Hilfstechniken entwickeln und gute Hörer schließlich doch »mitkommen«. Strawinskys Werk ist weder reines Kalkül noch lediglich Freisetzung von Urkräften, sondern ein neuer integraler Rhythmus.

Der Tango des Soldaten geht in einen Ragtime über. Hier benutzt Strawinsky die neuen *afro-amerikanischen Rhythmusbildungen*, die ihm in gedruckter Form durch Ernest Ansermet kurz zuvor bekannt geworden waren. (Noch hatte Strawinsky keinen Jazz gehört.) Er verwendet die Ragtime-Modelle nicht anders als den Tango: Er imitiert innerhalb einer Komposition, deren ganzer Rhythmus weit komplexer ist als der des Vorbildes, höchstens eine Phrase lang (gewöhnlich sogar kürzer). Sein Modell ist in jedem Falle eine Bezugsgröße mit allen ihren sozialen Nebenbedeutungen. Der komplexe Rhythmus hält das Modell auf Distanz, setzt es in Anführungszeichen. Strawinsky ist intellektueller, seiner selbst bewußter als der Komponist des Modells, aber nicht minder sinnlich oder leidenschaftlich. Er verwendet die aktuellen, kosmopolitischen, beliebten Tänze Tango und Ragtime neben den älteren Tänzen Walzer und Marsch ungefähr so, wie er Bauernweisen in den meisten seiner berühmten früheren Werke und einigen späteren Kompositionen benutzt. Ganz ähnlich sollte er bald die straffe, elegante Gavotte und andere Giovanni Battista Pergolesi zugeschriebene Tänze, die für russische Zigeuner so typischen Bravour-Rhythmen, die kunstvoll ornamentierten Adagio-Rhythmen Beethovens, die prächtigen punktierten Rhythmen der Barock-Ouvertüre, die herbe Rhythmik des slawischen Kirchenliedes, die frivolen Ballerina-Rhythmen von Léo Delibes und Peter Tschaikowsky, den Branle des 16. Jahrhunderts und viele andere Vorbilder für sich auswerten. Typisch manifestiert sich seine Bezugstechnik in seiner Auseinandersetzung mit dem Jazz.

Strawinskys Beziehung zum *Jazz* ist aufschlußreicher als seine Verarbeitung von Tango-Elementen, freilich nicht so tief und erfüllt wie sein Rückgriff auf das russische Volkslied. Was den Jazz anbelangt, fand er unter den europäischen Komponisten nur wenig Vorbilder: Debussy hat mehrmals den Cakewalk verwendet und dessen Vulgarität einmal einem ›Tristan‹-Zitat konfrontiert; Erik Satie stilisierte den Ragtime auf seine Weise für das Ballett ›Parade‹ nach einem Entwurf von Jean Cocteau (1917); doch blieben diese Anleihen für die beiden französischen Komponisten mehr die Ausnahme als für Strawinsky. In seinen ›Chroniques de ma vie‹ (Paris 1935; deutsche Ausgabe als: Erinnerungen, Zürich-Berlin 1937, S. 102) erinnert sich Strawinsky seines Interesses für den Jazz um 1918. Er wollte »eine Art ›Portrait-Typ‹ dieser neuen Tanzmusik« schaffen. 1918/19 schrieb er noch zwei weitere Ragtime-Stücke, und 1922 verschmolz er in ›Mavra‹ Ragtime-Elemente mit seinen russischen Quellen. 1936 und 1945 komponierte er Stücke für Jazzband. In seiner ›Musikalischen Poetik‹ zitierte er den Jazz, um seinem amerikanischen Publikum zu einem besseren Allgemeinverständnis für Rhythmus und Metrum zu verhelfen. Aber in seinen ›Conversations‹ (London 1959; deutsch zitiert nach: Gespräche mit Robert Craft, Mainz 1961, S. 222) unterstrich er: »In Wirklichkeit besteht [im Jazz] kein Rhythmus, weil rhythmische Proportionen oder Beziehungen nicht existieren. An Stelle des Rhythmus haben wir den ›beat‹.« Sein Freund Charles Ferdinand Ramuz, sein Mitarbeiter an der ›Geschichte vom Soldaten‹, sah einen breiteren Zusammenhang, der diese Äußerungen miteinander zur Deckung bringen könnte. War nicht der Jazz, fragte Ramuz, »une véritable révolte de certains besoins de la musique? Et ce que je distinguais avec joie dans la musique de Stravinsky était, quoique sous une toute autre forme, une révolte ou révolution de même nature, c'est-à-dire faite au nom de la musique toute entière, contre une certaine espèce de musique, au nom de la matière musicale (au sens plein) contre ce qui n'en était que l'appauvrissement« (Souvenir sur I. Stravinsky, Paris 1929, S. 121). Nur wenige Komponisten, denen der Jazz nicht angeboren war, vermochten ihn so gut zu verarbeiten wie Strawinsky. Einige Musiker, denen dies gelang, etwa Darius Milhaud, Kurt Weill, Aaron Copland, Leonard Bernstein, Andrej Eschpaj und Gunther Schuller, hatten teilweise von Strawinsky gelernt.

Die Rhythmen von ›Le Sacre du Printemps‹, der ›Geschichte vom Soldaten‹ und des Jazz sind ungeachtet bedeutsamer Divergenzen einander ähnlich in ihrer vehementen Auflehnung gegen die Extreme des Rubatos. Die neuen Rhythmen verführen den Interpreten nicht dazu, das traditionelle Rubato so reichlich anzuwenden, wie sie es bei Aufführungen von Strawinskys meistgespieltem Werk, dem Ballett ›Feuervogel‹ (›L'Oiseau de Feu‹, 1910), so oft taten. Strawinsky war entsetzt, wenn er seine Musik verzerrt – sentimentalisiert, nicht nur übertrieben dargestellt, sondern verfälscht – hören mußte, und daraus erklären sich viele seiner provokatorischen Äußerungen gegen die Romantik und sogar manche seiner musikalischen Entscheidungen. Ramuz' Wort »révolte« ist nicht zu stark. Gefühlsschwelgerei von Interpreten brachte Strawinsky auf. Er versuchte, solchen Entgleisungen so gut wie möglich vorzubeugen. Fortgesetzt überarbeitete er seine Notation im Interesse größerer Genauigkeit. In den ›Gesprächen‹ behauptete er, »daß jede musikalische Komposition ihr individuelles Zeitmaß (ihren Pulsschlag) besitzen muß« (S. 213). Zeitweilig hoffte er, daß das Player-Piano oder der Phonograph sämtliche Tempo- und Betonungsfragen ein für allemal klären würde. Aber mit wachsender Erfahrung erkannte er die unendliche Feinheit und Vielschichtigkeit solcher Probleme. »Ein Tempo kann zwar metronomisch falsch, im Geiste aber richtig sein, obwohl augenscheinlich dabei der metronomische Spielraum nicht sehr groß sein kann« (›Gespräche‹, S. 215). ›Le Sacre du Printemps‹ und ›Die Geschichte vom Soldaten‹ können bei Aufführungen immer noch leicht allerlei Übertreibungen zum Opfer fallen (wenn wohl auch nicht solchen Verzerrungen wie der ›Feuervogel‹). Andererseits wieder kann ihnen eine pedantische Genauigkeit schaden, der jegliches Feuer fehlt.

Außer der Grundfrage des Tempos und der Interaktion mit diesem waren für den Dirigenten Strawinsky die wichtigsten Anliegen Fragen »der Artikulation und der rhythmischen Diktion. Die Nuance hängt von diesen ab.« (›Gespräche‹, S. 215). Interpreten können niemals ganz genau wissen, ob sie die Absichten des Komponisten auch tatsächlich verwirklichen. Durch seine Notation, seine Aufnahmen und seine Gespräche ermöglichte es Strawinsky guten Interpreten jedoch, seinen Intentionen so nahe zu kommen, daß weniger Raum für Irrtümer bleibt, als in jeder anderen Musik noch eben anginge, inbegriffen selbst Tonbandkompositionen, denn diese werden ja über keineswegs einheitliche Verstärker und Lautsprecher in Räumen mit den unterschiedlichsten schallreflektierenden Bedingungen gespielt. In dieser Hinsicht setzte Strawinsky eine Tendenz der Vergangenheit fort. Ebenso vertrat er aber auch einen Gedanken der Gegenwart, nämlich den einer bis zum Äußersten textgetreuen Aufführung, handle es sich nun um ein klassisches oder zeitgenössisches, ein romantisch fernes oder ein romantisch vertrautes Werk.

So ist Strawinskys »révolte« Teil einer kontinuierlichen Entwicklung. Selbst wo er einer extrem mechanistischen Auffassung das Wort zu reden schien, opponierte er niemals gegen die Musik Tschaikowskys, Debussys oder Schönbergs; er stimmte mit den absichtlich vereinfachten Schlagworten von Jean Cocteaus ›Rappel à l'ordre‹ (Paris 1926) niemals voll überein und beschäftigte sich weiterhin unaufhörlich mit dem »Geist« des Rhythmus oder vielmehr mit »der Musik als Ganzes«.

Als Strawinsky und seine Zeitgenossen aufwuchsen, zählten sie die Stunden des Tages und die Tage des Jahres mit einem Spielraum für Irrtümer, den sie um die Zeit ihres Todes nicht mehr akzeptierten. 1884 einigte sich eine internationale wissenschaftliche Konferenz in Washington erstmals auf den mittleren Sonnentag von Greenwich als Weltzeit-Einheit. Die Russen blieben bis 1917 beim Julianischen Kalender. Heute hält es jeder Reisende, jeder Radiohörer, jeder Fernsehzuschauer für selbstverständlich, daß Kalender und Uhren einen hohen Grad von Genauigkeit aufweisen. Inzwischen haben die Astronomen den Unterschied zwischen Sonnenzeit und Ephemeridenzeit messen gelernt und jede Hoffnung aufgegeben, für diese Differenz eine Formel zu finden.

1967 beschloß die Internationale Konferenz für Maße und Gewichte die Messung von Zeitintervallen mit Hilfe einer atomaren Einheit: 9, 192, 631, 770 Strahlungszyklen von Cesium 133 definieren die Sekunde mit einer Fehlermarge von ein oder zwei Teilen auf 10^{10}; die Synchronisierung der Bewegungen eines Raumfahrzeuges muß unter Umständen jene 30–60 Mikrosekunden pro Tag berücksichtigen, die eine Atomuhr in einem Satelliten von ihrem auf der Erde stehenden Pendant wegen der Relativität von Zeit und Raum abweicht. Sollte einmal für die Lichtgeschwindigkeit in einem Vakuum ein absoluter Wert gefunden werden, so wären wohl noch genauere Zeitintervallmessungen möglich.

In einer Lebensspanne, in der wissenschaftliche Meßverfahren sich so drastisch ändern, wandelt sich natürlich auch bei Philosophen und Musikern die Einstellung zur Zeit. Die als Klangfarbe, Tonhöhe und rhythmische Schläge wahrnehmbaren Intervalle reichen von 50 Millisekunden bis 5 Sekunden, aber wer weiß exakt, welcher Präzisionsgrad im einzelnen angebracht wäre? Oder wie kleinere Intervalle, die auf keiner dieser musikalischen Skalen zu erfassen sind, die Rezeption dennoch beeinflussen? Oder welche eigentliche Relevanz die meisten Intervalle im Klangbereich für die Erinnerungs- und Antizipationsprozesse haben, ohne die es keine Wahrnehmung gibt? Oder wie bald darf man hoffen, mehr in Erfahrung zu bringen, zu besseren Fragen als diesen vorzudringen? Wie wirken sich diese Fragen auf das Schaffen eines bestimmten Komponisten – z. B. Stockhausens – und dann auf das Interesse eines Historikers an den fortbestehenden Zusammenhängen zwischen den Generationen aus?

Als Strawinsky 1960 über Webern sagte, er sei »der Entdecker eines neuen Abstands zwischen dem musikalischen Objekt und uns, und damit eines neuen Maßes der musikalischen Zeit« (›Gespräche‹, S. 99), drückte er damit Empfindungen aus, die die nach-Webernschen Komponisten und viele andere Musiker teilen. Bemühungen um eine Verdeutlichung dieser Empfindungen blieben ohne breiteres Echo. Niemand entdeckte eine musikalische Entsprechung des Cesium-Atoms oder organisierte im Bereich der Musik irgendetwas wie die Internationale Konferenz für Maße und Gewichte.

Unter dem Gesichtspunkt wissenschaftlicher Meßtechniken und philosophischer Zeit-Überlegungen betrachtet erscheint das Schaffen von Stockhausen und Cage als so unwissenschaftlich wie alles frühere musikalische Denken. Wenn man es mit den Augen des Historikers sieht, dem Logik und Wissenschaft nur kleine Teilbereiche menschlichen Tuns sind, bedarf es noch mancher Anstrengungen, um die Verbindung zwischen ihrem Werk und dem Strawinskys und Weberns herzustellen. Strawinsky schätzte die rhythmischen Erneuerungen in Stockhausens ›Zeitmaßen‹ (1956)

und noch mehr die »neue Elastizität« in ›Le Marteau sans maître‹ von Boulez. In diese Perspektive wird man die Musik und das Denken von Olivier Messiaen, Conlon Nancarrow, Elliott Carter, Boris Blacher, Wladimir Vogel, Milton Babbitt und anderen Komponisten der Zwischengeneration einzuordnen haben. Womöglich werden sich auch die theoretischen Arbeiten von Fachgelehrten wie André Souris, Gisèle Brelet, Walter Wiora, Howard Smither und Friedrich Neumann mit einem genauso wichtigen Stellenwert behaupten wie die Komponisten. Möglich ist auch, daß in den Choreographien von Wazlaw Nijinsky, Georges Balanchine, Merce Cunningham und anderer Tänzer sowie in der Tanzschrift von Rudolf Laban neue Schlüssel zum Geist des Rhythmus liegen. Und relevant sind ohne Zweifel die Rhythmen in den Dichtungen von Stéphane Mallarmé, Marcel Proust, James Joyce, T.S.Eliot, Alexander Block und vieler anderer.

Schönbergs Hinweis auf die überaus bedeutungsvolle *Kohäsion von Melodie, Rhythmus und Harmonie* in jedem musikalischen Gedanken ist der wichtigste theoretische Beitrag zur neuen Rhythmik. Er drückt das in dem orakelhaften Satz aus: »The two-or-more dimensional space in which musical ideas are presented is a unit« (›Style and Idea‹, S.109). Als ein Beispiel für seinen Gedankengang nennt er »the tendency of the shortest notes to multiply themselves«. In seinem Schaffen gibt es eine immense rhythmische Vielfalt, häufig große Komplexheit, oft verschleierte Bezugnahmen auf alte rhythmische Standardformen wie Walzer und Marsch und mannigfache Andeutungen von Prosarhythmen, wie er sie in Max Regers Musik fand. Bisweilen allerdings scheint es, als vernachlässige er den Rhythmus über dem Interesse an der Freiheit und Vielschichtigkeit von Melodie und Harmonie. Mit der Forderung, daß »the unity of musical space demands an absolute and unitary perception« (›Style and Idea‹, S.113) begünstigte er ein Denken in von der Zeit abstrahierten Tonhöhenintervallen. Manchmal überschätzte er die Metapher vom musikalischen Raum und verschmolz Melodie mit Harmonie, wobei dann Rhythmus und thematische Formen – wie Orchesterklangfarben und -dynamik – als relativ oberflächliche, wiewohl unentbehrliche Elemente seines Denkens erst hinzugefügt werden mußten.

Berg hat oft eine rhythmische Folge als ein Hauptthema herausgestellt und sie mit Repetitionen eines einzigen Tones – manchmal mitten in einer dichtgewebten kontrapunktischen Begleitung – ausgestattet. In ›Wozzeck‹, im ›Kammerkonzert‹, in ›Lulu‹ und im Violinkonzert erlangen solche rhythmischen Themen Bedeutung. Im zweiten Satz des ›Kammerkonzerts‹ bringt er ein neues Extrem von Tempofluktuation: ein ständiges Wechseln von Accelerando und Ritardando ohne festen Bezugspunkt. In ›Der Wein‹ und ›Lulu‹ treten neue Formen der Behandlung einiger typischer

Jazzmuster in Erscheinung. Unbeschadet dieser rhythmischen Innovationen greift Berg häufiger und offenkundiger als Schönberg, Webern oder Strawinsky auf die alten Normen von Walzer und Marsch zurück.

Bartók hat rhythmisch – wie auch harmonisch – einen größeren Spielraum als irgendeiner seiner Zeitgenossen. Er schöpft aus einem umfangreichen Repertoire *zusammengesetzter Metren* in einfachen Melodie- und Begleit-Strukturen und stellt ihnen Rubatorhythmen gegenüber. Es gibt bei ihm gelegentlich verwickelte Bildungen in der Art Strawinskys oder Schönbergs, oft in der Art Debussys, bisweilen in der Gershwins. In seiner Sonate für zwei Klaviere und Schlaginstrumente (1937) wirken Rhythmen innerhalb von Melodien und ohne Melodien neuartig aufeinander ein. In der Sicht Stockhausens entscheidet sich Bartók zugunsten von melodieunabhängigen Rhythmen. Andere wieder erkennen bei ihm einen noch ungesicherten, aber affirmativen Ausgleich. Auffassungsunterschiede bei Aufführungen können das Gleichgewicht hier zweifellos ins Schwanken bringen (was ja z.B. auch für abweichende Interpretationen eines Shakespeare-Stückes gilt). Der erste Satz dieser Sonate beginnt langsam mit einem klaren Muster von $^9/_8$-Takten und wird nach und nach zum Allegro des Hauptthemas beschleunigt, in dem der Takt zu einer Folge von $2 + 2 + 2 + 3$ Achteln umgestaltet wird. Im Verlaufe des Satzes gibt es viele – manchmal allmähliche, manchmal sprunghaftere – Tempowechsel. Die beiden metrischen Bildungen alternieren häufig; das $^9/_8$ wirkt am eindringlichsten in einem Vivacissimo-Durchführungsteil, während das $2 + 2 + 2 + 3$-Muster in einem ruhigen zweiten Thema am deutlichsten hervortritt.

Im zweiten Satz der Sonate tauchen noch faszinierendere rhythmische Schichtungen auf. In dem Beispiel 6 aus Bartóks Sonate für zwei Klaviere und Schlaginstrumente (siehe S. 453) pausiert die Hauptmelodie im Xylophon und im ersten Klavier auf den Niederschlägen alternierender Takte, so daß ihre Imitation im zweiten Klavier sie ergänzt. Die dichten dissonanten Akkorde, die sich parallel zu den beiden melodischen Linien bewegen, sind dank des Rhythmus gut herauszuhören. Währenddessen halten die Pauken eine Ostinato-Begleitung durch, in der abwechselnde Schläge in fünf Noten mit einer schon früher im Satz präzisierten motivischen Bedeutung unterteilt werden. Endlich setzt eine wichtige langsame Gegenmelodie im zweiten Klavier ein, faßt die achttaktige Phrase zusammen und überlappt die folgende Rubato-Phrase, in der ein Stringendo weiterdrängt. Dieser Abschnitt veranschaulicht, so gut es mit einer kurzen Phrase nur geht, wie Bartóks Rhythmen auf charakteristische Weise Einzelheiten zu einem Stufenbau strukturieren, der weiteren Details Raum läßt. Im letzten Satz der Sonate treibt ein einfacher Tanzrhythmus rasche

kontrapunktische Entwicklungen einer Melodie voran, die auch
unbegleitet plausibel wäre.

1965 sagte Strawinsky über seine neuen Variationen: »Some of
us think that the role of rhythm is larger today than ever before,
but, however that may be, in the absence of harmonic modulation
it must play a considerable part in the delineation of form. And
more than ever before, the composer must be certain of building
rhythmic unity into variety« (Strawinsky und Robert Craft,
Themes and Episodes, New York 1966, S.60–61).

IV. Webern und neue Melodien, Strukturen und Prozesse

Harmonie und Rhythmus sind Bestandteile oder Aspekte vieler
Musikwerke – z.B. die genannte Sonate von Bartók, Beethovens
Symphonien und Louis Armstrongs Blues –, in denen Melodien
sich von Begleitstimmen abheben. Die Aufmerksamkeit auf Harmonie oder Rhythmus lenken heißt, zeitweilig der Anziehungskraft der Melodie zu widerstehen, um so Klänge voll bewußt
zu machen, die sonst wohl manche Hörer nur unbewußt, andere
vielleicht gar nicht erreicht hätten. Hat man sich mit einem Werk
vertraut gemacht, erwartet man normalerweise, die Melodie nunmehr mit um so größerem Vergnügen am kompositorischen
Gesamtgefüge zu singen, zu spielen oder zu hören. Die Analyse
deckt harmonische und rhythmische Aspekte der Melodie wie der
Begleitung auf. Besondere Beachtung verdienen dabei möglicherweise die Beziehungen zwischen Melodie und Begleitung. Auch
die Begleitung könnte interessantes melodisches Material bieten,
und auf Zwischen- oder höheren Ebenen der Analyse sind vielleicht verborgene melodische Fortführungen wichtiger als alles
Bestimmen von Akkorden. Doch darf darüber nicht die Bezugs-
hierarchie aus dem Auge verloren werden. Die Hauptmelodie entspricht der Gesamtstruktur genauer als jeder andere Werkbestand-
teil. Denn eine Melodie an sich ist nun einmal eine Struktur in dem
Sinne, daß alles in ihr von allem anderen abhängt und nicht sein
kann, was es ist, außer in und durch ebendiese Wechselbeziehun-
gen. Melodie ist ein Modell für Strukturuntersuchungen an
Sprache und Gesellschaft. Eine Melodie ist eine Gestalt, die von
einer Gruppe bestimmter Erscheinungen auf eine andere trans-
poniert werden kann; sie ist das klassische Modell für Gestalt-
untersuchungen der Perzeption ganz allgemein. (Für Schönberg
sind, worauf Josef Rufer in seinem Aufsatz ›Begriff und Funktion
von Schönbergs Grundgestalt‹ in: Melos 38, 1971, S.281–284,
hinwies, die Begriffe »Gestalt« und »Grundgestalt« sehr wichtig;
sie meinen eine melodische Phrase mit ihrer harmonischen und

rhythmischen Umgebung, eine Phrase, die kein ganzes »Thema« darstellt.) Wenn eine Melodie, wie im Unisono-Gesang, ohne musikalische Begleitung erklingt, hebt sie sich von jedwedem vorhandenen Untergrund – ob Geräusch oder Stille – ihrer Umgebung ab. Ist eine Begleitung vorhanden, so liefert sie keine Störgeräusche, sondern einen harmonischen Hintergrund für die Melodie; gewöhnlich steuert sie ein einfaches Muster von Zeiteinheiten und Akzenten als Hintergrund für prägnantere Rhythmen in der Melodie bei.

Das ganze 19.Jahrhundert hindurch mußte sich die neue Musik einer jeden Generation gegen den Vorwurf zur Wehr setzen, es mangle ihr an Melodie. Ludwig van Beethoven, Hector Berlioz, Richard Wagner, Johannes Brahms, Richard Strauss und Gustav Mahler waren für viele Hörer zu laut, das heißt zu neu und komplex, als daß sie die Melodien hätten erfassen können. Auch Claude Debussy fehlte angeblich die Melodie, obwohl sein sinnlich-weicher Klang für manche Zwecke ganz brauchbar war. Diesen Einwänden wurde auf zwei Wegen begegnet, die beide für eine echte Würdigung von Gesamtstrukturen gefährlich sind: 1. lehrten manche Theoretiker, daß melodische Themen und ihre Entwicklung oder Transformierung ohne jede oder doch ohne besondere Rücksicht auf Harmonie und Rhythmus analysiert und verfolgt werden könnten; 2. hielten andere Theoretiker eindeutig Vincenzo Bellini und Peter Tschaikowsky für die großen Melodiker des Jahrhunderts, zugleich aber alle reine Melodie für banal im Vergleich zu den komplizierten Harmonien, motivverarbeitenden Begleitungen und neuen Orchestereffekten Beethovens und seiner Nachfolger, die dem analytischen Hören unerschöpfliches Material boten. Beide Rechtfertigungen wurden oft mit programmatischen Ausdeutungen oder hochtrabenden Argumenten gegen solche Interpretationen verquickt. Diese verwirrenden Richtungen im Denken des 19.Jahrhunderts, deren jede ein Gran Wahrheit enthält, wirken auch im 20.Jahrhundert weiter und vermehren das Durcheinander. Und wenn sie auch die Toleranz fördern, so behindern sie doch die klare Beschreibung und die exakte Untersuchung jeglicher Musik mehr, als daß sie musikalische Kultur zu verbreiten helfen.

So wird Weberns Musik angegriffen oder übergangen, weil sie das Melodische auf die »pointillistische« Absurdität einzelner Noten zurückzustutzen scheint. Verteidigt wird sie einerseits durch Nachweise von Zwei- und Drei-Noten-Motiven und deren Entwicklung in Beziehung zur Zwölftontechnik und andererseits durch Gegenangriffe auf jeglichen Thematizismus, auch den Schönbergs und Bergs, den Webern durch seine angeblich »serielle« Behandlung der Zeitdauer und der dynamischen Werte überwunden habe. Zu den entsprechenden Auseinandersetzungen um

Brahms in Beziehung gebracht, mögen solche Argumente hingehen; ausreichen werden sie niemals. Sie sind für Weberns eigene Beweisführung, die das Beste am traditionellen Melodiebegriff erneuert, ohne Belang. Die Vorzugsstellung von Liedern und Chören in seinem Schaffen läßt das noch deutlicher werden und legt ein noch geduldigeres Studium seiner Melodien nahe.

Melodien wie Nr. 4 aus Weberns ›5 geistlichen Liedern‹ op. 15 (1917–1922; vgl. Beispiel 7, siehe S. 456) erschrecken manche Sänger durch das fortgesetzte Auftreten *weiter Intervallsprünge*. In dem ganzen Lied erfolgt die Bewegung lediglich zweimal schrittweise. Aber der Gesamtumfang beträgt nur einen halben Schritt über zwei Oktaven hinaus; zudem werden Extreme sparsam eingesetzt. Die vier höchsten Töne und die drei tiefsten tauchen je nur einmal auf. Überdies bündelt die Aufeinanderfolge der exponierten Noten die acht Verszeilen zu drei Phrasen, wie der Leser erkennen wird, wenn er die folgenden Worte und ihre hohen Noten verfolgt:

Mein Weg . . . vor . . . dein.
Himmel ist . . . da . . .
weil ich weg . . . Gottes . . . und Gna- . . . fahr' ich . . .

sowie diese mit den tiefen:

. . . geht jetzt . . . über, o . . . ich . . .
der . . . mir lieb . . . ich fahr' . . .
mich nicht . . . bin . . . mit . . . dahin.

Wenn man nun nach der gleichen Methode Noten im mittleren Register nachspürt, die durch ihre Länge, durch Wiederholungen und andere Mittel hervorgehoben sind, so wird eine Zentripetalkraft erkennbar, die die ganze Melodie zusammenhält:

. . . Weg . . . Welt . . . dein
Him- . . . ein.
. . . zu sehr beladen . . . in . . . Fried . . . Freud' . . .

Auch die begleitenden Flöten- und Klarinettenstimmen rechtfertigen eine Analyse ähnlich der der Gesangsstimme. Die weiten Intervalle bergen für den Instrumentalisten zwar keine Schrecken, doch hängt die Klarheit dieser Begleitmelodien davon ab, daß der Spieler sie mit den Phrasen des Sängers, ja vielleicht sogar mit den Worten, in Beziehung setzt. Die Gesangsmelodie wird nicht notengetreu imitiert; die Begleitung ist eher eine neuartige Erweiterung dieser Melodie. Auch die Beziehungen zwischen den beiden Instrumenten unterliegen empfindlichen Schwankungen: zuerst spiegeln sie einander unscharf, dann legen sie Imitation nahe, dann erreichen sie in parallelen Septimen den Moment ihres längsten Verstummens, dann werden sie aktiver und selbständiger mit bruchstückhaften Imitationen oder Vorausnahmen von Elementen der Gesangsstimme. Am Schluß finden sie wieder zueinander. Ihre sanfte, klare Dissonanz ist ein Erfordernis der Gesangsmelodie. Oft überschneiden sie sich mit dem Umfang der Singstimme. Die Stimme erreicht häufiger den tiefsten Ton als den höchsten, die Klarinette den höchsten so oft wie die Stimme, aber weniger oft als die Flöte. Die Flöte hat genügend tiefe Töne zu blasen, um eine sehr ungewöhnliche Klangfarbe zum Ganzen beizutragen. Der gedämpfte Charakter aller drei Stimmen – und die genau bezeichneten Schwankungen von mäßig leise bis zur leisestmöglichen Tongebung – ergeben sich notwendigerweise aus der Art, wie ihre Melodien miteinander verwoben sind.

Klangfarbe und *Dynamik* haben an Weberns Kompositionen einen auffälligeren Anteil als an der meisten früheren Musik. Was sie beisteuern, scheint enger mit den Melodien verbunden zu sein, und ihre Auffälligkeit läßt Analytiker diese innige Verknüpfung gern vergessen. In den übrigen Liedern aus op. 15 schreibt Webern Stimmen für die von ihm bevorzugte gestopfte Trompete und Harfe sowie für alternierende Violine und Viola. Stets führt die Singstimme.

Als Webern 1924 die Zwölftontechnik übernahm, bedeutete dies für ihn keinen Wandel seines Stils. Schon vorher, etwa in der ersten Phrase der Singstimme in ›Mein Weg geht jetzt vorüber‹, hatte er oft Zwölftonmelodien, oft auch – so in den letzten sieben Tönen für Klarinette und den letzten fünf Tönen für Flöte – Kontrapunkt mit zwölf Tönen komponiert. Zunehmend schrieb er kanonisch, beispielsweise in dem letzten Lied aus op. 15; hier handelt es sich um einen Doppelkanon in Gegenbewegung, bei dem die kanonartigen Stimmen in charakteristischer Weise bruchstückhaft auf die Instrumente verteilt werden. Schönbergs Regeln ermöglichen es ihm jetzt, mehr Instrumentalstücke und etwas längere Stücke zu gestalten, wenn sie auch nie bis zum Umfang von Schönbergs Konzerten gelangten. Die Berechnung der Reihen und die Ausschöpfung der Beziehungen, die in verschiedenen Formen der Reihen wiederkehren, erleichtern ihm den Schaffensprozeß. Die Zwölftontechnik verbindet Töne miteinander in mannigfachen *mikroskopischen Strukturen*. Die Zusammenhänge zwischen solchen Strukturen und größeren, auffälligeren Strukturen – »*Gestalten*« – können enorm variieren und sind in jedem Werk anders. Bei Weberns Schöpfungen durchdringen gerade diese Beziehungen mehr als bei Schönberg oder Berg jede melodische und harmonische Bildung und werden in der Form des Satzes als Ganzem reflektiert. »Strukturelle Musik« scheint für seinen Stil der richtige Name zu sein, weil aus seinen Strukturen so häufig »Gestalten« werden. Für eine gründliche Aneignung Webernscher Musik waren sie wichtig und werden es vielleicht auch immer bleiben.

Gleichwohl reicht das Aufspüren abstrakter Reihen bei Webern wie bei Schönberg ganz und gar nicht aus und ist möglicherweise auch nicht erforderlich, wenn es darum geht, daß der Hörer eine melodische Gestalt erfassen und sich an ihrer Entfaltung erfreuen soll.

Die Zwölftontechnik erwies sich als ein Wendepunkt für mehrere Komponisten, die mit ihr eigentlich nur ihr melodisches und harmonisches Material analysieren und aufbereiten wollten oder sie modifizierten und sehr frei benutzten. So entwickelte Frank Martin (* 1890) seine eigenartige *chromatische Melodik* und Harmonik erst, nachdem er Schönbergs Technik gründlich studiert und sich entschlossen hatte, sie nicht konsequent und ständig anzuwenden. In vielen seiner Werke, wie z. B. dem berühmtesten, der ›Petite Symphonie Concertante‹ für Harfe, Cembalo, Klavier und doppeltes Streichorchester (1944/45; vgl. Beispiel 8, siehe S. 457) tauchen einige Zwölftonmelodien auf, während ansonsten weiterhin Dreiklänge vorherrschen. Martin schuf neue Formen, in denen seine neuen Melodien das Ganze führen. Sein Interesse an Formen, das immer stärker war als sein Interesse an der Neuartigkeit oder dem Spielraum von Harmonien oder Rhythmen, läßt sich an seiner verfeinerten Fähigkeit zur Bildung kohärenter neuer Melodien ablesen.

Ohne die Geduld eines Webern oder Martin sah sich auch der begabteste Melodiker durch neue Harmonien gehindert, zu erweiterten Formen zu gelangen. Sergej Prokofieff z. B. vermochte ausgezeichnet Modelle des 19. Jahrhunderts zu adaptieren, doch scheint er seinen Modulationen und Rückführungen willkürlich die Last des Ganzen aufzubürden. Die abwechslungsreichen und profilierten Melodien, die er in seinen Symphonien, Konzerten und Sonaten zusammenfügte, erzielen niemals eine solche innere Übereinstimmung wie die seines sinfonischen Märchens ›Peter und der Wolf‹ op. 67 (1936).

Arthur Honegger (1892–1955) verließ sich als Formschöpfer auf die Melodie, oft auch auf das Wort. Anders als Prokofieff lehnte er die Vorbilder ab, die er bei Vincent d'Indy studiert hatte. Die immer neuen Formen seiner Sinfonien und Kammermusikwerke verlangten eine Einarbeitung, von der sich die meisten Hörer überfordert fühlten, wogegen seine Bühnen- und Filmmusiken und vor allem seine Oratorien von vielen bewundert und geliebt wurden.

Darius Milhaud (* 1892) wahrte ebenfalls den Primat der Melodie. Sein frühes Interesse an einer neuartigen kontrapunktischen Bauweise, bei der jede Melodie in einer anderen Tonart stand, machte ihn zum berühmtesten Exponenten jener »Polytonalität«, in der manche Komponisten vorübergehend eine Chance für ein neues Harmoniesystem zu erblicken glaubten. Aber bald wurde sich Milhaud seiner Neigung bewußt, polytonale Akkorde doch nur gelegentlich zu verwenden und Melodien unterzuordnen, die eintönig, leicht faßlich und leicht zu vergessen waren. Zu Beginn seiner Laufbahn experimentierte er auch mit der Kombination Schlagzeug-Chorisches Sprechen ohne jede Harmonie, doch ging er auch diesen Weg nicht weiter, sondern widmete sich ganz dem Erfinden von Melodien, die »du ›cœur‹ du compositeur«(›Polytonalité et atonalité‹ in: Revue Musicale IV, 1923, S.44) kommen. Luigi Dallapiccola (*1904) schrieb dankbare und ausdrucksvolle Vokalmelodien, die seinen im Laufe der Jahre verschiedenen harmonischen und kontrapunktischen Stilen entsprechen. Michael Tippett (*1905) verwob ungewöhnliche melodische Typen in seine aussagestarken und inhaltsreichen Werke; bisweilen verwendete er Melodien, die denen des Schwarzen Amerikas verwandt sind, um deren Bedeutung hervorzuheben und um seine großangelegten Strukturen zu konzentrieren. In den Kompositionen von Olivier Messiaen (*1908) gibt es prägnante Melodien, aus denen alle Begleitharmonik und -rhythmik erwächst, aber der Zusammenhang ist willkürlicher und mehr eine Sache der Struktur denn der Gestalt. Formal greift er manchmal unverhüllt auf Modelle aus dem 19.Jahrhundert zurück, und zwar unbedenklicher als Prokofieff. Weil indessen die Einzelelemente zueinander in neuen Beziehungen stehen, sind Messiaens Ganzheiten mindestens so neu wie die Schönbergs. Seine Eigenart, statt von der Durchführung eines Themas von dessen »Kommentierung« zu sprechen, deutet den tiefen Unterschied an. Für Messiaen – wie für viele Komponisten – entfaltet der Text in einem Vokalwerk eine musikalische Kohäsionskraft, die ein Instrumentalwerk in diesem Grade nicht haben kann. Seine Vertonung der Hymne ›O sacrum convivium‹ (1933) und seine ›Cinq Rechants‹ auf eigene Texte (1949) sind hervorragende Beispiele dafür. Sein Klavierstück ›Modes de valeurs et d'intensités‹ (1949) gewann Einfluß als Vorbild für serielle Verfahren, blieb jedoch als erfaßbare Struktur ein Experiment, das er selbst nicht wiederholte.

Ernst Pepping (*1901) schreibt neuartige Melodien, die ineinanderführen. Ihr Steigen und Fallen überlagert ihre harmonischen und rhythmischen Aspekte. Peppings – meist konsonante – Harmonik erlaubt die Verwendung unaufgelöster dissonanter Akkorde; mit seinen Akkordfolgen widerspricht er systematisch der dynamischen Rangordnung Bachs und Beethovens und nähert sich darin eher Heinrich Schütz und früheren Meistern. Demgemäß sind Peppings Rhythmen der Schwungkraft üblicher Metren bar und erinnern etwas an die Bartóks, jedoch mehr noch an die der Renaissancezeit. Peppings Melodien vermögen sich unbegleitet nicht zu behaupten; sie sind ebenso aufeinander angewiesen wie die Akkorde und rhythmischen Akzente auf die Melodien. Alle diese Elemente sind in den meisten seiner Werke vom Text abhängig. Das ›Te deum laudamus‹ (1956) veranschaulicht Peppings Strukturierungstechnik in größtem Maße; sein innerer Zusammenhalt ist so fest wie der vieler seiner kürzeren Werke.

Nicht alle Komponisten wahren den Vorrang der Melodie, wie es Webern, Martin, Prokofieff, Messiaen und Pepping jeder auf seine Art tun. Carl Orff (*1895) ordnet sowohl Melodie als auch Harmonie dem Rhythmus, der Klangfarbe und gewöhnlich auch dem Wort unter. Melodie und Harmonie haben auf die Gesamtformen nur wenig Einfluß, ausgenommen, wenn sie manche Hörer mit vorgefaßten Meinungen davon abhalten, den alten und neuen Klängen und den uralten, aber in großem Umfang neu entfalteten Rhythmen zu lauschen. In Orffs Hölderlin-Vertonungen, so in dem Trauerspiel ›Antigonae‹ nach Sophokles (1949; vgl. Beispiel 9, siehe S. 459), erleichtern die Rhythmen und Klänge aufgeschlossenen Hörern das Verfolgen der schwierigen Textworte. In ihrer Funktion – wenn auch ganz und gar nicht im Typus ihrer Rhythmik – erinnert seine Musik an das Rezitativ oder den Kirchengesang. Als Dichter und Schauspieler, der außerdem den Tanz und alle Theaterkünste beherrscht, schafft Orff maßvolle musikalische Strukturen von großer Novität und vollkommener Zweckdienlichkeit.

Auch bei Edgar Varèse müssen sich Melodie und Harmonie unterordnen. Wie Schönberg die Dissonanz emanzipiert hat, so rang Varèse ständig um eine »Befreiung der Klänge«. Ihm waren Klänge Granitblöcke, und so läßt sein Verfahren, Klänge zu komponieren, mehr an Bildhauerei, Architektur und Malerei denken als an die meisten musikalischen Vorgänge. Für ihn war die »Projektion« von Klängen im Raum so wichtig wie ihre Tönhöhe, Klangfarbe, Lautstärke und Dauer. Melodie verbindet Klänge, Rhythmus »stabilisiert« sie. Aber Melodie und Rhythmus sind nicht mehr – zusammen mit der Harmonie – Bestandteile der Gesamtstruktur. Die Klänge selbst geben das Baumaterial ab; die Beziehungen zwischen einem Klang und einem anderen müssen ohne die Hilfe harmonischer und rhythmischer Proportionen erfaßt werden. Die Prozesse seines Organisierens von Klängen unter Ausschöpfung von Tonhöhen- und Klangfarbenkontinua sind so faszinierend und die entstehenden Strukturen derart schwierig zu beschreiben, daß die Beziehung zwischen Prozeß und Struktur ein hochwichtiges Untersuchungsthema bleibt.

Die *elektronische Klangsynthese*, wie sie über Varèse hinaus von Stockhausen und anderen entwickelt wurden, kann zu neuen wortgebundenen Strukturen, zu neuen Strukturen, die den Raum einbeziehen, zu neuen Aufführungsverfahren, in denen Anfang und Ende nicht festgelegt sind, und zu vielen anderen neuen Denkprozessen führen. Im Falle von Stockhausen beispielsweise kann der historische Entwicklungsprozeß eines Komponisten von Werk zu Werk ein größeres Interesse beanspruchen als die Struktur eines bestimmten Einzelwerkes; der Prozeß der Interaktion zwischen einer Gruppe von Komponisten und Interpreten mag wichtiger werden als das Interessse des einzelnen Komponisten an Strukturen. John Cage hat in allen diesen Richtungen mit äußerster Konsequenz experimentiert und die alte Strukturorientiertheit radikal verworfen, wohingegen Stockhausen sich höchst brillant mit der Frage neuer Formungsprozesse auseinandersetzt. Von allen Vorläufern kommt das Werk von Varèse ihrer Arbeit am nächsten.

Entwickelt hat diese Bevorzugung des Prozesses gegenüber der Struktur, in engerem Zusammenhang mit der Melodie, allerdings Joseph Matthias Hauer (1883–1959). Seine Überlegungen können das Denken Schönbergs, Bergs und Weberns – die sich von Hauer jeweils ganz charakteristisch unterscheiden – klären helfen. Ungefähr um die gleiche Zeit wie Schönberg, nämlich 1911, verwarf Hauer die diatonischen Leitern. Abweichend von Schönberg akzeptierte er den Begriff »atonal« zur Beschreibung seiner Musik, und zwar beginnend mit dem Klavierstück ›Nomos‹ op. 1 (1911). Abermals im Gegensatz zu Schönberg hielt er zunächst an konsonanten Akkorden fest, wiewohl in willkürlichenVerbindungen. Die Tonalität attackierte er als grundlegenden Irrtum, nicht nur als überflüssig oder abgenützt. Und völlig anders als Schönberg schlug er die Befreiung der Melodie, des Melos, vom Rhythmus vor. Tatsächlich sind seine Rhythmen ausnehmend einfach und monoton. Seine Melodien zeigen bisweilen eine oberflächliche Ähnlichkeit mit Formvorbildern des 19.Jahrhunderts, werden aber nur selten, wenn überhaupt je, zur Gestalt – viel eher sind sie, wie er dann selbst anerkannte, Exzerpte unendlicher kosmischer Möglichkeiten. Wie Schönberg indessen entdeckte Hauer eine Zwölfton-Regel, und in dieser Hinsicht ging er Schönberg voraus, obwohl seine 1919 ausgearbeitete und 1924 veröffentlichte Lehre ›Die Tropen‹ (Anbruch VI, 1924, S. 18) sich von Schönbergs Kompositionsmethode grundlegend unterschied. (Schönbergs zwei Briefe an Hauer vom Dezember 1923, in denen er eine vorsichtige Zusammenarbeit vorschlug, zeigen die Differenzen auf, die sich als unüberbrückbar erweisen sollten.) 1939 unternahm Hauer seinen letzten Kompositionsversuch, op. 89. Danach beschäftigte er sich nur noch mit der Herstellung von ungefähr eintausend ›Zwölftonspielen‹, d. h. kontinuierlich offenen Prozessen, an denen sich – im Einklang mit den »ewigen Gesetzen des Kosmos« – jeder beteiligen konnte. Um die Zeit seines Todes fiel einigen Studenten die Ähnlichkeit seines Denkens mit dem Stockhausens auf. Viel seltener indessen wurde ein fundamentaler Unterschied gesehen: Hauers Spiele boten Möglichkeiten für privates Ritual und private

Meditation, aber nicht für öffentliche Aufführungen; seine Vorliebe für den Prozeß gegenüber der Struktur hinderte ihn nicht an der Einsicht, daß Form, wie er sagte, »einfach die Höflichkeit des Komponisten zum Publikum« sei (zitiert nach: Neues Forum 18, 1971, S. 62).

Im Hinblick auf die musikalische Gesetzmäßigkeit beschritten Schönberg und Webern andere Wege als Hauer. Diese Wege helfen erkennen, wie das Interesse an der Struktur von ihnen wachgehalten wurde. Sie schafften alte Handwerksregeln zugunsten eines, wie sie meinten, höheren – oder tieferen – und nicht formulierten Gesetzes ab. Sie führten neue vorläufige Regeln und eine neue Technik als Werkzeug in den Strukturbildungsprozeß ein, während sie weiter dem tieferen Gesetz nachspürten. Schönberg vermutete, daß die voranschreitende Wissenschaft durch das Studium seiner Werke eines Tages das Gesetz entdecken werde. Webern glaubte an den wissenschaftlichen Fortschritt als an einen endlosen Vorgang und daran, daß die Musikforschung der biologischen und chemischen Forschung sehr ähnlich sei, die abstrakte, die natürlichen Strukturen bestimmende Gesetze immer genauer herausarbeiteten. Wie schon aufgezeigt, vertraute er auf eine Annäherung von Wissenschaft und »inspiriertem Schaffen« (Wege zur Neuen Musik, S. 60). Sein ganzes Leben lang sann er über Goethes Pflanzen- und Optikstudien nach, besonders über Goethes Begriff der Urpflanze, deren Gesetz auf alles Lebende anwendbar sei. Webern trieb seine Studien aber nicht nur am Schreibtisch, sondern auch als Amateurbotaniker und begeisterter Gärtner. Gleich Hauer war Webern stärker als Schönberg beeindruckt von dem Wort »Nomos«, das Gesetz mit Melodie assoziierte. Doch im Gegensatz zu Hauer gelangte Webern dazu, sich die Melodie als das Gesetzgebende einer Komposition zu denken – »so war es immer in der Musik der Meister!« (Brief an Willi Reich aus dem Jahr 1942, veröffentlicht in: Wege zur Neuen Musik, S. 69). Bei Friedrich Hölderlin fand Webern den Satz, der ihm besonders entsprach, wie er 1944 an Willi Reich schrieb: »Leben heißt, eine Form verteidigen.« (S. 72). Für Webern dienten alle Prozesse dauerhaften Strukturen, wenngleich alle Strukturen bis auf eine dem Prozeß dienten.

Weberns Schöpfungen werden auch heute noch, da sie kommerziell schon ein wenig ausgewertet werden und Gegenstand umfangreicher akademischer Analysen geworden sind, nur von wenigen Hörern als Formen erfaßt. Webern schuf diese Werke im Prozeß der Verteidigung seiner Lebensform; ebenso, wie Mozarts als vollendete Formen empfundene Kompositionen ihm geholfen hatten, »eine Form zu verteidigen«, so würden – davon war er überzeugt – seine Werke eventuell anderen Menschen bei dem gleichen Bemühen helfen können. Eine Würdigung der Formen von Weberns Kompositionen erfordert über das Aufdecken seiner Strukturen und die Analyse seiner technischen Prozesse hinaus einigen Einblick in seinen menschlichen Charakter und ein gewisses inneres Engagement für den Prozeß, eine Form zu verteidigen, wie er es getan hat. Weberns Formen unterscheiden sich von denen Schönbergs und Bergs gemäß seiner anders gearteten Auffassung von Dichtung, Wissenschaft und Geschichte und entsprechend seiner anderen Lebensform. Er fühlte sich nicht gedrängt, Formen so groß wie die von Brahms zu gestalten, die sich für die Konzertprogramme von Orchestern, Quartetten und Chorvereinigungen eignen. Das Theater war für ihn eine Angelegenheit von untergeordnetem Interesse, die sich leicht zurückstellen ließ. Er war überzeugt, daß seine ungewöhnlich knappen Werke für ausgefallene Instrumentenkombinationen irgendwie, irgendwann jene Interpreten und Zuhörer finden würden, deren Liebe Bach und Mozart, den späten Beethoven-Streichquartetten, den späten Sonaten Debussys, den Liedern von Hugo Wolf, der ›Kammersinfonie‹ Schönbergs galt. An der Seite dieser Schöpfungen würden seine Werke ihren Platz erhalten und durch viele Generationen hindurch behaupten, und zusammen mit ihnen würden sie Zeugnis ablegen für die niemals endende Verteidigung der Form.

Schönberg ging in seinen Ansichten weiter. In keinem Werk können sich die prophetischen Gedanken des Genius restlos verwirklichen, doch sei es der Zweck eines jeden Werkes, jene Ideen zu klären, die Hörer, denen die Formen durchschaubar waren, im Theater oder Konzertsaal flüchtig erfassen mochten. Schönberg glaubte, daß seine Melodien, wenn nur gut genug und oft genug dargeboten, die Bewunderer Tschaikowskys erfreuen und eigentlich auf den Straßen gepfiffen werden müßten. Mehr noch, seine Werke sollten wie die Beethovens »a prophetic message« enthüllen, »revealing a higher form of life towards which mankind evolves«. (›Style and Idea‹, S. 194). So verwandte Schönberg seine ausgedehntesten Kompositionsprozesse auf das Oratorium ›Die Jacobsleiter‹ (1917) und die Oper ›Moses und Aron‹ (1930–1932), die beide unvollendet geblieben sind. Als sie endlich aufgeführt wurden, machten sie Schönbergs Gedanken vielen Hörern deutlicher und zwingender klar, als es seine sämtlichen abgeschlossenen Werke bis dahin vermocht hatten.

Berg besaß zuviel Humor, um Weberns konziser Gestaltungsweise nachzueifern oder sich mit Schönbergs gewaltigen Verzückungen zu messen. Theodor W. Adorno berichtet, wie Berg einmal lachend bemerkt habe: »Beim Komponieren komm' ich mir immer wie der Beethoven vor, erst hinterher merk' ich, daß ich höchstens der Bizet bin« (Adorno, Berg. Der Meister des kleinsten Übergangs, Wien 1968, S. 18). Bergs höchst abwechslungsreiche Formen sollten noch unterschwelliger wirken als die Schönbergs, damit sich der Hörer mit den Leiden seiner Operngestalten oder dem beseelten, engelgleichen Mädchen seines Violinkonzerts oder dem Komponisten, wie er sich in der ›Lyrischen Suite‹ für Streichquartett schilderte, besser identifizieren könne. In dem Werk, das den Gipfel seiner Virtuosität in der Handhabung strukturierender Techniken darstellt, dem ›Kammerkonzert‹, erblickt ein guter Hörer hinter diesem Technischen die verschiedenen, sich gegenseitig beeinflussenden Persönlichkeiten Schönbergs, Weberns und Bergs und ihre wechselseitige treue Ergebenheit. Adorno berichtet: ». . . an der eignen Musik ließ ihn nicht ein Mangel an Form unbefriedigt, an jener Form, um die er unendlich und wie aus Angst sich mühte, sondern eher, daß sie ihm nicht mehr so unversöhnlich nackt klang, wie er es sich wohl gewünscht hätte« (S. 29). In den Schrecken von ›Wozzeck‹ und ›Lulu‹, im Rondo des ›Kammerkonzerts‹ sieht Adorno die Nacktheit »weniger, wie das Convenu es will, ›geformt‹, als überlistet«. Adorno fährt fort: »Der Reichtum des Gestaltens selbst, die Formen der Unersättlichkeit, zielte ins Gestaltlose. . . Formen hieß für Berg stets kombinieren, auch übereinanderlegen, Unvereinbares, Disparates synthesieren, es zusammenwachsen lassen: entformen.«

V. Berg und Bartók und neue soziale Gruppierungen

1918 schrieb Alban Berg in Wien die Verfassung einer bemerkenswerten neuen Gesellschaft nieder, deren ständiger Präsident Schönberg und deren Hauptausführender (der Mann, der die Politik des Präsidenten vollstreckte) Webern war. Der ›Verein für musikalische Privataufführungen‹ stellte eine so radikale Neuerung dar wie nur irgendeine neue Kompositionstechnik. Er machte die Neue Musik zu einer Institution mit einer ganz außerordentlichen inneren Sozialstruktur und korporativen Beziehungen zu anderen Einrichtungen in ihrem Umkreis. Obgleich der Verein nur vier Jahre Bestand hatte und obwohl seine Nachfolgeinstitutionen für Neue Musik sich von ihm vielfach unterschieden, kennzeichnet dieser Verein in dem langen sozialen Wandlungsprozeß, der sich auf die Musik auswirkte, eine Epoche. In gewissem Grade sind die von Berg definierten Beziehungen zwischen Komponisten, Interpreten, Hörern und neuen Kompositionen für alle Neue Musik relevant geblieben.

Der Verein nahm jeden als Mitglied auf, der sich seinem Ziel verpflichtete, eine wirkliche und exakte Kenntnis der modernen Musik zu vermitteln. Obgleich man nicht öffentlich tagte, war die Mitgliedschaft von keinerlei beruflichen oder finanziellen Kriterien abhängig. Vielleicht stellten Komponisten die Mehrheit der Mitglieder, aber das muß nicht unbedingt so gewesen sein. Dabei maß man der finanziellen Seite durchaus Bedeutung bei; wer konnte, zahlte hohe Beiträge, und die besten Plätze für die Sonntagmorgenveranstaltungen gingen an die großzügigsten Mitglieder. Einigen wenigen wurden die Beiträge erlassen. Webern und die anderen bei Aufführungen Mitwirkenden erhielten ein Entgelt für ihre Tätigkeit. Aus der Distanz betrachtet, erschien die Organisation als eine Clique von sezessionistischen Berufsmusikern oder solchen, die es werden wollten, und ihren snobistischen Gönnern. Indessen war das ganz allgemein der Eindruck, den viele Beobachter von der Neuen Musik hatten. Doch in Wirklichkeit wies der Verein keinen Interessierten ab. Er eröffnete Einzelnen, die sich von größeren Vereinen verwirrt und frustriert fühlten, neue Wege der Beteiligung an einem gemeinsamen Vorhaben, das unter der Führung eines großen Lehrers und seiner treuen Schüler der Selbstentfaltung diente. Die uneigennützige Treue Weberns und Bergs zu Schönberg – zu einer Zeit, da sie ihre Studien bei ihm schon längst beendet hatten – ist das Kernelement des neuen Vereins, aber nicht seine ausschließliche Politik.

Das Verhältnis der neuen Gesellschaft zum sonstigen öffentlichen Musikleben entsprach dem einer reformerischen Sekte zu einer etablierten Kirche. Wenn die Kirche mit dem Staat, mit der Welt Kompromisse eingegangen ist, sagt sich die Sekte von ihr los, um treu den jenseitigen Ursprüngen und Zwecken der Kirche zu dienen. So zeigten die Privataufführungen, wie alle ernsthaften Aufführungen beschaffen sein sollten, was öffentliche Darbietungen Neuer Musik aus kommerziellen Gründen jedoch nur selten sein können und was ritualistisches Zelebrieren alter Musik oft nicht erreicht. Es gab so viele Proben, wie die Komponisten für nötig erachteten, und keine Vorankündigungen der Programme, zudem keine Beifallskundgebungen, keine Pressebesprechungen. Man wiederholte die Aufführungen so oft, bis die Werke klar geworden waren. Wiederholungen für Nachzügler fanden nicht statt.

In der Sicht eines Wirtschaftsstatistikers oder eines Vertreters einer staatlichen legislativen oder exekutiven Körperschaft oder eines Schallplattenproduzenten oder -verteilers ist der gesamte Sektor von Konzert und Oper ein so kleiner Teil der »Unterhaltungsindustrie«, daß ihr neuer Ableger völlig unbedeutend erscheint. Die ganze Ernste Musik verhält sich zur allgemein verbreiteten Verehrung von Handel und nationaler Macht wie eine andersdenkende Sekte. Jazz und Rock repräsentieren den schon etwas beunruhigenderen Abfall größerer, homogenerer Bevölkerungsgruppen. Aber von Bergs Standpunkt aus hat »Unterhaltungsmusik« mit der »Tonkunst« nicht mehr zu tun als die Börse oder eine Wahlkampagne. Schönberg und Webern konnten ihre schmerzlichen finanziellen Erfahrungen in der breiter dimensionierten Welt der Operette nicht vergessen. Berg dagegen hatte sein

435

Talent dank kleiner Erbschaften niemals auf diese Weise zu Markte tragen müssen. So konnte er im ›Verein für musikalische Privataufführungen‹ begeistert für seine Freunde tätig sein und zugleich am ›Wozzeck‹ arbeiten, dem es bestimmt war, in die Tempel der klassischen Musik mehr von den Idealen des Vereins hineinzutragen als irgendein Werk Schönbergs oder Weberns.

Die in den Programmen des Vereins am häufigsten vertretenen Komponisten waren Reger und Debussy. Strawinsky erklang öfter als Berg oder Webern und weit öfter als Schönberg. Béla Bartók, Maurice Ravel, Alexander Skrjabin und Váša Suk waren stärker repräsentiert als die vielen Deutschen und Österreicher, aus deren Schaffen nur eine Probe geboten wurde. In Bergs Verfassung des Vereins hieß es, daß der Verein keine einzelne Tendenz oder Schule fördern wolle. Aus den Unterlagen geht hervor, daß man sich daran hielt. In der Breite seiner Programmgestaltung und in seinem Privatcharakter unterschied sich der Verein von einer anderen, älteren Institution für neue Musik, den »Bayreuther Festspielen« Richard Wagners. Von den Nachfolgeinstitutionen des Vereins erwiesen sich weder die IGNM noch andere als so eng begrenzt wie die ›Bayreuther Festspiele‹. Während in den nächsten Jahrzehnten mehrere Bachfeste und Mozartfeste ihr Bayreuther Pendant allmählich überschatteten, bewahrten sich die Einrichtungen der Neuen Musik einen Geist der kollektiven Unternehmungsfreude und des gegenseitigen Beistands der Komponisten. Selbst Musikfeste, die von einem einzelnen Musiker – etwa Benjamin Britten, Pablo Casals, Gian Carlo Menotti – organisiert wurden, brachten abwechslungsreiche Programme. Selten allerdings hat je eine Gruppe die Vielseitigkeit des ›Vereins für musikalische Privataufführungen‹ erreicht, in dem sich der Präsident Schönberg seinen zwei Schülern Webern und Berg beugte und die gesamte Schule sich drei Ausländern fügte.

Der Verein sollte keinesfalls unbegrenzt lange fortbestehen. Bestenfalls mochte er als ein Vorbild oft genug nachgeahmt werden, damit sich das Musikleben etwa innerhalb eines Jahrzehnts umgestalten ließ. Er wurde 1921 nicht wegen irgendwelcher internen Schwierigkeiten oder Änderungen seiner Zielsetzungen aufgelöst, sondern einfach, weil in dem hektischen wirtschaftlichen Auf und Ab der Zeit zu wenige Mitglieder die Ausgaben bestreiten konnten. Nachfolgeinstitutionen versuchten zu überleben, indem sie öffentliche Zuschüsse erbaten. Genau wie in den älteren Einrichtungen wurden Reklame und politische Verhandlungen ebenso wichtig wie die Reinheit der Aufführungen. Endlos wurde über den korrumpierenden Einfluß solcher Publizität lamentiert, worin sich die Klagen Bergs, Wagners, Berlioz', Schumanns wiederholten. Freilich ermöglichten die Komponisten-Verbände in sozialistischen Ländern einige Privataufführungen, doch waren sie nur

Marginalien zu der unsicheren Existenz der Komponisten und Kritiker unter der Führung der Parteikomitees, und das Ziel einer »wirklichen und exakten Kenntnis« wurde oft der politischen Augenblicksstrategie geopfert. Das vom ›Verein für musikalische Privataufführungen‹ für kurze Zeit verwirklichte Ideal blieb weiterhin eine Herausforderung an die Adresse eines jeden, der sich ernsthaft mit Musik beschäftigte.

Berg hatte von dem Wiener Satiriker Karl Kraus gelernt, dem Journalismus und dem Reklamerummel viele Übel eines Zeitalters anzulasten, das Kraus »die letzten Tage der Menschheit« nannte. Auch lernte Berg nach dem Vorbild von Kraus' Zeitschrift ›Die Fackel‹, die er sein Leben lang las, selbst eine Variante des polemischen Journalismus auszuüben. Um 1920 dachte er daran, sich mit seinen literarischen und editorischen Fähigkeiten eine Karriere aufzubauen, die seine kostspielige kompositorische Arbeit würde absichern können. Als er um 1930 in Willi Reich einen Schüler fand, der eine solche Laufbahn einzuschlagen bereit war, leitete er ihn bei der Herausgabe der *Zeitschrift* ›23‹ (Wien 1932 bis 1937) an und achtete darauf, daß sie soweit wie möglich den Krausschen Ton beibehielt.

An Karl Kraus, Charles Baudelaire und anderen modernen Schriftstellern schulte Berg eine Einstellung, die seit Beethoven unter deutschen Musikern und Musikgelehrten nur noch selten anzutreffen war. In den brodelnden Städten der modernen Welt spricht die Musik – wie die Dichtung – zum vereinzelt lebenden Individuum und zu kleinen, nur vorübergehend zusammenhaltenden Gruppen. Wenn Beethovens Sinfonien ähnlich wie Shakespeares Dramen und Komödien keine Nachfolger haben, die ihnen an Tiefe und internationaler Wirkungsbreite vergleichbar wären, ist in jeder Generation Raum für mehr als einen Komponisten (auch für mehr als nur einen Dichter), um in verschiedenen engeren Bereichen zu ähnlichen Tiefen vorzustoßen. Die Suche nach »dem Beethoven« einer jeden Generation ist einfach lächerlich. Berg selbst hat sich darüber lustig gemacht, daß er diesen Drang noch immer verspüre: er müsse sich damit bescheiden, nurmehr ein neuer Bizet zu sein. In ernsterer Stimmung hätte er sagen können: ein neuer Debussy. Denn Debussy, wie Berg Baudelaire-Leser, hatte sich von dem Wagnerschen Streben, es Beethoven und Shakespeare in einem gleichzutun, freigemacht. Debussy wußte, daß seine Musik mit der von Richard Strauss zu ihrer Zeit nicht konkurrieren und daß Strauss' Werk es nicht mit Wagners und noch viel weniger mit Beethovens oder Mozarts Schaffen aufnehmen konnte. Berg war jung genug, um zu erkennen, daß Wagners drohender Schatten doch nur noch hinter Schönberg, Strauss, Mahler und Debussy aufragte. Er selbst konnte ›Tristan‹ liebevoll zitieren und dann voranschreiten nicht zu Liebestoden oder Er-

lösungen à la Wagner, sondern zu einem Krausschen, Freudschen
Delirium und Elend. Berg kannte die Ungewißheit der Befreiung,
wie sie an den Scharen der Heroinen – Leonore, Isolde, Salome,
Elektra – sichtbar wurde, und zeigte weitere Doppelbödigkeiten
dieser Art in Wedekinds Heldin Lulu auf.

Berg lernte von Karl Kraus, Georg Büchner, Frank Wedekind
und anderen, das Theater als eine gefährdete Anstalt zu betrachten,
die zwischen privater Dichtung und öffentlichen Belangen eine
Mittelstellung einnahm; er sah, daß es nicht wirklich ein Ableger
des Staates war, wenn es auch manchmal die öffentliche Hand be-
mühte und sich der Behördenbürokratie bediente.

Der Dichter im Theater weigerte sich, sein Publikum lediglich
mit Unterhaltung oder Ritual zufriedenzustellen; er zog alle Institutionen in Frage und gestaltete seine eigene, umfassende, individuelle Reaktion auf die Leiden der von ihm geschilderten Individuen. Berg half, das Theater poetischer zu machen, genau wie der
Roman in den Tagen Marcel Prousts und James Joyce' an Poesie
gewann, während die Dichtung selbst mit Paul Valéry, William
Butler Yeats, Rainer Maria Rilke und Boris Pasternak mannig-
faltiger und esoterischer wurde. Berg erkannte den *umwandelnden
Einfluß des Films* auf sämtliche älteren Künste. Charakteristischerweise plante er, im letzten Akt von ›Lulu‹ einen Film zu verwenden – er wollte das neue Medium, seine vergleichslosen Potenzen,
seine bestürzenden Assoziationen in sein weitgespanntes poetisches
Musikdrama einbauen. Während Schönberg eine Begleitmusik für
einen hypothetischen Film komponierte (1930) und Arthur Honegger, Georges Auric, Sergej Prokofieff, Hanns Eisler, Aaron Copland, Virgil Thomson, William Walton u. a. sich den Forderungen
der Filmemacher in verschiedenem Grade beugten, nahm Berg die
»Multimedia«-Veranstaltungen der 1960er Jahre voraus.

Über das Theater gelang Berg der Ausbruch aus der Enklave
der Neuen Musik, in der Schönberg und Webern verharrten und
auch Strawinsky meist eingeschlossen blieb. Bergs Ertragsanteile –
nicht die Tantiemen für Aufführungen seiner Werke oder die
Honorare für Vorträge oder Memoiren oder Unterrichtskurse –
brachten ihm immerhin soviel ein, daß er sich ein Auto kaufen
und hoffen konnte, eines Tages den Wohlstand von Richard
Strauss oder Giacomo Puccini zu erreichen. Er bewunderte die
Organisation des Leningrader Theaters, das dank staatlicher Pro-
tektion keine kommerziellen Rücksichten zu nehmen brauchte,
aber ein politisches Denken regte das offensichtlich nicht an. Er
wußte den Idealismus seiner Verleger zu würdigen.

Obwohl Bergs Werk viele der divergierenden, miteinander wett-
eifernden Strömungen seiner Zeit widerspiegelt und viele verblüffende Merkmale der nächsten Generation vorwegnimmt, kann es
allein nicht den ganzen Umfang der bedeutsamen sozialen Verän-

derungen repräsentieren, da Bergs Einstellung zu Wissenschaft und Gelehrsamkeit sowie zu politischer Macht unentwickelt blieb, worin er sich von Bartók unterschied. Für Berg war Musikgelehrtentum niemals eine autonome Tätigkeit. Den von Hitler heraufbeschworenen fürchterlichen Entscheidungszwang hat er nicht mehr erlebt. Ihm gelang die Schöpfung seines Werkes innerhalb jenes gesicherten Freiheitsspielraums, den die Gesellschaft weiterhin dann nur noch einigen wenigen ihrer Mitglieder bot. Er konnte in seinen Opern Wissenschaftler und Verwaltungsleute als Ausbeuter schildern, ohne sich den Kopf darüber zu zerbrechen, daß Künstler wie er selber von Ausbeutern kooptiert wurden, daß ihre Sympathie für die »armen Leut'« insofern sentimental war, als sie nichts bewirkte.

Bartóks Lebenswerk steht für mehr als das Bergs. Bartóks Kompositionen können als persönliche Nebenprodukte seiner wissenschaftlichen Arbeit gelten, jenes Sammelns, Übertragens und Analysierens der Musik bäuerlicher Gruppen, das ihn ein Leben lang beschäftigte. Er gehörte zu den ersten, die die neuen technischen Möglichkeiten für die Klangaufzeichnung ausnutzten, die deren Übereinstimmung mit den ererbten Künsten des Schreibens und Druckens ausloteten, die sahen, daß sie die Menschheit als Ganzes von den Spaltungserscheinungen und Ungerechtigkeiten zu befreien verhießen, die Schrift und Druck bewahrt hatten, und daß sie die Erneuerung der allgemeinen Anliegen und Hoffnungen versprachen, die sich seit der Stammesgesellschaft noch in jeder Kultur hatten halten können. Bartók selbst gab seiner Forschungsarbeit den Vorrang; bisweilen förderte er mit Einnahmen aus Konzerten, die er seinem Ruf als Komponist verdankte, die Veröffentlichung von Volksmusik. Den größten Teil seiner wissenschaftlichen Arbeiten mußte er unpubliziert lassen, weil er es ablehnte, sie irgendwelchen politischen oder kommerziellen Interessen unterzuordnen – wie er sich denn auch weigerte, mit ihnen seine eigenen, persönlichen Interessen zu verfolgen. Er wußte, daß die Agrargesellschaft so ziemlich am Ende ihrer jahrtausendealten Existenz angelangt und daß der Aufbau einer geordneten technologischen, bürokratischen Gesellschaft ein sehr langer, verwickelter Prozeß war, in dem die einander befehdenden Nationen des 20.Jahrhunderts gewiß nur ein Übergangsstadium bedeuteten. Er erkannte den Wert der bäuerlichen Lebensweise, wie sie sich in der bäuerlichen Musik aussprach; er zog sie den meisten von der Übergangszeit gebotenen Möglichkeiten vor. Er wußte, daß die bäuerlichen Wertbegriffe als solche nicht genügten; er wußte, daß sie nicht vollständig gerettet werden konnten und befürchtete ihren gänzlichen Verlust. Er trug das seine dazu bei, daß sie wenigstens zum Teil konserviert und weitergereicht wurden.

Durchdrungen von dem, was er von den Bauern lernte, förderte

Bartók dann in seinen Kompositionen, soweit es seine Kräfte als Einzelner nur irgend erlaubten, die Bemühungen um neue soziale Werte. Wenn seine Kompositionen die Aufgabe erfüllen, im Rahmen eingefahrener Sozialstrukturen eine Zuhörerschaft zu unterhalten oder die Jugend zu belehren – und einige seiner Werke tun dies seit seinem Tode regelmäßig –, so vermögen sie auf den Einzelnen noch immer einen stärkeren revolutionären Einfluß auszuüben, als den meisten Hörern oder Lernenden bewußt ist. Bartóks Kompositionen predigen keinen exklusiven Nationalismus. Sie passen zu keiner primitivistischen Wissenschafts- und Technikfeindlichkeit. Und sie enthüllen ihre Geheimnisse auch nicht einer pseudowissenschaftlichen Musikbetrachtung, die die Kunst von sozialen Belangen trennt. Bartóks Kompositionen, als Verkörperungen seiner vielschichtigen Wertbegriffe und Bestrebungen, sind offen; an ihnen können noch ungesicherte neue Gruppen Einzelner teilnehmen, die Möglichkeiten suchen, solche Gruppen größer und dauerhafter zu gestalten.

Bartóks unablässige Beschäftigung mit Bach, Beethoven und Debussy als den überragenden Repräsentanten der Berufsmusik sowie sein Interesse für Girolamo Frescobaldi und andere Vertreter einer weiter zurückliegenden Vergangenheit fügen sich in seine Auffassung von Gegenwart und Zukunft nahtlos ein. Im Gegensatz zu Schönberg, der sich kaum für Musik aus der Zeit vor Bach erwärmte und Debussy unter Mahler stellte, und zu Strawinsky, der alles, was ihn an – zusammenhangslosen – Epochen der Vergangenheit interessierte, genau wie das Volkslied als Rohmaterial für seine eigene Rekonstruktionsarbeit betrachtete, vereinigte Bartók die Epochen: er absorbierte – aufgeschlossen und systematisch, bescheiden und kühn – mehr und mehr von einer großen, kohärenten Tradition und erneuerte sie, indem er sie in persönlichster Weise mit dem verschmolz, was er von den Bauern lernte. Daß er Debussy neben Bach und Beethoven stellte, wirkte zu seinen Lebzeiten exzentrisch. Nach Boulez überrascht diese Einschätzung schon weniger, wenn sie auch viele Bach- und Beethoven-Anhänger noch immer nicht recht überzeugt. Denn an Debussy liebte Bartók, was Boulez weniger betont – die Verbindung zur Volksmusik, das Interesse für Kinder, den Kontakt mit außereuropäischer Musik, den gesamten sozialen Bedeutungsgehalt, der der wundervoll verfeinerten individuellen Sensibilität und Originalität entspricht. Bartóks Kompositionen erreichen die großzügige Synthese, die ihm vorschwebte, nicht; doch wo immer sie dazu beitragen, das geistige Bild einer solchen Synthese zu entwerfen, erneuern sie die Kontinuität, die die Musik aus ihrer weltweiten Geschichte in die Gegenwart hineinführt.

VI. Notenanhang

IX.

1. Arnold Schönberg: Das Buch der hängenden Gärten für eine Singstimme und Klavier (UE 5338), Nr. IX. – Wiedergabe mit Genehmigung des Originalverlages Universal Edition Wien.

improvisation sur mallarmé
le vierge, le vivace et le bel aujourd'hui...

pierre boulez

2. Pierre Boulez: Improvisation sur Mallarmé pour soprano, harpe, vibraphone, cloches et 4 percussions (UE 12 855), Beginn bis zum Takt nach Buchstabe B. – Wiedergabe mit Genehmigung des Originalverlages Universal Edition Wien.

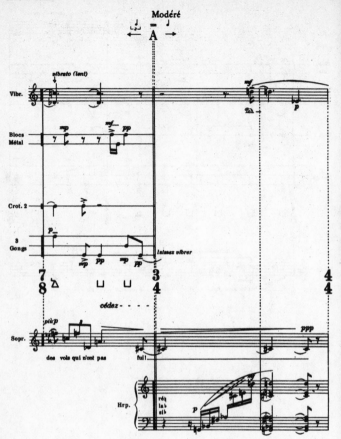

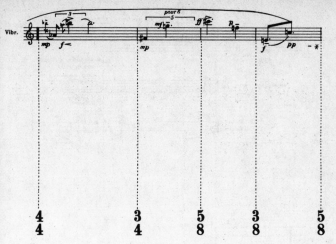

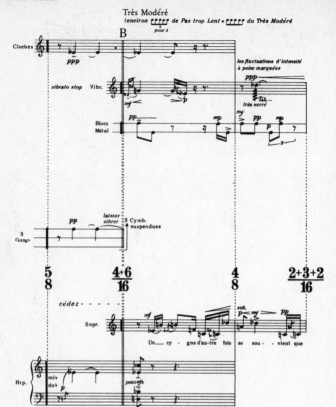

U. E. 5888. 5889

3. Anton Webern: Fünf Sätze für Streichquartett op. 5 (UE Philharmonia Nr. 358), Nr. IV. – Wiedergabe mit Genehmigung des Originalverlages Universal Edition Wien.

4. Alban Berg: Streichquartett op. 3 (UE 7537), T. 124–137 aus I. – Wiedergabe mit Genehmigung des Originalverlages Universal Edition Wien.

5. Igor Strawinsky: Histoire du soldat (J. W. C. 44ᵇ), aus dem Tango der Trois danses. – Wiedergabe mit Genehmigung des Originalverlages J. & W. Chester Ltd. London.

6. Béla Bartók: Sonata for two pianos and percussion (B. & H. 8675),
   T. 45–58 aus II.
   Copyrigth 1942 in USA by Hawkes & Son (London) Ltd.
   Copyrigth for all countries.

IV.

7. Anton Webern: Fünf geistliche Lieder für Gesang und fünf Instrumente
op. 15 (UE 7629), Nr. IV. – Wiedergabe mit Genehmigung des Originalverlages Universal Edition Wien.

8. Frank Martin: Petite Symphonie Concertante pour Harpe, Clavecin, Piano et deux orchestres à cordes (UE Philharmonia No. 385), Ziffer 23 bis Takt vor Ziffer 24. – Wiedergabe mit Genehmigung des Original-verlages Universal Edition Wien.

458

9. Carl Orff: Antigonae. Ein Trauerspiel des Sophokles von Friedrich
   Hölderlin (Edition Schott 5025), Ziffer 81–82. – Wiedergabe mit Genehmigung des Originalverlages B. Schott's Söhne Mainz.

Kunst mehr, als er hoffen kann, be - sizend, kommt ein - mal er auf Schlimmes, das and - re zu

Literatur

In dieses Literaturverzeichnis wurde eine Auswahl der wichtigsten Standardwerke und Handbücher zur Musikgeschichte aufgenommen, nicht jedoch Musiklexika und Quellenwerke. Hinweise auf Spezialstudien finden sich in den genannten Werken.

ABBIATI, FRANCO, Storia della musica, 5 Bände, Mailand 1939–1946, ²1968, A. Garzanti.

ABER, ADOLF, siehe KRETZSCHMAR, Kleine Handbücher.

ABRAHAM, GERALD, siehe THE NEW OXFORD HISTORY OF MUSIC.

ADLER, GUIDO, Handbuch der Musikgeschichte, Frankfurt/Main 1924, Frankfurter Verlags-Anstalt, 2. Auflage in 2 Bänden Berlin 1930, H. Keller, Nachdruck Tutzing 1961, H. Schneider.

ADORNO, THEODOR W., Philosophie der neuen Musik, Tübingen 1949, J. C. B. Mohr, Frankfurt/Main ²1958, ⁴1969, Europäische Verlagsanstalt.

AMBROS, AUGUST WILHELM, Geschichte der Musik, 4 Bände, Breslau 1862, 1864, 1868, F. E. C. Leuckart, Leipzig 1878, Leuckart (weitere, von anderen bearbeitete Neuauflagen), dazu Band 5: Auserwählte Tonwerke, herausgegeben von OTTO KADE, Leipzig 1881, Leuckart (weitere Auflagen), Nachdruck Hildesheim 1968, G. Olms.

APEL, WILLI, Geschichte der Orgel- und Klaviermusik bis 1700, Kassel 1967, Bärenreiter.

–, The Notation of Polyphonic Music, 900–1600, Cambridge (Massachusetts) 1942, ⁵1961, Mediaeval Academy of America, deutsch Leipzig 1962, Breitkopf & Härtel.

AUSTIN, WILLIAM W., Music in the 20th Century, New York 1966, Norton.

BACH, JOHANN SEBASTIAN, siehe SCHMIEDER.

BACHMANN, WERNER, siehe MUSIKGESCHICHTE IN BILDERN.

BARBOUR, J. MURRAY, Tuning and Temperament, East Lansing (Michigan) 1951, ²1953, Michigan State College Press.

BEETHOVEN, LUDWIG VAN, siehe KINSKY.

BESSELER, HEINRICH, siehe BÜCKEN, Handbuch.

–, siehe MUSIKGESCHICHTE IN BILDERN.

BITTINGER, WERNER, Schütz-Werke-Verzeichnis, Kassel 1960, Bärenreiter.

BLUME, FRIEDRICH, Geschichte der evangelischen Kirchenmusik, herausgegeben unter Mitarbeit von Ludwig Finscher, Georg Feder, Adam Adrio und Walter Blankenburg (Neubearbeitung von: BLUME, FRIEDRICH, Die evangelische Kirchenmusik, in: BÜCKEN, Handbuch), Kassel ²1965, Bärenreiter.

–, siehe BÜCKEN, Handbuch.

–, siehe DIE MUSIK IN GESCHICHTE UND GEGENWART.

BOTSTIBER, HUGO, siehe KRETZSCHMAR, Kleine Handbücher.

BOULEZ, PIERRE, Musikdenken heute 1, Mainz 1963, Schott (= Darmstädter Beiträge zur Neuen Musik 5).

BUCK, PERCY C., siehe THE OXFORD HISTORY OF MUSIC.

BÜCKEN, ERNST (Herausgeber), Handbuch der Musikwissenschaft, Potsdam, Athenaion, darin u. a.:

BESSELER, HEINRICH, Die Musik des Mittelalters und der Renaissance, 1931;

BLUME, FRIEDRICH, Die evangelische Kirchenmusik, 1931;

BÜCKEN, ERNST, Geist und Form im musikalischen Kunstwerk, 1929;

–, Die Musik des Rokokos und der Klassik, 1929;

–, Die Musik des 19. Jahrhunderts bis zur Moderne, 1929;

HAAS, ROBERT, Die Musik des Barocks, 1929;

MERSMANN, HANS, Die moderne Musik seit der Romantik, 1929;

URSPRUNG, OTTO, Die katholische Kirchenmusik, 1931.

BUKOFZER, MANFRED, Music in the Baroque Era, New York 1947, Norton.

COLLAER, PAUL, siehe MUSIKGESCHICHTE IN BILDERN.

COLLES, HENRY COPE, siehe THE OXFORD HISTORY OF MUSIC.

COUSSEMAKER, EDMOND DE, Scriptorum de musica medii aevi nova series a Gerbertina altera, 4 Bände, Paris 1864, 1867, 1869 und 1876, A. Durand, Nachdruck Hildesheim 1963, G. Olms; abgekürzt: CoussS.

DANNREUTHER, EDWARD G., siehe THE OXFORD HISTORY OF MUSIC.

DEUTSCH, OTTO ERICH (zusammen mit Donald R. Wakeling), Schubert. Thematic Catalogue of all his Works in Chronological Order, London 1951, J. M. Dent & Sons; abgekürzt: D.

DIBELIUS, ULRICH, Moderne Musik 1945–1965, München 1966, Piper.

FARMER, HENRY GEORGE, siehe MUSIKGESCHICHTE IN BILDERN.

FELLERER, KARL GUSTAV (Herausgeber), Geschichte der katholischen Kirchenmusik, unter Mitarbeit zahlreicher Forscher des In- und Auslandes herausgegeben, Band 1: Von den Anfängen bis zum Tridentinum, Kassel 1972, Bärenreiter (Band 2: Vom Tridentinum bis zur Gegenwart, in Vorbereitung).

FLEISCHHAUER, GÜNTER, siehe MUSIKGESCHICHTE IN BILDERN.

FORTUNE, NIGEL, siehe THE NEW OXFORD HISTORY OF MUSIC.

FULLER-MAITLAND, JOHN ALEXANDER, siehe THE OXFORD HISTORY OF MUSIC.

GERBERT, MARTIN, OSB, Scriptores ecclesiastici de musica sacra potissimum, 3 Bände, St. Blasien 1784, Nachdruck Hildesheim 1963, G. Olms.

GRABNER, HERMANN, Allgemeine Musiklehre, Kassel [10]1970, Bärenreiter.

GROUT, DONALD J., A History of Western Music, New York 1960, Norton.

HAAS, ROBERT, siehe BÜCKEN, Handbuch.

HADOW, WILLIAM HENRY, siehe THE OXFORD HISTORY OF MUSIC.

HÄUSLER, JOSEF, Musik im 20. Jahrhundert. Von Schönberg zu Penderecki, Bremen 1969, C. Schünemann.

HANDSCHIN, JACQUES, Musikgeschichte im Überblick, Luzern 1948, [2]1964, Räber & Cie.

HAYDN, JOSEPH, siehe HOBOKEN.

HICKMANN, HANS, siehe MUSIKGESCHICHTE IN BILDERN.

HOBOKEN, ANTHONY VAN, Joseph Haydn. Thematisch-bibliographisches Werkverzeichnis, 2 Bände, Mainz 1957 und 1971, Schott; abgekürzt: Hoboken.

HUGHES, DOM ANSELM, siehe THE NEW OXFORD HISTORY OF MUSIC.

HUIZINGA, JOHAN, Das Problem der Renaissance (geschrieben 1920–1928), Renaissance und Realismus (geschrieben 1929/30), Darmstadt [3]1971, Wissenschaftliche Buchgesellschaft.

KADE, OTTO, siehe AMBROS.

KINSKY, GEORG, Das Werk Beethovens. Thematisch-bibliographisches Verzeichnis seiner sämtlichen vollendeten Kompositionen, abgeschlossen und herausgegeben von Hans Halm, München-Duisburg 1955, G. Henle.

KLOIBER, RUDOLF, Handbuch der Oper, Regensburg 1951, G. Bosse, 8., für die Taschenbuchausgabe überarbeitete Auflage in 2 Bänden, Kassel 1973, Bärenreiter, und München 1973, Deutscher Taschenbuch Verlag.

KÖCHEL, LUDWIG RITTER VON, Chronologisch-thematisches Verzeichnis sämtlicher Tonwerke Wolfgang Amadé Mozarts, Leipzig 1862, Breitkopf & Härtel, 3. Auflage, bearbeitet von Alfred Einstein, Leipzig 1937, Breitkopf & Härtel, und Nachdruck Ann Arbor (Michigan) 1947, J. W. Edwards (mit Supplement), 6. Auflage, bearbeitet von Franz Giegling, Alexander Weinmann und Gerd Sievers, Wiesbaden 1964, Breitkopf & Härtel; abgekürzt: KV (dabei stets zuerst die Nummer nach der 1. Auflage genannt, in Klammern eventuell die neue Nummer nach der 3. Auflage und mit KV⁶ die Nummer nach der 6. Auflage).

KRENEK, ERNST, Über neue Musik, Wien 1937, Ringbuchhandlung.

KRETZSCHMAR, HERMANN, Führer durch den Konzertsaal, 3 Bände, Leipzig, A. G. Liebeskind, Band 1: Sinfonie und Suite, 1886, Band 2: Kirchliche Werke, 1888, Band 3: Oratorien und weltliche Chorwerke, 1890 (weitere Auflagen Leipzig, Breitkopf & Härtel), dazu:

MERSMANN, HANS, Die Kammermusik, 4 Bände, Leipzig 1930–1933, Breitkopf & Härtel.

– (Herausgeber), Kleine Handbücher der Musikgeschichte nach Gattungen, 14 Bände, Leipzig Breitkopf & Härtel, darin:

Band 1: SCHERING, ARNOLD, Geschichte des Instrumentalkonzerts bis auf die Gegenwart, 1905;

Band 2: LEICHTENTRITT, HUGO, Geschichte der Motette, 1908;

Band 3: SCHERING, ARNOLD, Geschichte des Oratoriums, 1911;

Band 4: KRETZSCHMAR, HERMANN, Geschichte des neuen deutschen Liedes, 1911;

Band 5: SCHMITZ, EUGEN, Geschichte der Kantate und des geistlichen Konzerts, 1914;

Band 6: KRETZSCHMAR, HERMANN, Geschichte der Oper, 1919;

Band 7: –, Einführung in die Musikgeschichte, 1920;

Band 8: WOLF, JOHANNES, Handbuch der Notationskunde, 2 Bände, 1913–1919;

Band 9: BOTSTIBER, HUGO, Geschichte der Ouvertüre und der freien Orchesterformen, 1913;

Band 10: SCHÜNEMANN, GEORG, Geschichte des Dirigierens, 1913;

Band 11: WAGNER, PETER, Geschichte der Messe, 1913;

Band 12: SACHS, CURT, Handbuch der Musikinstrumentenkunde, 1920;

Band 13: ABER, ADOLF, Handbuch der Musikliteratur, 1922;

Band 14: NEF, KARL, Geschichte der Sinfonie und Suite, 1921; Nachdruck aller Bände seit 1963 bei G. Olms in Hildesheim (Bände 1–5, 8, 10–13) und bei Dr. Martin Sändig in Walluf (Bände 6, 7, 9, 14).

LANG, PAUL HENRY, Music in Western Civilization, New York 1941, Norton.

LAVIGNAC, ALEXANDRE JEAN ALBERT, Encyclopédie de la Musique et Dictionnaire du Conservatoire, 11 Bände, Paris 1913–1939.

LEICHTENTRITT, HUGO, siehe KRETZSCHMAR, Kleine Handbücher.

LEWIS, ANTHONY, siehe THE NEW OXFORD HISTORY OF MUSIC.

MARTÍ, SAMUEL, siehe MUSIKGESCHICHTE IN BILDERN.

MERSMANN, HANS, Musikgeschichte in der abendländischen Kultur, Kassel ³1973, Bärenreiter.

–, siehe BÜCKEN, Handbuch.

–, siehe KRETZSCHMAR, Führer durch den Konzertsaal.

MEYER, LEONARD B., Music, the Arts and Ideas: Patterns and Predictions in 20th-Century Culture, Chicago 1967, University of Chicago.

MOSER, HANS JOACHIM, Kleine deutsche Musikgeschichte, Stuttgart 1938, ⁴1955, Cotta.

MOZART, WOLFGANG AMADEUS, siehe KÖCHEL.

MÜLLER-BLATTAU, JOSEPH, Grundzüge einer Geschichte der Fuge, Kassel ²1930, Bärenreiter.

DIE MUSIK IN GESCHICHTE UND GEGENWART. Allgemeine Enzyklopädie der Musik. Unter Mitarbeit zahlreicher Musikforscher des In- und Auslandes herausgegeben von FRIEDRICH BLUME, 14 Bände Hauptalphabet, Kassel 1949–1968, Bärenreiter, Band 15 = 1. Supplementband Kassel 1973, Bärenreiter (Band 16 = 2. Supplementband sowie Register in Vorbereitung); abgekürzt: MGG.

MUSIKGESCHICHTE IN BILDERN, herausgegeben von HEINRICH BESSELER und WERNER BACHMANN, Leipzig, VEB Deutscher Verlag für Musik, bisher sind erschienen:
Band 1, Lieferung 1: COLLAER, PAUL, Ozeanien, 1965;
Band 1, Lieferung 2: –, Amerika. Eskimo und indianische Bevölkerung, 1967;
Band 2, Lieferung 1: HICKMANN, HANS, Ägypten, 1962;
Band 2, Lieferung 4: WEGNER, MAX, Griechenland, ²1970;
Band 2, Lieferung 5: FLEISCHHAUER, GÜNTER, Etrurien und Rom, 1964;
Band 2, Lieferung 7: MARTÍ, SAMUEL, Alt-Amerika. Musik der Indianer in präkolumbischer Zeit, 1970;
Band 3, Lieferung 2: FARMER, HENRY GEORGE, Islam, 1966;
Band 3, Lieferung 3: SMITS VAN WAESBERGHE, JOSEPH, Musikerziehung. Lehre und Theorie der Musik im Mittelalter, 1969;
Band 4, Lieferung 1: WOLFF, HELLMUTH CHRISTIAN, Oper. Szene und Darstellung von 1600 bis 1900, 1968;
Band 4, Lieferung 2: SCHWAB, HEINRICH W., Konzert. Öffentliche Musikdarbietung vom 17. bis 19. Jahrhundert, 1971;
Band 4, Lieferung 3: SALMEN, WALTER, Haus- und Kammermusik. Privates Musizieren im gesellschaftlichen Wandel zwischen 1600 und 1900, 1969.

NEF, KARL, siehe KRETZSCHMAR, Kleine Handbücher.

THE NEW OXFORD HISTORY OF MUSIC, 10 Bände und Register, London, Oxford University Press, bisher sind erschienen:
Band 1: Ancient and Oriental Music, herausgegeben von EGON WELLESZ, 1957;
Band 2: Early Medieval Music up to 1300, herausgegeben von DOM ANSELM HUGHES, 1954;
Band 3: Ars Nova and the Renaissance 1300–1540, herausgegeben von DOM ANSELM HUGHES und GERALD ABRAHAM, 1960;
Band 4: The Age of Humanism 1540–1630, herausgegeben von GERALD ABRAHAM, 1968;
Band 5: Opera and Church Music 1630–1750, herausgegeben von NIGEL FORTUNE und ANTHONY LEWIS, 1973.

THE OXFORD HISTORY OF MUSIC, 6 Bände, Oxford 1901–1905, Clarendon Press, 2. erweiterte Auflage in 7 Bänden und einem Introductory Volume, London 1929–1938, Oxford University Press, darin:
Introductory Volume, herausgegeben von PERCY C. BUCK, 1929;
Band 1 und Band 2: The Polyphonic Period, herausgegeben von HARRY ELLIS WOOLDRIDGE, 1929 und 1932;

Band 3: The Music of the 17th Century, herausgegeben von CHARLES HUBERT HASTINGS PARRY, 1938;

Band 4: The Age of Bach and Handel, herausgegeben von JOHN ALEXANDER FULLER-MAITLAND, 1931;

Band 5: The Viennese Period, herausgegeben von WILLIAM HENRY HADOW, 1931;

Band 6: The Romantic Period, herausgegeben von EDWARD G. DANNREUTHER, 1931;

Band 7: Symphony and Drama 1850–1900, herausgegeben von HENRY COPE COLLES, 1934.

PARRY, CHARLES HUBERT HASTINGS, siehe THE OXFORD HISTORY OF MUSIC.

REESE, GUSTAVE, Music in the Middle Ages, New York 1940, Norton.

–, Music in the Renaissance, New York 1954, Norton.

RIEMANN, HUGO, Geschichte der Musiktheorie im IX.–XIX. Jahrhundert, Leipzig 1898, M. Hesse, Berlin ²1921, M. Hesse, Nachdruck Hildesheim 1962, G. Olms.

–, Handbuch der Musikgeschichte, Band 1 in 2 Teilen, Band 2 in 3 Teilen, Leipzig 1904–1913, ²1919–1922, Breitkopf & Härtel, Nachdruck New York 1972, Johnson Reprint Corporation.

RUFER, JOSEF, Das Werk Arnold Schönbergs, Kassel 1959, Bärenreiter.

SACHS, CURT, siehe KRETZSCHMAR, Kleine Handbücher.

SALMEN, WALTER, siehe MUSIKGESCHICHTE IN BILDERN.

SCHERING, ARNOLD, Geschichte der Musik in Beispielen, Leipzig 1931, ²1954, Breitkopf & Härtel.

–, siehe KRETZSCHMAR, Kleine Handbücher.

SCHMIEDER, WOLFGANG, Thematisch-systematisches Verzeichnis der musikalischen Werke von Johann Sebastian Bach, Leipzig 1950, Breitkopf & Härtel; abgekürzt: BWV.

SCHMITZ, EUGEN, siehe KRETZSCHMAR, Kleine Handbücher.

SCHÖNBERG, ARNOLD, siehe RUFER.

SCHUBERT, FRANZ, siehe DEUTSCH.

SCHÜNEMANN, GEORG, siehe KRETZSCHMAR, Kleine Handbücher.

SCHÜTZ, HEINRICH, siehe BITTINGER.

SCHWAB, HEINRICH W., siehe MUSIKGESCHICHTE IN BILDERN.

SLONIMSKY, NICOLAS, Music Since 1900, New York ⁴1971, Charles Scribner's Sons.

SMITS VAN WAESBERGHE, JOSEPH, siehe MUSIKGESCHICHTE IN BILDERN.

STUCKENSCHMIDT, HANS HEINZ, Neue Musik, Berlin 1951, Suhrkamp.

URSPRUNG, OTTO, siehe BÜCKEN, Handbuch.

WAGNER, PETER, siehe KRETZSCHMAR, Kleine Handbücher.

WEGNER, MAX, siehe MUSIKGESCHICHTE IN BILDERN.

WELLESZ, EGON, siehe THE NEW OXFORD HISTORY OF MUSIC.

WÖRNER, KARL HEINRICH, Neue Musik in der Entscheidung, Mainz 1954, ²1956, Schott.

WOLF, JOHANNES, Geschichte der Mensural-Notation von 1250–1460, 3 Teile, Leipzig 1904, Breitkopf & Härtel, Nachdruck Hildesheim 1965, G. Olms.

–, siehe KRETZSCHMAR, Kleine Handbücher.

WOLFF, HELLMUTH CHRISTIAN, siehe MUSIKGESCHICHTE IN BILDERN.

WOOLDRIDGE, HARRY ELLIS, siehe THE OXFORD HISTORY OF MUSIC.

Die Autoren

HANS ALBRECHT, geboren 1902 in Magdeburg, gestorben 1961 in Kiel, deutscher Musikforscher. Studium in Essen, Münster und Berlin. Zunächst Lehrer an verschiedenen Konservatorien, ab 1939 Mitarbeiter am Staatlichen Institut für Musikforschung Berlin (1942–1944 dessen kommissarischer Leiter), 1942 Habilitation in Kiel, dort seit 1947 Dozent an der Universität (1955 zum Professor ernannt). Seit 1951 Direktor des Johann-Sebastian-Bach-Instituts Göttingen, 1954–1959 Leiter des Deutschen Musikgeschichtlichen Archivs Kassel. Albrecht war Schriftleiter der Zeitschriften ›Die Musikforschung‹ und ›Acta Musicologica‹ und gehörte 1947–1958 der MGG-Schriftleitung an. Zahlreiche Editionen, selbständige Veröffentlichungen und Aufsätze.

WILLIAM W. AUSTIN, geboren 1920 in Lawton (Oklahoma), amerikanischer Musikforscher. Studium an der Harvard University; lehrt seit 1947 an der Cornell University in Ithaca (New York), bis 1950 als Assistant Professor, 1950–1960 als Associate Professor, seit 1960 Professor of Music. Hauptwerke: ›Harmonic Rhythm in 20th Century Music‹ (Dissertation 1951), ›Music in the 20th Century, from Debussy Through Stravinsky‹ (New York 1966). Aufsätze in Zeitschriften und Kongreßberichten, Herausgebertätigkeit.

HEINRICH BESSELER, geboren 1900 in Dortmund, gestorben 1969 in Leipzig, deutscher Musikforscher. Studium in Freiburg und Wien. 1925 Habilitation in Freiburg, 1928 ao. Professor in Heidelberg, 1948 Ordinarius in Jena, 1956–1965 in Leipzig. Hauptwerke: ›Beiträge zur Stilgeschichte der deutschen Suite im 17. Jahrhundert‹ (Dissertation 1923), ›Studien zur Musik des Mittelalters‹ (in: Archiv für Musikwissenschaft 1925 und 1926), ›Die Musik des Mittelalters und der Renaissance‹ (Potsdam 1931), ›Bourdon und Fauxbourdon. Studien zum Ursprung der niederländischen Musik‹ (Leipzig 1950), ›Das musikalische Hören der Neuzeit‹ (Berlin 1959) u. a.; Mitarbeiter an MGG, zahlreiche Aufsätze und Editionen.

FRIEDRICH BLUME, geboren 1893 in Schlüchtern (Hessen), gestorben 22. November 1975 in Schlüchtern, deutscher Musikforscher. Studium in München, Leipzig und Berlin. 1921 Assistent am Musikwissenschaftlichen Institut der Universität Leipzig, 1925 Habilitation in Berlin, 1933 dort ao. Professor, 1938–1958 Ordinarius in Kiel, 1947–1962 Präsident der Gesellschaft für Musikforschung, 1958–1961 Präsident der Internationalen Gesellschaft für Musikwissenschaft; lebt seit seiner Emeritierung in Schlüchtern. Hauptwerke: ›Studien zur Vorgeschichte der Orchestersuite‹ (Dissertation 1921), ›Das monodische Prinzip in der protestantischen Kirchenmusik‹ (Habilitationsarbeit 1925), ›Geschichte der evangelischen Kirchenmusik‹ (Kassel etc. ²/1965), gesammelte Reden und Aufsätze als ›Syntagma musicolgicum‹ (I: Kassel etc. 1963, II: Kassel etc. 1973), weitverzweigte Herausgebertätigkeit, an ihrer Spitze: ›Die Musik in Geschichte und Gegenwart. Allgemeine Enzyklopädie der Musik‹.

edition MGG

Die ›edition MGG‹ ist eine Folge von Taschenbüchern, in denen Beiträge aus der universalen
Musikenzyklopädie »Die Musik in Geschichte und
Gegenwart« (MGG) nach thematischen Schwerpunkten zusammengestellt sind. Die von
Friedrich Blume bei Bärenreiter herausgegebene
MGG gilt als Jahrhundertleistung der Musikwissenschaft – ein Werk von bleibendem Wert.
Jedem Band der ›edition MGG‹ sind ein Vorwort,
weiterführende Literaturhinweise und, sofern
sinnvoll, eine Diskographie beigegeben.

Außereuropäische
Musik
in
Einzeldarstellungen

dtv/Bärenreiter
edition MGG

Musikalische
Gattungen
in Einzeldarstellungen
Band 1:
Symphonische Musik

dtv/Bärenreiter
edition MGG

Musikinstrumente
in Einzeldarstellungen
Band 2:
Blasinstrumente

dtv/Bärenreiter
edition MGG

Außereuropäische
Musik in Einzel-
darstellungen
Mit einer Einleitung von
Josef Kuckertz
Bärenreiter 28 433 05
dtv 4330

Epochen der Musik-
geschichte in Einzel-
darstellungen
Mit einem Vorwort von
Friedrich Blume
Bärenreiter 28 414 60
dtv 4146

Musikalische Gattungen
in Einzeldarstellungen
Band 1
Symphonische Musik
Mit einem Vorwort von
Peter Gülke
Bärenreiter 28 438 10
dtv 4381

Musikinstrumente
in Einzeldarstellungen
Band 1
Streichinstrumente
Mit einer Einleitung
von Erich Stockmann
Bärenreiter 28 437 70
dtv 4377

Band 2
Blasinstrumente
Mit einer Einleitung
von Dieter Krickeberg
Bärenreiter 28 438 80
dtv 4388

Band 3
Schlaginstrumente
In Vorbereitung

Die Reihe wird
fortgesetzt

Musik im Taschenbuch

Biographisches

Schütz · Bach · Mozart · Schubert ·
Wagner · Clara Schumann ·
Brahms · Schönberg · Bartók

Werkbeschreibungen

Bach-Kantaten · h-moll-Messe ·
Weihnachts-Oratorium ·
Wohltemperiertes Klavier ·
Schubert-Lieder

Handbücher

Geschichte der Musik · Oper ·
dtv-Atlas zur Musik · Schubert-
Werkverzeichnis

eddition MGG

Einzeldarstellungen aus der
Enzyklopädie »Die Musik in
Geschichte und Gegenwart«:
Musikgeschichte ·
Außereuropäische Musik ·
Musikalische Gattungen ·
Musikinstrumente

Musiktheorie Musikästhetik

Kontrapunkt · Harmonielehre ·
Gehörbildung · Stimmbildung ·
Stilkunde · Musikästhetische Texte ·
Musikethnologie

Essay

Pierre Boulez · Alfred Einstein ·
Peter Hacks · Joachim Kaiser ·
Hans Heinz Stuckenschmidt

Lieder und Texte

Deutsche Liedertexte ·
Weihnachtslieder · Mozart
zweisprachig · Wagner-Dramen ·
Biermann · Degenhardt ·
Cowboylieder

Pop und Schlager

ABBA-Texte · Beatles-Repertoire ·
Hitmacher & Mitmacher · The
Who-Texte · Deutsche Schlager

Memoiren

Anton Dermota · Margot Fonteyn ·
Rudolf Hagelstange · Yehudi
Menuhin · Gerald Moore · Nicolas
Nabokov · Gregor Piatigorsky

Anekdoten und Cartoons

Bernard Grun · Gerard Hoffnung ·
Alexander Witeschnik

Quartettspiel

Kennst du diese Komponisten?

Bärenreiter-Taschenpartituren

Händel · Bach · Haydn · Mozart ·
Beethoven

dtv-Atlas zur Musik

Tafeln und Texte

Systematischer Teil
Historischer Teil: Von den
Anfängen bis zur Renaissance

Band 1

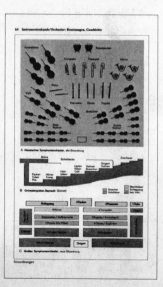

Musik zum Anschauen

dtv-Atlas zur Musik
von Ulrich Michels
Tafeln und Texte
Originalausgabe
2 Bände
Band 1: Systematischer Teil.
Historischer Teil: Von den
Anfängen bis zur Renaissance

Aus dem Inhalt:
Musikwissenschaft, Akustik,
Gehör, Instrumentenkunde,
Musiklehre (Harmonielehre,
Generalbaß, Zwölftontechnik),
Gattungen und Formen.
Antike Hochkulturen (Mesopo-
tamien, China, Griechenland),
Spätantike und frühes Mittel-
alter, Mittelalter, Renaissance
(Vokal- und Instrumentalmusik
der verschiedenen Länder).
Bärenreiter 28 302 20
dtv 3022

In Vorbereitung:
Band 2: Vom Barock bis zur
Gegenwart.